Schell / Kalinka
Stasi und kein Ende

Die Autoren:
Manfred Schell, Jahrgang 1944, ist seit 1985 Chefredakteur
der WELT, Bonn.
Werner Kalinka, Jahrgang 1952, ist seit 1987 bei der WELT;
stellvertretender Nachrichtenchef; 1977 bis 1983
Landtagsabgeordneter in Schleswig-Holstein.

Manfred Schell
Werner Kalinka

Stasi und kein Ende

Die Personen und Fakten

DIE●WELT
Ullstein

Originalausgabe

ein Ullstein Buch Nr. 34773
im Verlag Ullstein GmbH,
Frankfurt/M. – Berlin
© 1991 by Verlag Ullstein GmbH,
Frankfurt/M. – Berlin und
DIE WELT, Bonn
Alle Rechte vorbehalten
Umschlagentwurf:
Hansbernd Lindemann, Berlin
Herstellung: Ditmar Bernhardt, Berlin
Reproduktionen: Haußmann
Reprotechnik, Darmstadt
Satz, Druck und Bindung: Ebner Ulm
Printed in Germany 1991
ISBN 3 548 34773 8

3. Auflage Januar 1992

HV
82 16.5
.A 2
S 34
1992
Dec. 1997

Die Deutsche Bibliothek –
CIP-Einheitsaufnahme

Schell, Manfred:
Stasi und kein Ende: die Personen
und Fakten / Manfred Schell; Werner
Kalinka. – Orig.-Ausg., 3. Aufl. – Bonn:
Die Welt; Frankfurt/M; Berlin: Ullstein,
1991
    (Ullstein-Buch; Nr. 34773:
    Ullstein Sachbuch)
    ISBN 3-548-34773-8
NE: Kalinka, Werner:; GT

Inhalt

5 MfS und Terrorismus

6 MfS und KGB

7 Honecker wollte den Kommunismus retten

8 Zum Äußersten bereit – SED und Stasi kämpften gegen die Wende

Vorwort

Stasi und kein Ende

Wir haben bewußt diesen Titel für dieses WELT-Buch gewählt, weil uns die Existenz der Staatssicherheit in der früheren DDR noch auf Jahrzehnte hinaus eine schwere Bürde sein wird. Das Ministerium für Staatssicherheit war das Instrument der SED, dort saßen Ingenieure des Systems. Als »Schwert und Schild« der Partei waren dem Staatssicherheitsdienst keine Grenzen gesetzt – keine juristischen, keine moralischen Grenzen. Vor niemandem und vor nichts wurde haltgemacht. Und nicht selten treten diese Ingenieure des Systems, die in ihrem Herrschaftsbewußtsein so unerbittlich waren, die Menschen manipuliert und gedemütigt, physisch und psychisch zerbrochen haben, heute als »saubere Zeugen« gegen ihre Opfer auf.

Dieses Buch, das in einer Autorengemeinschaft mit meinem Kollegen Werner Kalinka entstanden ist, betrachten wir als einen nüchternen Versuch, den Staatssicherheitsdienst der SED von innen auszuleuchten, seine Strukturen, seine Dimensionen plausibel zu machen und bei alledem zu differenzieren. Es soll Angehörige des früheren MfS bewegen, über ihre »Rolle« nachzudenken, sich zu dem neugefundenen freien, demokratischen Rechtsstaat Deutschland zu bekennen.

Manfred Schell
Chefredakteur DIE WELT

1 Die Stasi – Auftrag, Aufgaben, Strukturen

Unter Honecker wurde die Stasi stark

Es begann mit zwei Sätzen. Im Februar 1950 wurde die gesetzliche Grundlage für das Ministerium für Staatssicherheit (MfS), oder auch Stasi genannt, wie folgt von der PDS-Vorgängerin SED geschaffen:

»1. Die bisher dem Ministerium des Innern unterstellte Hauptverwaltung zum Schutz der Volkswirtschaft wird zu einem selbständigen Ministerium für Staatssicherheit umgebildet. Das Gesetz vom 7. 10. 1949 über die Provisorische Regierung der Deutschen Demokratischen Republik wird entsprechend geändert.

2. Das Gesetz tritt mit seiner Verkündung in Kraft«.

Die SED schuf sich einen Machtapparat, der in 40 Jahren alles tat, um die Partei zu stützen und ihre Ziele durchzusetzen. Blind und bedingungslos der SED untergeordnet, war sie als »Schild und Schwert« gleichermaßen tätig, um mit einem perfekten Macht- und Unterdrückungsapparat jenen real (nur in der Propaganda) existierenden Sozialismus zu schützen, der dann, wie das MfS, in wenigen Wochen zusammenbrach. Und dies, obwohl sich das MfS in seinem fast 40jährigen Wirken nicht nur zu einem der besten Geheimdienste der Welt, sondern vor allem auch zu einer perfekten politischen Polizei mit einer flächendeckenden Überwachung der eigenen Bevölkerung entwickelt hatte, die alle Bereiche des Staates und der Gesellschaft beherrschte. Seit seiner Gründung war das MfS die grundlegende Voraussetzung und Garantie für die Sicherung der Macht und Herrschaft der SED und ihres jeweiligen Generalsekretärs.

Ein Apparat, der in den siebziger und achtziger Jahren immer stärker das Ziel der absoluten Unterdrückung der Bevölkerung in den Mittelpunkt seiner Aktivitäten stellte. Unter Erich Honeckers Verantwortung als SED-Generalsekretär wurde das MfS zu einer gewaltigen Unterdrückungsmaschine entwickelt, deren Machtfülle und personelle wie materielle Potenzen jedes vorstellbare Maß überschritten. Während das MfS vor dem 17. Juni 1953 rund 4000 Mitarbeiter zählte, waren 1975 bereits 59 458 und im Herbst 1989 rund 105 000 Mitarbeiter dort beschäftigt. Zugleich erhielt das MfS eine Reihe neuer Aufgaben.

Dies war Honeckers Weg, wie »der Sozialismus in der DDR sich zum Wohle der Menschen entwickelte«, wie er im Zuge der Entspannung zwischen Ost und West die veränderten sozialistischen Ziele definierte.

Die von der SED gestellten Hauptaufgaben entwickelten sich von der Gründungszeit, als die »Bekämpfung ausländischer Geheimdienste« das Wesensmerkmal war, zur »Spionage gegen das eigene Volk«. Wer sich kritisch zur SED äußerte, wurde der »politisch-ideologischen Diversion« bezichtigt, dem »politischen Untergrund« zugerechnet und damit abgestempelt. »Politische Untergrundarbeit« sei »Ausdruck des Versuchs des Imperialismus, aus der historischen Defensive herauszukommen, in die er durch die grundlegende Veränderung des internationalen Kräfteverhältnisses zugunsten des Sozialismus unabänderlich und unwiderruflich geraten ist«, formulierte in der Vorlage VVS JHS 001–201 im Jahr 1979 die »Juristische Hochschule Potsdam«, die MfS-eigene Hochschule, die ideologische Begründung für das Handeln von SED und Stasi.

Im Marxismus habe der Begriff »Untergrund« keinen Platz, weil dadurch versucht werde, diesen »langfristig von innen heraus« zu bekämpfen. »Politischer Untergrund« stehe »im direkten Zusammenhang mit Spionage, politisch-ideologischer Diversion, staatsfeindlichem Menschenhandel, dem ungesetzlichen Verlassen der DDR, der ökonomischen Störtätigkeit, dem subversiven Mißbrauch des Einreiseverkehrs, des Aufenthalts von Ausländern« – diejenigen, die sich an den westlichen Demokratien orientieren wollten, waren also quasi automatisch »Staatsfeinde«.

Nicht die SED-Probleme wurden für die Entwicklung im Osten Deutschlands verantwortlich gemacht, sondern »Inspiratoren und Organisatoren subversiver Angriffe gegen die DDR«. Alles Böse kam aus dem Westen – mit dieser Formel versuchten die SED-Diktatoren, ihre Macht aufrechtzuerhalten. Deshalb war es

Rechte Seite: Auszug aus: »Die Qualifizierung der politisch-operativen Arbeit des MfS zur vorbeugenden Verhinderung und Bekämpfung der gegen die Staats- und Gesellschaftsordnung der DDR gerichteten politischen Untergrundtätigkeit«.

1. Zum konterrevolutionären Wesen der gegen die staatliche
   und gesellschaftliche Ordnung der DDR gerichteten politischen Untergrundtätigkeit

Die Erfahrungen des erfolgreichen Kampfes der sozialistischen
Gesellschaft und der Sicherheitsorgane der DDR gegen die politische Untergrundtätigkeit lassen diese vom Gegner gegenwärtig besonders aktivierte Form der subversiven Tätigkeit
wie folgt definieren:

> Politische Untergrundtätigkeit ist eine der ge-
> fährlichsten Erscheinungsformen der subversiven
> Tätigkeit. Sie ist die durch konzentrierten Ein-
> satz der politisch-ideologischen Diversion inspi-
> rierte und durch die von imperialistischen Zentren,
> Organisationen und Kräften organisierte Suche,
> Sammlung und Zusammenführung von feindlich-negati-
> ven Kräften zur Schaffung einer personellen Basis
> im Innern der DDR, die in Durchsetzung feindlicher
> politischer Plattformen unter Anwendung konspirati-
> ver Mittel und Methoden langfristig orientierend
> gegen die DDR mit dem Ziel kämpfen, in der sozia-
> listischen Gesellschaft sozialismusfeindliche
> Positionen zu schaffen, Bürger der DDR gegen den
> Sozialismus aufzuwiegeln, feindliche Handlungen
> zu aktivieren, um damit den Prozeß konterrevolutio-
> närer Veränderungen zur letztlichen Beseitigung der
> Arbeiter-und-Bauern-Macht in Gang zu setzen.

Politische Untergrundtätigkeit ist in hohem Maße gesell-
schaftsgefährlich, fortschrittsfeindlich und antihuman. Sie
ist selbst kriminell und verursacht Kriminalität, sie ist
moralzerstörend und kriminalitätsträchtig. Auf Grund ihrer
hohen Gesellschaftsgefährlichkeit muß sie von allen politisch-operativen Diensteinheiten des MfS beharrlich, konsequent und mit politischer Klugheit bekämpft werden.

von der Bekämpfung kritischer Einzelpersonen zur Bekämpfung aller oppositionellen Bewegungen nur ein logischer Schritt. Zuletzt wurde jeder, der sich irgendwie kritisch äußerte oder gar nur in diesem Verdacht stand, zur Zielscheibe des MfS. Eine Partei, die nur sich selbst und ihre Ziele duldete, wurde zum Gefangenen der eigenen Ideologie. Und dies ist wohl auch die wesentliche Ursache dafür, warum es der Bevölkerung in nur wenigen Wochen gelang, den zuvor als nicht besiegbar geltenden Goliath MfS auszuschalten.

Die Überwachung war nahezu lückenlos. Im Januar 1990 formulierten Regierungsbeauftragte zur Auflösung des MfS, daß »die Grundlagen der Arbeit des MfS eine Sicherheitsdoktrin war, die sich in den Aussagen zusammenfassen läßt:

1. Jeder ist ein potentielles Sicherheitsrisiko.
2. Um sicher zu sein, muß man alles wissen.
3. Sicherheit geht vor Recht.«

Durch diese Prinzipien habe sich das MfS »zum Herrschaftsinstrument der stalinistischen Machtausübung im Interesse der SED-Führung« entwickelt. Datensammlungen, die vom MfS angelegt wurden, seien geeignet, die Würde des Menschen zu verletzen. Je weniger Rückhalt die SED in der Bevölkerung hatte – und dieser Prozeß begann in den siebziger Jahren mit schnellen Schritten –, desto intensiver wurde das MfS verstärkt, um die Defizite der Partei auszugleichen. Die Untersuchungskommission zur Auflösung des MfS brachte dies im Juli 1990 auf die Formel, daß sich nach der Wahl Honeckers zum Generalsekretär und Erich Mielkes zum Kandidaten des Politbüros »in den siebziger Jahren eine intensive Arbeit gegen Andersdenkende und ein rasches Anwachsen des MfS-Personalbestandes durchgesetzt« habe. In der Dienstanweisung 2 aus dem Jahr 1985 zur »vorbeugenden Verhinderung, Aufdeckung und Bekämpfung der politischen Untergrundtätigkeit« wurde die totale Bespitzelung befohlen. Honecker und seine Getreuen glaubten, damit den Ruf nach Freiheit ignorieren zu können; sie begriffen nicht – wie auch andere totalitäre Führer –, daß kein noch so mächtiger Sicherheitsapparat erfolgreich sein kann, wenn die politische Führung unfähig ist, das Land zu regieren. Inkonsequenz und Ignoranz der SED-Führung und ihres hauptamtlichen Parteiapparats zerstörten die wirtschaftlichen Grundlagen, gesellschaftlichen Bindungen und menschlichen Bezugspunkte. Die ganz große Mehrheit der MfS-Mitarbeiter, auf die Treue zur Partei eingeschworen, ignorierte die tatsächliche Entwicklung in der Bevölkerung im Glauben an die Partei. Man beschützte eine SED, deren politische Parolen so hohl wie das Gedankengut jener Köpfe waren, die sie ausgaben. Das MfS bearbeitete »die falschen Feinde«; blinde Parteitreue führte dazu, daß das MfS, das über die innere Situation im SED-Regime ausgezeichnet informiert war, wider besseres Wissen die Partei stützte und deren verfehlte Politik noch zu einem Zeitpunkt möglich machte, zu dem sie schon längst auch gemäß der eigenen Ziele und Maßstäbe gescheitert war.

Die SED-Vorgaben zum strukturell-personellen Ausbau des MfS nach Amtsantritt Honeckers

Von 1970–1983 wurden im MfS neu gegründet:

1970   *Die HA VI* zur Kontrolle und Überwachung des Reiseverkehrs, der Bespitzelung der eigenen Touristen im sozialistischen Ausland, der Überwachung der Hotels sowie schließlich der Observation von Politikern der Bundesrepublik bei Einreisen.

1971   *Der ZOS* als »Zentraler Operativstab« zur Organisierung und Führung der umfassenden Sicherungseinsätze des MfS bei Parteitagen der SED, Pfingsttreffen der FDJ, Staatsbesuchen, Demonstrationen, Fußballspielen usw. (»Die Eckensteher« kamen auf die Straße, zu Tausenden mußten MfS-MA Sicherungsposten stellen, um jeden kritischen Ruf, jedes nicht genehmigte Transparent zu verhindern.

1971   *Die Abteilung III* (ab 1985 HA III) zum Aufbau einer umfassenden Funkspionage gegen die Bundesrepublik. (Politiker wurden zum »Freiwild«, Honecker wollte alles über sie wissen.)

1972   *Die Abteilung XVII,* um Einreisen von Westberlinern, die in Passierscheinbüros beantragt werden mußten, für die Überwachung und Anwerbetätigkeit des MfS zu nutzen.

1975   *Die Abteilung XXII,* die 1989 zur HA XXII wurde, zur internationalen Terrorabwehr, um gemäß Auftrag der SED-Führung den »antiimperialistischen Befreiungskampf« auch durch Unterstützung arabischer Terrororganisationen voranzubringen. Zuständig für die Unterbringung von RAF-Terroristen.

1975   *Die ZKG* (Zentrale Koordinierungsgruppe) als einziges Konzept der SED-Führung, um Fluchten und Auseinandersetzungen ihrer Bewohner zu bekämpfen. Statt politische Lösungen zu suchen, wurde eine Extra-Diensteinheit des MfS zur Kontrolle und Beobachtung gegründet.

1976   *Die AGA* (Arbeitsgruppe Ausländer) beim 1. Stellvertreter Mielkes, die 1979 der Spionageabwehr angegliedert wurde, um die wachsende Zahl von Ausländern zu kontrollieren und negative Auswirkungen auf die innere Sicherheit des SED-Regimes zu bekämpfen; um als Führungsorgan des MfS die Ausländerarbeit aller MfS-Diensteinheiten anzuleiten und zu kontrollieren; um schädlichen Auswirkungen auf die Außenpolitik Honekkers vorzubeugen.

1983   *Die AG BKK* (Bereich Komerzielle Koordinierung) zur Sicherung der »Devisenbeschaffungs-Geheimnisse« des Honecker-Vertrauten Alexander Schalck-Golodkowski.

Mielke war nicht das MfS allein

Mit Bildung des MfS am 8. Februar 1950 wurde Mielke zum Stellvertreter des Ministers im Range eines Staatssekretärs berufen. Bereits 1946 war er auf Befehl der sowjetischen Militäradministration in die damals gegründete Deutsche Verwaltung des Inneren der Ostzone als Vizepräsident etabliert und somit in Vorläuferbereichen des MfS tätig. Sein Aufgabengebiet war »Kader und Schulung«, also die Durchsetzung der Parteilinie im Sicherheitsapparat. Mielke wußte folglich seit Beginn seiner Karriere, daß die Tätigkeit des Sicherheitsapparats immer und ausschließlich im Auftrag der Partei erfolgte. Sie war Befehlsgeber, der Sicherheitsapparat Befehlsnehmer. Mielke hat niemals versucht, diese Befehlsstruktur in Frage zu stellen. Als er Walter Ulbricht durch Honecker und Honecker durch Egon Krenz ersetzen ließ, war dies kein Abweichen; Personen wurden ausgewechselt, weil diese versagt hatten und ihre Abberufung nicht gegen die Interessen der Partei waren, sondern diese die Veränderungen geradezu erforderten.

Mielke wurde am 1. November 1957 zum Minister für Staatssicherheit ernannt. Mit der Berufung zum Kandidaten des Politbüros 1971 begann sein Aufstieg in die oberste SED-Etage, der 1976 mit der Wahl zum Vollmitglied des Politbüros seinen formellen Höhepunkt fand. Eine Ära von 13 Jahren begann, in der Mielke als einer der engsten Vertrauten Honeckers entscheidend die SED-Politik mitgestaltete. Mielke war während seiner 32jährigen Amtszeit als MfS-Minister ungefährdet; erst als die SED stürzte, begann auch sein rasanter Fall.

Es wäre allerdings ein schwerer Fehler, wollte man das MfS allein mit Mielke gleichsetzen. Er behielt zwar immer die Richtlinienkompetenz und gab die grundsätzlichen Entscheidungsbefugnisse niemals aus der Hand, befehligte aber über einen Apparat, in dem es unter ihm viele Herrscher gab. Die entscheidende Machtbasis im MfS waren die »Leiter der Diensteinheiten«, also die Chefs der Hauptabteilungen, der selbständigen Abteilungen und Arbeitsgruppen sowie der territorialen Bezirksverwaltungen. Insbesondere seit Mitte der siebziger Jahre war es Mielke und seinen Stellvertretern durch die nicht mehr überschaubaren Größenordnungen und Strukturen des MfS unmöglich, allein eine zentralistisch dirigistische Leitung zu gewährleisten. Sie mußten sich zwangsläufig zunehmend darauf konzentrieren, die politischen und operativen Richtlinien zu erlassen und die gewünschten Erfolge »einzuklagen«, sich ansonsten aber in den eigentlichen Macht- und Entscheidungsbefugnissen auf die ihnen unterstellten Leiter zu verlassen. Die »zweite Generation« dieser führenden MfS-Offiziere war nicht mehr mit jener zu vergleichen, die in der ersten Phase tätig war, als der Apparat über 10 000 bis 20 000 Mitarbeiter verfügte. Die »zweite Generation«, die Honecker und Mielke seit Anfang der siebziger Jahre förderte, war an der Ausweitung des Apparats selbst entscheidend interessiert. Die Offiziere drängten mit Macht nach oben, sie wollten in die Generalsränge. Mehr Personal und Kompetenzen bedeutete auch für sie entscheidend mehr Macht. Der »Spiegel« faßte treffend die Entwicklung in seiner Ausgabe 7/90 zusammen: »Im Verlaufe der Jahre entwickelten die Hauptabteilungen ein gigantisches Eigenleben. Unter Führung und unter dem Machtbedürfnis von 27 leitenden Generälen verselbständigten sich einzelne Abteilungen so weit, daß sie schon für sich einen fast kompletten Geheimdienst bildeten.«

Nicht vergessen werden darf auch, daß Mielke die Zahl seiner Stellvertreter von einem auf vier erweiterte; zuletzt waren dies Generaloberst Rudi Mittig, Generalleutnant Gerhard Neiber, Generalleutnant Wolfgang Schwanitz und Generalleutnant Werner Großmann.

Mielke war auch deshalb nicht das MfS allein, weil er nicht aus eigener Machtvollkommenheit, sondern aus den Zielen der SED sein Handeln ableitete. In einem internen Bericht über das MfS für die Regierung de Maizière heißt es zu Mielkes Verständnis: »Als Mitglied des Politbüros seit 1976 verstand sich Mielke immer als Politarbeiter, dem es in erster Linie darum ging, die Linie der SED zu erläutern und durchzusetzen, wie seine diversen Reden bei zentralen Dienstkonferenzen zur Parteiaktivtagung oder anläßlich anderer Veranstaltungen erkennen lassen. Charakteristisch ist, daß Mielke in seinen Reden Probleme in der Einschätzung der internationalen Lage oder der Klassenkampfsituation stets mehr Aufmerksamkeit widmete als inneren Fragen der Tätigkeit des ehemaligen MfS.« Weder können sich vor allem die führenden MfS-Köpfe darauf zurückziehen, sie seien »Mielke nicht gewachsen gewesen und hätten nur ihre Pflicht getan«, noch können alle MfS-Mitarbeiter für alles verantwortlich gemacht werden, was im Namen der SED dort geschah. Gewiß waren aufgrund der Befehlsstrukturen die Möglichkeiten einzuwirken unterschiedlich für jeden einzelnen

MfS-Mitarbeiter; Tatsache bleibt jedenfalls, daß jene, die in Führungspositionen saßen, sich aus ihrer Verantwortung nicht davonstehlen können. Mielke, der Chef der SED-Kreisleitung im MfS, Horst Felber, die stellvertretenden Minister und die Leiter der Diensteinheiten bildeten das Entscheidungszentrum des MfS. Sowohl im »Kollegium des MfS, dem kollektiven zentralen Entscheidungsorgan« des Ministeriums, als auch im »Sekretariat der Kreisleitung der SED« waren sie in Personalunion vertreten. Sie hatten alle Fäden der dienstlichen und parteilichen Macht in den Händen, sie benutzten diese auch. Wer nicht im Streit aus dem Amt schied, muß sich die Verantwortung für die Entwicklung anrechnen lassen. Wer im MfS führte, war auch in jener Partei aktiv tätig, die mit dem Namen SED für ein menschenverachtendes System stand. Die Leiter der Diensteinheiten und ihre Stellvertreter zählten zum Nomenklatur-Kader des Zentralkomitees der SED, sie bedurften also der Bestätigung durch die Partei, bevor sie ihr Amt antraten. Nur wer sich durch Parteiverbundenheit und Standfestigkeit »bewährt« hatte, konnte in jene Planstellen aufrücken, die als Führungskader des MfS in den Generals- und Oberstdienstgraden angesiedelt waren.

Die Fürstentümer

Die Diensteinheiten hatten klar abgegrenzte Verantwortungsbereiche. Dies galt sowohl für die einzelnen Bereiche in der MfS-Zentrale in der Berliner Normannenstraße als auch für die territorialen Gliederungen, also die Bezirksverwaltungen, Kreisdienststellen und Objektdienststellen, die sich um besonders bedeutsame Objekte wie zum Beispiel das Kernkraftwerk in Greifswald kümmerten. Durch die Verankerung der Führungspersonen in der SED-Hierarchie verfügten diese über weitgehende Selbständigkeit bei der Umsetzung der grundlegenden Beschlüsse der Partei, der Richtlinien, Weisungen, Orientierungen und Dienstanweisungen Mielkes sowie der Interessen der jeweiligen SED-Führer. Nur bei direkt unterstellten Führungskadern im Range eines Generals oder Obersts, einschließlich leitender Mitarbeiter bis zum Oberstleutnant, bedurften sie der Entscheidung Mielkes sowie des Leiters der Hauptabteilung Kader und Schulung des MfS.

Ansonsten verfügten die MfS-Führer gegenüber den ihnen untergeordneten Mitarbeitern, Unteroffizieren und Offizieren über eine nahezu grenzenlose Machtbefugnis, die auch eine fast uneingeschränkte Disziplinargewalt beinhaltete. Dies galt für Auszeichnungen und Vergünstigungen genauso wie für Strafen bis hin zur Entlassung. Gegen ihre Entscheidungen gab es in der Regel keine Einspruchsmöglichkeit. Sie konnten Mitarbeiter an vielen Schranken vorbei »emporheben« oder aber auch beruflich ruinieren. Ohne Hemmungen erfolgten die Eingriffe in das Privatleben. Unter dem Deckmantel der »inneren Sicherheit« war der »gläserne Mensch« im MfS Realität, der sich alles gefallen lassen mußte: Von der Genehmigung zur Eheschließung bis zur Bespitzelung der Verwandten und Freunde gab es keinen Intimbereich, der ausgespart blieb, wenn die MfS-Führung etwas wissen wollte.

Vor allem die Leiter der Diensteinheiten waren es, die für die Aufblähung des MfS sorgten. Sie forderten von Mielke immer neue Mitarbeiter und bauten immer neue Struktureinheiten auf. Seit Mitte der siebziger Jahre galt im MfS nicht mehr jene strenge Planstellenordnung, nach der zuvor eine Einstellung oder Versetzung nur bei Vorliegen einer freien Planstelle erfolgen durfte. In dem Maße, in dem sie ihre Anforderungen erhöhten, wurde wiederum der Apparat, der dies durchzuführen hatte, ausgeweitet. Das Ausmaß der Macht dieser MfS-Führer wird auch daraus ersichtlich, daß Mielke sich gegen sie in einer zentralen Frage nicht durchsetzen konnte. Die Umsetzung seines Befehls vom 25. Januar 1983, durch einen Einstellungsstopp zu erreichen, daß die Zahl der Mitarbeiter nicht ausgeweitet werden durfte und ein Programm zur Reduzierung anzugehen sei, scheiterte kläglich. Trotz aller internen Verlautbarungen, daß die Zahl der MfS-Mitarbeiter auf dem Stand von rund 85 000 zu diesem Zeitpunkt beibehalten worden sei, ist verläßlich davon auszugehen, daß diese bei mindestens 105 000 lag. Die SED-Lügenpolitik hatte dort, wo es um die eigene Existenz ging, auch das MfS erfaßt. Sowohl Generalmajor Otto als auch dessen Nachfolger, Generalleutnant Möller, gelang es als zuständigen Kaderchefs nicht, die Leiter wichtiger Diensteinheiten zur Einhaltung beziehungsweise zur Erarbeitung eines Stellenplans zu zwingen. Möller scheiterte auch »an sich selbst«, denn sein eigener Bereich wuchs immer stärker und wurde zu einem Miniatur-MfS. Der Dschungel MfS erstickte immer mehr an sich selbst. In der Hauptabteilung I, in der 1975 rund 1000 Mitarbeiter tätig waren, waren es 1989 3500; die Hauptabteilung II verfügte zuletzt über 1400 Mitarbeiter, obwohl es 1975 nur rund 360 gewesen waren. In der Hauptabteilung VII war die Personal-Steigerungsrate noch größer; von 250 Mitarbeitern im Jahr 1975 wuchs die Abteilung bis kurz vor der Wende auf 1500 Mitarbeiter an. Parallel verlief die Entwicklung in den anderen Hauptabteilungen. Waren in den siebziger Jahren sechs bis acht Abteilungen pro Hauptabteilung in der MfS-Zentrale angesiedelt, wurden diese bis Ende 1989 verdoppelt oder gar verdreifacht.

Explosionsartig stiegen besonders die Zahlen bei den »Querschnittsabteilungen«, also jenen Einheiten, deren Aufgabenstellungen sich nicht auf einen Bereich beschränkten. Miniaturausgaben eigener »Querschnittsbereiche« wurden in den Hauptabteilungen installiert. Ob Beobachtung, Versorgung, Werkstätten, Finanzen oder technische Bereiche – überall wurden die Hauptabteilungen so komplettiert, daß sie weitgehend unabhängig von anderen alles erfüllen konnten, was sie zu ihrem Aufgabenfeld zählten. Trotzdem stieg die Zahl der Mitarbeiter in den eigentlichen Querschnitts-Diensteinheiten weiter, allein in der Normannenstraße für die Hauptabteilung VIII (Ermittlungen und Beobachtungen) von rund 300 auf 1500.

Mielke war in den achtziger Jahren zunehmend unkritischer gegenüber dem, was ihm vorgelegt wurde. Er unterschrieb vieles »blind«. Wer wußte, wie er zum richtigen Zeitpunkt Mielke ansprach, konnte sicher sein, von ihm keine Abfuhr zu erhalten. Viele protzten mit Redewendungen wie »Der Minister unterschreibt mir alles«, »Meine Entscheidungen werden respektiert« oder »Ich bekomme alles, was ich brauche«, womit nicht nur die eigene Macht zum Ausdruck gebracht, sondern auch der Einfluß auf Mielke dokumentiert werden sollte. Das Wort von den »Fürstentümern« machte im MfS immer mehr die Runde; Mielkes Imperium bestand aus vielen kleinen Herrschern. Diese konnten nur müde lächeln, wenn in Lehrmaterialien der zentrale Aufbau des MfS als Vorzug gegenüber dem »Kompetenzkrieg« der verschiedenen Dienste im Westen Deutschlands gelobt wurde. Der zentralistische Aufbau, der in den fünfziger und sechziger Jahren die Schlagkraft des MfS tatsächlich förderte, war seit den siebziger Jahren durch die Fürstentümer und das Kompetenzgehabe »ihrer Fürsten« schon längst erheblich reduziert worden. Im MfS machten viele der Führenden, was sie in dieser Hinsicht wollten. Was die ideologische Grundlage und Zielsetzung anbetraf, war man sich bedingungslos einig; wer an der Treue zur SED und Loyalität zu Mielke keinerlei Zweifel aufkommen ließ, nützliche Kontakte zu SED-Politikern pflegte und nicht völlig erfolglos war, konnte seine Diensteinheit weitgehend nach Belieben regieren.

Die Struktureinheiten

Die Grundstrukturen des MfS waren durch die als »Diensteinheiten« bezeichneten Hauptabteilungen sowie selbständigen Abteilungen und Arbeitsgruppen in der Zentrale sowie die jeweiligen Bezirksverwaltungen gekennzeichnet. In der Regel waren die Diensteinheiten durch Zahlen oder Buchstabenkombinationen als solche ausgewiesen.

Hauptabteilung I

Verantwortlich für die Sicherung der Nationalen Volksarmee (NVA) sowie der Grenztruppen, wurde sie durchgängig seit Gründung des MfS als eigenständige Struktureinheit und innerhalb des Ministeriums für Nationale Verteidigung aus Verwaltungsgründen als »Verwaltung 2000« geführt. Damit wurde der

Tatsache Rechnung getragen, daß die NVA ihre Objekte, Räumlichkeiten nebst materiell-technischer Ausstattungen für diese MfS-Struktureinheit zur Verfügung stellte. Die Hauptabteilung I gewann und führte Inoffizielle Mitarbeiter (IM) auf allen Dienstgradebenen der NVA. Sie erreichte mit ihren Inoffiziellen Mitarbeitern, insbesondere bei den Kampfverbänden sowie den Grenztruppen, regelrechte »Absicherungsverhältnisse«, deren Quote in den Grenztruppen entsprechend den Forderungen Mielkes mitunter 1:4 betrug, das heißt, ein Inoffizieller Mitarbeiter kam auf vier NVA-Angehörige. Die Hauptabteilung I gliederte sich mit Abteilungen über die Militärbezirke und Verwaltungen des Ministeriums für Nationale Verteidigung sowie mit Unterabteilungen über die Divisionen, Operativgruppen über die Regimenter, zum Teil auch Bataillone der NVA. Sie verfügte über ein eigenes Aufklärungsorgan; hervorgegangen aus der früheren Grenzaufklärung des Ministeriums des Innern wurde es 1963 in die Staatssicherheit integriert. Von Bedeutung sind auch die Struktureinheiten Abteilung Äußere Abwehr, die operativ im Westen Deutschlands arbeitete. Eine Unterabteilung dieser Abteilung bildete Spezialkommandos, »Ranger«, aus und setzte diese sowohl innerhalb der NVA als auch im »Operationsgebiet«, der Bundesrepublik, ein. Diese waren im Einzelfall für Sabotage, Diversion und Tötungsdelikte vorgesehen. Die Ranger waren Mielke direkt unterstellt.

Eine weitere Besonderheit im Bereich der Hauptabteilung I/Kommando Grenztruppen, also der Absicherung der Grenztruppen, waren sogenannte S-Kompanien (Sicherungskompanien), in denen ebenfalls besonders ausgebildete MfS-Kräfte dafür sorgten, daß bei der Suche nach unterirdischen Fluchttunneln niemand die Gelegenheit nutzte, selbst zu fliehen.

Hauptabteilung II

Ihr oblag bis 1975 die klassische Spionageabwehr des MfS. Diese eigentliche, offensive Spionageabwehr mußte an die neugegründete Abteilung IX der Hauptverwaltung Aufklärung

(HVA) abgegeben werden. Ursächlich waren Forderungen von HVA-Chef Wolf ebenso wie die Neuzuweisung von Aufgaben an die Hauptabteilung II.

Das SED-Regime gewann international an Gewicht und nahm vermehrt diplomatische Beziehungen auf. Die Kontrolle ausländischer Botschaften, die Bespitzelung ihrer Diplomaten sowie die Überwachung ausländischer Journalisten wurden vorrangige Aufgaben. Insofern ist die Hauptabteilung II ab 1975 nur noch bedingt (Bereich der Militärspionage) als Spionageabwehr zu bezeichnen.

Seit 1975, insbesondere aber 1979, als Mielke nach dem Tode seines ersten Stellvertreters, Generaloberst Beater, sich die Hauptabteilung II als operative Diensteinheit persönlich unterstellte, wurde das Gesamtprofil der Hauptabteilung II weit vielseitiger. 1979 wurden mehrere selbständige Diensteinheiten, die bis dahin Beater unterstanden, in die Hauptabteilung II eingegliedert und erfüllten aus dieser Funktion zentrale Aufgaben. Dazu gehörte zum Beispiel die frühere Arbeitsgruppe Ausländer (AGA) beim ersten Stellvertreter oder das »Büro der Leitung II« (BdL II) zur Absicherung der DKP im Westen Deutschlands. Hinzu kamen Diensteinheiten, die ehemals anderen Bereichen unterstanden, wie der Spezialhochbau-Betrieb des MfS (SHB) oder die Abteilung M (Postkontrolle), die jedoch ihre Eigenständigkeit weitgehend beibehielt. Bereits zuvor waren Dienstabteilungen wie die XXI, die sich mit der inneren Sicherheit im MfS befaßte, in die Hauptabteilung II eingegliedert worden. Der Leiter der Hauptabteilung II, Generalleutnant Kratsch, war einer der engsten Mitarbeiter von Mielke; auch dies führte dazu, daß die Hauptabteilung II, die in den siebziger und achtziger Jahren aus acht Abteilungen bestand, überdimensional auf mehr als 20 anwuchs.

Besondere Aufgaben in der Hauptabteilung II betrafen:
Die Sicherung der diplomatischen Auslandsvertretungen fremder Staaten im SED-Regime (II/3,9,10,15);
die operative Absicherung westlicher Journalisten und Korrespondenten (II/13);

die innere Sicherheit im MfS (II/1);

die zentrale Verantwortung für alle Ausländerfragen im MfS (AGA);

die Kompetenz für das Ministerium für Auswärtige Angelegenheiten (II/14) einschließlich der Botschaften im sozialistischen Ausland, an denen die Hauptabteilung II mit eigenen Operativgruppen tätig wurde. Die Arbeitsgruppe 4 führte beispielsweise ab 1981 die Aktionen gegen die polnische Opposition und später als Abteilung II/10 in ganz Osteuropa durch;

einen eigenständigen »Sicherungsbereich Mitte«, durch den der Hauptabteilung II spätestens ab 1989 der gesamte innere Stadtbereich Berlins zugewiesen wurde. So war es die Hauptabteilung II, die von da an gegen Demonstranten im Stadtzentrum agierte;

Aktionen gegen die Ständige Vertretung der Bundesrepublik Deutschland (II/12);

mit der Abteilung II/6 die Abwicklung von politischen Sondervorgängen der SED-Führung;

eine eigene Abteilung für Terrorismusbekämpfung, insbesondere für den Fall von Aktionen gegen ausländische Vertretungen (II/18);

eine eigene operativ-technische Abteilung zum Einbau von Abhöreinrichtungen, insbesondere in Residenzen, diplomatischen Vertretungen und Wohnungen von Diplomaten (II/16).

Hauptabteilung III

Diese 1974 aufgebaute Diensteinheit für elektronische Funkaufklärung wurde in den achtziger Jahren zum effektivsten und schlagkräftigsten MfS-Instrument, was den Westen Deutschlands anbetraf. Ursprünglich konzentriert auf die Geheimdienste und Sicherheitsorgane der Bundesrepublik, wurde sie auf besondere Weisung Mielkes, seines dafür bis 1987 verantwortlichen Stellvertreters Neiber (und später Schwanitz) schwerpunktmäßig auf Politiker, politische Parteien, aber auch Wirtschaftsführer und andere Persönlichkeiten in Macht- und Entscheidungszen-

tren angesetzt. Sie schaffte es, mit modernster Technik leistungs-
fähige Abhörzentren entlang der Grenze zum Westen Deutschlands, in der CSSR entlang der Grenze zu Österreich sowie in Einzelfällen sogar auf dem Territorium der Bundesrepublik
Deutschland zu installieren.

Abteilung 4

Sie war bis 1987 eine streng konspirative Sonderabteilung, die
Mielke persönlich befehligte. Die Abteilung wurde im Auftrage
Honeckers gegründet und durch das Zentralkomitee der SED an-
geleitet. Ihr oblag die Anwerbung von Mitgliedern der DKP im
Westen Deutschlands sowie bewährten Mitgliedern der SED, die
als Diversanten und Saboteure für den Einsatz in der Bundesre-
publik ausgebildet, ausgerüstet und disloziert wurden. In der
Öffentlichkeit wurde die Aktion als »DKP-Geheimarmee« be-
kannt. Seit 1987 wurde die Abteilung 4 in die Hauptverwaltung
Aufklärung als eigenständige Abteilung XVIII eingegliedert.

Hauptabteilung V

In den fünfziger Jahren verantwortlich für die Volkswirtschaft
und den Staatsapparat. Zu Beginn der sechziger Jahre gingen aus
ihr die Hauptabteilungen XVIII, IX und XX hervor. Als Dienst-
stellen-Nummer nicht wieder besetzt.

Hauptabteilung VI

Für Kontrolle und Sicherung des Ein- und Ausreiseverkehrs, zuständig für die Grenzübergangsstellen, hervorgegangen aus der
früheren Hauptabteilung Paß und Fahndung (HPF). Besondere
Verantwortlichkeiten:
    Der Bereich O. (Objekte und Tourismus) samt jener Abteilun-
gen, denen die Absicherung des »Polittourismus« zugeordnet

worden war. Die Interhotels wurden ebenso observiert, wie die eigenen Touristen im sozialistischen Ausland bespitzelt wurden. Die Kompetenz für das staatliche Reisebüro lag gleichfalls dort, ebenso wie für den gezielten Einsatz Inoffizieller Mitarbeiter in Reisegruppen zur Überwachung jener Bürger, die ins Ausland reisten.

Die Abteilung OPD (Operativdienststelle). Sie erreichte bis 1979 in der Bekämpfung von Schmuggel und Spekulation hohe Wirksamkeit.

Die Abteilung ZA (Zollabwehr), die für die Gleichschaltung der Zollorgane mit den Interessen des MfS zuständig war. Die Abteilung besetzte Schlüsselpositionen in der Zollverwaltung mit Offizieren im besonderen Einsatz (OibEs). Die Zollfahndung war ebenso wie die Zolluntersuchungsorgane traditionell in der Hand von MfS-Offizieren. Der letzte Schlag zur totalen Kontrolle der Zollverwaltung konnte 1989 nicht mehr realisiert werden. Es war vorgesehen, den Chef der Zollverwaltung durch den früheren Stellvertreter Operativ der Bezirksverwaltung Erfurt, Oberstleutnant Unglaube, zu ersetzen und sich dadurch den direkten Einfluß auf alle Zollzweige zu sichern. Das Verdienst von Offizieren der Hauptabteilung VI an Grenzübergangsstellen in Berlin, insbesondere der Bornholmer Straße, war es, daß sie in der Nacht zum 2. 11. 89 die Grenzübergangsstellen öffneten.

Hauptabteilung VII

Verantwortlich für die Sicherung aller Organe und Dienstzweige des Ministeriums des Inneren, die Deutsche Volkspolizei, den Strafvollzug, die Feuerwehr und die Kampfgruppen der Arbeiterklasse. Besondere Zuständigkeiten bildeten zudem die Arbeit gegen Aufnahmelager der Bundesrepublik, wie zum Beispiel in Berlin-Marienfelde und Gießen. Es wurde versucht, in die Verwaltungsapparate vorzudringen, um Erkenntnisse über das Aufnahmeverfahren und insbesondere die geheimdienstlichen Sichtungsstellen zu erlangen (diese Aufgabe wurde 1987 an die ZKG abgegeben);

die Werbung und der Einsatz von Inoffiziellen Mitarbeitern unter Mitgefangenen in den Strafvollzugseinrichtungen;

mit der Abteilung VII/13, in den achtziger Jahren verantwortlich für die Bekämpfung von Schmuggel und Spekulation, der Kampf gegen die Bandenkriminalität.

Auch die Zentrale Fahndungsgruppe des MfS (FFG) und die Arbeitsgruppe »Bekämpfung der Spekulation« wurden in der Hauptabteilung VII angesiedelt.

Hauptabteilung VIII

Ermittlungen und Beobachtungen.

Besondere Kompetenzen betrafen:
Mehrere Abteilungen für Ermittlungs- und Beobachtungsaufgaben in West-Berlin und der Bundesrepublik Deutschland, die sowohl mit eingeschleusten Inoffiziellen Mitarbeitern als auch geworbenen Bewohnern aus dem Westen Deutschlands arbeiteten, sowie eine Abteilung zur vollständigen Überwachung der in Potsdam arbeitenden Militärverbindungsmissionen westlicher Armeen;
die Abteilung VIII/6, die Beobachtungskräfte hinter allen Grenzübergangsstellen postierte und gemäß den Aufträgen von Diensteinheiten zu Fahndungsobjekten oder eigenständig im Zusammenwirken mit der Hauptabteilung VI Beobachtungen einreisender Personen tätigten;
ab Sommer 1989 mit einer eigenen Abteilung, die Beobachtungen und Festnahmen von Demonstranten im Stadtzentrum Ost-Berlins vornahm.

Charakteristisch ist für die Hauptabteilung VIII, daß sie am stärksten unter der Veränderung der Aufgabenstellungen des MfS durch Mielke und Honecker mit Beginn der siebziger Jahre umfunktioniert wurde. Vorher klassisch ausgerichtet auf Ermittlungen von Spionen, degenerierte sie zu einem Instrument der Kontrolle von regimekritischen Kräften. Ausdruck dafür war auch, daß es für die Spionageabwehr-Abteilungen kaum noch möglich war, qualifizierte konspirative Beobachtungen von spionageverdächtigen Personen und Mitarbeitern von Geheimdienstresidenturen zu führen, da die Beobachtungskräfte der Hauptabteilung VIII durch die Praxis der offenen Demonstrativbeobachtung Oppositioneller kaum noch zu konspirativen Verhaltensweisen in der Lage waren.

Hauptabteilung IX

Sie war das zentrale Untersuchungsorgan des MfS.

Das MfS war Anklagebehörde, Untersuchungsorgan und Gericht in einem. Der Hauptabteilung IX nachgeordnet und anleitungsmäßig unterstellt war die Abteilung XIV des MfS, die eigene Untersuchungshaftanstalten in Berlin sowie in jeder Bezirksverwaltung des MfS unterhielt. Aufgaben der Hauptabteilung IX:

Die Abteilung IX/10, die für die internationale Zusammenarbeit mit Untersuchungsorganen der osteuropäischen sozialistischen Staaten zuständig war. Sie beschäftigte sich schwerpunktmäßig mit denjenigen, die wegen des Versuchs der Republikflucht über den Ostblock dort festgenommen worden waren;

die Abteilung IX/11, verantwortlich für die Untersuchung von Kriegsverbrechen. Die Abteilung war in der Lage, einige spektakuläre Fälle früherer Kriegsverbrechen zu klären.

Abteilung X

Ein Funktionalorgan Mielkes für die Organisierung, Führung und Koordinierung der internationalen Zusammenarbeit des MfS mit Partnern vor allem in Osteuropa. Die Abteilung verlor ab Mitte der achtziger Jahre weitgehend ihre Kompetenzen in Osteuropa an die dort gegründeten Operativgruppen der Hauptabteilung VI und später der Hauptabteilung II.

Abteilung XI

Die Aufgaben gingen über die einer MfS-Diensteinheit hinaus, weil die Abteilung auch für den zentralen Chiffrierdienst der Nationalen Volksarmee, des Innenministeriums sowie der Auslandsvertretungen zuständig war. Mit der Hauptabteilung III war die Abteilung XI in den achtziger Jahren gegen die ausländischen Vertretungen eingesetzt, um deren Chiffreverkehr zu enttarnen und Erkenntnisse zu gewinnen.

Abteilung XII

Die zentrale Registratur des MfS war für die Registrierung und Nachweisführung aller vom MfS als Inoffizielle Mitarbeiter oder in anderen operativen Vorgängen bearbeiteten Personen verantwortlich. Die Abteilung XII ist der Schlüssel zur Untersuchung des MfS-Nachlasses. Ihr unterstellt war das »Zentralarchiv des MfS«. Versuche einzelner Diensteinheiten, durch Aktenvernichtung Spuren zu tilgen, waren in vielen Fällen zwecklos, da in der Abteilung XII nicht nur auf Karteikarten und in elektronischen Datenspeichern Grundangaben zu ehemaligen Inoffiziellen Mitarbeitern und bearbeiteten Personen gespeichert, sondern darüber hinaus Akten im Zentralarchiv mikroverfilmt besonders gesichert wurden.

Angesichts von Breite und Umfang inoffizieller Verbindungen des MfS entsprechend seiner wachsenden Größe und des erhöhten Bedarfs an Inoffiziellen Mitarbeitern jeder Art mußte die Abteilung XII oft regulierend eingreifen. Vor der Werbung von KWs (Konspirativen Wohnungen) war beispielsweise eine Haus- oder Straßenüberprüfung einzureichen, um festzustellen, ob in diesem Haus nicht bereits mehrere KWs vorhanden und somit die Konspiration gefährdet wäre. In Berlin traf das insbesondere auf die Karl-Marx-Allee zu, die seit Jahrzehnten eine bevorzugte KW-Domäne aller MfS-Diensteinheiten war. Die Abteilung XII registrierte seit 1973 auch die inoffiziellen Verbindungen der Armeeaufklärung und des militärischen Aufklärungsdienstes der NVA.

Abteilung XIII

Das zentrale Rechenzentrum des MfS, das der Zentralen Arbeitsgruppe Auswertung und Information (ZAIG) unterstellt war.

Abteilung XIV

Die Verwaltung und Bewachung der Untersuchungshaftanstalten des MfS, unterstellt der Hauptabteilung IX. Als Besonderheit
ist zu vermerken: Diese Abteilung führte auch die Werbung und
den Einsatz von Mithäftlingen als Inoffizielle Mitarbeiter in den
Haftanstalten (»Zellenflöhe«) durch.

Hauptabteilung XV

Nach Eingliederung des bis dahin unter Oberhoheit des Außen-
ministeriums geführten Auslandsnachrichtendiensts die Dienst-
stellenbezeichnung der Aufklärung. Nach Umbildung zur HVA
(Hauptverwaltung Aufklärung) blieb die Bezeichnung XV für die
Abteilungen der HVA in den einzelnen Bezirken. Die Leiter der
Abteilung XV der jeweiligen Bezirksverwaltungen waren zugleich Stellvertreter des Chefs der Bezirksverwaltung für Aufklärung, unterstanden anleitungsmäßig aber einer der Struktureinheiten der HVA-Zentrale.

Hauptabteilung/Abteilung XVI/16

Existierte nicht; eine nichtbesetzte Nummer.

Arbeitsgruppe XVII

Passierscheinbüros des SED-Regimes in West-Berlin für die Einreise Westberliner.

Hauptabteilung XVIII

Sicherung der Volkswirtschaft, Landwirtschaft und Verbindungen im RGW (Rat für gegenseitige Wirtschaftshilfe; andere Bezeichnung COMECON [Council for Mutual Economic Assistance]). Im Grunde handelte es sich um eine Art MfS-»Schattenkabinett« zu den Bereichen der Volkswirtschaft. Mielke ließ durch die für einzelne Bereiche und Ministerien zuständigen Fachabteilungen der Hauptabteilung XVIII eigene Recherchen und Analysen zur Volkswirtschaft führen. Er hatte dadurch immer ein reales Bild über die tatsächlichen ökonomischen Probleme. Die Hauptabteilung XVIII kontrollierte im Staatsapparat und einzelnen Ministerien komplette Strukturbereiche vollständig mit OibEs. Charakteristisch die »Staatliche Inspektion des Ministerrates« unter Staatssekretär Möbis, Oberst des MfS.

Die Hauptabteilung XVIII hatte eine spezifische operative Abteilung zur Führung von Doppelagenten; also jenen, die als Außenhandelskader von westlichen Diensten angeworben, sich offenbarten und im Auftrage des MfS diese Verbindung zur Aufklärung der Angriffsrichtungen und Mitarbeiter der westlichen Dienste weiterführten.

Die XVIII war auch für die umfassende Sicherung der Leipziger Messe verantwortlich; sie war zudem mit Operativgruppen auf allen Messen in osteuropäischen Staaten präsent.

Bis zur Bildung der speziellen »Arbeitsgruppe BKK« (Bereich Kommerzielle Koordinierung) war sie auch vielfach mit dem Bereich Kommerzielle Koordinierung in Kontakt und trug die besondere Verantwortung für das Internationale Handelszentrum (IHZ).

Die Hauptabteilung XVIII war in allen Spitzenpositionen der wirtschaftsleitenden Organe und Kombinate sowohl mit OibEs als auch mit IM verankert.

In den siebziger und achtziger Jahren wurde die Hauptabteilung XVIII mehrfach in ihren Leitungsstrukturen von Korruptionsfällen erschüttert. Drei Stellvertreter des Leiters der Hauptabteilung XVIII wurden in diesem Zusammenhang von ihren Funktionen abgelöst.

Die Hauptabteilung XVIII war auch verantwortlich für Hoch-
und Fachschulen im Bereich Ökonomie sowie für die Akademie
der Wissenschaften. Dementsprechend war gerade sie auch voll
auf die Bekämpfung der »politisch-ideologischen Diversion« sowie des »politischen Untergrundes« ausgerichtet.

Hauptabteilung XIX

Sicherung des Verkehrswesens und der Nachrichtenverbindungen, Werbung und Einsatz von Informellen Mitarbeitern (IM),
insbesondere in den Bereichen Interflug, Hochseeflotte und
grenzüberschreitender Reiseverkehr zur Verhinderung von Republikfluchten sowie zur Bekämpfung von Angriffen westlicher
Nachrichtendienste auf Reisekader. Dementsprechend umfassende »Wer ist Wer«-Sicherheitsüberprüfungen mit flächendek-
kender Überwachung. Der letzte Leiter der Hauptabteilung XIX,
Generalmajor Braun, überstand den Zusammenbruch des MfS/
AfNS (Amt für Nationale Sicherheit) und arbeitete 1990 längere
Zeit im Staatlichen Komitee zur Auflösung des MfS/AfNS. Er
sollte unter der Regierung Hans Modrow Vizechef des neuen
Amtes für Verfassungsschutz werden.

Hauptabteilung XX

Verantwortlich für die Sicherung des Staatsapparates, gesellschaftlicher Organisationen, politischer Parteien, der Kirchen,
der Jugend und des Sports. Seit Ende der siebziger Jahre war sie
voll ausgerichtet auf die zentrale Federführung zur flächendek-
kenden Bekämpfung der »politisch-ideologischen Diversion«
und des »politischen Untergrundes«. Insbesondere trug sie die
Verantwortung für das Eindringen in die Kreise der Kirchen mit
IM. Bei dem Leiter der Hauptabteilung XX, Generalleutnant Paul
Kienberg, handelte es sich um einen der dienstältesten Leiter
einer MfS-Hauptabteilung. Kienberg war ein enger persönlicher
Freund von Egon Krenz.

Abteilung XXI

Als eigenständige Diensteinheit bis Anfang der siebziger Jahre zuständig für die innere Sicherheit des MfS, danach in die Hauptabteilung II als Abteilung II/1 eingegliedert.

Hauptabteilung XXII

Internationale Terrorabwehr des MfS, mit Befehl vom 1. 2. 1989 auch federführend als Sondertruppe zur Bekämpfung von Unruhen und Demonstrationen. Sie vollzog auf Weisung von Honekker und Mielke die Aufnahme von RAF-Terroristen in Ostdeutschland und arbeitete mit ihnen zusammen. Straff angeleitet und kontrolliert durch den Stellvertreter des Ministers, Neiber, der mit seinen Befehlen selbst hervorragende Terrorabwehrspezialisten wie den langjährigen stellvertretenden Leiter, Oberst Günther Jäckel, zum Vollzugsbeamten dieser Entwicklung degradierte. In den internationalen Terrorismus wurde sie erst durch HVA-Verbindungen verwickelt, zum Beispiel als eine Art »Personenschutz« für internationale Terroristen. Mit dem Befehl vom 1. 2. 1989 wurde die vorherige Abteilung XXIII in die Abteilung XXII eingegliedert, die danach zur Hauptabteilung XXII avancierte und nun als innere Truppe des MfS für die Bekämpfung innerer Unruhen und Demonstrationen strukturiert wurde. Die eigentliche Aufgabe, nämlich die Bekämpfung des internationalen Terrorismus, wurde statt vorher von acht nunmehr nur noch von zwei operativen Abteilungen wahrgenommen.

Abteilung XXIII

Bis zur Eingliederung in die Abteilung XXII verantwortlich für die Ausbildung von Antiterror-Kräften und Spezialisten für innere Kriegsführung. Ebenso befaßt mit der »Ausbildung« von Ausländern für terroristische Aufgaben.

Abteilungen XXIV, XXV

Nicht existent, nicht besetzte Dienstnummern.

Abteilung XXVI

Telefonüberwachung, Einbau von Abhöreinrichtungen. Mit
Auftrag »A« realisierte sie für operative Diensteinheiten Telefon-
überwachungen, mit Auftrag »B« den Einbau von Abhöreinrich-
tungen in Wohnungen, Hotels und Kraftfahrzeugen. Mit dem
Auftrag »D« den Einbau von Fernsehtechnik in Wohnungen und
Hotelzimmern zur Beobachtung von bearbeiteten Personen.

Büro der Leitung (BdL)

Führungsorgan Mielkes zur inneren Dienstorganisation: dienst-
habende Systeme, Wache, Kurierstelle, Dokumentenstelle und
anderes.

Büro der Leitung II (BdL II)

Bis 1979 eigenständige, Mielke direkt unterstellte Diensteinheit,
der in Zusammenarbeit mit Westabteilungen des ZK der SED die
Sicherungsmaßnahmen bei Einreisen und Aufenthalten von
Mitgliedern der DKP aus dem Westen Deutschlands zu Besuchs-
und Schulungszwecken im SED-Regime oblagen. Dazu zählte
auch die Verantwortung zur Absicherung spezieller Ausbil-
dungs- und Schulungsstätten. 1979 als Abteilung II/19 in die
Hauptabteilung II eingegliedert, wurde sie umfunktioniert in die
Bearbeitung »unzuverlässiger« DKP-Mitglieder; insbesondere
wegen des Verdachts von Verbindungen zum Verfassungsschutz. Weiterhin zuständig, in Zusammenarbeit mit der Abteilung Internationale Verbindung des SED-Zentralkomitees, für
die Sicherung illegaler ausländischer kommunistischer Parteien
im SED-Regime.

Bereich Kommerzielle Koordinierung (BKK)

1985 als dem stellvertretenden Minister Mittig unterstellte Diensteinheit zur Koordinierung des Zusammenwirkens des MfS mit dem Bereich Kommerzielle Koordinierung im Ministerium für Außenwirtschaft (Schalck-Golodkowski) gegründet. Auch verantwortlich für »Wer ist wer«-Überprüfungen der Mitarbeiter des Bereich Ko-Ko (Kommerzielle Koordinierung) sowie den Einsatz und Werbung von IM. Gleichzeitig mit Führung von OibEs im Bereich Ko-Ko befaßt.

Institut für Wissenschaftlichen Gerätebau (IWG)

Der Hauptabteilung III unterstelltes, wissenschaftliches Institut, in dem technische Ausrüstungen für die Hauptabteilung III entwickelt und gebaut wurden.

Institut für Fremdsprachenausbildung

Ein in Damsmühle bei Berlin angesiedeltes Sprachinstitut, an dem MfS-Kader vor ihrem Auslandseinsatz in den betreffenden Landessprachen unterrichtet und geschult wurden. Strukturell dem Leiter der Abteilung X unterstellt, später als Abteilung Fremdsprachen der HA Kader und Schulung.

Juristische Hochschule des MfS (JHS)

Seit 1951 Ausbildungsstätte für Leitungskader des MfS, erwarb sie sich die wissenschaftliche Qualifikation und Bestätigung als Juristische Hochschule. Insbesondere durch die Verpflichtung von Gastprofessoren und Dozenten von allen namhaften Universitäten und Hochschulen des SED-Regimes wurde der wissenschaftliche Standard maßgeblich geprägt. Das Ausbildungsprofil war umfassend und lag zum Teil über dem Niveau der Rechtsausbildung anderer Universitäten.

Operativ-Technischer Sektor des MfS (OTS)

In der technischen Überprüfungs- und Untersuchungsstelle (vergleichbar mit einem kriminaltechnischen Institut) waren hochspezialisierte Wissenschaftler und Fachrichtungen in modernst eingerichteten Labors für alle operativ-technischen Erfordernisse der MfS-Arbeit tätig. Zudem widmete sich der OTS neben der rein nachrichtendienstlichen Zuarbeit, etwa der Produktion von Geheimschriftmitteln, auch dem Bau von nachrichtendienstlichen Containern, sowie Expertisen bei Verbrechen und der Rauschgiftidentifizierung.

Spezialhochbau (SHB)

Der Spezialhochbau war ein eigener MfS-Baubetrieb zum Bau und zur Renovierung von Dienstobjekten, konspirativen Objekten (Häuser, Wohnungen), aber auch zur Erstellung von MfS-Wohngebieten einschließlich des Baus exklusiver Villen für MfS-Führungskader. Zugeordnet der Verwaltung Rückwärtige Dienste des MfS.

Verwaltung Rückwärtige Dienste des MfS

Realisierte alle Fragen der materiell-technischen Versorgung sowie Kfz-Dienste, Bauwesen und anderes.

Zentrale Arbeitsgruppe Geheimnisschutz (ZAG)

Sie diente dem Aufbau und zur Kontrolle des Schutzes von Staats- und Dienstgeheimnissen im Staatsapparat und in den Betrieben. Mielkes persönliches Organ, um das MfS funktionell zu lenken.

Auf der Grundlage von Vorgaben und Aufgabenstellung der Zentralen Arbeitsgruppe Auswertung und Information (ZAIG) hatten alle operativen Diensteinheiten des MfS Informationen und Einschätzungen zuzuarbeiten, die durch die ZAIG analysiert und eingeordnet wurden. Im Auftrag Mielkes erfolgte die Umsetzung durch Lageeinschätzungen und Informationen der SED-Führung, des Ministerrates und einzelner Funktionäre. Die Dienstanweisung I/80 regelte das Informationswesen im gesamten MfS. In jeder operativen Abteilung sowie territorialen Kreisdienststelle gab es ein Referat AI (Auswertungsinformation), ebenso in jeder Hauptabteilung und Bezirksverwaltung (BV) als Abteilung AKG (Anleitungskontrollgruppe). Beide Struktureinheiten waren die Funktionalorgane der Leiter der Abteilungen und Hauptabteilungen beziehungsweise BV und Kreisdienststelle (KD). Neben der Sammlung, Verdichtung, Auswertung und Speicherung aller Informationen, ihrer Einschätzung zur Herausarbeitung von operativen Schlußfolgerungen sowie zur Erarbeitung von Ausgangsmaterialien für Gewinnungs- und Bearbeitungsprozesse hatten diese Struktureinheiten Kontrollaufgaben für die entsprechende Leitungsebene zur Wirksamkeit der eigenen operativen Arbeit. Sie hatten insbesondere eine regelmäßige Lageeinschätzung gemäß den Hauptaufgaben und dem Verantwortungsbereich der Diensteinheiten zu führen, um den zuständigen Leiter auf erkannte oder sich abzeichnende neue Schwerpunkte rechtzeitig hinzuweisen. Ebenso über Schwächen in der Arbeit einzelner Struktureinheiten oder Mitarbeiter.

Zweite Aufgabe: Als Kontrollorgan Mielkes überprüfte die ZAIG periodisch ganze Diensteinheiten auf ihre Wirksamkeit, erlangte so umfassende Erkenntnisse, selbst zum Bestand an IM und der Qualität der Arbeit mit diesen. Über die Kontrolleinsätze wurden Mielke Berichte zugearbeitet mit Vorschlägen und Maßnahmen, die zu Veränderungen und zu Eingriffen auf die Arbeit der entsprechenden Diensteinheiten führten.

Dritte Funktion: Die ZAIG war auch verantwortlich für die innere Dienstorganisation im MfS, erarbeitete Vorschläge an Mielke zu strukturellen Fragen, ebenso Weisungen, Befehle, Dienstanweisungen und Richtlinien, die nach der Unterschrift durch Mielke zu rechtsverbindlichen Arbeitsdokumenten im MfS wurden. Dabei arbeitete die ZAIG eng mit der Juristischen Hochschule zusammen und setzte wissenschaftliche Untersuchungen zu Problemschwerpunkten und neuen Aufgabenstellungen durch. So wie die ZAIG als Funktionalorgan Mielkes regelmäßig Informationen an die Partei und Staatsführung erarbeitete, so arbeiteten auch die AKGs der einzelnen Bezirksverwaltungen sowie die Referate AI der einzelnen Kreisdienststellen ständig Einschätzungen über die Stimmung der Bevölkerung und über Probleme den entsprechenden ersten Sekretären der SED-Parteileitungen in den Bezirken und auf Kreisebene zu.

Viertens: Der ZAIG unterstand auch der Datenspeicher zur internationalen Zusammenarbeit der Staatssicherheitsorgane der sozialistischen Staaten unter Führung des KGB.

Zentraler Medizinischer Dienst (ZMD)

Mit MfS-Krankenhaus in Berlin.

Zentrale Koordinierungsgruppe (ZKG)

Ihr oblag die Bekämpfung von Republikfluchten und die Zurückdrängung von Anträgen auf Übersiedlungen und Ausreisen der Bürger. Durch Werbung und Einsatz von IM verankerte sich die ZKG in zahlreichen westlichen Fluchthilfegruppen.

Zentraler Operationsstab (ZOS)

Stabsmäßige Vorbereitung und Führung von Sicherungseinsätzen des MfS, etwa bei SED-Parteitagen.

Hauptabteilung KuSch (Kader und Schulung)

Macht- und Kontrollzentrum über die Mitarbeiter des MfS mit nahezu uneingeschränkten Rechten und Möglichkeiten. Der Hauptabteilung KuSch waren auch der ZMD und die JHS anleitungs- und kontrollmäßig unterstellt. Es war personell der größte Apparat im MfS. Während bis 1972 maximal ein Kaderinstrukteur für operative Hauptabteilungen oder mehrere Hauptabteilungen/selbständige Abteilungen und Arbeitsgruppen verantwortlich war, waren es 1989 ganze »Kaderabteilungen«, die für jeweils eine Hauptabteilung zuständig waren. Es hatte sich ein riesiger Überbau entwickelt, deren Hauptaufgaben die Arbeit mit den Kadern (Einstellung, Qualifizierung, Betreuung, Disziplinarangelegenheiten, Schulungs- und Ausbildungstätigkeit sowie gegebenenfalls Entlassung) war.

Die Hauptabteilung Kader und Schulung entschied über Stellenpläne und Struktureinheiten des MfS. Mit Einsatz des neuen Leiters Günter Möller im Jahre 1983 wurde die Arbeit gegen die eigenen Mitarbeiter vorrangige Hauptaufgabe. Das generelle Mißtrauen nach der Flucht des HVA-Oberleutnants Werner Stiller nahm nahezu groteske Züge an. Der Bereich Disziplinar wurde zum größten Strukturbereich der Hauptabteilung Kader und Schulung und erhielt unbegrenzte Kompetenzen. MfS-Mitarbeiter wurden zum »ersten Feind«.

Hauptabteilung PS (Personenschutz)

Die Mielke persönlich unterstellte Hauptabteilung war für den Schutz der engeren Parteiführung (Mitglieder und Kandidaten des Politbüros), ihrer Dienst-, Wohn- und Freizeitobjekte, wie zum Beispiel Wandlitz, verantwortlich. Mit operativen Abteilungen führte sie umfangreiche Überwachungs- und Sicherheitsüberprüfungen bei Anwohnern entlang der Fahrtstrecken der Politprominez durch.

Abteilung Agitation

Eine bis 1986 selbständige Abteilung, die in Zusammenarbeit mit Funk, Fernsehen, Film und Schriftstellern im Sinne der Darstellung der Arbeit des MfS für Public-Relations-Aufgaben verantwortlich war.

Abteilung ÖV (Öffentliche Verbindung)

Sie ging aus der früheren Pressestelle des MfS in den fünfziger Jahren hervor und war verantwortlich für die Zusammenarbeit mit der Presse. Nach der Zusammenlegung mit der Abt. Agitation trat sie kaum in Erscheinung, da Mielke keine Öffentlichkeitsarbeit wünschte.

Abteilung BCD (Bewaffnung Chemische Dienste)

Verantwortlich für Bewaffnung und Ausrüstung, auch chemische Schutzausrüstungen des MfS; ferner für Waffenexporte.

Abteilung E

Beschaffung von Ausweisen und Dokumenten einschließlich Fälschungen von Dokumenten für operative Einsätze, ebenso den Bau von nachrichtendienstlichen Containern. Zuletzt Bestandteil des OTS.

Abteilung F

In den fünfziger und sechziger Jahren sehr erfolgreich bei der Enttarnung von Spionen, wurde die bis 1983 eigenständige Funkfahndung nach Funkfrequenzen von Spionen 1984 in die neu mit der Zuständigkeit betraute Hauptabteilung III eingegliedert.

Abteilung Finanzen

Das zentrale Finanzorgan des MfS war Mielke direkt unterstellt.

Abteilung M

Die Post- und Paketüberwachung des MfS war ursprünglich zur Fahndung nach Geheimbriefen von Spionen gegründet und ausgerichtet, entwickelte sich aber später zu einem Mittel der Bespitzelung der Bevölkerung und erfaßte durchschnittlich ein Drittel des täglichen Briefverkehrs. Ab 1984 war die Abteilung M dem Leiter der Hauptabteilung II unterstellt.

Abteilung N (Nachrichten)

Als interne Fernsprech-, Fernschreib- und Funkverbindungen der inneren Dienstorganisation des MfS war sie gleichzeitig für die vertraulichen Regierungs- und Parteifernsprech- und -funkverbindungen verantwortlich.

Arbeitsgruppe Ausländer AGA beim 1. Stellvertreter des Ministers

Die Arbeitsgruppe Ausländer, 1976 als Funktionalorgan der Leitung des MfS als Arbeitsgruppe mit der Aufgabe der zentralen Federführung zu allen ausländerbezogenen Aufgaben von Diensteinheiten im MfS gegründet, wurde 1979 unter Beibehaltung ihrer MfS-zentralen Ausländerverantwortung in die Hauptabteilung II integriert und zusätzlich auf die Bearbeitung ausländischer Nachrichtendienste und Organisationen ausgerichtet.

Arbeitsgruppe des Ministers AGM

Die Arbeitsgruppe des Ministers nahm spezifische Aufgaben im Auftrage Mielkes wahr wie den Bau von Bunkern und Schutzanlagen für die Parteiführung sowie die MfS-Führung (AGM/B); ferner die Vorbereitung von Internierungslagern für Regimegegner, die Ausbildung und den Einsatz von Spezialkräften (Scharfschützen) für Sondereinsätze Mielkes mit dem Strukturbereich AGM/S. Insbesondere war sie auch vorgesehen für die Ausschaltung von Gegnern sowie fahnenflüchtigen MfS-Offizieren im Westen.

Kreisleitung der SED im MfS

Verwaltungstechnisch im Range einer eigenständigen Diensteinheit geführt, war sie die Vertretung des Zentralkomitees der SED im MfS zur parteipolitischen Schulung und Kontrolle der MfS-Mitarbeiter. Charakteristisch wurde, daß in den achtziger Jahren ein gewaltiger Ausbau des Kreisleitungsapparates stattfand und die Kreisleitung größer wurde als eine Reihe operativer Diensteinheiten. Das Sekretariat der Kreisleitung, in dem die Leiter aller Diensteinheiten vertreten waren, war das politisch-ideologische und kadermäßige Führungszentrum des MfS. Der Kreisleitung unterstanden eigenständige Struktureinheiten, wie die Bezirksparteischule, die Kreisparteischule sowie die marxistisch-leninistische Bildungsstätte. Die hauptamtlichen Parteifunktionäre in den Diensteinheiten, in der Regel drei Mitarbeiter, unterstanden gleichfalls der Kreisleitung.

Wachregiment des MfS

Mit mehr als 10 000 Soldaten, Unteroffizieren und Offizieren war das Wachregiment Dserschinskij ein voll ausgerüstetes und ausgebildetes militärisches Organ mit einer Größenordnung, die weit über die Struktur eines »Regimentes« hinausging. Sowohl eingesetzt zur Bewachung der Dienstobjekte der Partei als auch des MfS selbst, aber auch mit Spezialeinheiten (Fallschirmspringer) sowie Truppenteilen mit schweren Waffen ausgerüstet – die militärische Hausmacht des »Armeegenerals« Mielkes. Sie wurde rekrutiert aus normalen Wehrpflichtigen, die ohne ihr vorheriges Einverständnis im Rahmen der jährlichen Musterungen für den Wehrdienst für diese Einheit ausgewählt wurden.

Rechtsstelle des MfS

Eine kleine Struktureinheit, der ZAIG unterstellt, zur Prüfung rechtlicher Fragen sowie der rechtlichen Beratung von Mitarbeitern.

HVA (Hauptverwaltung Aufklärung)

Bis 1986 oder 1987 geleitet von Markus Wolf, führte die HVA die Aufklärungs- und Spionagetätigkeit insbesondere mit dem Schwerpunkt Bundesrepublik Deutschland. Gegliedert in Abteilungen und Arbeitsgruppen sowie in bezug auf die wissenschaftliche und technische Spionage in dem Sektor Wissenschaft und Technik mit vier Abteilungen. Sie war eine der bedeutendsten Stützen der SED und Leistungsträger des MfS. Ihrer großen Bedeutung entsprechend wird ihre Arbeit in den folgenden Kapiteln ausführlich dargestellt.

Vermögen, Personal, Waffen

Das MfS verfügte über einen gewaltigen Immobilienbesitz. Mehr als 2000 Objekte, davon allein 652 in Berlin, standen unter seiner Kontrolle. 1989 konnte Mielke über einen Jahresetat von 3,6 Milliarden Mark disponieren; dies entsprach rund 1,3 Prozent des gesamten Haushaltes des SED-Regimes. Ein Beispiel für das auch wirtschaftlich beachtliche technische Material waren die rund 1600 geschalteten Doppelleitungen für die Telefonüberwachung, die mit 144 modernsten Tonbandgeräten ausgestattet war.

Von den rund 105 000 MfS-Mitarbeitern waren etwa 22 000 »politisch-operativ« tätig. Die soziologische Struktur gliederte sich in zirka 2800 Hochschulabsolventen, 30 000 Fachschulabsolventen und etwa 42 000 Facharbeiter. Zwischen 1973 und 1989 wurde die Zahl der MfS-Mitarbeiter verdoppelt; Honekkers massive Ausweitung des Apparates war ohne entsprechende personelle Konsequenzen natürlich nicht zu bewältigen. Die einzelnen Mitarbeiter-Zahlen:

1953	ca. 4000
1955	ca. 9000
1973	52 707
1974	55 718

```
1975  59 458
1976  62 837
1977  66 475
1978  69 558
1979  72 196
1980  75 106
1981  78 497
1982  81 476
```

Trotz des offiziellen Einstellungsstopps von 1983 erhöhte sich die Zahl der MfS-Bediensteten jährlich um durchschnittlich rund 3000, ohne daß entsprechende personelle Verringerungen vorgenommen wurden. Somit waren die Personalkosten ein wesentlicher Faktor für die Ausgabenstruktur der Stasi.

Das MfS war dem Status eines militärischen Organs entsprechend bewaffnet. Mindestens drei Flugzeuge gehörten zum Einsatzrepertoire, wie auch mehr als 70 gepanzerte Fahrzeuge. Hinzu kamen: 342 Flak-MG vom Kaliber 14,5 Millimeter, 124 503 Pistolen und Revolver, 76 582 Maschinenpistolen, 766 schwere Maschinengewehre, 449 leichte Maschinengewehre, 3537 Panzerbüchsen, 3611 Scharfschützengewehre sowie 230 Sport- und Motorboote.

Das Land verfaulte, das MfS erblühte

Während der Mangel in der allgemeinen Wirtschaft immer stärkere Ausmaße annahm, wurde beim MfS an nichts gespart, obwohl man in der dortigen Spitze sehr genau um den drohenden Zusammenbruch der Wirtschaft wußte. Der Chef der SED-Kreisleitung im MfS, Felber, bezifferte 1989 den dringendsten Investitionsbedarf für die Wirtschaft auf rund 500 Milliarden Mark. Jene Vertreter der SED-Nachfolgepartei PDS, die nach der Wende vor dem »drohenden Ausverkauf« des Landes warnten, sollten sich doch einmal vor Augen halten, was Spitzenfunktionäre ihrer Mutterpartei in geheimen Beratungen skizzierten.

Die Produktivität sank rapide, Mittel für Wohnungsbau und

SEU-Kreisleitung

B e r i c h t

des Sekretariats der SED-Kreisleitung zu Ergebnissen und
Erfahrungen der Auswertung und Verwirklichung der Beschlüsse
der 7. Tagung des ZK und der dazu vom Genossen Minister und von
der Kreisleitung gestellten Aufgaben sowie zu politisch-
ideologischen und erzieherischen Anforderungen, die sich aus
der Erfüllung der politisch-operativen und fachlichen Aufgaben
zur Durchführung der Kommunalwahlen und zur Sicherung des
Pfingsttreffens der FDJ in Berlin ergeben

Berichterstatter: Mitglied des ZK der SED und

                  1. Sekretär der SED-Kreisleitung,

                  Genosse Horst Felber

Berlin, 6. April 1989

Die Geheimrede Felbers.

50

Straßen waren kaum noch vorhanden, der Lebensstandard gegenüber anderen Ostblockstaaten war zwar nicht am Ende dieser Skala, im Verhältnis zum Westen aber ganz erheblich geringer. Die Landsleute, die nach Öffnung der Mauern das Warenangebot im Westen sahen, begründeten ihre Forderung nach sozialer Marktwirtschaft auch aus diesen persönlichen Erlebnissen. Sie, die Jahrzehnte unter staatlicher Plan- und Mißwirtschaft gelitten hatten, wissen aus eigener Erfahrung doch nur zu gut, daß die Planwirtschaft der freien und sozialen Marktwirtschaft in keiner Form gewachsen ist.

Ausgenommen vom allgemeinen Produktionsverfall waren vor allem auch die wissenschaftlich-technischen Einrichtungen der Stasi. Es fehlte an nichts, um mit den modernsten Mitteln und Methoden die Spitzeltätigkeiten ausüben zu können. Ob das Institut für Wissenschaftlichen Gerätebau der Hauptabteilung III, die technisch perfekte Spionage durch Funkelektronik oder die hochmodernen Dienstzweige des Operativ Technischen Sektors (OTS) – alle erhielten das Teuerste, das Beste. Für das MfS waren keine Kosten zu hoch. Was nicht im heimischen Bereich oder im Ostblock produziert werden konnte, wurde durch Spionage, illegale und legale Importe beschafft.

Wissenschaftliche Arbeitsmöglichkeiten standen im MfS auch theoretisch in den höchsten Ansprüchen zur Verfügung. Die MfS-Hochschule war nicht nur mit den modernsten Lehrmaterialien und Einrichtungen ausgestattet, sondern konnte auch im Forschungsbereich unbegrenzt investieren. Es charakterisiert die langfristig angelegte politische Perspektive des MfS, daß zu allen Hauptaufgaben und wichtigen Angriffsrichtungen langfristige Konzeptionen für die Organisierung der Diensteinheiten und der »politisch-operativen« Arbeit erstellt wurden. Unterlagen zur Bekämpfung des »politischen Untergrundes«, also der Opposition, waren keinesfalls das Produkt einiger unbeherrschter MfS-Mitarbeiter, sondern die Ergebnisse von umfangreichen Forschungsvorhaben, an denen Mitarbeiter der MfS-Hochschule, aber auch der Hauptabteilung XX beteiligt waren. Zugleich wurde in der MfS-Hochschule die aktuelle politische Entwicklung einbezogen. 1985 machte man sich in einer Dissertation »zur rechtlichen Ausgestaltung des Strafvollzugs in der BRD und den daraus resultierenden Möglichkeiten der Betreuung von strafgefangenen IM durch die Ständige Vertretung der DDR in der BRD« Gedanken, 1989 erschien es reizvoll, »die Grünen im politischen System der BRD« zu analysieren. Auch in den wissenschaftlichen Einrichtungen wurde das strenge Befehlsprinzip zwischen SED und Stasi stets zutreffend eingeordnet. In einem internen Studienmaterial der MfS-Hochschule heißt es dazu unmißverständlich: »Das Ministerium für Staatssicherheit entstand als ausführendes Organ der Diktatur des Proletariats. Als solches organisierte es seine Tätigkeit unter Führung der SED auf der Grundlage der Beschlüsse der SED sowie im Rahmen der Gesetze der Volkskammer und der Beschlüsse der Regierung der DDR.«

Die operativen Mittel und Methoden

Im Selbstverständnis des MfS umfaßten die »politisch-operativen Grundprozesse«:

1. die Gewinnung und den Einsatz Inoffizieller Mitarbeiter;
2. die Bearbeitung von Personen;
3. die Auswertungs- und Informationstätigkeit.

Bestandteil dieser Mittel waren sowohl operativ-technische Maßnahmen als auch Mittel und Methoden, wie
– die Post-, Telegramm- und Paketkontrolle;
– das Abhören von Telefonen, das Anzapfen von Fernschreibern;
– der Einbau von Abhöreinrichtungen in Wohnungen, Hotelzimmern und Kraftfahrzeugen;
– die operative Ermittlung, Beobachtung sowie konspirative Durchsuchungen von Wohnungen;
– die Arbeit mit Datenspeichern einschließlich des Zugangs zu Fremdspeichern in allen Staatsorganen und gesellschaftlichen Bereichen;
– das Fahndungssystem, insbesondere im grenzüberschreitenden Verkehr.

Wie stellten sich die »operativen Grundprozesse« und ihre operativ-technisch unterstützenden Maßnahmen in Theorie und Praxis dar? Die Schwerpunkte:

1. Das IM-Netz, die Spitzel der Stasi

Mit spezifischen Richtlinien zur Arbeit mit Inoffiziellen Mitarbeitern (IM) ließ Mielke in zehnjährigem Abstand eine Kategorisierung des Netzes der IM vornehmen. So wurden beispielsweise aus »geheimen Informanten« in der Richtlinie I/1958 »Inoffizielle Mitarbeiter« in der Richtlinie I/1968 und I/1979, die für die weitere Arbeit entscheidend waren. Damit sollte der hohe moralische Stellenwert sichtbar gemacht werden: Aus der MfS-Sicht waren es keine Spitzel, sondern Inoffizielle Mitarbeiter.

Die Kategorien der Inoffiziellen Mitarbeiter (IM)

GM »Gesellschaftliche Mitarbeiter«
Niedrigste, aber dennoch bedeutende Stufe der Einbeziehung von Personen in die inoffizielle Arbeit, sie waren die Kontaktpersonen des MfS »überall«, in Ministerien, Büros, Betrieben, Wohngebieten, Schulen. Wichtigste Voraussetzung: politische Zuverlässigkeit, keine schriftliche Verpflichtung, kaum tiefgründige Aufklärung, keine Treffs in konspirativen Wohnungen, sondern bei der Arbeit, in der eigenen Wohnung, Gaststätten.

IM »IM zur politisch-operativen Durchdringung und Sicherung des Verantwortungsbereiches«
Hauptbestandteil des MfS-Netzes, mit dem die flächendeckende Überwachung der Sicherungsbereiche der MfS-Diensteinheiten, das Informationsaufkommen gesichert und »Ordnung, Sicherheit, Disziplin« durchzusetzen waren.
IM waren überall. Sie wurden nach den Sicherungsprinzipien des MfS vor allem in Schlüsselstellungen, Einflußbereichen und bedeutsamen beruflichen und gesellschaftlichen Funktionen geschaffen. Mit ihnen setzte das MfS die Politik der SED durch, deckte Probleme auf und suchte und bearbeitete die »Feinde der sozialistischen Gesellschaftsordnung«.

IM hatten Decknamen, wurden in konspirative Wohnungen, aber auch Gaststätten, Pkw und im Freien getroffen, geschult und instruiert. Ab Mitte der 80er Jahre war eine schriftliche Verpflichtung nicht mehr zwingend vorgeschrieben, reichte »Verpflichtung auf Handschlag«.

IMB *»IM der Abwehr mit Feindverbindungen bzw. zur unmittelbaren Bearbeitung im Verdacht der Feindtätigkeit stehenden Personen«*
Die Elite der IM, bewährt, geschult und ausgebildet. Sie arbeiteten als Doppelagenten gegen westliche Nachrichtendienste und sie bearbeiteten die »Feinde« der SED und des MfS im Inneren. Ehrlichkeit, feste Bindung an das MfS, Risikobereitschaft sowie Fähigkeiten zur »Herstellung vertraulicher Beziehungen und Kontakte« waren wichtige Voraussetzungen.
Sie hatten auch in oppositionellen Kreisen »Widersprüche bzw. Differenzen hervorzurufen und zu verstärken, um diese zu zersplittern, zu lähmen, desorganisieren und zu isolieren«.

FIM *»IM zur Führung anderer IM und GMS«*
Die Bewährten, die oft »hauptamtlich-inoffiziell« Netze von 15–25 anderen IM und GMS steuerten, ganze gesellschaftliche Bereiche abzusichern hatten.

IME *»IM im besonderen Einsatz«*
waren Spezial-IM, die Operationen des MfS zu sichern oder in Operationen zum Einsatz kamen, vor allem auch für konspirative Personenermittlungen und Beobachtungen verwendet wurden.

IMK *»IM zur Sicherung der Konspiration und des Verbindungswesens«*
Bewohner, die dem MfS für Treffs mit IM ihre Wohnungen (KW – konspirative Wohnung), ihre Adresse (DA – Deckadresse für Postverkehr), ihr Telefon (DT – Decktelefon für Verbindungsaufnahme zum MfS) zur Verfügung stellten oder als IMK-S anderweitig konspirative Maßnahmen des MfS absicherten.

HIM *Hauptamtliche IM*
die auf Grund ihrer Fähigkeiten und Verantwortungen zur

Lösung spezieller Aufgaben des MfS im In- und Ausland zum Einsatz kamen, die vom MfS finanziell und sozial versorgt wurden, kein oder ein abgedeckt-legendiertes Arbeitsverhältnis hatten.
Sie wurden wie die Mitarbeiter des MfS selbst geführt, ihnen fehlte nur der Dienstausweis und der Zugang zur Dienststelle.

U-IM *Untergrund-IM und Mitarbeiter*
Eine begrenzte Kategorie der MfS-HA VIII, die an Transitstrecken zur Beobachtung und Kontrolle zum Einsatz kamen, als Tankwarte, Kellner, Parkwächter u. a., aber auch mit Verkleidungen und Maskierung eingesetzt wurden.

In der letzten gültigen Richtlinie 1/1979 wird die Arbeit mit den IM wie folgt beschrieben: »Die erforderliche hohe gesellschaftliche und politisch-operative Wirkung der politischen Arbeit insgesamt ist durch eine hohe Qualifizierung und Wirksamkeit der Arbeit mit den IM, der Hauptwaffe im Kampf gegen den Feind, zu erreichen.« In den sogenannten Qualitätskriterien zur Entwicklung, Planung und Organisation der Arbeit mit den IM wurden folgende Hauptaufgaben gestellt:

1. Die Gewinnung operativ bedeutsamer Informationen mit hoher Qualität und Aussagekraft zur Bekämpfung aller »subversiven Angriffe des Feindes«;
2. die verstärkte Mitwirkung der IM, um Veränderungen mit hoher gesellschaftlicher und politisch-operativer Nützlichkeit herbeizuführen;
3. die ständige Gewährleistung einer hohen Wachsamkeit und Geheimhaltung in der Arbeit mit den IM sowie des Schutzes der Konspiration und der Sicherheit der IM.

Das IM-Netz des MfS war kategorisiert – je nach Angriffsrichtungen und Verwendungszwecken.

Alle IM (DDR) sind darüber hinaus dazu zu erziehen,

— feindlich-negative Kräfte auf dem Boden der DDR aufzuspüren;

— begünstigende Umstände für feindliche Handlungen aufzudecken und im Rahmen ihrer gesellschaftlichen Stellung und ihrer staatsbürgerlichen Rechte aktiv zur Gewährleistung von Ordnung und Sicherheit beizutragen;

— die operative Sicherung des Reise-, Besucher- und Transitverkehrs zu unterstützen.

Die Einbeziehung von IM (DDR) der Diensteinheiten der Aufklärung in die Lösung der vorhergenannten Aufgaben hat in enger Abstimmung und Koordinierung mit den zuständigen Diensteinheiten der Abwehr zu erfolgen.

IM, die durch ihre berufliche Tätigkeit Kenntnis über Staatsgeheimnisse erlangt haben oder denen der Kontakt zu Bürgern aus dem Operationsgebiet untersagt ist, sind nur dann für die Arbeit im Operationsgebiet einzusetzen, wenn dadurch keine erheblichen Gefahren für die Politik der DDR und der sozialistischen Staatengemeinschaft sowie für die Sicherheit der operativen Arbeit entstehen können.

In der Richtlinie zur HVA 2/79, von Mielke unterschrieben, wurde klar festgelegt, daß Spitzel der HVA auch gegen die eigene Bevölkerung einzusetzen waren.

Die IM-Arbeit der HVA war durch die Richtlinie II/1979 geregelt. Die HVA unterschied dementsprechend andere Ziele als auch Kategorien für ihre IM-Arbeit. Diese Richtlinie, die durch Wolf erarbeitet und von Mielke bestätigt wurde, entlarvt, daß die Spionage zur Beschaffung von Informationen insbesondere die Bekämpfung von Dienststellen und Personen im Westen Deutschlands zum Ziel hatte.

Auch in bezug auf die Zusammenarbeit der Diensteinheiten der Aufklärung mit den anderen MfS-Einheiten ist diese Richtlinie eindeutig. Unter Punkt 9.4 heißt es zu den Aufgaben der Leiter bei der Organisierung der Zusammenarbeit der Diensteinheiten: »Ausgehend von der gemeinsamen Verantwortung aller Diensteinheiten für die Erfüllung der Schwerpunktaufgaben des MfS ist durch die Leiter Sorge zu tragen, daß durch die Zusammenarbeit der verschiedenen Diensteinheiten die operativen Potenzen des Ministeriums voll genutzt werden. Durch die Zusammenarbeit der Diensteinheiten ist zu gewährleisten, daß

- die erarbeiteten Informationen, Personenhinweise und Kontakte von den sachlich zuständigen Diensteinheiten genutzt werden,
- die außerhalb der DDR tätigen IM ihren Möglichkeiten entsprechend zur Lösung von Aufgaben zur Gewährleistung der inneren Sicherheit der DDR eingesetzt werden,
- die umfassende und allseitige Nutzung der operativen Basis in der DDR zur Stärkung der operativen Basis im Operationsgebiet erfolgt,
- Hinweise auf operativinteressante Personen sowie IM-Kandidaten jenen Diensteinheiten zur Verfügung gestellt werden, die am besten in der Lage sind, die Hinweise zu bearbeiten,
- Erfahrungen bei der Analyse der Arbeiten mit IM verallgemeinert und die Mitarbeiter aller Linien des MfS mit den Grundfragen der Arbeit im Operationsgebiet vertraut gemacht werden,
- entsprechend den Zuständigkeiten die Bearbeitung der feindlichen Zentren und Objekte in abgestimmter Art und Weise erfolgt.«

»Durch die Zusammenarbeit von Diensteinheiten des Ministeriums, der Bezirksverwaltungen und Kreisdienststellen ist zu sichern«, so heißt es weiter, »daß
- im IM-Netz vorhandene Verbindungen ins Operationsgebiet erfaßt, im Hinblick auf ihre operative Bedeutung eingeschätzt und genutzt werden,
- über den Reiseverkehr und auf anderen Wegen bekanntwerdende Hinweise auf ihre operative Verwertung geprüft werden,
- das IM-Netz in touristischen Zentren und anderen Positionen mit günstigen Möglichkeiten für die Herstellung und Aufrechterhaltung von Kontakten ständig ausgebaut und qualifiziert wird.«

Diese Richtlinien der HVA können keinen Zweifel lassen, daß die HVA voll in das Stasi-System integriert und die dort geübten Methoden auch in ihrem Dienstbereich anwandte. Die HVA – ein fest integrierter und besonders leistungsfähiger Teil des MfS.

2   SED und Stasi

SED und Stasi – die Köpfe der Hydra

Bereits die Dienstanweisung Nr. 1/81 zur Regelung des gesamten Auswertungs- und Informationssystems innerhalb des MfS legt eindeutig die Erarbeitung von Lageeinschätzungen für die SED-Spitze als Hauptziel der Informationstätigkeit fest. Nach dieser Dienstanweisung war dies die vorrangige Aufgabe der »Zentralen Auswertungs- und Informationsgruppe« (ZAIG), dem Führungsorgan von Mielke. Aber bereits frühere Befehle und Weisungen des MfS formulierten diese Grundaufgabe eindeutig. Mielke wies 1974 an: »Die Informationstätigkeit an leitende Partei- und Staatsfunktionäre ist in allen operativen Diensteinheiten als Bestandteil und Ergebnis der politischen operativen Arbeit des MfS zu organisieren. Sie ist auf der Grundlage der dem MfS von der Partei- und Staatsführung übertragenen Hauptaufgaben, insbesondere unter Berücksichtigung des speziell dem MfS von der Partei- und Staatsführung eingeräumten Rechts der Arbeit mit konsperativen Mitteln und Methoden sowie mit inoffiziellen Mitarbeitern, zu organisieren.«

Kennzeichnend dafür, welchen Stellenwert Informationen an die Partei – und Staatsführung – sei es zentral oder auf Ebene der Bezirke und Kreise – hatten, ist auch, daß in der internen Leistungsbewertung der MfS-Diensteinheiten die Zahl und Qualität der Parteiinformationen an der Spitze der Wertigkeit standen. Die Leiter und Mitarbeiter des MfS stellten deshalb entscheidende Arbeitsprozesse gerade darauf ab. Im MfS war es für den Leiter einer operativen Abteilung ebenso wie für den Leiter einer Hauptabteilung eine Auszeichnung, wenn Arbeitsergebnisse und Analysen seiner Diensteinheit über die zentrale Auswertung der Informationsgruppe oder durch Mielke in die Beratungen des SED-Politbüros einflossen. Entgegen den Behauptungen einiger ehemaliger SED-Spitzenfunktionäre nach der Wende umfaßten solche Informationen nicht nur allgemeine Hinweise, sondern alle Problembereiche. Sie enthielten nicht nur Stimmungsanalysen, sondern auch Ergebnisse der politisch-operativen Arbeitsprozesse des MfS. Die Mielke-Befehle und die internen Dienstanweisungen verpflichteten die Leiter aller MfS-

Struktureinheiten, von sich aus alle bedeutsamen Entwicklungen an die entsprechenden Parteiführer heranzutragen. Ständig war von den operativen Leitern zu prüfen, welche Informationen notwendig waren, um die führenden Funktionäre zu informieren und ihnen entsprechende Vorschläge zu unterbreiten. Wie inzwischen feststeht, gingen allein in der ZAIG-Zentrale täglich durchschnittlich mehr als tausend Lageeinschätzungen, Informationen und Vorschläge des MfS an die SED-Führung in Berlin ein. Die Bürgerkomitees, die die Bezirksverwaltungen auflösten, stellten fest, daß durchschnittlich 80- bis 100mal im Jahr dementsprechende Informationen auf der Ebene der Bezirksverwaltungen ihre Empfänger, die Ersten Sekretäre der SED in den Bezirken, erreichten. Die Parteiführer wußten sehr wohl um die Brisanz dieser Informationen des MfS, die oft eklatant im Widerspruch zu den verkündeten Propagandathesen in Rundfunk, Fernsehen und in der SED-Presse standen.

Der Empfängerkreis war sehr eng begrenzt; dies sicherte, daß nur wenige SED-Politiker über die entscheidenden Informationen verfügten. Im Zentralkomitee der SED waren grundsätzlich nur die Politbüro-Mitglieder berechtigt, solche Informationen für die von ihnen angeleiteten und kontrollierten Bereiche des Parteiapparates zu empfangen. Insbesondere Honecker und Krenz hatten das absolute Informationsmonopol. Krenz dabei doppelt, weil er sich außer den Informationen, die ihm Mielke zur Verfügung stellen ließ, noch der Parallel-Informationen durch die Kreisleistung der SED im Ministerium für Staatssicherheit erfreuen konnte, die ihn als Empfänger kannten. In den Bezirken und Kreisen erreichten die Informationen die Ersten Sekretäre. Diese bestimmten danach weitere Empfänger je nach ihrer eigenen Einschätzung. Aber auch verantwortliche Funktionäre auf Ebene der Regierung und der Administration in den Bezirken und Kreisen erhielten solche Einzelinformationen des MfS, insbesondere zu Mißständen in ihrem eigenen Verantwortungsbereich. Insofern war schließlich der Empfängerkreis objektiver, nicht ideologisch »geschönter« Informationen in der DDR dann doch verhältnismäßig umfangreich. Wie unbeliebt diese so störenden MfS-Lageberichte und Informationen für das Wunschdenken der Parteiführung war, zeigte sich auf vielfältige Art und Weise. Maßregelungen, empörte Anrufe von Empfängern der Informationen waren an der Tagesordnung. In den Sitzungen der Sekretariate der Bezirksleitung und Kreisleitung kam es nicht nur einmal vor, daß der anwesende Chef der jeweiligen Staatssicherheitstruktureinheit im Bezirk oder im Kreis vor versammeltem Sekretariat wegen Schwarzmalerei, Pessimismus, Unterschätzung des politmoralischen Zustandes der Menschen im Territorium oder übertriebenen Sicherheitsaspekten hart kritisiert wurde. Mitunter war der Leiter einer Kreisdienststelle oder Bezirksverwaltung nur das Werkzeug des entsprechenden Ersten Sekretärs.

Schwerste Demütigungen waren an der Tagesordnung, auch durch Honecker. Auf einer Parteiaktivtagung im Ministerium für Staatssicherheit – Ende Oktober 1989 – mit führenden Funktionären der Diensteinheiten und der Parteigliederungen zeigte der Chef der Hauptverwaltung Aufklärung, Großmann, mit Empörung Dokumente, auf denen Honecker sich in entlarvender Form geäußert hatte. Es waren geheimste Informationen von wertvollsten Quellen des MfS im Regierungsapparat der Bundesrepublik, die Honecker trotz der fundierten Erkenntnisse nicht zur Kenntnis nehmen wollte und die er entsprechend mit Vermerken versah wie: »Was soll dieser lebensfremde Schwachsinn? Ich verbitte mir in Zukunft die Zuleitung derartiger Informationen, E. H.«

Die Bilder glichen sich in den Bezirken. Nicht untypisch ist die Reaktion des SED-Chefs von Rostock, Ernst Timm, auf eine Information der Bezirksverwaltung Rostock vom 2. 12. 1977. Timm, dem diese Meldung nicht ins eigene Weltbild paßte, versah den Text mit einer Reihe seiner handschriftlichen Bemerkungen. Zu der Aussage, daß die Reaktion der Bevölkerung auf die 7. Tagung des Zentralkomitees schlechthin negativ sei, schrieb Timm, die Haltung auf die ZK-Beschlüsse sei keine Reaktion der Bevölkerung, sondern seien »einzelne Stimmen von nicht immer vertrauensvollen Leuten«. Er kanzelte den Chef der Bezirksverwaltung, General Mittag, mit einer Zusatzbemerkung ab: »So leicht kann man sich das doch nicht machen.« Timm wertete also grundsätzlich die Objektivität der Stasi-Bezirksverwaltung Rostock ab. Auf die Aussage, »die Wirtschaft der DDR ist hohen Belastungen ausgesetzt, weil sie von der Sowjetunion ausgenutzt« werde, reagierte Timm mit der Randnotiz, dies seien »offene antisowjetische Gegner«.

Fast jeder von ihnen, von Modrow angefangen bis Timm, hat sich inzwischen in der Presse zu seiner Verantwortung gegenüber dem Ministerium für Staatssicherheit geäußert. Auch hier gilt: Folgte man ihren Äußerungen, wären sie kaum über das Wirken der Stasi informiert gewesen. Sie bestreiten Verantwortung für ihre früheren Machtinstrumente und negieren jede Kenntnis über die politische-operativen Aufgabenstellungen, obwohl sogar vieles dafür spricht, daß sie selbst direkt in operative Prozesse eingegriffen haben. Auch Modrow sieht sich diesbezüglich mit Recht bohrenden Fragen ausgesetzt.

Es ist kennzeichnend, daß in den ersten Monaten nach der Wende bis zur Beendigung der Tätigkeit des Ministeriums für Staatssicherheit die Wellen der Empörung in der Zentrale, in den Bezirken und Kreisdienststellen des MfS über dieses Verhalten der Parteiführer hochschlugen. Für viele leitende und untergeordnete Mitarbeiter, die fleißig und täglich ihre Arbeitsmittel auf die Informierung der Parteiführung ausrichteten, war es unverständlich, daß die Parteiführung davon keinen Gebrauch machte. Man hätte besser gleich für den eigenen Papierkorb arbeiten oder überhaupt nicht tätig werden sollen, war die Meinung vieler.

Mielke

Erich Mielke, dienstältester Staatssicherheitschef im Ostblock, war 32 Jahre im Amt. Ob Veränderungen in der Sowjetunion oder in der SED – er wußte sich zumindest auf die jeweilige Situation einzustellen, wenn er sie schon nicht selbst entscheidend gestalten konnte. Einst Vertrauter von Ulbricht, stürzte er diesen zusammen mit Honecker, den er wiederum später, ohne Skrupel zu haben, seiner politischen Ziele wegen ins Abseits beförderte.

Außerordentlich eng war während der ganzen Jahre das Verhältnis zum KGB. Eine lange Reihe berühmt-berüchtigter Namen: Abakumow (1946–51), Ignatjew (1951–53), Berija (1953), Gruglow (1953–54), Serow (1954–58), Schelepin (1958–61), Semitschastny (1961–67), Andropow (1967–82), Fedortschuk (1982–83), Tschebrkow (1982–88) und schließlich Krjutschkow. Mielke kannte alle, konnte mit allen, und sie alle konnten mit ihm.

Die Macht und das Geschick Mielkes zum Überleben waren eine hervorstechende Eigenschaft dieses sonst so zwiespältigen Menschen. Vielen diente Mielke in der SED noch nach der Wende, indem er zum Sündenbock für alles gemacht wurde und damit manche sich fein heraushalten konnten, die gleichfalls schwere Verantwortung und Schuld auf sich geladen hatten. Nicht die SED-Herrschaft, sondern vorrangig die Stasi wurden zum Sündenbock eines Systems gemacht, dessen Befehlsgewalt zunächst ausschließlich bei der Macht der Partei lag. SED-Bonzen kam es nur zu gelegen, wenn Meldungen kolportiert wurden, die Mielke als einen »Trottel« darstellten, der als 82jähriger in seiner Zelle mit Kindertelefonen spiele und von Vergangenheit, Gegenwart und Zukunft nichts mehr mitbekomme. Auch führende MfS-Offiziere werden nicht müde, Mielke als Alleinverantwortlichen darzustellen und ihre Rolle auf die unbedeutsamer Befehlsempfänger zu reduzieren; ein krasses Mißverhältnis hinsichtlich der tatsächlichen Abläufe. Selbst Wolf, immerhin mehr als 25 Jahre Stellvertreter von Mielke, versuchte zu suggerieren, er sei ein Gegner des Ministers gewesen. Mielkes Amtsnachfolger, sein früherer Stellvertreter, Generalleutnant Schwanitz, ließ verlauten, er und andere hätten doch an sich versucht, Schlimmeres zu verhindern.

Mielke ist in seinem Handeln nur in seiner Widersprüchlichkeit nachvollziehbar. Nach alten kommunistischen Wertmaßstäben, wie sie bis zur Wende von der SED wie ein Kult gepflegt wurden, konnte er auf eine »lupenreine« kommunistische Entwicklung zurückblicken. Alle wesentlichen Stationen seines Lebens waren in diesem Sinne »Bewährungsproben eines standhaften Kommunisten«. Selbst der Vorwurf, er sei für den Mord an zwei deutschen Polizeibeamten 1931 im Rahmen der Zugehörigkeit zum Parteischutz der Kommunistischen Partei Deutschlands verantwortlich, paßt in diese Reihe. Als Reporter der KPD-Zeitung »Rote Fahne« verdiente der Gymnasiast Mielke sich erste Sporen. In Moskau überlebte er unter seinem Decknamen Paul Bach auch die stalinistischen Säuberungen. Er konnte sich an der Leninschule, einer kommunistischen Kaderschule, die auch Honecker absolvierte, fortbilden. Bereits im Mai 1945 kehrte er nach Berlin zurück und machte Karriere innerhalb der Sowjetischen Militäradministration und der von ihr eingesetzten deutschen Verwaltung des Inneren, deren Vize-Präsident er 1946 wurde und damit verantwortlich für die Kaderpolitik und die Schulungsarbeit im gesamten Polizeiapparat. Gleichzeitig übernahm er die Leitung eines Ausschusses zum »Schutze des Volkseigentums«, der auf Beschluß der deutschen Wirtschaftskommission 1948 gegründet wurde.

Mielke, am 1. November 1957 zum Stasi-Minister ernannt und seit 1976 Politbüro-Mitglied, war ein »Überzeugungstäter«. Er war intellektuell voll in der Lage, einen solch umfassenden und hochtechnisierten Apparat wie das MfS zu steuern; sonst hätte er dort nicht so lange völlig unangefochten agieren können. Seine Fähigkeit zur politischen Lageeinschätzung, der sichere Machtinstinkt, Wendigkeit, Kompromißbereitschaft dort, wo es unumgänglich war, und Flexibilität waren wichtige Voraussetzungen, um im Amt nicht nur zu überleben, sondern souverän zu führen. Von sich und seinen Fähigkeiten mehr als überzeugt, mit unverkennbarer Selbstüberschätzung, einem Hang zum Aufschneiden und vor allem mit dem Bewußtsein der eigenen Unersetzbarkeit präsentierte Mielke sich seiner Umgebung. In den letzten Phasen sprach er nur noch von sich selbst in der dritten Person, wenn er den »Genossen Minister« erwähnte.

Sein Ministerium hatte er voll im Griff. Er war Vorbild der Leiter der Diensteinheiten, sie kopierten ihn, sie wollten so werden wie er. Sie praktizierten seinen kompromiß- und rücksichtslosen Führungsstil gegenüber den eigenen Untergebenen. Mielke, bis zuletzt während seiner Amtstätigkeit körperlich vital, für sein Alter in einem erstaunlich guten physischen und psychischen

Zustand, überlebte viele von ihnen. Allerdings wurde es die persönliche Tragik von Mielke, daß er sich bei seinem grundsätzlichen Mißtrauen gegenüber jedermann zum Schluß mehr und mehr auf die ihm unterstellte Führungsebene verließ. Er begriff nicht mehr, daß diese Führungskader schließlich das MfS mehr regierten als er selbst, daß sie ihn schließlich zumindest in Teilbereichen sogar manipulierten. Die Geister, die er gerufen hatte, spukten eigenmächtig. Er unterzeichnete bedenkenlos alle Vorlagen, die ihm die Leiter dieser Diensteinheiten zum Ausbau ihrer Befugnisse, ihres Personalbestandes und zur Schaffung neuer Strukturen unterschoben.

Die ihn alles beherrschende Idee, nur er und das MfS könnten jederzeit SED und DDR retten, verstellte ihm auch den Blick für die Auswirkungen des dadurch bedingten Handelns. Daß die personellen Größenordnungen, die materiellen Fonds und die Baukapazitäten des MfS wie eine offene Wunde am ökonomischen Organismus wirken mußten: Mielke begriff nicht, daß das MfS dadurch ganz wesentlich zum Niedergang des SED-Regimes beitrug. Die hemmungslose und totale Überwachung der Gesellschaft, die Bereitschaft, auf jede moralische Schranke zu verzichten, zerstörte selbst die Illusion der letzten Idealisten. Und er war nicht in der Lage einzuschätzen, daß er mit der Überorganisation des MfS aus einem schlagkräftigen Instrument eine stumpfe Waffe machte, weil man zuletzt an sich selbst erstickte.

Er sah sich selbst als guten Menschen. So war es kein Ausrutscher, daß er im November 1989 in der Volkskammer Spott und Gelächter gar nicht mehr wahrnahm, nachdem er sich mit dem Spruch »Ich liebe euch doch alle, ich liebe alle Menschen« vollends lächerlich gemacht hatte. Es war seine Überzeugung, sein ehrliches Bemühen. Er wollte geliebt sein.

Nicht von Amts wegen, sondern aus innerem Antrieb verstand er sich als Mäzen der Kultur und des Sports. Viele Jahre war er Vorsitzender der Polizei- und Sicherheitssportvereinigung »SV-Dynamo«, dessen jährliche Bälle gesellschaftliche Höhepunkte darstellten. Wer ihn nicht anhimmelte, den haßte er. Sportredakteure der Jugendzeitschrift »Junge Welt«, die kritisch über seinen Fußballclub schrieben, wurden auf persönliche Weisung des Mi-

»Ich liebe euch doch alle.« Erich Mielke am 13. 11. 1989 in der Sitzung der Volkskammer.

nisters von der Hauptabteilung XX des MfS in operativen Vorgängen wie Feinde der SED bearbeitet.

Angesichts seiner Machtvollkommenheit und jeglichen Fehlens irgendeiner Kontrolle (mit Ausnahme von SED- Spitzen) war er nicht mehr in der Lage zu erkennen, daß er sich Kompetenzen anmaßte, die sogar nach SED-Recht nur der Volkskammer zustanden. Charakteristisch ist ein Beispiel aus dem

Sommer 1989 im Zusammenhang mit der Massenflucht nach Ungarn. Als Mielke in einer Kollegiumssitzung vom Chef einer Bezirksverwaltung angesprochen wurde, wie man denn nun in den Fällen verfahren solle, in denen Geflüchtete zurückkehren wollten, antwortete er: »Darüber muß ich mal zwei Nächte schlafen, dann sage ich euch Bescheid.«

Wohl kaum jemand war so genau über Wunsch und Wirklichkeit informiert wie Mielke. Durch die sorgfältige MfS-Arbeit war er natürlich sehr genau in der Lage, zwischen den Parolen der SED und den tatsächlichen Lebensverhältnissen zu unterscheiden. Mielke, oft zwischen Baum und Borke – wie auch in seiner Rolle zwischen Honecker und den Sowjets – stehend, ist in dieser Rolle in dreierlei Hinsicht prägnant:

In den siebziger Jahren wurde er selbst Opfer der Erfolgspropaganda des Politbüros. Auch er glaubte an den wirtschaftlichen Aufschwung, hoffte, daß die umfassenden Investitionen eine dauerhafte positive wirtschaftliche Entwicklung bewirken würden. Mielke, der immer wieder betonte, daß der »deutsche Arbeiter im Osten genauso gut ist wie der deutsche Arbeiter im Westen«, stützte lange Zeit den Wirtschaftsboß des SED-Regimes, Günter Mittag. Das Zwischenhoch der Wirtschaft in den siebziger Jahren blendete den MfS-Chef, der nicht erkannte, daß man nur noch auf Pump lebte. Mancher außenpolitische Erfolg tat zudem ein übriges, über die Sorgen daheim hinwegzusehen.

Etwa ab 1982 erkannte Mielke aber die tatsächliche Entwicklung. Stimmungsberichte und Analysen des MfS versetzten ihn sehr rasch in einen Kenntnisstand, der keinen Zweifel über den sich abzeichnenden Zusammenbruch lassen konnte. Mielke machte die Hauptabteilung XVIII, die im MfS für die Sicherung der Volkswirtschaft zuständig war, zu einer Art »Schattenregierung« zur Kontrolle von Mittag, denn Mielke wußte, daß Mittag die SED-Spitze mit Berichten in trügerischer Ruhe hielt, die von der Wirklichkeit meilenweit entfernt waren.

Das politische Ende spürte er wohl ab Mitte 1988. Auf seine Weisung wurde das Informationsaufkommen an die Partei drastisch erhöht; immer wieder verlangte er von den MfS-Leitern, umfassend und schnell die jeweilige SED-Ebene zu informieren.

Er wollte um keinen Preis mit dem Vorhalt konfrontiert werden, daß die Stasi für Fehler und Versäumnisse der Parteiführung verantwortlich sei. »Daß die wieder sagen, sie haben von alledem nichts gewußt«, dies sollte, so verkündete Mielke später, ihm jedenfalls nicht zum Vorwurf gemacht werden können.

Nachdenken war in der MfS-Spitze nicht erwünscht

Charakteristisch für Parteitreue, aber auch Feigheit an der MfS-Spitze ist das Verhalten der Leiter der Diensteinheiten und insbesondere der Chefs der Bezirksverwaltungen während der Kollegiumssitzung am 31. 8. 89. Obwohl Mielke bereits unmißverständlich gefordert hatte, die Aktivitäten des MfS zur Information der Parteiorgane zu erhöhen, obwohl den Leitern der Bezirksverwaltungen die schwere Krise mehr als bekannt war, flüchteten sie sich Mielke gegenüber immer wieder in Floskeln, versuchten, die Situation zu beschönigen. Ein Auszug aus der Debatte:

Mielke: »Die Situation ist sehr ernst, und komplizierte Fragen stehen vor uns. Wir werden versuchen, sie gemeinsam zu lösen. Gleichzeitig bitte ich, beim Auftreten der einzelnen Genossen, etwas zur Lage zu sagen im Verantwortungsbereich.«

Generalmajor Schwarz, Leiter der Bezirksverwaltung Erfurt: »Ich glaube, daß man mit Recht sagen kann, daß die Lage bei uns im Bezirk sehr stabil ist, natürlich aber ebenfalls durch Probleme gekennzeichnet ist. Ausgehend von einer erweiterten Sekretariatssitzung vor drei Wochen hat der Erste Sekretär eigentlich eine sehr große politisch-ideologische Offensive gestartet. Das Material, das wir zur Verfügung gestellt haben, ist ausgewertet worden.«

Mielke: »Und wie viele hauen ab von dir aus Erfurt?«

Schwarz: »Über die ungarische Volksrepublik bis zum heutigen Tag 355, vorrangig Jugendliche. Natürlich möchte ich dazu sagen, Genosse Minister, es sind eine Reihe von jungen Menschen weggegangen, um die es eigentlich nicht schade ist. Viele,

die ohne Arbeitsrechtsverhältnis sind, die also bei den Kreisdienststellen und selbst bei der Kriminalpolizei bekannt sind.«

Mielke: »Und wie ist die Stimmung in den Betrieben?«

Schwarz: »Dort, wo wir die Hauptkraft oder wo die Parteiorga-
nisationen die Hauptkraft konzentriert haben, würde ich sagen,
ist sie sehr gut.«

Oberst Dangriess, amtierender Leiter Bezirksverwaltung
Gera: »Genosse Minister, ich würde sagen, natürlich ist die Gesamtlage stabil.«

Mielke: »Ist es so, daß morgen der 17. Juni ausbricht?«

Dangriess: »Der ist morgen nicht, der wird nicht stattfinden,
dafür sind wir ja da, Genosse Minister.«

Generalleutnant Hummitzsch, Chef der Bezirksverwaltung
Leipzig, versuchte, eine realistische Lageeinschätzung zu geben,
erkannte im Kern aber auch nicht die Lage: »Ich beurteile das so,
Genosse Minister, das ist ein Anfang mit den Parteiaktivitäten.
Wir sind noch weit davon entfernt, daß die gesamte Partei geschlossen und einheitlich in die Offensive geht. Alles andere
wäre Augenauswischerei. Was die Gesamtstimmung anbetrifft,
so wie das hier dargestellt wurde, ich kann das also hier nur einschätzen, die Stimmung ist mies. So wie wir uns die Partei vor-
stellen, daß sie in die Offensive geht und sich offensiv würdig
mit Dingen auseinandersetzt, das ist im Moment nicht erreicht.
Ansonsten, was die Frage der Macht betrifft, Genosse Minister,
wir haben die Sache fest in der Hand. Sie ist stabil.«

Generalmajor Schickart: »Genosse Minister, Genossen, ich
kann einschätzen, die staatliche Sicherheit im Bezirk ist gewährleistet, die Gesamtlage im Bezirk ist stabil. Sie wird natürlich
auch durch einige negative Probleme beeinflußt, die hier wiederholt angesprochen worden sind.«

Generalleutnant Gehlert: »Genosse Minister, Genossen Generale, zu der ersten Frage, die Sie aufgeworfen haben, Genosse
Minister, möchte ich im allgemeinen einschätzen, daß auch im
Bezirk Karl-Marx-Stadt die Lage stabil ist und die staatliche Sicherheit gewährleistet ist.«

Das Protokoll dieser Kollegiumssitzung macht deutlich, wie
sehr sich Mielke vergeblich bemühte, von seinen unterstellten

Führungskadern die Wahrheit auf den Tisch zu bekommen. Es spricht für Mielke und sein sprichwörtliches Mißtrauen, daß er keinen seiner Stellvertreter und Leiter in seine Rolle im Zusammenhang mit der Wende, insbesondere zum Sturz Honeckers, eingeweiht hat. Er scheint keinem von ihnen getraut oder ihnen soviel Courage zugetraut zu haben, daß sie ihm gegen ihren eigenen Generalsekretär folgen würden.

Für das Verhalten der Führungskader charakteristisch ist auch ein Beispiel aus der Spionageabwehr. Ende September 1989 setzte der Chef der Spionageabwehr, Kratsch, eine außerplanmäßige Besprechung mit seinen Abteilungsleitern an, um sich, wie er sagte, zur Lage im Land zu beraten. In seinen Eingangseinschätzungen machte er deutlich, daß die instabile Lage insbesondere Auswirkungen auf den eigenen Mitarbeiter-Bestand haben könnte, und sorgte sich, gemäß der Zuständigkeit seines Dienstbereiches, um die innere Sicherheit im MfS. Er befürchtete, daß Mitarbeiter des MfS nun verstärkt Angriffsobjekt westlicher Geheimdienste werden könnten, daß sie selbst der politisch-ökologischen Diversion erliegen könnten. Seine verwunderten Abteilungsleiter, die Dialoge in Dienstbesprechungen von Kratsch nicht gewohnt waren, forderte er nun zur Diskussion auf.

Nach langem, peinlichem Schweigen fand nur ein einziger Abteilungsleiter den Mut dazu. Es war der Leiter der Abteilung II/19, Oberst Rolf Bauer, zuständig für die Sicherung der DKP und der SEW (Sozialistische Einheitspartei West-Berlins), ein vertrauter Insider des Parteiapparates, in dessen Auftrag er seine operativen Aufgaben erfüllte. Bauer, in früheren Zeiten langjährig hauptamtlicher Parteisekretär der Spionageabwehr, eigentlich früher ein überzeugter Kommunist, konnte seine Erregung nicht bändigen. Er schätzte die Lage schonungslos ein, zeigte auf, daß die Parteiführung lüge, betrüge, Statistiken fälsche, die wahre Situation im Lande nicht wahrnehmen wolle, und diagnostizierte, das Land werde in den Ruin geführt.

Atemlos hörten die Versammelten dieser leidenschaftlichen Rede von Bauer zu. Auch Kratsch. Allen war klar, daß dieser in seiner Verantwortung als Mitglied des Kollegiums und der Kreisleitung weitere solcher Diskussionsbeiträge eigentlich nicht zulassen konnte, ohne selbst in die Gefahr zu kommen, »einer konterrevolutionären Vereinigung vorzustehen«. In der Tat zeigte sich auch, daß Kratsch die vorgebliche Offenheit der Diskussion nur taktisch vorgetäuscht hatte. Er nahm diese herausgeforderte Rede von Oberst Bauer zum Anlaß, um den Versammelten anschließend »den Marsch zu blasen«. Er zieh Bauer der Fehleinschätzung, verwahrte sich gegen Unterstellungen und Zweifel an der Politik der Führung. Er kam zwar nicht umhin, einige Kritikpunkte anzuerkennen, teilte aber nicht Bauers Haltung. Mit den Worten: »Ich muß mich wundern, wenn Abteilungsleiter schon so denken, wie sollen dann die Mitarbeiter denken, wie sollen dann die Mitarbeiter meiner Hauptabteilung im Sinne der Partei weiter erzogen werden«, brachte er sein Leitungskollektiv wieder auf die gewohnte Linie. Ein Vorgang, der sich in diesen Monaten in fast allen Diensteinheiten des MfS im Handeln der verantwortlichen Führungskader wiederholte.

Der 17. Juni – Trauma des MfS

Der 17. Juni 1953 veränderte auch die Machtverhältnisse zwischen MfS und SED. Die Partei stellte nach einem erbitterten Machtkampf zwischen Walter Ulbricht und dem damaligen Chef des MfS, Wilhelm Zaisser, die Weichen für das künftige Verhältnis: Die SED befahl, die Stasi gehorchte.

Zaisser und seine Anhänger wollten die Führung der Partei verändern. Sie versuchten im Vorfeld des 17. Juni 1953 Ulbricht zu stürzen. Zaisser hatte keine Zweifel, daß Ulbricht und seine politische Führung für die Krise in der neugegründeten DDR ursächlich seien und deren weitere Existenz schon damals gefährden könnten. Ulbricht sah sich heftigen Vorwürfen ausgesetzt und parierte die Zaisser-Attacken vor allem mit dem Vorwurf, daß die Staatssicherheitsorgane sich als »Staat im Staate« über die Partei gestellt hätten. Zugleich warf er seinem Widersacher vor, das MfS sei für den 17. Juni 1953 mitverantwortlich, weil es über die Krise und die Vorbereitung der »Konterrevolution« nicht informiert gewesen sei.

Ulbricht nahm den Kampf um seine eigene politische Existenz zum Anlaß, ein für allemal die Stasi zu disziplinieren und zu kontrollieren. Nie wieder sollte von der Stasi eine Gefahr für die Parteiführung ausgehen. Die Stasi selbst hat von diesem Zeitpunkt an sich stets an diese Vorgabe gehalten; das Trauma des 17. Juni hat ihre weitere Entwicklung maßgeblich geprägt. Mehr als 30 MfS-Offiziere wurden nach dem Stasi-Aufstand gegen die SED festgenommen. Zaisser – von Ulbricht in einem Glückwunschschreiben zum 60. Geburtstag am 20. Juni 1953 noch gelobt und mit dem Karl-Marx-Orden ausgezeichnet – und engste Mitarbeiter wurden gestürzt oder aber auf nachgeordnete Positionen abgeschoben. Der stellvertretende Leiter der Bezirksverwaltung Erfurt, Oberstleutnant Walter Decker, entzog sich der Verhaftung durch Selbstmord. Zugleich wurde das MfS als eigenständiges Ministerium aufgelöst und in das von Willi Stoph, dem späteren Ministerpräsidenten, seinerzeit geführte Innenministerium eingegliedert.

Die Stasi blieb nach der Entmachtung und Degradierung mehrere Jahre unter strengster Kontrolle. Ulbricht hatte dafür gesorgt, daß die Stasi durch die SED-Spitze dauerhaft in eine Position gebracht worden war, in der sie dieser nicht mehr gefährlich werden konnte. Mit den Maßnahmen nach dem 17. Juni 1953 wurde die Stasi in ein SED-Instrument zur Aufrechterhaltung der Macht umgewandelt.

Die Lehren der Parteiführung aus dem Umgang mit ihrem Sicherheitsorgan hatten auch in anderer Hinsicht einschneidende Auswirkungen: SED-Apparat und führende Funktionäre waren für die Stasi tabu. Selbst Mielke wagte es in seinen stärksten Zeiten nicht, diesen Grundsatz zu durchbrechen. Er sicherte dieses Prinzip auch strukturell bei der Stasi ab; in dieser Hinsicht durfte ganz besonders nichts dem Zufall überlassen bleiben oder durch Unkenntnis in gefährliche Bahnen geraten. Der Leiter der Hauptabteilung XX, Paul Kienberg, setzte im Auftrage des Ministers die Weisung rigoros durch. Kienberg stoppte Versuche, wo untergeordnete Ebenen des MfS teils aus Unkenntnis, teils auch aus Machtüberschreitung sich an Funktionäre im Apparat heranwagten. Und sei es nur, um von dort Auskünfte zu erhalten. Im

SED-Apparat wurde peinlichst darauf geachtet, daß das MfS keinerlei Rechte hatte, gegen Mitarbeiter des Parteiapparates zu agieren. Es war nur eine Frage weniger Stunden, daß Zuwiderhandlungen bekannt wurden und SED-Funktionäre ihre Vorgesetzten informierten, so daß diese mit Empörung MfS-Ansinnen begegneten.

Wen Kienberg in diesem Zusammenhang an Mielke meldete, der mußte mit Disziplinarmaßnahmen rechnen. Kein Chef einer Bezirksverwaltung, kein Leiter einer Kreisdienststelle oder irgendein MfS-Mitarbeiter durften es wagen, einen Mitarbeiter des hauptamtlichen Parteiapparates, insbesondere die Parteifunktionäre, in irgendeiner Form zu bearbeiten oder »zu belästigen«. Totale Unterordnung war die Pflicht. Selbst für Informationen, die das MfS den jeweiligen SED-Ebenen zur Verfügung stellte, gab es strikte Sprachregelungen und Weisungen. In keiner dieser Informationen durfte die eigene Auffassung deutlich werden, statt dessen – so eine Weisung – sei »zurückhaltend und höflich« vorzutragen, damit stets deutlich werde, »daß das MfS nicht beabsichtigt, in die Entscheidungsbefugnisse des Empfängers einzugreifen oder ihn zu bevormunden«.

1984 ging Mielke in einer Dienstanweisung noch weiter. Er legte fest, daß »dem MfS bekannt werdende Informationen über interne Parteiangelegenheiten, über die Parteiarbeit oder Parteifunktionäre grundsätzlich nur an einen jeweiligen SED-Funktionär zu gehen hat, wenn von diesem eine entsprechende Anforderung vorliegt«. Ansonsten, so der Minister, »seien die Mitarbeiter des MfS strikt darauf zu verweisen, daß Fragen auf dem Parteiweg gemäß den im Statut festgehaltenen Pflichten« zu klären seien. Die SED-Funktionäre waren – dies wird auch an dieser Stelle deutlich – eben nicht die Knechte, sondern die Herren der Stasi. Ist es da nicht logisch, daß es kaum Stasi-Dossiers über Mitglieder der SED und ihrer Nachfolgepartei PDS gibt?

Bei Krenz verleugnete Mielke sich selbst

Mielke hielt Krenz, der als ZK-Sekretär für Sicherheitsfragen der parteiliche Aufpasser und Vorgesetzte war, für eine Fehlbesetzung. Vom »FDJler in der kurzen Hose« spottete er unter Anspielung auf dessen Zeit als Chef der SED-Nachwuchsorganisation. Mielke, der durchaus zu spontanen Freudenreaktionen fähig war, konnte sich nicht einmal ein Lächeln abringen, wenn Krenz beispielsweise mitten in einer Sitzung aufsprang, die Fäuste nach oben riß und Anwesende mit dem Ruf »Haben wir nicht eine herrliche Jugend« zu Hurra-Rufen aufforderte.

Vielen war nicht verborgen geblieben, daß Krenz jemand war, der kaum Bereitschaft zum Risiko zeigte. Auch von daher stellte er für Honecker, der ihn über lange Jahre stützte, keine Gefahr dar. Wenn Krenz gleichwohl seinen Förderer ablöste, so entsprang dies weniger der Zuneigung derjenigen, die ihn in die neuen Positionen hievten, sondern vielmehr der Erkenntnis, daß die SED mit Honecker ohnehin keine Chance mehr hatte.

Mielke mußte weit über seinen eigenen Schatten springen, um zur Ablösung Honeckers bereit zu sein. Er, der sich Honecker bedingungslos untergeordnet hatte und ihm treu ergeben war, blieb noch bis zum Sommer 1989 bei dieser Grundhaltung. Er inspirierte Krenz erst »zu springen«, als es für den MfS-Chef im August/September keine Zweifel mehr gab, daß »mit Honecker die Karre an den Baum« fahren würde. Angesichts der unübersehbaren Führungsschwächen, die zu diesem Zeitpunkt ihren vorläufigen politischen Höhepunkt fanden, war Mielke klargeworden, daß das Schicksal der SED und damit die Existenz der DDR auf dem Spiel stand. Die eigenen Erkenntnisse aus der MfS-Arbeit, aber auch das Drängen der Sowjets auf Veränderungen, veranlaßten Mielke schließlich, seinen Treueschwur gegenüber Honecker zu brechen. Der SED-Sozialismus war wichtiger als Honecker geworden.

Der damalige Leiter der Abteilung für Sicherheitsfragen, Wolfgang Herger, klug in der Analyse und im Handeln, agierte mit Mielke. Herger, ein Vertrauter von Krenz, sah schonungslos die tatsächlichen Ursachen für Massenfluchten, Unzufriedenheit und die verheerende wirtschaftliche Lage. Man einigte sich auf Krenz als Nachfolgekandidaten; ein Kompromiß, der maßgeblich von dem Gedanken beeinflußt war, daß dieser trotz aller Schwächen bei einer entsprechenden Kontrolle und Führung Veränderungen ohne schwerwiegende Erschütterungen des SED-Regimes würde durchführen können. Mielke, der angeordnet hatte, daß der Dresdner SED-Chef Hans Modrow von der Stasi bespitzelt worden war, konnte sich mit Modrow als Alternative zu Krenz nicht anfreunden.

Der MfS-Chef, der dann aber mit großer Entschlossenheit darauf hinwirkte, Honecker abzulösen, griff schließlich zu härtesten Bandagen, um diesen zu attackieren. In den entscheidenden Beratungen Mitte Oktober brach er in einer erregten Auseinandersetzung den Widerstand Honeckers mit der Drohung, wenn dieser nicht gehe, werde er auspacken und Dinge auf den Tisch legen, die für Honecker höchst unangenehm würden. Offensichtlich meinte der MfS-Chef den Inhalt jenes »roten Koffers« und andere Informationen, die auf Honeckers Vergangenheit auch (oder gerade) aus der SED-Sicht ein höchst ungünstiges Licht werfen. Herger hat auf einer Tagung Leitender Mitarbeiter des MfS nach dem Sturz Honeckers in der zweiten Hälfte des Oktober 1989 Mielkes aktive Rolle klar skizziert. Zu Vorwürfen gegenüber Mielke, dieser habe zu wenig getan, um die Situation in den Griff zu bekommen, stellte Herger eine Frage, die die Antwort beinhaltete: »Sollte euch euer Minister denn im August sagen, daß er an der Spitze einer Verschwörung zum Sturze des Generalsekretärs steht?«

Für Mielke war es in den Jahren zuvor schon nicht einfach gewesen, die Interessenkonflikte, denen auch er im Verhältnis zu Moskau ausgesetzt war, durchzustehen. Mielke war engster Vertrauter des KGB und der sowjetischen Führung bei der SED, so daß die Sowjets ab 1987, als der Gegensatz zwischen Gorbatschow und Honecker sich klar abzeichnete, auch auf den MfS-Chef und seine Informationen setzten. Mielke hatte sich mehreren Führungen in Moskau verdient gemacht. Für das Vertrauen spricht insbesondere die Rolle, die Mielke 1984 für die Sowjets spielte, als Honecker nach Moskau zitiert wurde. Dieser wurde vom damaligen KPdSU-Generalsekretär zur Berichterstattung nach Moskau zitiert, wo er herbe Kritik für Überlegungen bekam, der Bundesrepublik einen Besuch abzustatten und Kursänderungen vorzunehmen. Es ist kaum bekannt, daß der geheimgehaltene Flug, der in der internationalen Flugüberwachung als Routineangelegenheit zur Sicherung der Flugstundenzahl der Piloten deklariert worden war, tatsächlich den SED-Chef nach Moskau beförderte. Ohne Rücksprache des KGB mit dem MfS-Chef wäre diese Aktion wohl kaum möglich gewesen. Honecker wurde neben Mielke nur noch vom ZK-Sekretär für internationale Verbindungen, Hermann Axen, und dem für Ideologiefragen zuständigen ZK-Sekretär, Kurt Hager, begleitet.

Krenz – mächtiger als Mielke

Krenz wurde am 21. Oktober 1983 zum Sekretär des Zentralkomitees für Sicherheitsfragen berufen. Dies beinhaltete auch die Bereiche Staat und Recht, Jugend und Sport – also eine umfassende Kompetenz, mit der er die Kontrolle über die Sicherheitsorgane und andere wichtige Bereiche erhielt. Eine vortreffliche Plattform, um sich als Kronprinz Honeckers aufzubauen und zu profilieren. Dies war um so einfacher, weil Krenz in der Leitung der Abteilung in die direkten Fußstapfen von Honecker trat. Der Abteilung für Sicherheitsfragen war nicht nur das MfS, sondern auch das Innenministerium, Polizei, Nationale Volksarmee, paramilitärische Verbände und die Kampfgruppen in der politischen Verantwortlichkeit zugeordnet.

Die ZK-Abteilung kontrollierte nicht nur, sondern nahm auch direkten Einfluß in die operativen Aufgabenstellungen und Strukturen des MfS. Grundsatzarbeit für das Politbüro, die Erarbeitung von Richtlinien und die Kaderpolitik waren ohnehin selbstverständlich.

Auch durch einen geschickten personellen Schachzug gelang es Krenz, seinen Einfluß entscheidend auszubauen. Mit Wolfgang Herger, der als erster Zivilist die Leitung des Sekretariats übernahm, plazierte Krenz einen Vertrauten in dieser wichtigen

Funktion. Dieser, fleißig, klug und zu scharfen Analysen fähig, verschaffte sich sehr schnell einen umfassenden Überblick über die wirkliche MfS-Arbeit und informierte darüber natürlich auch Krenz. Herger, der über den Umfang der erlangten Erkenntnisse, so wird jedenfalls berichtet, mehr erschrocken als glücklich gewesen sein und behutsam versucht haben soll, besondere Auswüchse nach Kräften zu vermeiden, verfügte über gute persönliche Kontakte in die Diensteinheiten des MfS hinein, so daß es Krenz auch auf diese Art gelang, unabhängig von Mielke bis in den letzten Winkel der Stasi vorzudringen. Bei jeder MfS-Kollegiumssitzung, bei den Beratungen der SED-Kreisleitung und den anderen Veranstaltungen waren entweder Herger oder sein Vertreter zugegen, um Krenz bis ins Detail berichten zu können.

Auch die SED-Kreisleitung mußte umfassende Berichte für das Sekretariat zur Verfügung stellen. Der Chef, Felber, wäre nicht Felber gewesen, wenn er nicht in seinem eigenen Selbstverständnis und in seiner Treue zur Partei diese Aufgabe perfekt erfüllt hätte. Und entsprechend der »führenden Rolle der Partei« im MfS war die Kreisleitung grundsätzlich und über alles innerhalb der Stasi informiert. Was nicht auf den normalen Berichtswegen zur Kreisleitung und damit zur ZK-Abteilung für Sicherheitsfragen kam, wurde über regelmäßige Kontrolleinsätze und Teilnahmen an Dienstbesprechungen sowie Parteiveranstaltungen gesichert. Es war selbstverständlich, daß Mitarbeiter der ZK-Abteilung für Sicherheitsfragen an Dienstbesprechungen und Parteiversammlungen in den MfS-Diensteinheiten teilnahmen. Dort wurde über alles gesprochen, was die operative Arbeit, neue Aufgabenstellungen, Mittel und Methoden sowie den Personaleinsatz betrafen.

Kontrolleinheiten des ZK und der Abteilung für Sicherheitsfragen überprüften nicht nur das MfS allgemein, sondern auch einzelne Diensteinheiten. In vertraulichen Einzelgesprächen mit den Mitarbeitern erfuhren sie alle Interna, die sie für die Einschätzungen benötigten. Kein Leiter einer Diensteinheit hätte es gewagt, Erkenntnisse zurückzuhalten. Im Gegenteil: Gefälligkeit, Freundlichkeit und die offene Darlegung der Antworten auf die Fragen waren der Grundsatz.

Nicht nur Herger, auch Krenz selbst verfügte über direkte persönliche Kanäle in das MfS, die dazu beitrugen, trotz der Persönlichkeit Mielkes, das Instrumentarium wirkungsvoll zu beherrschen. Besonders bedeutsam war die langjährige Freundschaft zu Kienberg, dessen Hauptabteilung XX für die Bekämpfung des »politischen Untergrunds«, also auch der Kirche und der Opposition, verantwortlich war. Kienberg verfügte als einziger Leiter einer Diensteinheit über direkte Kontakte zum Parteiapparat, da die Hauptabteilung auch für die Sicherung des Parteiapparates, der Parteibetriebe, der FDJ und der Jungen Pioniere zuständig war; Organisationen, in denen Krenz seine Karriere begann. Die Kontakte zwischen Krenz und Kienberg begannen 1961, als Krenz nach Berlin kam. Über viele Jahre entwickelte sich Kienberg zum Schutzpatron in der Sturm- und Drangzeit von Krenz. Kienberg half diesem aus mancher persönlicher Verlegenheit; der gute »Vater Paul« war immer für Krenz zu sprechen und behilflich.

Krenz hat diese Rolle Kienbergs auch später immer gewürdigt; der alte Freund blieb »sein Mann« im MfS. Über Kienberg verschaffte er sich gerade in den Jahren der nicht reibungslosen Zwangszusammenarbeit mit Mielke jene Erkenntnisse, die er auf anderen Wegen nicht erhielt. Eine ähnlich enge Bindung pflegte Krenz zu Wolfgang Schwanitz, lange Jahre führender MfS-Offizier und später einer der Stellvertreter von Mielke. Mit Schwanitz stürzte Krenz den Ostberliner SED-Chef Konrad Neumann, der ein persönlicher Gegner von ihm war und es sogar Mitte der achtziger Jahre gewagt hatte, ihn von der Kandidatenliste für Parteiwahlen zu streichen, so daß es eines Machtwortes von Honekker bedurfte, einen Karriereknick zu vermeiden. Krenz zeigte sich auch hier dankbar. Mielke, der den Chef der Spionageabwehr, Generalleutnant Günter Kratsch, zum stellvertretenden MfS-Minister berufen wollte und wohl auch in der Pflicht war, mußte sich dem Willen von Krenz beugen und der Berufung von Schwanitz 1987 in dieses Amt zustimmen.

Schon die Durchsetzung von Herger im ZK-Sekretariat hatte keine Zweifel gelassen, daß Krenz im Konfliktfall mehr zu sagen hatte als Mielke. Honecker, der es ja schließlich wissen mußte, hat keinen Zweifel gelassen, wer tatsächlich die Macht ausübte. Auf die Frage: »Wer hat die Staatssicherheit nun wirklich kontrolliert, Mielke oder Krenz? Welche Befugnisse hatte Krenz konkret?« antwortet Honecker in dem Buch »Der Sturz – Honecker im Kreuzverhör« unmißverständlich: »Krenz hatte alle Befugnisse. Tatsache ist, daß Egon Krenz seit sechs Jahren verantwortlich war, nicht nur für die ›Abteilung Sicherheitsfragen‹ des ZK, sondern für MfS, MdI und NVA. Diese Verantwortung war ungeteilt. Es gab niemanden im ZK der SED, der ihm diese Verantwortung wegnehmen konnte. Die zweite Sache war, daß die ›Abteilung Sicherheitsfragen‹ des ZK nicht nur die Kontrolle des MfS hatte, sondern auch die politische Verantwortung dafür, daß dort die Beschlüsse des Politbüros zu erfüllen waren.« Und natürlich wußte Mielke, daß Krenz im Falle eines Ausscheidens Honeckers dessen Nachfolger geworden wäre. Mielke, der sein Amt viel zu sehr liebte, um es wegen einer persönlichen Aversion aufzugeben, konnte eine offene Brüskierung von Krenz niemals riskieren, wollte er nicht Gefahr laufen, von diesem entscheidend angegriffen zu werden.

Das ZK der SED entschied über die MfS-Mitarbeiter

Ein entscheidendes Mittel zur Kontrolle und Beherrschung des MfS war die Kaderpolitik, also die Auswahl der Mitarbeiter nach SED-Prinzipien. Führungskader des MfS unterlagen der Nomenklatura des ZK. Wer im MfS in führender Ebene in eine entscheidende Position kommen wollte, bedurfte der vorherigen Bestätigung und Überprüfung durch die ZK-Abteilung für Sicherheitsfragen, die dabei mit der Kaderkommission der Partei zusammenwirkte.

Jeder, der im MfS nach Amt und Würden strebte, wußte, daß er über diese Hürde gehen mußte. Man hatte keine Illusionen, daß die politisch-ideologische Zuverlässigkeit wichtiger als die fachliche Qualifikation war, also der Nachweis der absoluten Treue zur SED. Aus der Praxis ist kein Beispiel bekannt, daß Mitarbeiter, die kritische Einstellungen äußerten, selbst wenn diese aus Unachtsamkeit resultierten, durch das ZK bei den Kaderüberprüfungen bestätigt wurden. Wohl aber kam es vor, daß ungeeignete Kandidaten in die Positionen gehievt wurden, weil ihre bedingungslose Verbundenheit mit der SED außer Zweifel stand. Selbst Mielke mußte sich dieser ZK-Macht beugen. Es ist nicht nur ein Fall bekanntgeworden, wo Mielke sich gegen das Urteil der Kaderkommission im ZK-Komitee nicht durchsetzen konnte und von ihm favorisierte Bewerber strauchelten.

Erbarmungslos und dogmatisch war das Auswahl- und Überprüfungsverfahren. Somit war es für ehrgeizige MfS-Mitarbeiter von entscheidender Bedeutung, der Partei die hundertprozentige Zuverlässigkeit und Ergebenheit stets zu demonstrieren. Auch nach einem Karrieresprung hing der Verbleib in dieser Funktion, wie auch ein weiteres Fortkommen, von der ständigen Überprüfung und Beobachtung durch den Parteiapparat, der Kaderkommission und der ZK-Abteilung für Sicherheitsfragen, ab. Regelmäßige Kontrolleinsätze von ZK-Mitarbeitern sorgten sowohl für eine genaue stetige Einschätzung der Personen als auch für einen ständigen Druck auf sie. Angesichts dieser Handhabung konnte es nicht ausbleiben, daß viele wider besseres Wissen bis zuletzt bedingungslos dieser Parteiführung und ihrem Apparat gehorchten.

Das MfS durch die Personalauswahl und die Vorgaben im Griff zu behalten, war für einen SED-Chef eine politische Existenzfrage. Ein Machtpolitiker wie Honecker, der auch gegenüber Kritikern in der eigenen Partei stets auf der Hut sein mußte, wußte nur zu genau, daß die Stasi ein zweischneidiges Schwert sein konnte. Auf der einen Seite war es sein Interesse, sich einen »scharfen Hund« zur Unterdrückung jeder kritischen Regung zu halten, auf der anderen Seite mußte »der Wachhund an der Kette« bleiben, sollte er nicht unkontrolliert beißen. Die persönliche Macht über die Stasi war wohl der wesentliche Bestandteil der Erhaltung der Macht des ersten Mannes der Partei. Es kam für diesen entscheidend darauf an, »diesen Hund entsprechend abzurichten und zu kontrollieren«, damit sich dieser nicht gegen den eigenen Herrn auflehnen konnte.

ZK-Abteilungen waren nicht nur direkt weisungsbefugt gegenüber dem MfS, sie trugen teilweise auch primäre Verantwortung für deren Operationen und waren zum Teil sogar für das Entstehen völlig neuer Struktureinheiten im MfS verantwortlich. Die Archive der SED werden überzeugend belegen, daß als direkte Folge der politischen Spitzenkontakte Honeckers und seiner Mitstreiter die Parteiführung sich lange vor dem MfS in Kontakten zum internationalen Terrorismus verstrickte. Es war die ZK-Abteilung für internationale Verbindungen mit Axen an der Spitze, die oftmals Parteibeziehungen zu Gruppierungen in aller Welt aufnahm, welche mit höchst fragwürdigen Methoden agierten. Mitarbeiter der Abteilung agierten unter diplomatischer Abdeckung international, um entscheidende Fäden selbst zu terroristischen Bereichen zu knüpfen. Wolfgang Krause, stellvertretender Leiter des Internationalen Solidaritätskomitees der DDR, hielt lange den Kontakt zu dem weltweit gesuchten Terroristen Abu Daud. Obwohl die SED-Spitze alle Probleme um dessen Person und insbesondere seine Verantwortung für das Massaker am israelischen Olympiateam während der Olympischen Spiele in München 1972 kannte, scheute sich Krause 1984 nicht, Abu Daud, der als Gast der PLO-Botschaft in Ost-Berlin einreiste, zu sprechen. Ein Kontakt, der auch später aufrechterhalten und noch 1989 fortgesetzt wurde. Krause hat aus seiner strikten Verbundenheit zur SED nie einen Hehl gemacht.

Honecker erpreßte Mielke: Wo liegt deine Pensionsgrenze?

Das Verhältnis der beiden war und blieb widersprüchlich. Stabil in den Beziehungen war die Interessengemeinschaft zweier Machtpolitiker, die wußten, daß sie aufeinander angewiesen waren und keine Chance hatten, dem Zweckbündnis zu entkommen.

Entsprechend verhielten sich beide. Mielke, der in der Öffentlichkeit sich oftmals in Lobhudelei über Honecker überschlug, dessen Stärken in höchsten Tönen pries und sich auch demonstrativ als MfS-Chef dem Parteichef unterordnete, empfand es als bittere Kränkung, zuweilen von Honecker angeprangert zu werden. Besonders in Politbüro-Sitzungen konnte es Honecker nicht lassen, mit spöttischen und schmähenden Redewendungen Mielke zu attackieren, wenn ihm MfS-Analysen nicht gefielen. Mielke, der überzeugt war, im Sinne Honeckers diesen Apparat zu führen, reagierte verbittert; der Diener des Herrn schluckte, wenn er bloßgestellt wurde.

Noch rüder verfuhr der Generalsekretär, wenn er von Mielke Informationen erhielt, die zwar der Wahrheit entsprachen, aber nicht in Honeckers Traumwelt paßten. Genüßlich fragte dieser dann, ob man mit 80 Jahren eigentlich noch Armeegeneral bleiben könne und ob es nicht auch Jüngere gebe, die den Laden führen könnten. Manchmal ermunterte Honecker Mielke, doch Vorschläge für seine Nachfolge zu unterbreiten – ein Hinweis, den dieser als besonders entwürdigend und bedrohlich empfand. Er kuschte aber, und Honecker hatte sein Ziel erreicht. Allerdings störte Mielke in den achtziger Jahren Honeckers Gedankenwelt immer häufiger, denn die MfS-Erkenntnisse ließen ihm keine andere Wahl, als zwar unbequeme, aber realistische Lagebeurteilungen vorzulegen, die überhaupt nicht in die Wunschwelt Honeckers paßten und dessen Feindbild immer mehr ins Wanken brachten.

Ungeachtet dieser Spitzen zählte Mielke absolut zu den treuesten und zuverlässigsten Mitarbeitern Honeckers. Dieser verstand es andererseits auch, die Rolle des Stasi-Chefs mit demonstrativen Gesten zu untermauern und immer wieder auch im Kreis des Politbüros dessen hervorgehobene Rolle zu demonstrieren. Vielen in der SED-Spitze war es ein großer Dorn im Auge, wenn Mielke nach der wöchentlichen Politbüro-Sitzung für Stunden in Honeckers Büro verschwand und diesem die neuesten MfS-Erkenntnisse übermittelte. Wo andere über Stunden warten mußten, war es für Mielke kein Problem, jederzeit den gewünschten Zugang zu erhalten. Mielke motivierte und mobilisierte immer wieder die leitenden MfS-Offiziere, mit Blick auf die wöchentliche Politbüro-Sitzung »heiße« Informationen zu besorgen, damit er immer »aus dem vollen« schöpfen konnte.

Es wäre lebensfremd, davon auszugehen, daß Mielke Honecker nicht über alle wichtigen Ereignisse und Erkenntnisse – wo es nötig tat, auch im Detail – informiert hätte. Schließlich befand sich der SED-Generalsekretär keinesfalls in einer passiven Rolle: Er nahm nicht nur Informationen entgegen, sondern forderte Erkenntnisse und gab Anweisungen.

Charakteristisch war die Situation nach der Flucht des MfS-Offiziers Werner Stiller 1979. Dessen Enthüllungen erschütterten das Ansehen des SED-Regimes im Ausland. Die Mielke-Interessen außer acht lassend, wies Honecker diesen an, eine vollständige Liste aller MfS-Agenten im Ausland vorzulegen. Auf direkte Intervention Honeckers mußte das MfS infolge des Überlaufens von Stiller hohe Agenten in der Bundesrepublik und im Ausland abziehen, um die Schlappe der Flucht in der öffentlichen Einschätzung jedenfalls halbwegs zu tilgen: Honecker wollte vor aller Welt demonstrieren, über welch umfassendes Agentenpotential die SED verfügte und dieses weit wirkungsvoller als ein übergelaufener MfS-Offizier sei.

Diese direkte Einflußnahme in die MfS-Arbeit seitens Honeckers war in diesem Umfang zwar nicht alltäglich, aber auch nicht die Ausnahme: Der eigentliche »Oberbefehlshaber« der Stasi war und blieb Honecker. Er war über alles informiert, er handelte, er entschied. Honecker versüßte Mielke dessen Machtbegrenzung durch demonstrative Gesten, sei es die Verleihung eines Ordens oder des Titels Armeegeneral. Mielke wurde hofiert und geehrt, wo immer dieses Honecker als Mittel geeignet erschien, sich des Rückhalts des Stasi-Chefs zu versichern. Und Mielke war in dieser Richtung äußerst ansprechbar und empfänglich.

Ein sehr gespanntes Verhältnis hatte Mielke zu Honeckers Ehefrau Margot; er begegnete ihr, von der er glaubte, daß sie auch ihm nicht gewogen sei, mit nahezu krankhafter Ablehnung. Das MfS führte sogar Lauschangriffe gegen Margot Honecker. Telefonate von ihr mit Tochter Sonja wurden von der Stasi-Telefonüberwachung mitgeschnitten. In dem »roten Koffer«, mit dem Mielke schließlich Honecker in der entscheidenden Politbüro-Sitzung unter Druck setzte, sollen sich nicht nur Informationen über Honecker, sondern auch Aussagen der ersten Honecker-Gemahlin Edith befinden, mit denen diese Margot Honecker, ihre einstige Nebenbuhlerin, in einem Brief an Ulbricht in ein unschönes Licht gestellt haben soll.

Die persönlichen Neigungen der Honeckers führten auch in den achtziger Jahren zu politischen Auswirkungen. Honecker und Mielke gerieten in einen ernsthaften Zwist, weil der SED-Generalsekretär 1986 dem neuen Präsidenten des Südjemen nicht verzeihen konnte, daß dieser Honeckers Freund, Ali Nassar Mohammed, gestürzt hatte. Der SED-Chef veranlaßte eine ganze Reihe von Sanktionen gegenüber der neuen Führung in Aden, um diese zu Zugeständnissen vor allem gegenüber den inhaftierten Mitstreitern des Gestürzten zu bewegen. Im Mittelpunkt dieser Aktivitäten stand der frühere Volksbildungsminister Salami, von dem es heißt, er habe mit Frau Honecker besonders gute Kontakte gepflegt.

Die Honeckers setzten aus Mielkes Sicht wichtige politische Interessen aufs Spiel, indem sie der neuen Führung mit unverhohlener Abneigung begegneten. Honecker, der seinen Botschafter zurückrief und SED-Spezialisten abzog, die für die wirtschaftliche Entwicklung des Landes von größter Bedeutung waren, brach sogar bestehende Verträge. Mielke dagegen sah die Situation professionell. Im Rahmen der Abstimmung mit den Sowjets hatte die SED es übernommen, die politische, wirtschaftliche und sicherheitspolitische Entwicklung des Südjemen zu fördern. Für die Sowjets war vor allem der Hafen von Aden mit Blick auf die eigene Pazifikflotte von erheblichem strategischem Gewicht. Mielke verstand dies nicht nur, sondern handelte auch, insbesondere, als die neuen Herrscher in Aden ankündigten, sie erwögen, die rund 50 MfS-Agenten des Landes zu verweisen.

Mielke sah alles gefährdet, was er in langen Jahren aufgebaut hatte. Angesichts dieser Bedrohung ging er einen Weg, der einer inneren Rebellion gleichkam. Er ließ einen Brief öffnen, übersetzen und auswerten, den der abgesetzte Präsident an Honecker gerichtet hatte. MfS-Agenten wurden eingesetzt, um alle Reaktionen Honeckers wie auch der Beteiligten im SED-Apparat festzuhalten und auszuwerten. Ein Agent in der Umgebung Ali Nassar Mohammeds wurde beauftragt, die gesamten Kontakte zwischen diesem und Honecker weiter unter Kontrolle zu halten. Selbstverständlich, daß die Zahl der Mitwisser dieser brisanten Aktion sehr klein gehalten und die Beteiligten zum äußersten Stillschweigen verpflichtet wurden.

Mit der Abteilung II/6 verfügte Mielke über ein Instrument, »politische Sondervorgänge« wirkungsvoll abwickeln zu können. Delikate, meist auch schmutzige Fälle, die in irgendeiner Form den inneren Zirkel von SED und Stasi betrafen, wurden hier bearbeitet. Es spricht für den gewieften Taktiker Mielke, daß er diese Struktureinheit nicht geheimhielt, was auch schwer möglich gewesen wäre, sondern ihren offiziellen Status wahrscheinlich auch Honecker gegenüber damit deklarierte, daß es sich um besonders loyale Mitstreiter handele, deren Aufgabe es sei, Honecker-Opponenten auszuschalten. Auf direkten Wunsch Honeckers oder in Absprache mit Mielke wurden Mitarbeiter des Parteiapparats, die bei Honecker in den Verdacht mangelnder Linientreue gekommen waren oder bei denen Mielke Kontakte zur Opposition unterstellte, umfassend bearbeitet.

Ob Honecker jemals daran gedacht hat, daß auch er und seine Familie in Einzelfällen observiert wurden? Wie paßt dies in das Bild des treuen Dieners Mielke? Es fügt sich gut ein, denn Mielke blieb auch hier der Dienende. Mielke wollte nie der erste Mann sein, er wehrte sich nur mit ihm zur Verfügung stehenden Mitteln, wenn ihm dies notwendig erschien, um Vorsorge für den Fall zu treffen, daß Honecker ihn tatsächlich entmachten wollte. Hier liegt das entscheidende Motiv dieser Ausnahmesituationen, die auch keinen Widerspruch dazu darstellen, daß es der Stasi verboten war, sich um SED-Funktionäre zu kümmern. Es waren eben »Sondervorgänge« auf der höchsten Ebene: Wo Mielke und Honecker sich direkt begegneten, konnten Grundsätze durchaus außer Kraft gesetzt werden. Zudem war Mielke mit sich selbst im reinen, trug sein Handeln doch aus seiner Sicht dazu bei, den Wissensstand zu erweitern. Er wollte alles wissen und mußte dies aus seiner Sicht auch; hätte er hier seinen Pfad einmal verlassen, wäre es ihm wohl nicht mehr möglich gewesen, den totalen Anspruch des MfS zu vertreten.

Gleichwohl dürfte es wahrscheinlich sein, daß derartige Handlungen auch echte Zerreißproben im Inneren von Mielke darstellten. Schließlich siegte aber bei ihm der Drang zum Machterhalt. Jener Machtinstinkt und jene Skrupellosigkeit, die ein Amt beinhaltete, dessen Verlockungen sich Mielke im Ergebnis nie entziehen konnte. Das stabilere Element war allerdings, daß die Beobachtung von Mitgliedern der Parteiführung dazu diente, sicherzustellen, daß Verfehlungen nicht an die Öffentlichkeit gelangten. Mit Sicherheit hat Mielke sich in dieser Hinsicht größere Verdienste gegenüber seinen früheren SED-Kollegen erworben, als er ihnen Nachteile zufügte. Schließlich wußte er doch zwangsläufig alles. Durch das von ihm im Einverständnis mit den Betroffenen zu deren Sicherheit geschaffene »Personenschutzsystem«, bei dem Mitarbeiter des MfS rund um die Uhr und überall die SED-Größen und deren Familien bewachten, verfügte er über eine Fülle von Informationen, so daß das Leben der SED-Größen für ihn so transparent wie Glas war. Ob es die MfS-Bewacher oder die rund 3000 Angestellten waren, die in Wandlitz und den so zahlreichen Freizeitobjekten, Jagdschlössern und Datschen zu Diensten waren: Sie alle erlangten umfangreiche Kenntnisse über das Luxusleben der Bonzen, das in so krassem Widerspruch zu deren Äußerungen und dem realen Leben der Bevölkerung standen. Jene besonderen »Geheimnisträger« im MfS, die über das entscheidende interne Wissen verfügten, wurden strengstens kontrolliert; wehe dem, der etwas preisgab. Es waren nicht wenige MfS-Mitarbeiter, deren Weltbild tiefe Risse bekam und die mit den eklatanten Widersprüchen nicht fertig wurden.

Das Luxusleben der Bonzen

Sie predigten Wasser und tranken heimlich Wein: Die SED-Spitze genoß jene Annehmlichkeiten, die sie der Bevölkerung vorenthielt. Der Abschlußbericht des Sonderausschusses der Volkskammer hat zu diesem Themenkomplex Interessantes ans Licht gebracht. Auf persönliche Anweisung Honeckers wurden

45 Millionen Mark für Neuerrichtung und Erweiterung mehrerer Jagdgebiete verwendet. Die Schorfheide, eines seiner Lieblingsreviere, stand nur ihm und seinen engsten Vertrauten zur Verfügung. Die Jagdleidenschaft hatte viele der SED-Bonzen erfaßt. Harry Tisch, als FDGB-Chef für die Vertretung der Arbeitnehmer offiziell tätig, ließ mehrere Millionen Mark aus volkswirtschaftlichen Fonds entnehmen, um einem seiner Hobbys in Luxus nachgehen zu können. »Volles Rohr von den Hochsitzen«, lautete die Parole, wenn Tisch im Revier Semlow südöstlich von Rostock seinem Vergnügen nachging. Rund um die Uhr wurde das strengstens abgeschirmte Gebiet von der Stasi bewacht; ein hoher Sendemast, der über den Waldwipfeln sichtbar war, stellte nicht nur die Verbindung zwischen den Stasi-Hochsitzen im Revier, sondern per Richtfunkstrecke auch Kontakt nach Berlin her. Wollte Tisch am Abend auf die Pirsch, mußten die Stasi-Bewacher schon mittags im Revier auf die Hochsitze. Mehr als zehn Hochsitze, zum Teil mit Fernsehkameras ausgestattet, waren in dem rund 2500 Hektar großen Revier verteilt. Während die Häuser verfielen, ließ Tisch sein Revier herrschaftlich herrichten. Schöne Kieswege im Wald, keine Schlaglöcher, ein renoviertes Schloß und ein angenehmes Gästehaus – es fehlte an nichts. Mielke, der gleichfalls gern jagte, brauchte im Jahr 600 000 Mark aus dem Staatshaushalt allein für diesen Zweck.

In Wandlitz, der Prominentensiedlung, mußten die Mitglieder des Politbüros nicht darben. 1988 und 1989 kauften allein neun Politbüromitglieder Waren im Wert von rund 1,7 Millionen Mark gegen Schecks und Rechnung; Bareinkäufe waren für die Abgeordneten der Volkskammer, die diesen Komplex überprüften, nicht nachvollziehbar. Außer Zweifel steht jedoch, daß Millionen in zweistelliger Größenordnung aufgebracht werden mußten, um die Bedürfnisse in Wandlitz zu decken. Auch aus MfS-Fonds wurden Finanzmittel und materiell-technische Mittel, vor allem Fahrzeuge, zur Verfügung gestellt. Im Kaufhaus in der Siedlung gab es keine Not, was dort nicht im Angebot war, wurde per Katalog oder Einzelbestellung beschafft.

Nicht nur die Parteifunktionäre kauften hemmungslos ein, sie bedienten auch Verwandte und Freunde. Bei Sindermann wurden mehrere fabrikneue Farbfernsehgeräte und Videoanlagen westlicher Produktion gefunden. Es gehörte bald zum guten Ton, daß sich die Kinder, egal, ob sie in Wandlitz oder aber in anderen komfortablen Häusern oder Wohnungen lebten, nur noch in Pkws westlicher Produktion wohl fühlten. Einer wollte den anderen übertreffen, auch in der Ausstattung der Jagdhütten und Datschen. Da war es nicht die Ausnahme, daß MfS-Techniker kilometerlang Strom- und Videokabel verlegen mußten, damit jene Kameras installiert werden konnten, mit denen auch vom Bett aus das Wild beobachtet werden konnte. Stoph ließ auf seinem Jagdanwesen immer tiefere Brunnen bohren, um sicher sein zu können, daß die Wasserqualität in Ordnung sei, während viele Industrieanlagen immer mehr verrotteten und den dort wohnenden Menschen Umweltschäden zufügten.

Um die eigene Gesundheit war man in der SED-Spitze besonders besorgt. Eine Privatklinik in Ost-Berlin wurde gebaut, unvorstellbar luxuriös und mit allem für die Mitglieder des Politbüros und ihre Familien ausgestattet, während hingegen die medizinische Grundversorgung der Bevölkerung nicht mehr überall gewährleistet werden konnte. Aufwendige Auslandsreisen wurden getätigt, um ärztlichen Rat oder Untersuchungen in Anspruch zu nehmen. Gelegentlich wurde auch das Notwendige mit dem Nützlichen verbunden: Frau und Tochter Tisch logierten in einem Züricher Luxushotel auf Kosten des MfS, als das Enkelkind am Herzen operiert werden mußte. Als der dortige MfS-Resident diese Allüren ablehnte und auch bei anderer Gelegenheit deutlich zum Ausdruck brachte, daß er mit Widerwillen den Pomp der SED-Bonzen begleitete, wurde sein Einsatz in der Schweiz unter fadenscheinigen Gründen beendet; ein Disziplinarverfahren folgte.

Auch Griechenland zählte zu den bevorzugten Reisezielen der SED-Prominenz. Voller Interesse konnte der zuständige MfS-Resident registrieren, daß dieselben Politbüromitglieder, die sich in der DDR aus Angst vor terroristischen Anschlägen rund um die Uhr mit ungeheurem Aufwand bewachen ließen, sorglos in jenes Griechenland reisten, das in jener Zeit mehrfach von terroristischen Anschlägen erschüttert wurde.

Die Spitzen der PDS-Vorgängerin SED genossen den Luxus auch in anderen Bereichen in vollen Zügen. Mit ihren Dienstwagen ließen sie sich so chauffieren, daß keiner unerwünscht mit ihnen in Verbindung kommen konnte. Natürlich nicht im Trabi, sondern zumeist in den nobelsten Ausführungen ausländischer Fabrikate. Dazu diente die sogenannte »Protokollstrecke«, so der festgelegte Begriff für die tägliche Fahrtroute zwischen Wandlitz und dem Dienstgebäude im Zentralkomitee. Die Route wurde von der Hauptabteilung Personenschutz des MfS hermetisch gesichert und strengstens kontrolliert. Der Begriff Protokollstrecke wurde auch verwendet, wenn sich die Mehrzahl des Politbüros geschlossen innerhalb der DDR bewegte, beispielsweise auf dem Weg zur Leipziger Messe oder zu den Feierlichkeiten anläßlich der Einweihung des Greifswalder Domes.

Mysteriöser Tod in Berlin

Im Herbst 1983 fand die Ehefrau des NVA-Oberst Hans Pfotenhauer ihren Ehemann im Keller des Hauses im Ostberliner Stadtteil Köpenick-Mahlsdorf erhängt. Selbstmord?

Die zur Untersuchung eingesetzte MfS-Spezialkommission stieß auf eine Reihe von Merkwürdigkeiten, gab sich aber zum Schluß mit der Selbstmordthese zufrieden. Im Freundeskreis gab es andere Versionen.

Wer war Pfotenhauer? Als Mitarbeiter im militärischen Aufklärungsdienst der NVA entwickelte er sich unter seinem Verwaltungschef, Generalleutnant Artur Franke, im Laufe der siebziger Jahre zu einer Art persönlicher Beschaffer. Er war zuständig für alles, was Franke, später auch andere NVA-Größen, für ihren persönlichen Luxus benötigten. Die Verwaltung Aufklärung war das einzige NVA-Organ, das im Besitz von Westgeld war und über Möglichkeiten zur Beschaffung von Westwaren verfügte. Wertvolle Schmuckstücke mußten für die junge Ehefrau des damaligen Verteidigungsministers und Politbüromitglieds Heinz Hoffmann besorgt werden, wobei der Preis keine nennenswerte Rolle spielte. Pfotenhauer erhielt als erster Offizier der Verwaltung Aufklärung die Erlaubnis, mit falschen Papieren nach West-Berlin fahren zu können, um die Einkäufe sicherzustellen. Kontrollbefreiung in Zusammenarbeit mit dem MfS sicherte den reibungslosen Grenzübertritt.

Pfotenhauer mußte eine Firma gründen, um Bauten abwickeln zu können. Oberst Theo Gregori, der als Nachfolger von Franke innerhalb kürzester Zeit zum Generalleutnant avancierte, sorgte für Mittel in der Staatskasse. Er entwickelte für Pfotenhauer ein System der Beschaffung und Abdeckung illegaler Gelder, um Finanzmittel zu beschaffen. Verwandte wurden auf Kosten des Staates versorgt, die politischen Spitzen sicherten ab, daß nichts – zumindest öffentlich – bekannt wurde. Gregori verstand sich gut mit Politbüromitgliedern; Pfotenhauer wurde als Konkurrent der offiziellen MfS-Beschaffungsorgane Spezialbeschaffer für Wandlitz. Selbst für Mittag kümmerte er sich um die Besorgung von Bier-Spezialsorten, obwohl Mittag durch andere schon bestens bedient wurde. Pfotenhauer kam auch deswegen sehr gelegen, weil die SED-Prominenz dadurch Teile der Beschaffungswünsche gegenüber dem MfS verschleiern konnte.

Das Ausmaß der Aktionen von Gregori, die Pfotenhauer auszuführen hatte, wurde immer größer. Sie erreichten ihren Höhepunkt, als Gregori sich ein luxuriöses Haus bauen ließ. Nichts war zu fein, nur erlesene Materialien wurden verwandt. Von einer Porzellanfabrik in Thüringen wurde ein kostbarer Wandfries angefertigt; dies alles konnte natürlich nicht völlig vor der Öffentlichkeit verborgen bleiben. Man wurde hellhörig, Beschwerden häuften sich. Hoffmann konnte Gregori nicht länger halten, zumal das MfS einen Hinweis aus der Bundesrepublik von einem Doppelagenten erhalten hatte, wonach Pfotenhauer zum Angriffsobjekt eines westlichen Geheimdienstes geworden war. Die Sorge war groß, daß das Luxusleben bekannt werden würde, falls Pfotenhauer den Werbungsversuchen des Dienstes erliegen sollte. Diskret wurde eine Untersuchung geführt, aber ohne Ergebnis. Pfotenhauer war inzwischen tot.

Gregori wurde zwar seines Postens als Chef der Armeeaufklärung enthoben, behielt aber seinen Dienstgrad und blieb im Dienste des Ministeriums für Nationale Verteidigung. Die Mitglieder der MfS-Untersuchungskommission, hartgesottene Kriminalisten, die viel erlebt hatten und angesichts der Beweise über die Verschleuderung von Staatsgeldern und hemmungsloser Bereicherung erschrocken waren, wurden zum Schweigen verpflichtet. Ihnen wurde jede Untersuchung und Aufarbeitung der Korruption untersagt.

Die Pfründen wurden gut verteilt

Das hemmungslose Ausnutzen von Privilegien machte auch vor dem MfS nicht halt. Die »Kaderschmiede MfS« war pikanterweise auch eine Domäne zur Erziehung und Versorgung von Kindern der »Parteiführer«. Namen aus den Familien Hermann, Tisch, Krolikowski, Kleiber und Naumann stehen für viele, die die Position auf der jeweiligen Ebene der PDS-Vorgängerin SED ausnutzten, um die »Ehre« zu genießen, den Sohn im Stasi-Dienst versorgt zu wissen.

Die Karriere schien damit gesichert. Selbst dem mächtigen früheren Geheimdienstchef Markus Wolf wird nachgesagt, er habe den Sohn von Politbüromitglied Naumann auf Versammlungen im MfS öffentlich hofiert, um seine Verbundenheit zum Ausdruck zu bringen. Der Sohn von Hermann, der in der Spionageabwehr tätig war, benötigte keine vier Wochen, um in die dortige Parteileitung berufen zu werden. Ein Weg, für den normalerweise mindestens fünf Jahre notwendig waren. In diesem Verantwortungsbereich wurde auch der »La Belle«-Anschlag bearbeitet; es kann wohl nach aller Lebenserfahrung davon ausgegangen werden, daß abends auch darüber im trauten Heim geplaudert wurde. Dies war natürlich auch eine wichtige Komponente in den Beziehungen zwischen SED-Politikern, ihren Söhnen und der MfS-Tätigkeit: Durch die »Berichterstattung« zu Hause konnten sie für Beförderungen von MfS-Offizieren sorgen, die nach Einschätzung der Söhne besonders linientreu waren, aber auch manche Probleme machten. Im MfS wurde geflüstert, die Söhne von Naumann, die im MfS tätig waren, hätten dem Vater so viel über die tatsächliche Situation berichtet, daß dieser deswegen 1985 die SED-Spitze kritisiert und Veränderungen verlangt habe. Es war Krenz, der ihm anschließend mit unnachgiebiger Härte zusetzte und maßgeblich zu seinem Sturz beitrug. Auch dank der Rolle, die Wolfgang Schwanitz dabei spielte, kam er mit Hilfe seines Förderers Krenz in die führende MfS-Position.

Auch Privilegien für MfS-Mitarbeiter – und für den Kampforden 2000 Mark extra

Mit Vergünstigungen und Anreizen sorgte das MfS dafür, daß die Stasi-Mitarbeiter gegenüber der Bevölkerung materiell deutlich privilegiert waren. Eine wichtige Rolle spielte dabei die MfS-eigene Sparkasse, die mit ihren Zweigstellen in den untergeordneten Stasi-Verwaltungen nicht nur für den total abgeschotteten und reibungslosen Zahlungsverkehr sorgte, sondern zugleich jeden Mitarbeiter hinsichtlich seiner materiellen Situation überprüfen konnte.

Die Kredite der Stasi-Sparkasse wurden vor allem zum Erwerb von Häusern in Anspruch genommen. Auch Inoffizielle Mitarbeiter konnten bis zu 10 000 Mark Kredit erhalten, der über den jeweiligen Führungsoffizier abgewickelt wurde. Dieser zahlte die Tilgungsraten an die Sparkasse, die wiederum von den Inoffiziellen Mitarbeitern direkt an den Offizier beglichen wurden.

Vergütungsstufe, Dienstgradeinordnung, Treuegeld und Zulagen bestimmten das Einkommen der Stasi-Mitarbeiter. Zwischen 650 Mark in den unteren Bereichen und rund 2000 Mark für einen Stasi-Bezirkschef bewegten sich die Vergütungsstufen, die durch Zahlungen auf der Grundlage des Dienstgrades zwischen 275 und rund 1400 Mark aufgepäppelt wurden. Wer dem MfS fünf Jahre die Treue gehalten hatte, durfte mit 80 Mark rechnen; dies steigerte sich erheblich. Zuschläge wurden für besondere Belastungen, beispielsweise in den Anti-Terroreinheiten, gezahlt. Viel Unmut, vor allem angesichts der zuletzt nahezu ständigen Präsenzpflicht, herrschte innerhalb der Stasi, weil es keine Überstunden-, Sonn- und Feiertagszulagen gab. Ansonsten war alles bis in kleinste Detail geregelt, von den Tagessätzen bei Dienstreisen bis zu den Fahrtkosten und Zuwendungen bei Versetzungen. Transport, sogar die Fernsehantennenmontage sowie der Strom- und Gasanschluß wurden bezahlt, wenn eine dienstliche Versetzung die privaten Aufwendungen erforderten. Selbst Fahrten zur Besichtigung von Wohnungen wurden erstattet; je nach Größe des Pkw auch das Kilometergeld. Die Stasi ließ sich finanziell auch nicht lumpen, wenn die begehrten und beliebten Auszeichnungen an die Mitstreiter verliehen wurden. Wer vom MfS-Chef den »Kampforden für Volk und Vaterland« sein eigen nennen durfte, konnte mit 1000 bis 2000 Mark zusätzlich rechnen. Die Medaillen »Waffenbrüderschaft« waren für das MfS nicht so kostspielig; einige hundert Mark wurden dennoch überwiesen. Angesichts der Fülle der Lobpreisungen war von vornherein im jährlichen MfS-Etat hierfür ein üppiger Posten vorgesehen; rund drei Prozent der jährlichen Mittel für Vergütungen und Zuschläge standen allein für die Dotationen von Orden und Medaillen bereit. Da wurden Geburtstage und sonstige Jubiläen der Mitarbeiter preiswerter. Zwischen 300 und 600 Mark waren für runde Geburtstage ab 50 einkalkuliert. Eheschließungen und Jugendweihe standen nicht so hoch im Kurs, wurden aber auf dem Gehaltsstreifen nicht vergessen. Daß nach Ausscheiden Übergangszahlungen geleistet oder Differenzen zu einer neuen Tätigkeit ausgeglichen wurden, war genauso selbstverständlich wie die großzügige Regelung für Rentner, die zuvor in Stasi-Diensten gestanden hatten. Ferienplätze in MfS-Heimen standen ihnen genauso weiter zur Verfügung, wie Unterstützung bei der »Traditionspflege«. Alles war geregelt; selbst die »Blumen am Trauerbild« und die Größe der Kränze waren exakt hinsichtlich der finanziellen Ausgaben festgeschrieben.

Ein dunkles Kapitel ist vielfach die Verwendung der »Operativgelder«, die vor allem für Inoffizielle Mitarbeiter zur Verfügung standen. Bargeld und Sachwerte halfen, die Freude am Bespitzeln der Nachbarn und Freunde aufrechtzuerhalten. Abrechnungen über Apfelwhisky und Korn belegen, daß man auch hier Freuden des Lebens nicht vergaß. Nicht völlig unbeachtet blieben bei den Zuwendungen die wenigen Zivilbeschäftigten bei der Stasi. Ihre Verschwiegenheit war der Stasi in Form eines »Sicherheitszuschlages« zwischen 100 und 200 Mark wert. Die »Kleiderordnung« mußte aber auch hier stimmen: Auszeichnungen wurden zwar genauso verliehen wie gegenüber den »klassischen« MfS-Mitarbeitern, zu einer Verankerung in der offiziellen »Prämienordnung« reichte es aber nicht.

3 Die Stasi-Spionage gegen das eigene Volk

Die totale Überwachung der Gesellschaft

Die Stasi überwachte alles. Sie überzog den SED-Staat wie ein Netz, gegliedert in fachliche Bereiche, wie die Ministerien, Polizei, Verwaltungen, Betriebe, gesellschaftliche Organisationen, Kirchen, Jugend, Kultur und Sport sowie territoriale MfS-Bereiche, also die Bezirksverwaltungen, Kreis- und Ortsdienststellen.

MINISTERIUM DES INNERN
Hauptabteilung Kriminalpolizei

Geheime Verschlußsache
O 020074
655. Ausf., Blatt 1 - 19

Richtlinie Nr. 004/87

des Stellvertreters des Leiters der Hauptabteilung Kriminalpolizei
und Leiters der Abteilung I

zur

Überprüfung und Erfassung von Personen sowie Registratur, Verwahrung und Archivierung von operativen Materialien des Arbeitsgebietes I der Kriminalpolizei

- Erfassungs- und Aktenrichtlinie -

- vom 25. Mai 1987 -

WIRD FESTGELEGT:

I. Grundsätze

1. Die kriminalpolizeilich-operative Bearbeitung (nachfolgend Bearbeitung genannt) von Personen durch das AG I setzt deren **aktive Erfassung im MfS** voraus. Ohne diese Erfassung ist keine Bearbeitung, Ermittlung oder Kontaktierung dieser Personen gestattet. Ausgenommen davon sind Maßnahmen der karteimäßigen Überprüfung.

Im »Arbeitsgebiet I« hatte die Kriminalpolizei ihre Tätigkeit mit der Stasi abzustimmen, wie die Geheime Verschlußsache vom 25. 5. 1987 belegt.

Die Klärung der Frage »Wer ist wer«, die Mielke gemäß seiner Doktrin »Alles wissen, alles kontrollieren« vorgab, wurde zur Schlüsselfunktion der flächendeckenden Überwachung. Jeder war verdächtig, ein potentieller Unsicherheitskandidat und möglicher Feind zu sein. »Sicherheitsüberprüfungen«, früher auf echte Geheimnisträger begrenzt, betrafen zuletzt nahezu jeden. Das MfS schuf sich das Recht auf vorherige Überprüfung und Bestätigungspflicht für Neueinstellungen, Beförderungen und sogar bei der Auswahl von Schulbesuchen. Jeder, der im System nach oben kommen wollte oder sollte, wurde regelmäßig und gründlich überprüft. Dies galt für alle Bereiche, ob NVA, wissenschaftliche Institute oder andere Schlüsselpositionen. Nichts blieb dem MfS verborgen. Es erhielt nicht nur ungehinderten Zugang zu allen Datenträgern und Speichern, es perfektionierte diese nach seinen eigenen Vorstellungen in allen gesellschaftlichen Organen und Funktionen. Die Personal- oder Kaderabteilungen wurden zu ausgewählten Erfüllungsgehilfen der Stasi, nichts ging mehr ohne sie. Immer neue Fragebögen, Karteien und Datenspeicher wurden geschaffen, die beim Zugriff durch das MfS keiner Begrenzung unterlagen. In den Panzerschränken der Mitarbeiter stapelten sich »doppelte« Personalakten, immer neue Struktureinheiten perfektionierten die totale Überwachung.

Zwei Beispiele dafür sind der permanente Bruch des Postgeheimnisses sowie die Kaderakten, mit denen alle persönlichen, politischen und beruflichen Daten lückenlos gespeichert wurden, so daß die Stasi über ihre Beauftragten und Offiziere im besonderen Einsatz jederzeit jedes Wissen abfragen oder vervollständigen konnte.

Zu den allergeheimsten Aktivitäten der Stasi gehörte der Bruch des Briefgeheimnisses, durch den viele, die keinesfalls in einer bedeutsamen Funktion waren, strikt überwacht wurden, ohne davon die geringste Vorstellung zu haben. Das Monopol dieser Aktion lag ausschließlich bei der Abteilung M des MfS, wie aus dem Grundlagenbefehl vom 5. Mai 1986 hervorgeht, in dem Mielke die entscheidenden Punkte skizzierte. Er untersagte allen anderen Abteilungen des MfS, »unter Umgehung der Abteilung M« zu versuchen, über die Post und die Zollverwaltung an Informationen zu kommen. Zudem waren MfS-Offiziere verpflichtet, sicherzustellen, daß die Diensteinheiten von Armee und Polizei keine »Maßnahmen der Postkontrolle bei den zuständigen Diensteinheiten der Deutschen Post« veranlaßten.

Bei der Kontrolle und Auswertung der »Brief- und Kleingutsendungen sowie Telegramme«, die unter dem Sammelbegriff Postsendungen geführt wurden, dominierte die Zweckmäßigkeit. Wo es genügte, über Personen oder Inhalte der Sendungen mit Kopien auszukommen, begnügte man sich mit dieser Form. War es aus Stasi-Sicht vonnöten, mit Originalen zu agieren, so stellte die Abteilung M anderen Diensteinheiten des MfS diese zur Verfügung. Allerdings mit der Auflage, innerhalb »kürzester Frist, jedoch nicht später als zwölf Stunden nach der Übergabe«, diese zurückzugeben. Zudem seien Originalpostsendungen so zu behandeln, »daß keine Bearbeitungsspuren oder Beschädigungen entstehen, Sendungsinhalte nicht vertauscht und in der ursprünglichen Form eingelegt werden sowie keine anderen Materialien in die Originalpostsendungen gelangen«. Auch sei sicherzustellen, daß keine Rückschlüsse auf die Herkunft der Informationen gezogen werden können.

Die totale Stasi-Kontrolle, die mittels »Fahndungsaufträgen« technisch abgewickelt wurde, erfaßte täglich 50 000 bis 70 000 Postsendungen. Sie konzentrierte sich im wesentlichen auf vier Formen.

Ministerrat
der Deutschen Demokratischen Republik
Ministerium für Staatssicherheit
Der Minister

Berlin, . . . 1986

Geheime Verschlußsache
GVS
MfS-Nr.
.Au   1 bis 11

Originalpostsendungen, die nach der Entscheidung in den operativen Diensteinheiten weitergeleitet werden sollen, sind so zu behandeln, daß keine Bearbeitungsspuren oder Beschädigungen entstehen, Sendungsinhalte nicht vertauscht und in der ursprünglichen Form eingelegt werden sowie keine anderen Materialien in
die Originalpostsendungen gelangen.
Ihre Rückführung an die zuständige Abteilung M hat innerhalb
kürzester Frist - jedoch nicht später als 12 Stunden nach der
Übergabe - zu erfolgen.

3.3. Die politisch-operative Auswertung und Nutzung der Informationen, die aus Postsendungen erarbeitet wurden, hat unter
strengster Geheimhaltung der Informationsquelle und so zu erfol-
;en, daß keine Rückschlüsse auf die Herkunft der Informationen
gezogen werden können.

Mielkes Befehl sollte sicherstellen, daß die Stasi-Spuren vertuscht wurden.

MfS/BV ....
Abteilung II   ....
                              Datum

Diensteinheit:
                              Tgb.-Nr.   /
....   Beleg 1
....   Nr. 00000

Anliegend erhalten Sie
..... Briefe   ..... Karten   ..... Pakete   ..... Päckchen x)
Nachweisnummer: ....
                    (Einschreiben, Wertsendung, Rückschein Paket)
gemäß Fahndungsauftrag / zur Information und Entscheidung x)

x) nichtzutreffendes streichen

                              ....
                              Leiter der Diensteinheit

Diensteinheit
                              ....
....   Datum
....   Tgb.-Nr.   /
MfS/BV ....   Beleg 3
Abteilung II   Nr. 00000

Ober die Sendung/en wurde/n folgende Entscheidung/en getroffen
Weiterzuleiten sind
..... Briefe   ..... Karten   ..... Pakete   ..... Päckchen
Einbehalten werden
..... Briefe   ..... Karten   ..... Pakete   ..... Päckchen
Nachweisnummer: ....
                    (Einschreiben, Wertsendung, Rückschein, Paket)

                              Das Einbehalten o. a. Sendungen
                              wird hiermit bestätigt

....
Unterschrift   ....
                              Unterschrift

Diensteinheit
                              ....
....   Datum
....   Tgb.-Nr.   /
MfS/BV ....   Beleg 2
Abteilung II   Nr. 00000

Der Empfang der Sendungen gemäß Beleg 1 wird hiermit bestätigt

                              ....
                              Unterschrift

Bruch der Privatsphäre – für die Stasi ein Routinevorgang. Viele Unterschriften mußten bei der Stasi geleistet werden. Die Opfer werden die Täter entlarven können.

- Mit der Anschriftenfahndung wurden Postsendungen erfaßt, die an Privatpersonen oder an »Objekte« unterwegs waren. Die Sendungsart, die Art der Übergabe als Original, aber auch »die besondere Behandlung oder Bearbeitung« waren auf dem Fahndungsersuchen anzugeben.

- Die Schriftenfahndung diente der Identifizierung »von Personen nach Merkmalen ihrer Handschrift sowie zur Feststellung von Postsendungen an unbekannte Empfänger anhand der Merkmale von Hand- und Maschinenschriften«. Notwendig war es, über »Vergleichsschriftenmaterial« zu verfügen, das deutlich erkennbar, aktuell und mindestens in »einer Seite A4-Text« vorzuliegen habe.

- Besonders beliebt war die Sonderkastenleerung, nicht selten auch wirkungsvoll eingesetzt, wenn die Stasi vermutete, daß anwesende Prominente aus dem Westen Postsendungen im Osten aufgaben. Sämtliche Briefkästen wurden dadurch außerhalb der üblich vorgesehenen Leerungszeiten überprüft.

- Mit der technischen Untersuchung war die Stasi Geheimschriften oder Geheimschriftmerkmalen auf der Spur. Vor allem dort, wo man vermutete, daß »nachrichtendienstliche Verbindungen« zwischen den Briefpartnern bestünden, wurde dieses aufwendige Mittel eingesetzt, zu dessen wesentlichem Merkmal die Feststellung »kriminaltechnisch verwertbarer Spuren« gehörte.

Die Kaderakten der Betriebe und staatlichen Einrichtungen, die von Beginn des beruflichen Werdegangs bis zum Ausscheiden mit einer Aufbewahrungsfrist von fünf bis zehn Jahren geführt wurden, sorgten lückenlos (»auf den Tag genau«) für alle wesentlichen Informationen. Die SED und Stasi sicherten sich dabei stets das Meinungs- und Informationsmonopol, denn der Betreffende hatte keinerlei Rechte, die Akten einzusehen. Viele Beschäftigte, die ihre persönlichen Eintragungen gesehen haben, mußten erschüttert zur Kenntnis nehmen, wie Vorgesetzte beispielsweise ihr Intimleben einschätzten und zum Maßstab einer Beurteilung machten; kann da Vertrauen je wieder hergestellt werden?

Kernpunkte der Unterlagen waren vor allem die politische

Einschätzbarkeit (»Die konsequente Erfüllung des Befehls bewirkt folglich seine Treue zur DDR, seine Stellung zur Ableistung des Wehrdienstes sowie zu den Maßnahmen der Partei und Regierung«) und die Denunziation der Angehörigen. »Gegenwärtige und bisherige Zugehörigkeit zu Parteien und gesellschaftlichen Organisationen« wurden genauso detailliert aufgeführt wie »Wahlfunktionen« in den entsprechenden Bereichen. Eine eigene Rubrik gehörte der »SED/FDJ-Weiterbildung«: »Besuch von Parteischulen, Schulen der gesellschaftlichen Organisation, der staatlichen und bewaffneten Organe«. Wer eine »staatliche oder gesellschaftliche Auszeichnung« vorwies, sammelte durch entsprechende Eintragungen Pluspunkte; Angaben in der Rubrik »Zugehörigkeit zur ehemaligen faschistischen Wehrmacht« waren sicheres Indiz für die Sackgasse.

Angaben über Ehepartner, Kinder, Eltern und Geschwister sorgten für die Bespitzelung der Familien. Auch Auskunft über Kontakte zum Westen diente der Einschätzung politischer Zuverlässigkeit. Wer nicht bestreiten konnte oder wollte, »direkte Kontakte zum Westen« zu unterhalten, belastete seine Kaderakte.

Die Folge der Überwachung und totalen Informationssammlung zu Millionen waren »Bearbeitungsprozesse«, das MfS wurde aktiv, setzte seine Mittel und Methoden der gezielten Personenbearbeitung ein. Potentielle Feinde, wer auch immer unter dieser Rubrik geführt wurde, gerieten in die Maschinerie, ohne – jedenfalls in der Regel – davon etwas zu wissen. Je »gefährlicher« die Opfer für das SED-Regime waren, um so rücksichtsloser bediente sich die Stasi der vorgeschriebenen Mittel und Methoden der Bearbeitung. Die Bearbeitung in einem »Operativvorgang«, mit registrierter Nummer und Decknamen, war durch die Leiter der MfS-Diensteinheiten oder gar Mielke persönlich bestätigungspflichtig. Sie kannte keine Grenzen; jedes Mittel, das zum Erfolg führen konnte, wurde angewandt. In der seit 1976 dazu von Mielke als Arbeitsgrundlage erlassenen »Richtlinie Nr. 1/76« liegt die Grundlage des Spitzelsystems!

»Zur Bearbeitung Operativer Vorgänge sind insbesondere folgende Kräfte, Mittel und Methoden einzusetzen:

- operative Ermittlungen und Beobachtungen durch Kräfte der Diensteinheiten der Linie VIII und der vorgangsbearbeitenden Diensteinheit;
- operative Fahndungen nach Personen und Gegenständen unter Einbeziehung der Fahndungsführungsgruppe bzw. der Möglichkeiten der Diensteinheiten der Linie VI, der DVP und der Organe der Zollverwaltung der DDR;
- konspirative Durchsuchungen, insbesondere zur Feststellung und Dokumentation von Beweisen;
- operative Mittel der Abteilungen M, Postzollfahndung und 26, insbesondere zur Feststellung, Aufklärung und Dokumentation von feindlich-negativen Verbindungen sowie nachrichtendienstlichen Mitteln und Methoden;
- operative Mittel und Methoden der Diensteinheiten der Linie IX sowie anderer Linien, wie z. B. der Spezialisten für Schriftenfahndung und der Spezialisten der Diensteinheiten der Linie XVIII für die Bearbeitung von Bränden und Störungen;
- Möglichkeiten der Spezialfunkdienste des MfS;
- operativ-technische Mittel zur Überwachung von Personen und Einrichtungen sowie von Nachrichtenverbindungen;
- kriminaltechnische Mittel und Methoden;
- spezielle operativ-technische Mittel und Methoden des Operativ-Technischen Sektors, z. B. zur Erarbeitung von Untersuchungsberichten, Expertisen und Gutachten;
- Nutzung der Informationsspeicher der Diensteinheiten der Linie VI über den grenzüberschreitenden Verkehr sowie der Informationsspeicher anderer Diensteinheiten.

Zur Gewinnung von erforderlichen Informationen für die Bearbeitung Operativer Vorgänge sind auch die Möglichkeiten der DVP, der Zollverwaltung der DDR, anderer Staats- und wirtschaftsleitender Organe, Betriebe, Kombinate und Einrichtungen sowie gesellschaftlicher Organisationen und Kräfte zielstrebig zu nutzen.«

Zynisch und menschenverachtend legt Mielke auf den Seiten 46 bis 49 »die Anwendung von Maßnahmen der Zersetzung«, deren Zielstellung und Bereiche fest:

»Maßnahmen der Zersetzung sind auf das Hervorrufen sowie die Ausnutzung und Verstärkung solcher Widersprüche bzw. Differenzen zwischen feindlich-negativen Kräften zu richten, durch die sie zersplittert, gelähmt, desorganisiert und isoliert und ihre feindlich-negativen Handlungen einschließlich deren Auswirkungen vorbeugend verhindert, wesentlich eingeschränkt oder gänzlich unterbunden werden.

Zersetzungsmaßnahmen können sich sowohl gegen Gruppen, Gruppierungen und Organisationen als auch gegen einzelne Personen richten und als relativ selbständige Art des Abschlusses Operativer Vorgänge oder im Zusammenhang mit anderen Abschlußarten angewandt werden.

Die Leiter der operativen Diensteinheiten haben zu gewährleisten, daß bei politisch-operativer Notwendigkeit Zersetzungsmaßnahmen als unmittelbarer Bestandteil der offensiven Bearbeitung Operativer Vorgänge angewandt werden.

Zersetzungsmaßnahmen sind insbesondere anzuwenden:
– wenn in der Bearbeitung Operativer Vorgänge die erforderlichen Beweise für das Vorliegen eines Staatsverbrechens oder einer anderen Straftat erarbeitet wurden und der jeweilige Operative Vorgang aus politischen und politisch-operativen Gründen im Interesse der Realisierung eines höheren gesellschaftlichen Nutzens nicht mit strafrechtlichen Maßnahmen abgeschlossen werden soll;
– im Zusammenhang mit der Durchführung strafrechtlicher Maßnahmen, insbesondere zur Zerschlagung feindlicher Gruppen sowie zur Einschränkung bzw. Unterbindung der Massenwirksamkeit feindlich-negativer Handlungen;
– zur wirksamen vorbeugenden Bekämpfung staatsfeindlicher Tätigkeit und anderer feindlich-negativer Handlungen, wie z. B.

zur Verhinderung des staatsfeindlichen Wirksamwerdens negativer Gruppierungen,

zur Einschränkung der Wirksamkeit politisch zersetzender Auffassungen bzw. von schadensverursachenden Handlungen,

gegen Organisatoren und Hintermänner staatsfeindlicher Tätigkeit im Operationsgebiet;

– gegen Personen, Personengruppen und Organisationen, von denen Aktivitäten zur Verbreitung bzw. Forcierung der politisch-ideologischen Diversion und anderer subversiver Maßnahmen gegen die DDR ausgehen.

2.6.2. Formen, Mittel und Methoden der Zersetzung

Die Festlegung der durchzuführenden Zersetzungsmaßnahmen hat auf der Grundlage der exakten Einschätzung der erreichten Ergebnisse der Bearbeitung des jeweiligen Operativen Vorganges, insbesondere der erarbeiteten Ansatzpunkte sowie der Individualität der bearbeiteten Personen und in Abhängigkeit von der jeweils zu erreichenden Zielstellung zu erfolgen.

Bewährte anzuwendende Formen der Zersetzung sind:
– systematische Diskreditierung des öffentlichen Rufes, des Ansehens und des Prestiges auf der Grundlage miteinander verbundener wahrer, überprüfbarer und diskreditierender sowie unwahrer, glaubhafter, nicht widerlegbarer und damit ebenfalls diskreditierender Angaben;
– systematische Organisierung beruflicher und gesellschaftlicher Mißerfolge;
– zielstrebige Untergrabung von Überzeugungen im Zusammenhang mit bestimmten Idealen, Vorbildern usw. und die Erzeugung von Zweifeln an der persönlichen Perspektive;
– Erzeugen bzw. Ausnutzen und Verstärken von Rivalitäten innerhalb von Gruppen, Gruppierungen und Organisationen durch zielgerichtete Ausnutzung persönlicher Schwächen einzelner Mitglieder;
– Beschäftigung von Gruppen, Gruppierungen und Organisationen mit ihren internen Problemen mit dem Ziel der Einschätzung ihrer feindlich-negativen Handlungen;
– örtliches und zeitliches Unterbinden bzw. Einschränken der gegenseitigen Beziehungen der Mitglieder einer Gruppe, Gruppierung oder Organisation auf der Grundlage geltender gesetzlicher Bestimmungen, z. B. durch Arbeitsplatzbindungen, Zuweisung örtlich entfernt liegender Arbeitsplätze usw.

Bei der Durchführung von Zersetzungsmaßnahmen sind vorrangig zuverlässige, bewährte, für die Lösung dieser Aufgaben geeignete IM einzusetzen.

Bewährte Mittel und Methoden der Zersetzung sind:
- das Heranführen bzw. der Einsatz von IM, legendiert als Kuriere der Zentrale, Vertrauenspersonen des Leiters der Gruppe, übergeordnete Personen, Beauftragte von zuständigen Stellen aus dem Operationsgebiet, andere Verbindungspersonen usw.;
- die Verwendung anonymer oder pseudonymer Briefe, Telegramme, Telefonanrufe usw.; kompromittierende Fotos, z. B. von stattgefundenen oder vorgetäuschten Begegnungen;
- die gezielte Verbreitung von Gerüchten über bestimmte Personen einer Gruppe, Gruppierung oder Organisation;
- gezielte Indiskretionen bzw. das Vortäuschen einer Dekonspiration von Abwehrmaßnahmen des MfS;
- die Vorladung von Personen zu staatlichen Dienststellen oder gesellschaftlichen Organisationen mit glaubhafter oder unglaubhafter Begründung.

Diese Mittel und Methoden sind entsprechend den konkreten Bedingungen des jeweiligen Operativen Vorganges schöpferisch und differenziert anzuwenden, auszubauen und weiterzuentwikkeln. Das Vorgehen bei der Ausarbeitung und Durchführung von Zersetzungsmaßnahmen:
Voraussetzung und Grundlage für die Ausarbeitung wirksamer Zersetzungsmaßnahmen ist die gründliche Analyse des Operativen Vorganges, insbesondere zur Herausarbeitung geeigneter Anknüpfungspunkte, wie vorhandener Widersprüche, Differenzen.
Entsprechend der festgelegten Zielsetzung hat die gründliche Vorbereitung und Planung der Zersetzungsmaßnahmen zu erfolgen. In die Vorbereitung sind – soweit notwendig – unter Wahrung der Konspiration die zur Bearbeitung des jeweiligen Operativen Vorganges eingesetzten bzw. einzusetzenden IM einzubeziehen.

Die Pläne zur Durchführung von Zersetzungsmaßnahmen gegen
- Organisationen, Gruppen, Gruppierungen oder einzelne Personen im Operationsgebiet,
- Personen in bedeutsamen zentralen gesellschaftlichen Positionen bzw. mit internationalem oder Masseneinfluß,
- sowie in anderen politisch-operativ besonders bedeutsamen Fällen sind mir bzw. meinem jeweils zuständigen Stellvertreter zur Bestätigung vorzulegen.

Die Durchführung der Zersetzungsmaßnahmen ist einheitlich und straff zu leiten. Dazu gehört die ständige inoffizielle Kontrolle ihrer Ergebnisse und Wirkung. Die Ergebnisse sind exakt zu dokumentieren. Entsprechend der politisch-operativen Notwendigkeit sind weitere politisch-operative Kontrollmaßnahmen festzulegen und durchzuführen.«

Der Schutz seiner Spitzel, der »Hauptwaffe in den Operativvorgängen«, lag dem MfS-Chef näher als seine Opfer. Er forderte ihre »Herauslösung« vor Abschluß der Beurteilung, die in der Regel zu MfS-Repressalien führte:

2.7. Das Herauslösen der IM aus der Bearbeitung Operativer Vorgänge

2.7.1. Ziele und Grundsätze des Herauslösens

Mit dem Herauslösen ist zu sichern, daß
- die Konspiration der im Operativen Vorgang eingesetzten IM gewährleistet wird und sie für die weitere Arbeit am Feind erhalten bzw. dafür noch bessere Möglichkeiten geschaffen werden;
- durch die Nutzung und Schaffung günstiger Umstände, Bedingungen oder Situationen der Feind nachhaltig von den IM abgelenkt wird und die Ursachen für die Entlarvung in vom MfS angestrebten Zusammenhängen sucht und findet;
- die Tatsache sowie die Art und Weise des Einsatzes der IM gegenüber den bearbeiteten Personen, ihrer Umgebung, den feindlichen Stellen sowie der Öffentlichkeit konspiriert und dem IM gewährleistet ist sowie ihr Vertrauen zum MfS weiter gefestigt wird.

Das Herauslösen der IM ist in allen Operativen Vorgängen als eine ständige und offensive Aufgabenstellung anzusehen und durchzusetzen.«

Mielkes Schattenregierung – das geheime Wirken der OibEs

Mielke traute niemanden, offenbar noch nicht einmal seiner eigenen flächendeckenden Totalüberwachung der Bevölkerung. Trotz der »Wer ist wer«-Sicherheitsüberprüfungen, trotz unbegrenzten Zugangs und Sammlung von Daten, trotz der Telefon- und Postkontrollen, trotz der »Hauptwaffe IM«, trotz der Bearbeitung vieler Menschen durch »Operativvorgänge« (OV) und der »Operativen Personenkontrolle« (OPK) – es war ihm und seinen Mitstreitern nicht genug.

Mielke baute seine Diensteinheiten zu »Schattenregierungen« aller Regierungsstrukturen auf. Alles, was in Staat und Gesellschaft geschah, wurde nochmals gesammelt, beurteilt und zur Grundlage persönlicher Ein- und Angriffe gemacht. In dem Bemühen, »alles besser zu machen«, Mängel, Probleme und Bürokratie zu bekämpfen, Unruhe angesichts der Versorgungsprobleme zu beseitigen, griffen Mielkes Leute in alle Kompetenzen ein. Der MfS-Offizier im besonderen Einsatz (OibE) wurde geschaffen. Dazu zählten sowohl hauptamtliche Mitarbeiter aus dem Dienst des MfS, in der Regel den entsprechenden »Sicherungs-Diensteinheiten«, aber auch extra als MfS-Mitarbeiter verpflichtete Personen in Schlüsselstellungen. In den staatlichen Schaltstellen baute Mielke in Abstimmung mit Honecker und Ministerpräsident Willi Stoph Schatten-Strukturen auf, die vollständig in der Hand des MfS waren. Wichtigstes »OibE-Organ« wurde die »Staatliche Inspektion beim Vorsitzenden des Ministerrats« unter Vorsitz von »Staatssekretär« MfS-Oberst Möbis und seinem Stellvertreter, Oberst Lavall, beide OibEs. Sie wurde zum Kontroll- und Ausführungsorgan der für die Volkswirtschaft zuständigen Hauptabteilung XVIII und ihres Leiters, des Generalleutnants Alfred Kleine.

Er schuf im Außenwirtschaftsbereich, im Ministerium für Außenwirtschaft und den Kombinaten die OibE-»Kontrollabteilungen«, die mit »Kontrollbeauftragten« OibEs überall für das MfS präsent waren. Kleine richtete beim Ministerrat die »Abteilung Auslandsdienstreisen« (ADR) ein, wo OibEs den gesamten Reisekaderbereich, also jede Dienstreise, unter Kontrolle hatten. Sie besorgten auf diesem Wege für die HVA sogar »legal« Auslandsinformationen. Alexander Schalck-Golodkowski wurde zur entscheidendsten Figur Mielkes im OibE-Bereich, denn mit ihm gründete und beherrschte der MfS-Chef den Bereich »Kommerzielle Koordinierung«, die Devisenkasse des SED-Regimes.

Die Hauptabteilung II und die HVA richteten im Ministerium für Auswärtige Angelegenheiten gemeinsam den »Bereich Schutz und Sicherheit« unter dem »Außerordentlichen und Bevollmächtigten Botschafter« Oberst Burkert ein. Die Überwachung der SED-Diplomaten gehörte genauso zu diesem Aufgabenfeld wie die Abdeckung der HVA-Agenten. Das »Dienstleistungsamt für Ausländische Vertretungen« unter Oberst Neumann sorgte dafür, daß ausländische Botschaften und Firmenvertretungen infiltriert und überwacht wurden.

An der Humboldt-Universität entstand die »Sektion Kriminalistik«, an der Hochschule für Ökonomie das »Institut für Geheimnisschutz«. An anderen Orten gab es entsprechende OibE-Bereiche. In allen wichtigen Schaltstellen kontrollierte die MfS-»Schattenregierung« das Regime. Sogar die »Verwaltung Aufklärung«, der Partner bei der NVA für Spionageangelegenheiten, war durch Kaderchef Oberst Bahnig fest in MfS-Hand.

Erst tropfenweise kam lange nach der Wende einiges von dem ans Tageslicht, was unter dem Stichwort OibEs auch künftig noch eine wichtige Rolle spielen wird. Die geheim operierenden Stasi-Offiziere, zur absoluten Elite des MfS gehörend, waren überhaupt nicht als MfS-Mitarbeiter erkennbar. Wenn es dazu nur ganz wenige Hinweise in Stasi-Akten gibt, so deshalb, weil über die SED keine Dossiers angelegt werden durften und andererseits die Stasi selbstverständlich davon ausging, daß eine besondere Verpflichtung solcher Kräfte gar nicht notwendig war; sie zählten automatisch dazu.

Auf Seite 176 der Anweisung Kader und Schulung II 729/88 findet sich ein entscheidender Hinweis, der diesen Automatismus entlarvt. Gemäß der Dienstanweisung 1/74, Ziffer 1.1.5 Mielkes mußte z. B. die Planstelle eines Dezernatsleiters in den Bezirksverwaltungen der Volkspolizei mit einem OibE besetzt werden. In den Akten findet sich allerdings kaum ein Nachweis, weil entsprechende OibEs nicht besonders zu verpflichten waren. Insgesamt wird die Zahl der OibEs auf rund 6000 geschätzt; noch im vergangenen Jahr war ein Teil von ihnen unentdeckt. Mit vielen von denen, die durch Karteikarten oder Hinweise enttarnt worden waren, wurde in Einzelgesprächen versucht, eine Lösung herbeizuführen. Aber auch bei dieser Gelegenheit zeigte sich ein Teil uneinsichtig und bestritt den geheimen Auftrag. Zum Zeitpunkt der Vereinigung Deutschlands, so die Einschätzung von Stasi-Aufklärern, seien bestenfalls zwei Drittel der Unterlagen ausgewertet worden, die im Zusammenhang mit dem Einsatz von OibEs gesichtet werden müßten. Jeder Tag, der verstreicht, macht die Entlarvung schwieriger, weil die Verwischung von Spuren genauso wie die Integration in das zukünftige gesellschaftliche und wirtschaftliche Leben nicht ohne Auswirkungen bleiben.

Die HVA setzte beispielsweise OibEs ein, um Spionage im Westen und internationale Aufklärung zu betreiben. Sie waren mit Einzelaufträgen eingesetzt, aber arbeiteten auch in verdeckten Residenturen, beispielsweise im arabischen Raum. Für die OibEs, die einen entsprechenden Auftrag erhielten, war dieses Leben natürlich auch unter familiären Gesichtspunkten nicht einfach. Die Familien durften nicht von den tatsächlichen Aufgaben wissen, Freundes- und Bekanntenkreise konnten kaum aufgebaut werden, wollte man nicht unangenehmen Fragen begegnen. Zu einem OibE-Einsatz gelangte im Regelfall nur jemand, der eine lupenreine Karriere und »saubere MfS-Weste« hatte. Elegant im Auftreten, flexibel in der Situation und strikt auf das Ziel des Einsatzes gerichtet, beschaffte er Informationen oder agierte im Sinne der Stasi. Alte Seilschaften haben sich hier gerettet.

Die Wertigkeit der OibEs wird aus einem Befehl vom Januar

1985 klar erkennbar. »Konkrete Maßnahmen, kadermäßige Veränderungen von OibEs sind langfristig mit der Abteilung Kader und Schulung abzustimmen«, lautete die Anweisung. Besonders ausgeprägte SED-Linientreue war die Grundlage. Penibel verrechnete man mit den OibEs die Unterschiede zwischen den Einkommen, die sie beim MfS gehabt hätten, und den in den tatsächlichen Einsatzobjekten – wo sie ja bezahlt wurden, weil ihre Zuordnung zum MfS gar nicht bekannt war: Ob Treueprämien, Gehaltsdifferenzen, FDGB-Beiträge oder Urlaubsansprüche, alles wurde so abgewickelt, daß niemand schlechter gestellt wurde, nur weil er für Mielke geheim agierte.

Und das MfS, das mit den eigenen Mitarbeitern schon so geheim agierte, daß sie nur schwer enttarnt werden konnten, steigerte bei den OibEs noch einmal die Konspiration. Der gesamte Schriftverkehr mit ihnen durfte nur mit dem zusätzlichen Vermerk »Persönlich« abgewickelt werden.

Millionen Spitzel

Nach fundierten Einschätzungen, in die die Informationen von früheren MfS-Offizieren wie auch schriftliche Unterlagen eingeflossen sind, gab es im SED-Regime ein bis zwei Millionen Inoffizielle Mitarbeiter (IM) der Stasi. Nach Einschätzungen von hohen MfS-Offizieren könnten es sogar drei bis vier Millionen gewesen sein; diese Größenordnung haben sie jedenfalls genannt. Stasi-Aufklärer hatten im Frühjahr 1989 bereits aufgrund ihrer Erkenntnisse geschätzt, daß die Zahl der Inoffiziellen Mitarbeiter mindestens das Fünffache der 109 000 IM sei, die zunächst zugegeben worden waren.

Die Stasi hat mittels ihres Netzes von Inoffiziellen Mitarbeitern die perfekte Überwachung vor allem durch die Kreisdienststellen (KD) abgewickelt, von denen es zuletzt 216 – einschließlich der Ortsdienststellen – gab. Ihre Bedeutung war gewaltig: Bei ihnen waren zwar nur rund 3 Prozent aller Stasi-Mitarbeiter beschäftigt, diese führten aber mehr als 50 Prozent aller Inoffiziellen Mitarbeiter und tätigten rund 60 Prozent aller personen-

DE:
Führungsoffizier
Name, Dienstgrad:
Telefon-Nr.

Datum:

Aktualisierung der Kaderunterlagen und der Besoldung des OibE

1. Kadermäßige Veränderungen beim OibE, seiner Familie und den Verwandten 1. Grades (z. B. abgeschlossene Qualifizierungsmaßnahmen, Auszeichnungen durch Betriebe, Institutionen, Dienststellen oder gesellschaftlichen Organisationen, Wahlfunktionen in der Partei und Massenorganisationen, Veränderungen von Arbeitsstellen und Wohnorten, Eheschließungen, Ehescheidungen, Todesfälle)

   Zur schriftlichen Mitteilung ist das Formblatt "Veränderungsmeldung" in zweifacher Ausfertigung zu verwenden.

2. Wann wurde über den OibE die letzte

   - Beurteilung _____
   - Einschätzung zur politisch-operativen Wirksamkeit _____

   gefertigt?(Originale sind der Abt. Kader und Schulung zur Ablage in den P-Akten zu übersenden.)

3. Welche sicherheits- bzw. kaderpolitisch zu beachtenden Faktoren sind mit Unterstützung der Abt. Kader und Schulung beim OibE vorrangig zu klären?

4. Urlaubsanspruch im Einsatzobjekt 1984 _____ Tage

5. Summe der im Jahr 1984 gezahlten FDGB-Beiträge (ohne Sonder- und Spendenmarken) _____ Mark

6. In der Anlage ist der Lohnstreifen/die Gehaltsbescheinigung des Einsatzobjektes von Januar 1985 für die Vorlage in der Abteilung Finanzen an die Abt. Kader und Schulung zu übersenden.

Internes Formblatt zur Führung der Offiziere im besonderen Einsatz.

115

bezogenen Operativen Vorgänge. In der »praktischen Konsequenz« habe dies – so heißt es auch in einer Mitte 1990 gefertigten Untersuchung – bedeutet, daß die Stasi ein »breit gefächertes, möglichst lückenloses Netz von Inoffiziellen Mitarbeitern in allen Bereichen und Sphären des gesellschaftlichen Lebens« geknüpft habe. Mielke beschrieb am 16. Mai 1986 Rolle und Funktion der Kreisdienststellen wie folgt: »Die Kreisdienststellen sind ein entscheidendes Instrument zur Sicherung unseres Arbeiter- und Bauernstaates, eine Basis der Macht. Von der erfolgreichen, willensstarken und aufopferungsvollen Arbeit der Angehörigen der Kreisdienststellen, von der Qualität und Wirksamkeit ihrer politisch operativen Arbeit, die sie für das gesamte MfS leisten, hängt es sehr wesentlich ab, daß die Lage auch weiterhin stabil bleibt und der Feind nicht überraschen kann.«

Wer waren die IM?

Sind die Unterlagen über die Inoffiziellen Mitarbeiter zuverlässig? Diese Kernfrage, deren Beantwortung in den MfS-Archiven über viele Existenzen auch in der Zukunft entscheiden wird, ist nicht so einfach zu treffen, wie es nach dem ersten Anschein der Fall sein könnte. Sehr viele MfS-Akten über Informelle Mitarbeiter sind zweifelsfrei zutreffend; es sind genügend Beispiele bekannt, wo Betroffene bis zuletzt bestritten haben, für die Stasi gearbeitet zu haben, aber unter dem Druck detailliertester Angaben aus den Stasi-Akten schließlich doch nicht mehr leugnen konnten.

Gleichwohl sind einige Fakten zu beachten. In einer Reihe von MfS-Diensteinheiten wurde in den letzten Jahren darauf verzichtet, von den IM schriftliche Verpflichtungserklärungen zur Zusammenarbeit zu verlangen. Dies war das Ergebnis einer Entwicklung, die von immer stärkerem Mißtrauen gegen die Stasi geprägt war. Das MfS selbst mußte Konsequenzen aus der Tatsache ziehen, daß immer mehr Menschen vor einer schriftlichen Zusage zurückschreckten und eine erzwungene Unterschrift wenig hilfreich war, vertrauensvolle Kontakte herzustellen und Informationen zu erhalten. Die Genehmigung, IM-Akten ohne schriftliche Verpflichtungserklärung anlegen zu können, öffnete Manipulationen Tür und Tor. Von manchem MfS-Offizier ist bekannt, daß er eine bestimmte Zahl von Akten anlegte, weil er ein bestimmtes Plansoll erfüllen mußte, tatsächlich jedoch keinesfalls in der Lage war, die notwendige Personenzahl für eine MfS-Mitarbeit zu gewinnen. Auch Gesprächspartner, die keine Spitzel in der Stasi waren, aber wegen ihrer beruflichen Funktion dem offiziellen Kontakt mit dem MfS nicht ausweichen konnten, gerieten in die Gefahr, als IM eingestuft zu werden, ohne davon überhaupt etwas zu wissen.

Diese Entwicklung wurde seit Ende der siebziger Jahre begünstigt. Waren bis zu diesem Zeitpunkt noch Originalberichte der IM die Pflicht, also handschriftliche Unterlagen oder auf Tonband gesprochene Informationen, kam es später nicht selten vor, daß manche MfS-Offiziere in den achtziger Jahren die Wiedergabe von Gesprächen durch die IM selbst formulierten, diese jedoch als Originalaussagen eines IM deklarierten. Auch wenn der »erfundene IM« selten war, weil dieses System auf Dauer nicht funktionieren konnte, darf im Einzelfall nicht von vornherein ausgeschlossen werden, daß auch hier Unsicherheitsfaktoren begründet liegen können.

Wer nicht einer einseitigen und undifferenzierten Betrachtungsweise der IM-Tätigkeit, deren Aufarbeitung maßgeblich über den inneren gesellschaftlichen Konsens in den neuen Bundesländern mitentscheiden wird, das Wort redet, darf zudem nicht außer acht lassen, daß keinesfalls alle IM sich um eine Mitarbeit beim MfS beworben haben. Ob diejenigen, die aus bestimmten beruflichen und gesellschaftlichen Funktionen zu den MfS-Ansprechpartnern wurden, daraus zumindest vorübergehend hinsichtlich des jetzigen öffentlichen Interesses Konsequenzen ziehen sollten, mag an dieser Stelle dahingestellt bleiben. Jedes menschliche Verhalten muß auch aus konkreten Bedingungen und historischen Situationen beurteilt werden. Wenn aus diesem Blickwinkel manchen IM hinsichtlich der Tätigkeit in der Vergangenheit nicht in der Zukunft dieses zum

Vorwurf gemacht wird, sollte es die Betreffenden aber auch mahnen, sich dessen bewußt zu sein und ihr eigenes Verhalten maßvoll einzuordnen. Wer im SED-Regime nicht zu den Opfern gehörte, kann in der Zukunft keine höheren Rechte geltend machen als jene, die gelitten haben. Wo alte SED- und Stasi-Verbindungen Seilschaften begründet haben, die die Privilegien der Vergangenheit in die Zukunft retten wollen, ist allerdings ein ganz scharfer Maßstab vonnöten; kompromißloses Einschreiten ist notwendig. Wo jemand in der Vergangenheit nicht die Kraft hatte, sich gegen eine Fehlentwicklung zu stellen, ohne aber anderen geschadet zu haben, verdient zumindest, gesellschaftlich eine Chance zu bekommen.

Dies gilt um so mehr, da die ganz überwiegende Zahl der IM keine Kenntnis über den wahren MfS-Apparat und seine menschenverachtenden Methoden hatte. Die flächendeckende Bespitzelung war ihnen genauso wenig bekannt wie der hemmungslose Bruch jeder Privatsphäre. Die Zahl derer, die sicht- und fühlbar vom MfS betroffen waren, war begrenzt; die absolute Geheimhaltung, mit der seitens des MfS agiert wurde, beflügelte diese Entwicklung. Bei manchem in der Bevölkerung war es gewiß eine Schande, mit dem MfS in Verbindung gebracht zu werden, etliche – zumindest in früheren Jahren – sahen es aber durchaus auch als eine »Ehre« an, für die Stasi zu arbeiten.

Natürlich gehörten auch Pressionen zum MfS-Repertoire. Mit psychologischem Geschick wurde der Gesprächspartner unter Druck gesetzt, das MfS als staatliches Organ dargestellt und somit das Problembewußtsein mancher Gesprächspartner zumindest verdrängt. Wer »nein« zu einer IM-Tätigkeit sagte, lief Gefahr, als jemand eingestuft zu werden, der mit dem »Feind« – auch im Westen – paktierte. Wer sich einmal, zum Teil aus bedrängter Position – der Betreffende wurde beispielsweise nach einem gescheiterten Fluchtversuch »umgedreht« –, verpflichtet hatte, kam aus dieser Bindung nicht heraus oder nur um den Preis schwerwiegendster Belastungen. Dies muß einfach mit einbezogen werden, wenn es um die moralische Dimension der MfS-Zuarbeit aus der Bevölkerung geht.

Hochachtung und allergrößten Respekt verdienen jene, die trotz aller Drohungen oder Verlockungen der Stasi widerstanden haben. Dies sind jene, die vor, während und nach der Revolution der Stasi getrotzt haben, aber auch vor allem diejenigen, die während der schrecklichen SED-Herrschaft widerstanden haben. Ohne irgendeinen persönlichen oder öffentlichen Schutz, vielmehr beruflichen Nachteilen, persönlichen Repressalien und schwersten Anfeindungen ausgesetzt, haben viele unserer Landsleute der Diktatur ehrenvoll widerstanden. Ihre Leistung gehört an eine der vordersten Stellen, wenn es um die jüngste Geschichte Deutschlands und die Vereinigung des Vaterlandes geht.

Der Tod zweier IM gefährdete das System

Eine bedrohliche Situation für die Werbung und Anbindung der IM und Agenten zum MfS trat 1966 ein. Mielke griff direkt ein, weil er wußte, daß, bei Bekanntwerden des wahren Sachverhalts, gewiß eine große Zahl von ihnen nicht mehr bereit gewesen wäre, für die Stasi zu arbeiten. Was war geschehen?

Major Scheithauer, Unterabteilungsleiter und IM-führender Mitarbeiter der Verwaltung Aufklärung des Ministeriums für Nationale Verteidigung, bearbeitete die im Westen Deutschlands stationierten Alliierten Streitkräfte. 1966 erhielt das MfS über das Zentralkomitee der SED, aber auch vom KGB eine Anfrage nach dem Verbleib von zwei Brüdern aus Nicaragua, die im Westen Deutschlands studierten und regelmäßig in den SED-Staat fuhren. Sie stammten aus einer hochangesehenen mittelamerikanischen Familie, die mit der kommunistischen Partei und der Sowjetunion sympathisierte.

Die Brüder waren wie vom Erdboden verschwunden. Bei der Überprüfung ihrer Personalien in den Datenspeichern der Nachrichtendienste ergab sich jedoch eine aktive Registrierung bei jenem Scheithauer. Eine konspirative Überprüfung der im seinem Panzerschrank vorliegenden Unterlagen ergab, daß die Studenten nach diesen Unterlagen »nicht verschwunden waren, sondern regelmäßig weiter zu Treffs in die DDR einreisten und von der Verwaltung Aufklärung für Spionageinformationen hohe Geldleistungen erhielten«. Der Verdacht auf eine Straftat lag nahe; Mielke setzte die Spezialkommission der Hauptabteilung IX zur Untersuchung ein, die in Zusammenarbeit mit dem für die Verwaltung Aufklärung des MfS zuständigen leitenden Mitarbeiter eine intensive Untersuchung einleiteten. Das Ergebnis war schockierend. Scheithauer hatte nacheinander die Brüder während eines Treffens erschossen und ihre Leichen in einer Kiesgrube im Randgebiet von Berlin begraben. Sein Motiv war, Westgeld zu erhalten, um entsprechend einkaufen zu können. Scheithauer hatte rund ein Jahr die beiden getöteten IM weiter als aktive Agenten geführt, um an das Geld zu kommen.

Angesichts der Brisanz des Falles und seiner möglichen Rückwirkung auf das gesamte IM-Netz verordnete Mielke strengstes Stillschweigen. Die SED-Führung, in der Honecker seinerzeit als ZK-Sekretär für Sicherheitsfragen amtierte, entschied, noch nicht einmal den Sowjets und auch nicht den betroffenen Eltern die Ermordung der Brüder durch einen Mitarbeiter des Militärischen Aufklärungsdienstes der NVA mitzuteilen. Scheithauer verschwand spurlos von der Bildfläche. Er wurde zum Tode verurteilt und in einer Sandkuhle hingerichtet. Die tatsächlichen Einzelheiten wurden nur ganz wenigen bekannt, die unter Androhung schwerster Strafen zum Schweigen verpflichtet wurden.

Spitzel-Schule für Kinder

Stasi und SED kannten keine Schamgrenzen. Sogar Kinder und Jugendliche wurden als Spitzel ausersehen; in Berlin ist ein konspiratives Objekt entdeckt worden, das zur »Ausbildung« der Kinder und Jugendlichen als Inoffizielle Mitarbeiter diente. Ihnen wurde beigebracht, wie sie ihre Mitkameraden und Lehrer aushorchen konnten. Die Unwissenheit der Kinder wurde hemmungslos ausgenutzt. Sie wurden indoktriniert, daß es der Sache des Sozialismus, die über allem stehe, diene, wenn sie sich für die Honecker-Schergen dienlich zeigten. Innerhalb des Objekts gab es sogar so etwas wie Klassenräume, die ganz normalen Unterrichtsschulen ähnlich waren.

Bereits seit Anfang der siebziger Jahre versuchte die Stasi, gezielt unter Jugendlichen haupt- oder nebenamtliche Mitarbeiter zu gewinnen. Mielke gab 1970 auf einer geheimen Tagung die Parole aus, verstärkt Jugendliche als IM anzusprechen. Schon unter den »14- bis 15jährigen muß bereits gezielt operativ gearbeitet, ausgewählt und für eine Zusammenarbeit mit uns in geeigneter Form geworben werden«, lautete seine Anweisung mit dem Hinweis, solche IM müßten genauso »aufgebaut« werden wie andere, die als Spitzel mittel- und langfristig in Positionen gebracht wurden, die die Stasi für notwendig hielt. Noch kurz vor der Revolution wurde in einer »zentralen Aufgabenstellung« vom MfS an die Kreisdienststellen verlangt, Erkenntnisse über Schüler zu sammeln. Die Stasi setzte diese Aktivitäten an den Hochschulen konsequent fort; sie war an der Auswahl der Studienbewerber nicht unbeteiligt.

Die Bespitzelung war neben dem Erwerb von Informationen für die Stasi das Mittel, eine Gesellschaft des Mißtrauens aufzubauen und zu organisieren. Wo Kinder Eltern und Lehrer zu bespitzeln hatten, Nachbarn und Freunde sich gegenseitig aushorchen mußten, der Nachbar am Arbeitsplatz jede Information weiterzugeben hatte, sofern er von der Stasi geworben war, wird es noch sehr, sehr lange dauern, bis diese Vertrauensverluste kompensiert sind. Oftmals wird dies wohl überhaupt nicht mehr möglich sein. Viele, die nach der Revolution erfahren haben, was die Freunde, für die sich manche ausgaben, in Wirklichkeit getan haben, haben jeden Kontakt zu diesen abgebrochen. Es gibt Gemeinschaften und Dörfer, wo die Suche nach den Stasi-Spitzeln erst begonnen hat und hinter vorgehaltener Hand zumindest »das Thema« ist. Die Niedertracht der Stasi gegenüber der Würde des einzelnen ist eine der schwersten Hypotheken.

Mit Stasi-gesteuerter FDJ gegen die Jugend, 37 Prozent der Spitzel SED-Mitglieder

Die zunehmende Angst und Nervosität der PDS-Vorgängerin SED angesichts der Stimmung in der Bevölkerung veranlaßte sie, auch ihre Jugendorganisation FDJ zu nutzen, um in der jungen Generation mit Mitteln und Methoden von Volkspolizei und Stasi zu disziplinieren. Anfang Februar 1988 beschloß das von Honecker geführte Politbüro, FDJ und die »Schutz- und Sicherheitsorgane«, also Stasi und Polizei, sollten eng zusammenwirken, um die Wirksamkeit der von der FDJ aufgestellten »Ordnungsgruppen« zu erhöhen. Deshalb seien »Sonderformationen für spezifische Aufgaben« zu bilden.

Diese »Sonderformationen«, so ist aus Unterlagen des MfS, das sich an der Umsetzung des Politbüro-Beschlusses entscheidend beteiligte, ersichtlich, sollten aus FDJ-Vertretern gebildet werden, die über »bestimmte Erfahrungen verfügen, politisch zuverlässig und physisch geeignet sind«. Die polizeiliche und militärische Ausrichtung ist unverkennbar; Worte wie »Hundertschaften« und »Züge« prägen die Befehle. Selbstverständlich wurde die entsprechende Bekleidung angeordnet: vom einheitlichen Anorak über die dunkle Hose bis zu den schwarzen Halbschuhen, dem FDJ-Hemd, der Ordnungsgruppenarmbinde, dem Barett mit Ordnungsgruppenemblem und der Umhängetasche.

Die »Sonderformationen« sollten eingesetzt werden, um bei der »Vorbeugung, Abwehr und Beseitigung von Gefahren, Störungen und Angriffen gegen die sozialistische Staats- und Gesellschaftsordnung« agieren zu können. Der hemmungslose Mißbrauch der jungen Generation, die überall genötigt wurde, sich durch die Mitgliedschaft in der FDJ politisch festzulegen, wird auch in weiteren Zielsetzungen deutlich. Die Einheiten dienten dazu, bei »politischen Höhepunkten« Ordnung und Sicherheit besser zu gewährleisten und »einen größeren erzieherischen Einfluß« auf die Einhaltung von Ordnung und Disziplin

Rechte Seite: Mielkes Stasi-Befehl zum 40jährigen Jubiläum des SED-Regimes umfaßte auch die Rolle der FDJ.

Ministerrat der   Berlin, 1. September 1989
Deutschen Demokratischen Republik
Ministerium für Staatssicherheit
Der Minister

Vertrauliche Verschlußsache

VVS-o008

357   MfS-Nr. _____ 59/89
       _____.Ausf. Bl./ á bis 4

B e f e h l   N r .   14/89

zur politisch-operativen Sicherung der Vorbereitung und Durchführung von Veranstaltungen aus Anlaß des 40. Jahrestages der
Gründung der Deutschen Demokratischen Republik

Am 7. Oktober 1989 begeht das Volk der Deutschen Demokratischen
Republik den 40. Jahrestag der Gründung des ersten sozialistischen
Staates auf deutschem Boden.

Die Vorbereitung und Durchführung der aus diesem Anlaß statt-
findenden vielfältigen Veranstaltungen in der Hauptstadt der
DDR, Berlin, sowie in den Bezirken stehen ganz im Zeichen der
Vorbereitung des XII. Parteitages der SED sowie der Beschlüsse
der Partei- und Regierung zur weiteren konsequenten Verwirklichung der Einheit von Wirtschafts- und Sozialpolitik.

Besondere Sicherungsschwerpunkte sind

      das Treffen der Parteiführung mit antifaschistischen
      Widerstandskämpfern und Aktivisten der ersten Stunde im
      Hause des ZK der SED am 3. 10. 1989, 14.00 Uhr,

      die Kranzniederlegungen am 6. 10. 1989, ab 09.00 Uhr,

      die Festveranstaltung des ZK der SED, des Staatsrates
      und des Nationalrates der Nationalen Front der DDR im
      Palast der Republik am 6. 10. 1989, 17.00 Uhr,

      der Fackelzug der FDJ, Unter den Linden und in der
      Karl-Liebknecht-Straße am 6. 10. 1989, 19.00 Uhr,

      die Ehrenparade der NVA in der Karl-Marx-Allee am
      7. 10. 1989, 10.00 Uhr,

      der Festempfang im Palast der Republik am 7. 10. 1989,
      18.00 Uhr und

      bedeutsame Veranstaltungen in den Bezirken der DDR,

an denen führende Repräsentanten der DDR und ausländische Gäste
teilnehmen.

123

unter der Jugend auszuüben. Wesentlich komme es darauf an, auch in den Jugendclubs und bei der Freizeitgestaltung der FDJ-Kollektive die junge Generation zu beeinflussen. Eine intensivere politisch-ideologische Einflußnahme auf »negativ-dekadente Gruppierungen« Jugendlicher sei notwendig, deren Zusammenschlüsse seien »aufzulösen« und die Initiatoren zu »isolieren«.

Die »Ausbildung« erfolgte »in enger und bewährter Zusammenarbeit« mit dem Innenministerium und dem Ministerium für Staatssicherheit. Beide waren mit Führungsoffizieren beteiligt; Ausbildungspläne wurden vorgegeben. Daß die »erforderlichen materiell-technischen Mittel« gleichfalls per Befehl zur Verfügung gestellt wurden, versteht sich unter den genannten Bedingungen von selbst. Gleichwohl war den beteiligten SED- und Stasi-Funktionären sehr daran gelegen, unter strengster Geheimhaltung zu agieren. Von den Beschlüssen und Befehlen sei »vorerst niemand in Kenntnis zu setzen«, lautete in den Wochen nach dem Votum des Politbüros die Parole innerhalb des MfS und deren nachgeordneten Dienststellen. Das geheime Kennwort »Ordnung« ließ aber keine Zweifel daran, wohin der Weg gehen sollte.

Nach einer Dienstanweisung von 1973, die Mielke erließ, waren die »Mitglieder der SED, aktive FDJler oder Aktivisten anderer Massenorganisationen« die bevorzugte Zielgruppe zur Gewinnung von MfS-Mitarbeitern. Nach Aufklärungserkenntnissen waren rund 37 Prozent der IM SED-Mitglieder. Sie gehörten aber nicht dem SED-Apparat an, denn dort war der Stasi eine Werbung nicht gestattet. Allerdings waren es engagierte SED-Vertreter, die vor allem als IM in Schlüsselpositionen, Einflußbereichen und bedeutsamen gesellschaftlichen und beruflichen Funktionen für die Politik der SED warben. Sie waren der verlängerte Arm, um im Auftrag des MfS politisch zu agieren. Als »Perspektivkader« seien vorrangig jene in der Bevölkerung zu wählen, »die aus der Arbeiterklasse stammen, ein fortschrittliches Elternhaus besitzen und im Sinne der Arbeiterklasse und in marxistisch-leninistischer Weltanschauung« erzogen worden seien. Oberster Grundsatz war dabei, daß die Werbung der MfS-

Leute stets und ausschließlich von der Stasi selbst auszugehen hatte. Wer sich selbst bewarb, wurde in der Regel nicht eingestellt, es sei denn, durch den »Nachweis der ehrlichen Überzeugung« erfolgte Klarheit über die Beweggründe der Bewerbung. Aber auch dann noch war es nur möglich, zumindest zum Schein über den Weg der Werbung die Person anzusprechen.

Bevor der Richter sprach, urteilten Ulbricht und Mielke

»Ich bitte . . . um Mitteilung, in welcher Höhe die Strafe ausgesprochen werden soll, oder ob die Stellung der Strafanträge und die Verurteilung dem Staatsanwalt und dem Gericht überlassen werden sollen.« Mit diesem in einem Brief enthaltenen Satz fragte Mielke am 1. November 1959 SED-Chef Walter Ulbricht, wie die beiden Pfarrer Otto Pokojewski und Wilhelm Prenzler zu behandeln seien, die »Beihilfe zur Republikflucht« geleistet hätten – eines von vielen Beispielen aus dem erbitterten Kampf der SED gegen die Kirche, den die Kommunisten schließlich doch verloren.

Der Fall: In der Autobahnraststätte am Hermsdorfer Kreuz bei Jena trafen sich an einem Samstag im September 1959 Pokojewski, seit 1954 Superintendent der Evangelisch-Lutherischen Landeskirche in Kahla, rund 40 Kilometer von Jena entfernt, und der Bauer Martin Penndorf: Penndorf, der mit seiner Familie flüchten wollte, kam mit rund 100 000 Mark im Koffer, welche aus dem Verkauf seines Bauernhofes stammten und die er der Kirche für soziale Arbeit spenden wollte, da er das Geld nicht mit in den Westen nehmen konnte. Er hoffte, von der Kirche im Westen einiges zurückzuerhalten. Aus Berlin, so wurde ihm signalisiert, habe es dazu »grünes Licht« gegeben.

Beide ahnten natürlich nicht, daß die Stasi die Gespräche durch Mikrofone in den Blumentöpfen der Raststätte mithörte. Dritter Beteiligter an der Aktion war Wilhelm Prenzler, seinerzeit Geschäftsführer des evangelischen Hilfswerks in Thüringen. 1960 verließ er den Osten und arbeitete danach als Pastor und

An den   Berlin, am 1.11.1959
1. Sekretär des ZK der SED   Tgb.Nr. VMA 217/59
Genossen Walter   U l b r i c h t
B e r l i n   Persönlich!
_____ ___

Lieber Walter!   010747

Beiliegend der Schlussbericht über den Untersuchungsvorgang
P o k o j e w s k i , Otto, Pfarrer., zuletzt Superintendent
                    der Evangelisch-lutherischen Landeskirche
                    Thüringen, Superintendentur Kahla - und
P r e n z l e r ,   Wilhelm, Diakon, zuletzt Geschäftsführer
                    des Evangelischen Hilfswerkes, Landeskirche
                    Thüringen, Sitz Eisenach.

Wenn Du einverstanden bist, so könnte der Schlussbericht
zur Abfassung der Anklageschrift sofort abgegeben werden.
Der Vorgang ist lediglich abgestellt auf die Verbrechen der
beiden Genannten. Die Rolle, die die reaktionäre Kirchenführung
in Westdeutschland und Westberlin dabei spielt, wurde nicht
hineingearbeitet. Solltest Du es für richtig befinden, dass
der Staatsanwalt im Plädoyer diese schändliche Rolle behandeln
soll, dann würde das MfS dem Staatsanwalt entsprechende Materialie
zur Verfügung stellen.

Die Strafen, die für die beiden Verbrecher ausgesprochen werden,
werden zusammengezogen zu einer Gesamtstrafe, die sich im
Rahmen von 6 Monaten bis zu 5 Jahren Zuchthaus bewegt, entsprechen
§ 21, Abs. 2 des Strafergänzungsgesetzes.
Für Verbrechen nach §§ 6, 8 - Gesetz zur Regelung des innerdeutsch
Zahlungsverkehrs in Verbindung mit §9 WStVO wird eine Gefängnis-

strafe verhängt. Diese Strafe wird dann zu einer Gesamtstrafe
zusammengezogen.

Ich bitte hier um Mitteilung, in welcher Höhe die Strafe
ausgesprochen werden soll, oder ob die Stellung der Strafanträge und die Verurteilung dem Staatsanwalt und dem
Gericht überlassen werden sollen.
Mir erscheint jedoch zweckmässig, sie richtig zu informieren,
da sie sonst nicht wissen werden, was sie tun sollen.

Ferner wäre zu entscheiden, ob aus politischen Gründen evtl.
eine Strafaussetzung nach Verkündung des Urteils erfolgen soll.
Das MfS ist der Meinung, dass die Strafe zunächst einmal
anzutreten ist und dass danach eine Strafaussetzung zu prüfen
wäre, - denn beide Angeklagte sind Anhänger des reaktionären
Kreises um Dibelius.
Ich erinnere Dich an mein Schreiben, wo ich Dich darauf aufmerksam machte, dass bei Pokojewski ein Protokoll gefunden
wurde, in dem gegen den Bischof Mitzenheim Stellung genommen
wurde.

Ich bitte um Mitteilung, wie das MfS verfahren soll.
Wenn der Schlussbericht am 3.11. abgegeben werden kann, kann
die Verhandlung spätestens in 3 Wochen stattfinden.

Ich bitte um Rückgabe des Schlussberichtes.

Mit sozialistischem Gruss!

Erich Mielke

1 Anlage

Nicht Recht zählte, sondern SED-Interessen.

Geschäftsführer des Diakonischen Werkes in Hannover. Er berichtete, als er von der WELT über die Hintergründe informiert wurde (»Wer so eine harte Zeit erlebt hat, steht über den Dingen«), über seine Arbeit in Thüringen: Das Engagement galt den Schwachen; das von ihm geführte Hilfswerk betreute Heime für Kranke, Versehrte und Waisen, die vor allem aus den Flüchtlingslagern entkommen waren, in denen viele ihre erste Zuflucht gefunden hatten. Viele hätten in den Lagern nicht überlebt: »Oft stand ich allein am Grab«, erinnerte er sich. Er wollte in Bad Liebenstein ein Sanatorium für Herzkranke bauen, da es ein solches in der DDR nicht gab. Deshalb war das Geld von Penndorf eine willkommene Hilfe. »Viele wollten damals weg« und seien bereit gewesen, alles Hab und Gut für die Freiheit zu opfern. Er habe »eine ganze Serie von Häusern« für das Hilfswerk von Geflüchteten übernommen und darin zum Beispiel Altenheime eingerichtet. Viele »hätten es geschafft, Knecht (im SED-Regime) zu sein, andere« seien »ausgerückt«.

»Prenzler kann uns helfen«, sagte Pokojewski zu Penndorf beim Gespräch in der Raststätte und lieferte damit der Staatssicherheit das Stichwort, einige Tage später Prenzler aus seiner Wohnung zu holen und in Stasi-Haft zu nehmen. Rund 20 Stunden wurde er im Stasi-Keller in Eisenach verhört. Natürlich hat er verneint, als er gefragt wurde, ob er schon öfter solche »Geschäfte« gemacht habe. Für SED und Stasi war Prenzler seit längerem ein rotes Tuch, denn in den von ihm geführten Einrichtungen gelang es weder der Stasi, Spitzel zu werben, noch der FDJ, eine Jugendorganisation aufzubauen. Seine glänzenden Verbindungen, vor allem in die Schweiz und Schweden – er war als Beauftragter der Kirche für Westgelder zuständig –, halfen, für das tägliche Leben einiges zu besorgen, was größte Mangelware war. Ob Wolframdraht für Glühbirnen oder Draht für die Nägel: Selbst die Polizei freute sich, wenn Prenzler sie ab und zu mit dem Nötigsten versorgte. Tausende kamen am Reformationstag, wenn er auf der Wartburg predige.

Aus Eisenach wurde Prenzler zunächst nach Leipzig gebracht, dann nach Halle, weil die Stasi-Zellen in der Messestadt bereits überfüllt waren.

Superintendent Otto Pokojewski wurde am 19. September 1959 auf einer Dienstreise in Leipzig vom MfS festgenommen. Dort wurde er auch von der Stasi inhaftiert und bis zu seiner Freilassung in Gewahrsam gehalten. Der fluchtwillige Bauer Martin Penndorf geriet gleichfalls in die Hände der Staatssicherheit. Er wurde zu drei Jahren Zuchthaus verurteilt. Später schlug er sich als Arbeiter auf einer LPG durch, sein Hof war verloren. Er äußerte gegenüber Prenzler den Verdacht, daß der Notar ihn damals »verpfiffen« habe.

Ob möglicherweise auch andere nicht unbeteiligt waren, daß von den Plänen etwas bekannt wurde? So manches deutet darauf hin. Als die Pokojewskis 1959 in Urlaub fuhren, sagte der Superintendent vor seiner Abreise zu einer Kirchenbediensteten: »Vielleicht komme ich nicht wieder.« Und er fügte hinzu, er könne künftig mit seinem Kirchenmitarbeiter Schinnerling nicht mehr zusammenarbeiten, sofern er doch zurückkomme. Paul Schinnerling hat dann nach der Verhaftung von Pfarrer Pokojewski im Auftrag der Staatsorgane das Ausräumen von dessen Wohnung mitorganisiert.

Pokojewski und Prenzler waren engagierte Anhänger des damaligen Bischofs von Berlin-Brandenburg, Otto Dibelius. Dibelius machte aus seiner Ablehnung des diktatorischen Regimes kein Hehl. Er war im scharfen Visier der Stasi: In der Dienstanweisung 23 aus dem Jahr 1952 auf Seite 5 bemerkt das MfS, Dibelius betreibe auch wegen seiner Nähe zu Konrad Adenauer eine »Politik des nationalen Verrats Deutschlands«, die ein Zeichen fehlender Loyalität gegenüber der SED sei. Die evangelischen Kirchenleitungen, an deren Spitze Dibelius eine beherrschende Rolle spielte, wurden am 1. November 1957 vom MfS als »reaktionär« eingestuft. In weiteren, bislang unter Verschluß gehaltenen Stasi-Aussagen ist von einer »Propaganda des kalten Krieges« die Rede; in der Dienstanweisung 9/56 werden die Kirchen als »eine legale Position der feindlichen Kräfte innerhalb der DDR« gebrandmarkt. Insbesondere Dibelius wurde vorgeworfen, er vertrete den »Nato-Flügel« innerhalb der Synode, wie in einer Einschätzung des MfS vom 21. Juni 1958 zu lesen ist.

Ziel der SED war es nach diesen Vorgaben an das MfS, die

»Opposition« gegen den Dibelius-Kurs innerhalb der Kirche zu stärken. Nach Einschätzung des MfS trat diese erstmals 1958 auf der EKD-Synode »stark in Erscheinung«. Notwendig sei es, diese »Opposition« materiell und finanziell zu stärken, heißt es in einem Bericht vom 5. März 1960.

Repräsentant dieser von der SED als »Opposition« eingestuften Linie war der Thüringer Landesbischof Moritz Mitzenheim, der die Kirche von 1945 bis 1970 leitete. Mitzenheim, Ehrenbürger von Eisenach, starb 1977. 1969 formulierte die Arbeitsgruppe Kirchenfragen des ZK der SED, an der Stärkung seiner Autorität sei das MfS sehr interessiert.

Mitzenheim war ein Befürworter der Anerkennung Ost-Berlins. Ihm wurde von der SED-Führung besonderes Gehör gewährt: Höhepunkt war das Treffen mit Ulbricht Ende August 1964 auf der Wartburg, dessen Ergebnis nach offizieller Version die Ausreisemöglichkeit für Rentner war. Mitzenheims Weg »der Kirche im Sozialismus« stieß bei den meisten seiner Kollegen auf starke Vorbehalte; auch heute noch wird er in Thüringen »der rote Bischof« genannt.

Pokojewski, der wegen »Beihilfe zur Republikflucht« zunächst zu drei Jahren und sechs Monaten Zuchthaus und in der Berufung zu einem Jahr und sechs Monaten verurteilt wurde, kam nach acht Monaten frei. Prenzler, der mit einem Jahr und drei Monaten davonkam, wurde nach acht Monaten Stasi-Haft entlassen. Zynisch entließ der Erste Senat des Bezirksgerichts Leipzig Pokojewski am 24. Juni 1960 mit der Begründung, »der Strafzweck« sei inzwischen erreicht worden.

Pokojewski, den die Thüringische Landeskirche für eine weitere seelsorgerische Arbeit im Westen Deutschlands zunächst nicht »freigeben wollte«, hatte in mehreren Schreiben dargelegt, warum jemand, »der im 61. Lebensjahr steht, nicht ohne Gewissensnot« die Heimat verlasse. Am 23. September hatte er seiner Frau Charlotte zum 31. Hochzeitstag noch aus der Haft geschrieben, er habe »keinen Gedanken an Flucht aus der DDR. Für uns gilt: Der Kapitän bleibt auf dem Schiff«. Warum er sich dann doch anders entschied und flüchtete, ist nicht bekannt. Er, der später im idyllischen Arnis an der Schlei tätig war, starb 1977.

Der Schrei des Henkers und der Schrei des Opfers – Spitzel unter den Schriftstellern?

Der Schriftsteller Thomas Nicolaou, Jahrgang 1937, Partisanenkind des griechischen Bürgerkrieges, aufgenommen vom SED-Regime, im Heim aufgewachsen und dankbar seinen »Rettern« von der SED, soll ein Stasi-Spitzel gewesen sein. Einstige Häftlinge beschuldigen ihn. Über das ganze Ausmaß des Falles schrieb WELT-Autor Jürgen Serke im April 1990:

»»Nun kommen sie bereits in Omnibussen den schmalen Feldweg entlanggefahren, um Christa Wolf hier in ihrem Bauernhaus zu finden‹, sagt Carola Nicolaou und wischt sich Tränen aus den Augen. Sie: Das sind Bürger der Bundesrepublik, die nach dem Fall von Mauer und Stacheldraht ihren Ausflug nach Schwerin mit einem handgreiflichen Literaturerlebnis krönen möchten. Doch Christa Wolf ist längst weggezogen, nachdem das Reetdach ihres Hauses Feuer gefangen hatte und alles niedergebrannt ist – auf die andere Seite des Schweriner Sees. ›Das Feuer war das erste Zeichen‹, sagt Carola Nicolaou zu mir, dem Fremden, der an ihre Tür geklopft hat. Ja, sie weint wirklich.

Sie führt mich in die Küche. Sie kocht Tee. Sie lädt zum Essen ein. Sie erzählt von ihrer Angst vor jener ›Grenzenlosigkeit‹, die in der DDR eingetreten ist und der sie sich ausgesetzt, ganz wörtlich ausgesetzt sieht. Sie spricht davon, daß im Dorf jetzt einer dem anderen mißtraut. ›Ist es denn gut, wenn jeder Mensch plötzlich ein anderer sein will?‹ Nein, das könne doch nicht gut sein. Sie wartet die Antwort gar nicht ab. Sie führt mich aus der Küche die schmalen Holztreppen hoch zum Boden. Hier, unter dem Reetdach des Hauses, das einst einem Großbauern gehörte, möchte sie Schriftsteller aus Ost und West vereinen.

›Wird das noch gehen?‹ fragte sie mich. ›Nein?‹ Eine Idylle ist zerbrochen, wenn es denn eine war. Carola Nicolaou zieht die Mauern hoch für eine neue Idylle und wischt dann den Traum weg. Sie spricht von den schweren Stürmen der letzten Wochen, die die Bäume entwurzelten oder knickten. ›Vor ein paar Tagen habe ich im Gras einen abgebrochenen Pferdekopf gefunden‹, sagt sie. ›Er gehört zu den gekreuzten Pferdeköpfen an der Giebelspitze des Hauses. Wieder ein Zeichen.‹ Wieder die Tränen aus hellen Augen. Tränen, die im Dunkel des Gesichts verschwimmen. Auch ich ein Zeichen? Carola Nicolaou erfährt von mir, daß ich über ihren Mann, den in Griechenland geborenen Schriftsteller Thomas Nicolaou, schreiben will, erfährt aber nicht, was ich von ihm im Kern wissen will, und sie scheint doch zu wissen: Der Fremde sucht den Verrat.

Der Fremde kommt von dem Maler und Grafiker Sieghard Pohl, der im Westberliner Stadtteil Hermsdorf wohnt – ein paar Meter von jenem Drahtverhau entfernt, der nun nicht mehr Stadt und Land zerschneidet. Weil Sieghard Pohl in der DDR systemkritische Bilder malte, war er am 21. Dezember 1963 verhaftet und am 3. August 1964 wegen ›ideologischer Diversion‹ zu zwei Jahren Gefängnis verurteilt worden. Hinzu kam ein weiteres Jahr Haft, das zur Bewährung ausgesetzt war. Dieses Jahr Haft stammte aus einer Strafe von 22 Monaten, die 1961 gegen ihn verhängt worden war, weil der Künstler ohne Genehmigung ins ›kapitalistische Ausland‹ gefahren war. Das dritte Jahr Haft mußte Sieghard Pohl nicht mehr absitzen. Er gehörte zu den ersten Häftlingen, die Bonn freikaufte.

Der 65jährige Sieghard Pohl sagt: ›Thomas Nicolaou hat mich denunziert. Ihm verdanke ich die zwei Jahre Haft. Er arbeitete für die Stasi.‹ Seine Frau Edda und er haben diesen Vorwurf bereits 1979 in ihrem Buch ›Die ungehorsamen Maler der DDR‹ festgehalten. Sieghard Pohl erinnert sich, wie ihn Thomas Nicolaou im Leipziger ›Café Hennersdorf‹ mit den Worten angesprochen hat: ›Ich habe gehört, du bist Maler, Grafiker. Ich brauche Bilder für ein Kinderbuch, das ich mache.‹ Er sei damals froh gewesen, daß endlich wieder jemand etwas von ihm wollte: ›Nach der Haftentlassung zur Bewährung war es schwer für mich, wieder Fuß zu fassen. Und so ließ ich Nicolaou in mein Atelier kommen.‹

Pohl dachte sich nichts dabei, als Nicolaou sich erst einmal die Bilder des Malers anschauen wollte: ›Zwei Bilder umkreiste er immer wieder. In ihnen kristallisierte sich meine Erfahrung mit dem SED-Regime. Das eine Bild trug den Titel „In der Menschenveredelungsfabrik", das andere hieß „Spucknapf des Volkes". Nicolaou habe sich die Bilder erklären lassen. Pohl erinnert sich, wie er von der ›erzieherischen Anmaßung‹ gesprochen habe, mit der die Partei Individualität niederwalze. Wer nicht so mitmache, wie es die SED verlange, werde zum ›Geschmeiß‹ erklärt, dem die ›richtige Lehre‹ erteilt werden müsse. Sieghard Pohl meinte, bei Nicolaou nicht nur Interesse, sondern auch Verständnis zu spüren. Und so sei er tief in die Deutung des einen Bildes gegangen, das einen Häftling in einer Gefängniszelle zeigte – in doppelter Vergitterung: in der Vergitterung durch äußere Isolierung und in der Vergitterung des Herzens. Das andere Bild demonstrierte den Personenkult um Walter Ulbricht: ein Politbüro, in dem alle Köpfe Büsten sind, die die Züge Ulbrichts tragen: ›ein Politbüro, das sich den Rechten der Menschen verschließt und auf sie spuckt‹.

Sieghard Pohl erinnert sich an ein langes Gespräch mit Nicolaou, dessen Familie im griechischen Bürgerkrieg auf kommunistischer Seite kämpfte bis zu Niederlage 1949, und der dann von der DDR angenommen worden war. Nicolaou habe ihm erzählt, daß er ohne Probleme jederzeit nach West-Berlin fahren könne. Und Pohl erzählte Nicolaou, daß er einen Bruder in West-Berlin leben habe. Nicolaou habe ihm angeboten, den Bruder in West-Berlin aufzusuchen und gegebenenfalls Westgeld von ihm mitzubringen. ›Das genau war der Punkt, an dem etwas wie Verdacht in mir hochkam‹, erinnert sich der Künstler. ›Eine Sekunde lang.‹

Doch die ›menschlich einnehmende Art‹ des Griechen habe den Verdacht weggewischt. Pohl bat Nicolaou lediglich, ihm aus West-Berlin den Grass-Roman ›Die Blechtrommel‹ mitzubringen: ›Er brachte sie mit.‹ Nicolaou gab ihm auch ein Manuskript seines Textes zum Kinderbuch ›Puputa‹, das Pohl illustrieren sollte und das er noch heute bei sich aufbewahrt. Auch das Buch, das 1966 im Kinderbuchverlag Berlin herauskam, freilich nicht mit Illustrationen von Pohl. Dazu kam es nicht mehr. Zwei Tage nach Nicolaous Besuch sei die Staatssicherheit gekommen und habe ihn verhaftet: ›Total zielsicher liefen die Stasi-Männer auf die beiden Bilder zu, hängten sie ab und packten sie ein. Alle meine Westbücher wurden beschlagnahmt, nur eines nicht: der Grass, den mir Nicolaou mitgebracht hatte. Er tauchte nicht auf der Liste auf, die ich zu unterzeichnen hatte.‹

Sieghard Pohl wurde in die ›Wächterburg‹, das zentrale Stasi-Gefängnis Leipzigs, gebracht, das vor 1945 der Gestapo gedient hatte. 80 Tage lang wurde er vernommen: ›Und jetzt wußte ich, welche Rolle Nicolaou mit seiner Kontaktaufnahme zu mir gespielt hatte. Er hatte Dinge aus mir herausgelockt, die ich vorher niemandem gesagt hatte. Genau diese Dinge aber wurden mir von der Stasi vorgehalten.‹ Nach seiner Verurteilung traf Pohl im Gefängnis Waldheim, in dem einst Karl May gesessen hatte, den Leipziger Tänzer Peter Wrann, seinen Freund: ›Ich war erstaunt über seine Inhaftierung.‹ Wrann habe ihm berichtet, daß er nach Pohls Verschwinden weiter in Kontakt zu Nicolaou gestanden habe.

Die Geschichte des Peter Wrann sei so verlaufen: Wrann, als Schürzenjäger unter seinen Freunden bekannt, habe mit Nicolaou in einer Gaststätte gesessen, Nicolaou habe ihn auf eine ›dufte Frau‹ aufmerksam gemacht, die ›sehr kontaktfreudig‹ sei. Wrann sei ihr nähergekommen, und dabei sei ihm seine Brieftasche abhanden gekommen. Die Brieftasche sei bei der Polizei abgegeben worden – als Fundsache von der Straße. Niedergeschriebenes in der Brieftasche wurde zur Anklage wegen Verleumdung des Staates genutzt. So fanden sich Pohl und Wrann vereint im Gefängnis wieder.

Sieghard Pohl sagt: ›Nur der Standhaftigkeit Peter Wranns im Verhör verdanke ich, daß ich in meinem Prozeß nicht eine weit höhere Gefängnisstrafe bekommen habe. Die Stasi wollte bei Wrann darauf hinaus, daß er eine Aussage liefert, mit der mir versuchte Republikflucht nachgewiesen werden sollte.‹ Die Fälle Peter Wrann und Sieghard Pohl nahm der Schriftsteller Siegmar Faust 1980 in sein Buch ›In welchem Lande lebt Mephisto? Schreiben in Deutschland‹ auf, vermehrt mit seinen eigenen Stasi-Erfahrungen.

Der Lyriker Siegmar Faust, Jahrgang 1944, war in jener Zeit, als sich in der Tschechoslowakei der Prager Frühling anbahnte, wegen zu viel Eigenwilligkeit ›aus erzieherischen Gründen‹ vom Institut für Literatur Johannes R. Becher in Leipzig ›gefeuert‹ worden – und auch aus der Partei. ›Als mir das damals passierte‹, erinnert er sich, ›war ich fix und fertig. Ich hab' mich verkrochen, tauchte wieder auf, fand einen Job als Motorbootfahrer und einen Platz zum Schlafen. Dort besuchte mich Thomas Nicolaou.‹ Nicolaous Worte: ›Ich hab' gehört, du bist geflogen. Ich will dir helfen. Ich geb' dir eine Adresse. Dort kannst du ein Hörspiel loswerden. Du kannst auch griechische Gedichte nachdichten.‹

In dieses Hilfsangebot habe Nicolaou die Frage eingebaut: ›Was schreibst du? Hast du etwas Neues geschrieben?‹ Siegmar Faust: ›Ich hab' ihm Gedichte anvertraut, die ich im ersten Schmerz verfaßt hatte. Er sagte, er bringe sie wieder. Er hat sie nie wiedergebracht.‹ Statt dessen erschien die Stasi bei Faust – mit einem Angebot:

›Wir sind nicht gekommen, um Sie weiterhin zu verdammen. Im Gegenteil, wir könnten Ihnen helfen. Es sei denn, Sie möchten sich auch wirklich helfen lassen?‹

›Warum nicht?‹

›Sie würden uns auch unterstützen wollen?‹

›Wie denn? Ich . . . Ich . . .

›Wir sagten doch, wir interessieren uns für konterrevolutionäre Literatur.‹

›Konterrevolutionär? Kenne nichts!‹

›Na, Faust! In Ihren letzten Gedichten kommen Sie aber solch einer Haltung ziemlich nahe. Da widmen Sie diesem Biermann ein Gedicht und meinen, die Alten sollten abtreten, weil sie uns angeblich mit der verkieselten Parole in der Faust das Alphabet des Marxismus lehren wollen. Stimmt's?‹

Drohung und ein Angebot zur Bespitzelung befreundeter Schriftsteller. Zu Fausts Freunden gehörten die Autoren Gert Neumann und Wolfgang Hilbig. Unbequeme im Fadenkreuz der Stasi. Siegmar Faust heute: ›Ich war erstaunt und fragte, woher sie die Gedichte hätten. Sie antworteten, sie hätten so ihre Leute.‹ Für Faust war klar, daß nur Nicolaou der Informant gewesen sein konnte. Siegmar Faust aber spielt nicht mit. Der Sozialismus-Gläubige wandelte sich zum Regimegegner. Daß er schließlich drei Jahre in der Haft zubringen muß, ehe er in die Bundesrepublik entlassen wird, hat nichts mit Nicolaou zu tun.

Auch der 51jährige Chinese Xing-Hu Kuo, der heute den Anita Tykve Verlag in Sindelfingen führt, behauptet nicht, daß er seine siebeneinhalbjährige Gefängnisstrafe dem Griechen Nicolaou verdankt. Xing-Hu Kuo war aus Indonesien nach Leipzig gekommen und hatte in einer Gruppe von 20 Personen zusammen mit Nicolaou an der Fakultät für Journalistik studiert: ›Er war schärfer als die einheimischen SED-Genossen. Er war fanatisch, ein übler Spitzel und Denunziant, öffentlich und heimlich.‹ Xing-Hu Kuo arbeitete ab 1963 als örtlicher Mitarbeiter in der Presseabteilung der Volksrepublik China in Ost-Berlin, wurde 1965 verhaftet und wegen angeblicher Verbindungsaufnahme zu westlichen Geheimdiensten verurteilt.

Xing-Hu Kuo, der in seinem Verlag gerade seine Hafterfahrungen in der DDR unter dem Titel ›Ein Chinese in Bautzen‹ herausgibt, sagt: ›Nicolaous Aussagen über meine Person führten in meinem Verfahren zu der Beurteilung, daß ich immer ein Feind des Sozialismus gewesen sei. Als ich verhaftet wurde, las man mir Protokolle vor, aus denen hervorging, daß sie nur von Nicolaou stammen konnten.‹ Aus der Stasi-Enge Berlins zogen sie Anfang der siebziger Jahre hinaus ins Mecklenburger Land: Christa und Gerhard Wolf, Helga Schubert, Fred und Maxie Wander, Sarah Kirsch, Joachim Seyppel, Thomas Nicolaou, ein Grieche, scharte sie alle um sich. Jetzt, wo Mauer und Stacheldraht gefallen sind, hageln schlimme Vorwürfe in die Idylle: Der Grieche sei ein Stasi-Spitzel gewesen. In einer leichten Bodenwelle, trotzdem weithin sichtbar, die lange Fensterfront der Mittags- und Abendsonne zugekehrt, liegt es da, das Haus des Thomas und der Carola Nicolaou. ›Einladend, das ist das Wort.‹ So schreibt Christa Wolf darüber in ihrem ›Sommerstück‹.

›Wenn draußen keiner zu sehen war, blickte man durch die Geranien auf den Fensterbrettern in die Wohnstube. Da saß Luisa an dem alten rissigen Tisch und nähte oder schrieb, oder wenigstens lag Tilli, der mächtige schwarzweiße Kater, schlafend im Schaukelstuhl. Und wenn nun er die Seele des Hauses war? Seele, Seele, ein fremder Klang. Euer Haus hat eine Seele, Luisa. Luisa, erschrocken: Ich weiß. Red nicht darüber. Oft hab ich Angst, wir verstehen sie nicht.‹

Sarah Kirsch, die 1977 die DDR verließ, hat mir damals viel von diesem wundersamen Haus erzählt, von dem Ort Drispeth mit seinen 150 Einwohnern, dem die in Wiesen und Äckern verstreut liegenden Bauernhäuser zugeordnet sind. Nach Drispeth kamen Fred und Maxie Wander (›Guten Morgen, du Schöne‹), die so früh an Krebs starb. Das Haus von Gerhard und Christa Wolf stand neben dem Helga Schuberts. Der Wanderer zwischen West und Ost, Joachim Seyppel, hatte sich in Drispeth eingekauft. Nach der Begegnung mit Carola Nicolaou las ich noch einmal Christa Wolfs ›Sommerstück‹, in dem sie der Freundin den Namen Luisa gegeben hat. Ich las Sarah Kirsch wieder, wie sie in ›Allerlei-Rauh‹ um Carola Nicolaou kreist:

›Und natürlich ist Carola zu ihrem Kind gekommen, wie schäumt die schwarze See und spritzt ihr grünes Salz! Seit Jahren hat sie ihren hellhaarigen Petros, ein adoptiertes glückseliges Mecklenburger Kind, das fließend griechisch redet, den Sommer im Süden, den Winter im Norden verbringt wie selten ein Kind im Kleinen Land, denn Thomas hat unterdessen im Dorf seiner Väter, wie es sich für einen Griechen ziemt, ein Haus eigenhändig errichtet.‹

Thomas Nicolaou erzählt vom Krieg, den 1940 Mussolini mit seiner Besetzung Griechenlands brachte, dann Hitler. Er spricht vom Bürgerkrieg, der nach dem deutschen Abzug ausbrach und den die kommunistisch kontrollierte Befreiungsarmee Elas 1949 verlor. Der Vater starb im Kampf gegen die Italiener. ›Großmutter und Großvater gingen als Partisanen in die Berge und nahmen mich mit‹, berichtete er. Sie kämpften auf seiten der Elas. 120 000 Menschen flohen 1949 nach Jugoslawien, Albanien und Bulgarien: ›Wir gingen nach Albanien, blieben ein Jahr.‹ Die sich als sozialistisch verstehenden Staaten nahmen die Flüchtlinge auf. Die DDR wollte ausschließlich Kinder haben. So wurde Thomas Nicolaou von seinen Großeltern getrennt, die in Polen eine Bleibe fanden.

Thomas Nicolaou kam mit 1200 griechischen Kindern in die DDR. Zuerst nach Radebeul, dann nach Dresden in die Villa Orlando. Heimerziehung. Am Vormittag Besuch der deutschen Schule, am Nachmittag Griechischunterricht. Indoktrination?

›Nein, die Lehrer vertraten die offizielle Politik, nicht mehr und nicht weniger‹, sagt Nicolaou erst einmal. ›Uns erging es nicht anders als den deutschen Kindern.‹ Ja, er sei er DDR dankbar gewesen: ›Meine Mutter war Analphabetin, meine Großmutter auch, mein Bruder ging nur bis zur vierten Klasse. In Griechenland hätte ich keine andere Möglichkeit gehabt, als Hirte zu werden.‹

Carola Nicolaou erzählt, daß sie bei der Volkskammerwahl grün gewählt habe. Für sie ist das Land in einer anderen Weise kaputt als für ihren Mann. Ihre Natur ist so verletzt wie die Natur des ganzen Landes, auf deren Rettung sie aus ist. ›Wenn die kleinen Dinge nicht mehr funktionieren, wie soll das gehen mit den großen?‹ fragt sie und erzählt, wie die Pfandflaschen von Plastik und Büchsen ersetzt werden. Sie zählt Beispiel für Beispiel auf. Doch materieller Mangel hat in ihrem Haus bisher nicht geherrscht. Ihr Mann, der Schriftsteller und Übersetzer der griechischen Dichter Jannis Ritsos und Odysseas Elytis, gehörte zu den Privilegierten des einstigen SED-Staates.

›Ja‹, sage sie. Und bleibt in sich versponnen: ›Wir rutschen wieder in eine Finsternis hinein.‹ Wie ein dunkler Engel scheint sie, einem Bild von Murillo entstiegen. Ganz nah und zugleich ganz weit weg. Der Vater kommt vom Schwarzen Meer, ihre Mutter ist eine Deutsche, in Leipzig kam Carola nach dem Krieg zur Welt, und auch sie wuchs schließlich in einem Heim auf. ›Aus der Drachenhöhle hatte sie Thomas befreit‹, schreibt Sarah Kirsch in ›Allerlei-Rauh‹. ›In der mecklenburgischen Einsamkeit fiel es ihr leicht, das Leben zu meistern, wenn es mir mitunter auch schien, als würde sie in ihren täglichen grauen Kleidern, den groben Stiefeln oder barfuß neben dem Herd ein stilisiertes verwunschenes Dasein führen, um ihre anmutige, doch wilde verwegene Seele zu schützen.‹

Thomas Nicolaou, klein, gedrungen, rundlich, schlitzäugig, Antiquitäten kaufend, bewahrend und verkaufend, nach dem Dunkel der Jugend versessen auf Schönheit, erzählt, wie er 1970 das Bauernhaus und die dazugehörige Kate der Knechte für 2500 Mark gekauft habe und wie er dann Christa Wolf und die anderen Schriftsteller aus Berlin nach Drispeth gezogen habe. Nach dem Sturz der Militärjunta 1976 sei er das erste Mal heimgekehrt in sein griechisches Dorf. Sein Großvater und seine Großmutter seien in der Fremde gestorben. Die Großmutter lebte zuletzt bei ihm auf dem Hof und ist begraben im benachbarten Zickhusen.

Thomas Nicolaou schiebt mir über den Tisch sein jüngstes Buch zu. Den Kopf des Adoptivsohnes – er hat aus erster Ehe zwei inzwischen erwachsene Söhne – noch immer im Schoß, die Streichelhand auf dem Schopf des schlafenden Kindes. ›Meine Großmutter starb mehrere Tage lang‹, hieß es in dem Fotoband ›Einmal den Olymp besteigen‹. ›Ich mochte nicht in ihr Zimmer gehen, ich wollte sie so in Erinnerung behalten, wie sie war, ein kleiner zerbrechlicher Vogel, nur Federn und kaum Fleisch.‹ Die Großmutter hat den Thomas Nicolaou durch den Bürgerkrieg gerettet. ›Wir rannten alle um unser Leben. Mütter schrien nach ihren Kindern. Kinder schrien nach ihren Müttern, keiner blickte zum Himmel, wo es zu wetterleuchten begann, zu donnern und zu krachen. Wir erreichten den Berg und warfen uns unter einen Felsvorsprung. Die Bombe muß in unserer Nähe eingeschlagen haben. Der Felsen barst, Steine schossen durch die Luft.‹

Ein Zwölfjähriger auf der Flucht aus dem Bürgerkrieg, auf der Suche nach Frieden. Im Schlaf sah er ›schreckliche Dinge‹, sprang hoch, rannte fort. Die Großmutter holte ihn zurück und band nun nachts sein Bein an ihrem mit dem Kopftuch fest. ›Mit Angst kamen wir griechischen Kinder 1951 nach Deutschland‹, sagt Nicolaou. ›Wir kannten die Deutschen als Besatzer.‹ Nicolaou lernte gut und schnell: Es gab gute Deutsche, es gab schlechte Deutsche. Die guten Deutschen lebten im SED-Staat DDR, die anderen in der Bundesrepublik. Ein Schnitt durch die Wahrheit, und alles stimmte. Als er das Abitur machte, hatte er die Stasi-Reife erreicht.

Die Wahrheit: Uns zu wissen von Anfang an in der Schwebe. War das für Thomas Nicolaou noch möglich? Zwischen zerstörten Bildern seiner Geschichte. Seine Geschichte begraben in der Tiefe seiner Abkunft. ›Mein Vater ist nicht gefallen dafür, daß am Ende doch das kapitalistische Wolfsgesetz regiert.‹ In seinen Erinnerungen an seinen Geburtsort schreibt er: ›Ich will in der Nähe meines ersten Wortes sein.‹ Heißt das nicht: Ich will nicht verraten sein? Die Schuld, die sich nicht schuldig weiß: Die Unschuld ist die Hauptschuld. Denn was wir wollen, tun wir nicht mit Unschuld.

›Die griechischen Partisanen haben uns gesagt, sie wollen eine Welt ohne Ausbildung‹, so zitiert Nicolaou Erinnerung. Als Staatenloser kam er in den SED-Staat. Inzwischen ist er griechischer Staatsbürger mit einer Aufenthaltserlaubnis für die DDR. Früher mußte er sie alle sechs Monate neu beantragen, in den letzten Jahren nur noch einmal im Jahr. Nicolaou gibt sich sorglos nach der Wende: ›Für einen Schriftsteller ist das eine ganz tolle Zeit, wenn man sieht, wie sich die Leute freimachen. Es gab ja keine Entwicklung mehr in der DDR. Und nun gibt es praktisch ein zweites Leben hier.‹ In der Wende hat er auf einen ›dritten Weg‹ für die DDR gehofft. Für sich sehe er keine Gefahr. Für Griechenland werde es immer eine Nachfrage geben.

Thomas Nicolaou lenkt von selbst hin zum Kapitel Stasi: ›Ich bin dafür, daß jeder seine Stasi-Akte bekommt, oder daß sie vernichtet wird. Entweder – oder. Dies war ein Volk, das 40 Jahre bespitzelt worden ist. Daß es Menschen gab, die wahrheitsgetreu dem Stasi berichtet haben, finde ich nicht so schlimm. Schlimm finde ich, daß Falsches für Wahres ausgegeben worden ist.‹ Thomas Nicolaou sagt auch: ›Ich weiß, daß wir hier abgehört wurden.‹ Und dennoch: ›Uns Bauernkindern aus Griechenland hat dieser Staat alles gegeben. Ich möchte gerecht sein. Ich war davon überzeugt, daß dieser Weg zum Sozialismus richtig war.‹ Der Schock sei für ihn die Ausbürgerung von Wolf Biermann gewesen.

›Heute habe ich eine andere Haltung als damals‹, sagt er. ›Wenn die Wende damals passiert wäre, wäre ich dagegen auf die Straße gegangen. Heute sage ich: „Gott sei Dank."‹ Nicolaou spricht von der Leipziger Fakultät für Journalistik, der Kaderschmiede für Parteischreiber, und von der Zeit nach dem Studium, als er als Wissenschaftler beim Altkommunisten Professor Hermann Budzislawski in Leipzig gearbeitet habe, ehe er sich Ende der sechziger Jahre als Schriftsteller selbständig machte – mit Kinderbüchern und auch einem Roman.

Leipzig: Ich hake ein. Es gebe Leute, für die er ein Stasi-Spitzel sei. Welche Erinnerung er an Sieghard Pohl habe? ›Wer ist das? Ich hatte keinen Kontakt!‹ Ob er Siegmar Faust gekannt habe? ›Ja, aber tolle Kontakte waren das nicht. Der Faust ist doch im Westen.‹ Ob er sich an den Chinesen Xing-Hu Kuo erinnere, der ebenfalls ins Gefängnis kam. ›Warum? Davon weiß ich nichts. Den habe ich nicht gekannt.‹

Ich schiebe ihm Siegmar Fausts Buch ›In welchem Lande lebt Mephisto‹ von dem Münchner Olzog-Verlag über den Tisch: ›Auf den Seiten 68 und 69 stehen alle Vorwürfe.‹ Thomas Nicolaou hebt den Kopf des schlafenden achtjährigen Sohnes hoch. Petros steht auf und geht. Thomas Nicolaou erhebt sich. ›Ich will mir meine Brille holen, sonst sehe ich nicht.‹ Thomas Nicolaou liest, er liest lange, Zeitvergehen: Es geht in ihm vor und zurück. Die Vergangenheit lebt in der Gegenwart. Es ist still. Still wie der Schrei des Henkers und der Schrei des Opfers auf dem Weiß des Papiers. Die Wahrheit als das Gewicht des Augenblicks. Der Augenblick schmerzt. Der Schmerz sitzt im Atem, und der Atem ist jetzt hörbar. Thomas Nicolaou blättert nach vorn. Liest er, liest er nicht, ist er in sich versunken?

Was soll er mir sagen? Was bedeutet es, daß er mir all die Bücher griechischer Dichter gezeigt hat, die er übersetzte, und dann erst die eigenen? Nicht Eitelkeit, dem Ruhm des Jannis Ritsos verbunden zu sein? Über-Setzen, um sich selbst zu entkommen, um anzukommen in der Unschuld des Wortes, das am Anfang ist? Über-Setzen, nach Drispeth in die Idylle. Zwei Heimkinder finden ein Heimkind, finden sich in der Heimatlosigkeit, die sich für Petros in anderer Weise, aber doch wiederholt. Und doch: Könnte der Junge nicht das Ende der versteinerten Jahre sein für Thomas Nicolaou. Er findet seine Sprache wieder: ›Ich möchte Ihnen folgendes sagen. Ich war ein junger Mensch, überzeugt davon, daß dieser Weg in den Sozialismus richtig war. Wenn man damals an mich herangetreten wäre von einer Seite und mich um Hilfe gebeten hätte, möchte ich nicht sagen, daß ich da abgelehnt hätte.‹ Ist jemand an ihn herangetreten? ›Nein, an mich ist keiner herangetreten. Es kann schon sein, daß mir Siegmar Faust Gedichte gab, die ich dann unter Freunden vorgelesen habe. Vielleicht war unter ihnen ein Spitzel.‹

Ich schweige. Es ist Thomas Nicolaou, der sich nun ins Karussell der Rechtfertigungen setzt. ›Wir sind so erzogen worden, gegen die Feinde des Sozialismus anzutreten‹, sagte er. ›Ich habe daran geglaubt.‹ Schweigen. ›Ich hab mich durch die Hilfe von Freunden dann von allem abgesetzt.‹ Er nennt Christa Wolf, Fred Wander, Sarah Kirsch und Joachim Seyppel. Schweigen. ›Es ist leicht, irgendwelche Vorwürfe zu machen über Dinge, die 20 Jahre zurückliegen.‹ Schweigen. ›In Leipzig war das Klima so, daß jeder jeden verdächtigte. Es war die Absicht des Regimes, daß keiner dem anderen traut.‹ Schweigen. ›Ich bin in Heimen aufgewachsen. Versetzen Sie sich in diese Lage. Man wird zurechtgebogen.‹ Schweigen. ›Alle Ausländer in der DDR standen unter der Beobachtung der Stasi.‹ Schweigen. ›Für die Deutschen war alles leicht. Wer oppositionell war, ging in den Westen. Dann war er wieder oben.‹ Am 20. Dezember vergangenen Jahres schrieb Sieghard Pohl einen Brief an Christa Wolf: ›Es sind die guillotinierten Lebenswege, die mich so nachdenklich machen, auch wenn die Zeit darüber hinweggebrochen ist. Es ist ja auch nicht Rache oder Denunziation, die mich anstachelt, Grauzonen zu lüften, sondern ein Rest von Gerechtigkeitssinn. Es wird Sie jetzt schwer treffen, wenn Sie durch mich erfahren, daß einer Ihrer engsten Freunde, Thomas Nicolaou, seit über drei Jahrzehnten ein aktiver und leider auch besonders hinterhältiger Mitarbeiter des DDR-Staatssicherheitsdienstes war. Er war ein vorausgeschickter Handlanger, der mich 1963 vorsätzlich in die Fänge des Staatssicherheitsdienstes führte. Ich schreibe Ihnen in voller Verantwortung, keinen Unschuldigen belasten zu wollen. Doch die Metastasen des allgemeinen Unrechtes waren bis zum Ende des Unrechtsstaates dicht gewachsen. Es war ja nicht Th. Nicolaous einmalige Beihilfe, eine Künstlerexistenz zu vernichten . . . Aber ist ihm nur ein einziges Mal der Gedanke gekommen, Unrecht getan zu haben? Hatte er ein Gewissen? Wird er, wenn Sie ihn darauf ansprechen – immer in der Annahme, Sie haben über seine Tätigkeit nichts gewußt –, sich nur rechtfertigen, oder wird ihn die Gesichtsblässe heimsuchen? Ich werde warten – vergebens? –, bis er seine Scham eingesteht. Ich könnte dann besser leben. Ich bitte Sie, hilfreich zu sein.‹

Christa Wolf ließ ihren Freund Thomas Nicolaou, der sie durch Griechenland führte und über den sie bewundernd – vorsichtig natürlich mit dem Kürzel N. – in ihrem Buch ›Voraussetzungen einer Erzählung: Kassandra‹ berichtet, allein und antwortete nicht auf den Brief Sieghard Pohls. Vorsichtig, wie sie einst ihre Unterschrift gegen die Ausbürgerung Wolf Biermanns wieder zurückzog, während junge DDR-Bürger im Vertrauen auf ihre Unterschrift ihr in den Protest folgten – mit der Folge von Relegierung und Entlassung. Vorsichtig auch, als sie in der Wende 1989 erst auftrat, als ihre eigene Tochter von der Stasi verprügelt worden war.

Das Licht ist Schatten. Erlösung hätte es für Thomas Nicolaou und Sieghard Pohl gleichermaßen geben können. Nun gibt es keine Erlösung. Nichts kehrt heim zum Anfang. Ein vertriebener Grieche suchte den ersten Tag. Und der Fremde fand bei ihm den Verrat, der begangen wurde, bevor er begangen werden konnte.

Die Großmutter des Thomas Nicolaou nähte die Bibel in Stoff und daran ein Band. Am Band trug der Zwölfjährige auf der Flucht aus dem Bürgerkrieg die Schrift. Als die Flucht gelungen war und die griechischen Kinder erstmals wieder unter dem heißen Wasser zahlreicher Duschen standen, spürte Thoms Nicolaou nur noch Wohlbehagen. Mit neuer Kleidung, wie sie jedes Kind bekam, verließ er das Bad. Am Abend lief er verzweifelt zurück und suchte seine Bibel. ›Deine Bibel ist jetzt im Himmel‹, sagte ihm lachend ein Erzieher. ›Alle Sachen sind samt den Läusen verbrannt worden.‹«

Die Hintergründe der Schnur-Enttarnung

Noch im Januar 1990 wollte Wolfgang Schnur, Vorsitzender des Demokratischen Aufbruchs (DA), nur ein Bündnis mit der CDU eingehen, wenn sie sich »zur Schuld von 40 Jahren« bekenne. Er selbst, seit rund 25 Jahren als Inoffizieller Mitarbeiter der Stasi tätig, dachte in jenen Wochen nicht daran, sich mit eigener Schuld auseinanderzusetzen. Statt dessen führte er eine jener Gruppierungen, die nach der Revolution entstanden waren und bei der man in jenen Wochen noch nicht abschätzen konnte, welchen Einfluß sie erhalten würde. Als vor der ersten freien Wahl CDU, DA und Deutsche Soziale Union (DSU) sich zur »Allianz für Deutschland« verbündeten, war keinesfalls klar, daß der DA mit einem Stimmenanteil von unter einem Prozent in die Bedeutungslosigkeit fallen würde.

Schnur war der Versuch der Stasi, ihn in bedeutende Positionen zu bringen. Bemerkenswert ist auch, daß Modrow nach dem Eingeständnis von Schnur, für die Stasi gearbeitet zu haben, diesen »auf dessen Wunsch« im Krankenhaus besuchte.

Über Schnur wurden bei der Stasi mehr als 30 Aktenordner geführt. Zuletzt mußte er sein Wissen gar nicht mehr selbst zu Papier bringen, die Übergabe von Tonbändern genügte den Stasi-Führungsoffizieren. Schnur hat bis zuletzt (»Ich habe nie für die Staatssicherheit gearbeitet, ich habe nie einen Orden des Ministeriums für Staatssicherheit empfangen«) geleugnet, bis er angesichts der erdrückenden Beweislage mit dem Eingeständnis der Zuarbeit für die Stasi kurz vor der historischen Wahl im März 1990 einiges Licht in das Dunkel brachte. Dramatische Tage und Stunden waren diesem Eingeständnis vorausgegangen, Schnur hatte die CDU voll getäuscht und ein perfektes Spiel aufgezogen.

Als erste Veröffentlichungen über seine tatsächliche Rolle bekannt wurden, vermutete man, daß Informationen von Stasi-Aufklärern in Rostock, wo Schnur von der Stasi geführt worden war, preisgegeben worden seien. Dies ist unzutreffend. Tatsächlich wurden diese damit konfrontiert, daß trotz strengster Diskretion, mit der sie vorgingen, ihre Treffen und Absichten bekannt wurden. Keine Stunde, nachdem man zusammengekommen war, erreichten die Aufklärer in Rostock Anrufe, in denen nach dem Zweck der erst zuvor verabredeten, nächsten Zusammenkunft gefragt wurde. Gespräche von Politikern, die in einem Auto des DA in diesem Zusammenhang geführt wurden, sind nach Einschätzung von Stasi-Aufklärern abgehört worden. Die CDU, die hiervon nicht das geringste ahnte, handelte nicht so, wie es diejenigen, die mitlauschten, wohl erwarteten. Sofort nachdem Schnurs Stasi-Rolle bekannt wurde, zog sie einen un-

Wolfgang Schnur, 1989.

mißverständlichen und endgültigen Trennungsstrich. In jenen
Tagen sprach der Bundeskanzler in Rostock. Das entscheidende
Motiv für die Mehrheit der Stasi-Aufklärer, an Schnur heranzu-
treten und ihn mit den gefundenen Akten zu konfrontieren, war
die Einschätzung, daß Schnur und seine Hintermänner alles ver-

bestätigt: _____
Leiter der Bez.-Verw.

Vorschlag zur Auszeichnung des IME "Torsten", I/1546/64,
anläßlich des 25. Jahrestages des MfS

Zur Person:

S c h n u r , Wolfgang
geb.: 8. 6. 1944
Rechtsanwalt
parteilos

Art der Auszeichnung:

"Medaille für treue Dienste der HVA" in Silber, verbunden
mit einer Geldprämie von 300,- Mark

Begründung:

Der IME arbeitet seit dem 22. 9. 1964 inoffiziell mit dem MfS
zusammen. Der IME ist vielseitig im Raum der Kirche einsetzbar. Durch sein richtiges Verhalten konnte er in wichtige
Leitungsebenen der ev. Kirchen eindringen. Er leistet
dort eine sehr gute operative Arbeit.
Seine Berichte und Materialien wurden mehrfach überprüft
und entsprachen immer der Wahrheit.
Mit seiner Hilfe wurden in Zusammenarbeit mit der HA XX, Berlin,
und der BV Magdeburg wichtige operativ interessante Materialien
der Kirche beschafft.
Durch seine Tätigkeit ist der IME überörtlich einsetzbar.

Die Auszeichnung soll durch den Referatsleiter, Genossen
Hauptmann Thode, vorgenommen werden.

Scherwinski
Oberstltn.

Einsatz des IM "Torsten"

Die zum IM "Torsten" durchgeführten Maßnahmen der Überprüfung, einschließlich der spezifischen Maßnahmen durch die HA II, erbrachten nicht die Bestätigung des Verdachts der Unehrlichkeit, sondern die Bestätigung einer ehrlichen und politisch-operativen wertvollen Berichterstattung sowie die Beantwortung unklarer Fragen.
Es kann im Ergebnis der durchgeführten Maßnahmen eingeschätzt werden, daß insbesondere durch die prinzipielle Einflußnahme auf den IM, durch seine tschekistisch kluge und konsequente Führung, Anleitung und Kontrolle, durch die schöpferische Auftragserteilung und Berichterstattung, sehr wertvolle operative Ergebnisse erzielt wurden.
Neben einer großen Anzahl operativ wertvoller und der Wahrheit entsprechenden Berichterstattung soll besonders der Einsatz und das Wirken des IM im Zusammenhang mit der sog. Jenaer Szene genannt werden.
Der IM hat durch seine Einflußnahme auf die evangelischen Bischöfe der DDR und auf die Konferenz der Evangelischen Kirchenleitungen in der DDR sowie dadurch, daß er gegenüber den in der DDR akkreditierten Journalisten der BRD und bei kirchlichen Veranstaltungen, insbesondere des Kirchentages in Dresden, eine klare und juristisch fundierte Position vertrat, maßgeblich dazu beigetragen, einen Mißbrauch der Kirchen und eine Konfrontation Staat - Kirche vorbeugend zu verhindern. Das hatte politische Bedeutung für das Verhältnis Staat - Kirche im DDR-Maßstab und darüber hinaus. Es fand Anerkennung in einer politischen Wertung beim Leiter der Arbeitsgruppe Kirchenfragen beim ZK derSED. (Offizielle epd-Pressemeldungen, offizielle Interviews usw.)

Der IM besitzt eine große Perspektive und gute Voraussetzungen für das weitere Eindringen in die Konspiration des Gegners, insbesondere in die politische Untergrundtätigkeit. Der IM hat Vertrauen bei den Bischöfen und kirchenleitenden Personen, bei den leitenden Mitarbeitern der Ständigen Vertretung der BRD in der DDR und bei den in der DDR akkreditierten Journalisten. Er hat fundierte Voraussetzungen, seine kirchlichen Positionen durch die Übernahme weiterer kirchenleitender Funktionen auszubauen.
Unter Berücksichtigung dieser Tatsachen und der Feststellung, daß der IM stark ausgeprägte finanzielle und materielle Interessen hat sowie einem ständigen feindlich-ideologischen Einfluß ausgesetzt ist, sollte die weitere Zusammenarbeit mit dem IM gestaltet werden. Das erfordert die Fortsetzung der qualifizierten Führung des IM, seiner ständigen durchgängig organisierten politisch-ideologischen Beeinflussung und Überprüfung, aber auch der konsequenten Gewährleistung der Konspiration.

NATIONALER VERTEIDIGUNGSRAT DER
DEUTSCHEN DEMOKRATISCHEN REPUBLIK

ALS ZEICHEN DER ANERKENNUNG
HERVORRAGENDER VERDIENSTE
BEI DER GEWÄHRLEISTUNG
DES SICHEREN MILITÄRISCHEN SCHUTZES DER
DEUTSCHEN DEMOKRATISCHEN REPUBLIK
WIRD

Schnur, Wolfgang

DER

Kampforden
für Verdienste um Volk und Vaterland

IN **Bronze**

VERLIEHEN

Berlin, den **8.2.1984**

Mielke

Minister für Staatssicherheit

149

Hauptabteilung XX   Berlin, 2. 6. 1986
Leiter   kie-li/   /86

SED-Kreisleitung 18-01
Vorsitzenden der KPKK
Genossen Oberst Haase

Vorschlag zur Aufnahme als Kandidat der SED

Durch die Bezirksverwaltung Rostock und die Hauptabteilung XX
wird ein wertvoller Patriot geführt, der seit Jahren eine wichtige
politisch-operative Arbeit leistet.

Dieser Patriot zeichnet sich durch hohe Einsatzbereitschaft und
Pflichterfüllung aus und erfüllt die Aufträge des MfS gewissenhaft,
auch unter Beachtung politischer Zusammenhänge, in seinem Aufgabengebiet.

Der Patriot bedauert, daß er offiziell nicht um Aufnahme in die
Reihen der Partei bitten kann. Deshalb wäre die Aufnahme des Patrioten
als Kandidat der SED auch eine große Unterstützung zu seiner weiteren
inneren Festigung und Erhöhung der Einsatzbereitschaft.

Es handelt sich bei dem Patrioten um

          Schnur   , *Wolfgang*
          geb. am *8.6.1944*
          wh.: *Rostock*

Der Leiter der Abteilung 4 der Hauptabteilung XX, Genosse
Oberst Wiegand, ist mit der weiteren Durchführung der Maßnahmen beauftragt.

Um Realisierung des Vorschlages wird gebeten.

Verteiler:
1. SED-KL
2. Leiter der HA XX/4   Kienberg
3. Leiter der Abt. XX BV Rostock   Generalmajor

150

Durch aktive Mitarbeit in der Synode, verbunden mit dem Ausbau
weiterer persönlicher Beziehungen zu Synodalen ist zu erreichen,
daß

- die Wahl des IM in die Kirchenleitung bzw. das Präsidium
der Synode der Evangelisch-Lutherischen Landeskirche
Mecklenburgs erfolgt.
Termin: März 1988 oder
                                          März 1991

- der IMB durch die Synode der Evangelisch-Lutherischen
Landeskirche Mecklenburgs als Synodaler für die Synode
des Bundes der Evangelischen Kirchen in der DDR gewählt wird.
Termin: November 1989

- der IMB als synodales Mitglied in die Konferenz der Kirchenleitungen des Bundes der Evangelischen Kirchen gewählt bzw.
durch die KKL berufen wird.
Termin: I. Quartal 1990

Zur Erreichung dieser Zielstellungen ist beim IM darüber
Klarheit zu schaffen, daß dafür ausschließlich eigene Aktivitäten
zu entfalten sind. Eine Protektion offizieller oder inoffizieller
Art durch das MfS ist grundsätzlich nicht möglich, um die
Konspiration nicht zu gefährden.

Folgende Verhaltenslinien sind durch den IMB "Torsten"
umzusetzen:

- kein vordergründig erkennbares Streben nach den o. g.
Positionen deutlich werden lassen;

- klares Auftreten mit christlichen Verhaltensweisen in
allen Lebensbereichen;

- Demonstrierung seiner festen Bindung an die Kirche durch
regelmäßige Teilnahme am Gottesdienst und anderen Veranstaltungen im Kirchenkreis und in der Landeskirche;

- aktive Mitwirkung an kirchlichen Veranstaltungen, in denen
seine Position als engagierter Christ deutlich wird
(speziell beim Kirchentag 1988 in Rostock) und wo neue
Förderverbindungen aufgebaut werden können;

- weitere aktive und konstruktive Mitarbeit im Ausschuß "Kirche
und Gesellschaft" des Bundes der Evangelischen Kirchen in der
DDR, wobei die vom IM ausgehende Konstruktivität zur Ent-
scheidungsfindung in kirchenpolitischen Fragen weiter zu
qualifizieren ist.

*Die Stasi-Akten zu Schnur belegen: Schnur war für das MfS von größter Wichtigkeit. Ge-
neralmajor Kienberg, ein guter Bekannter von Krenz, lobte ihn als »wertvollen Patrioten«.
Schnur sollte in wichtige Positionen gebracht werden; die Stasi hatte exakte Pläne. Die
SED als Befehlsgeber der Stasi wußte deshalb, daß der Chef des Demokratischen Auf-
bruchs dem alten System verpflichtet war; die Stasi führte ihn als »Torsten« und »Dr.
Schirmer«.*

suchen würden, um durch einen gemeinsamen Auftritt mit Helmut Kohl in Rostock diesen in Probleme zu bringen. Die Erinnerungen an Guillaume wurden wach, nicht noch einmal sollte ein Stasi-Agent einen Kanzler gefährden können. Deshalb zwangen die Stasi-Aufklärer Schnur, sich zu offenbaren. Eine Rolle, über die sie intensiv diskutiert haben. Lange haben sie mit sich gerungen, ob sie Schnur vor oder nach dem Wahltag mit den brisanten Akten konfrontieren sollten; die Verantwortung für Deutschland gab den Ausschlag.

Man hatte bei der Stasi auch Material gesammelt, um Schnur diskreditieren zu können. In einer schmalen Handakte, offenbar für westliche Medien bestimmt, waren entsprechende Informationen zusammengetragen – und, da aus dem Zusammenhang gerissen, auch in einem bestimmten Grad manipuliert – worden. Dazu zählten Teile aus den Aktenordnern über Schnur, darunter eine Steuererklärung und einige der wichtigsten Stasi-Auszeichnungen. Die Vorstellung, daß Schnur nicht enttarnt worden wäre und heute in einer einflußreichen Position fungieren würde, ist zutiefst erschreckend. Stasi-Aufklärer, die zum richtigen Zeitpunkt gehandelt haben, erteilten damit jenen eine Absage, die ihr schmutziges Spiel weiterführen wollten.

»Die Art des Stasi-Spitzels Böhme war wie Gift. Er unterlegte den Opfern Denunziationen Dritter«

Der erste SPD-Vorsitzende im Osten Deutschlands nach der Wende, Böhme, war nach den Ermittlungen des Schriftstellers Reiner Kunze ein Stasi-Spitzel; Böhme, der sich Ibrahim mit Vornamen nennt und in Wirklichkeit Manfred heißt, bespitzelte Kunze. Der SPD-Politiker, der trotz dieser Erkenntnisse immer noch im Dezember 1990 versuchte zu leugnen, war bereits im Frühjahr in den Verdacht geraten, unter dem Decknamen »Roloff« (Schreibweise auch anders möglich, die Autoren) für das MfS tätig gewesen zu sein.

Ibrahim Böhme (l.) und Ministerpräsident Hans Modrow (PDS) am 19. 4. 1990 in der Volkskammer. Böhme, damals SPD-Chef, und Modrow begegnen sich in herzlicher Verbundenheit.

WELT-Autor Jürgen Serke schilderte, wie Böhme tätig war und Kunze ihn entlarvte:

»Als der Schriftsteller Reiner Kunze im Januar 1990 nach mehr als einem Jahrzehnt an seinen alten Wohnsitz Greiz zurückkehrte, um aus seinen bis zur Wende in der DDR verbotenen Büchern zu lesen, stürzte ein alter Mann auf ihn zu, umarmte ihn und sagte beglückt: ›Gut, daß Sie wieder das sind!‹ Heute weiß Reiner Kunze, daß dieser Mann ihn im Auftrag der Stasi bespitzelt hat. Zwar verbrannte die Stasi Observationsakten des Falles Kunze hastig vor dessen Besuch in Greiz im benachbarten Pößneck auf einem Schießplatz, doch das wirkliche Original bei der

Bezirksverwaltung Gera übersahen sie: zwölf Bände mit 3491 Blatt, Deckname ›Lyrik‹, Tatbestand: ›staatsgefährdende Hetze‹. Reiner Kunze durchforstete den Blätterwald.

Über den alten Mann, der in seiner Akte auftaucht und der zu dem umfangreichen Ensemble von gegen ihn angesetzten Stasi-Spitzeln gehörte, sagte Kunze: ›Ich bin überzeugt, daß er froh ist, daß das alles vorbei ist. Er hat seine Berichte geliefert, um der Karriere seines Sohnes nicht zu schaden. Er hat keinerlei Eifer an den Tag gelegt. Ich könnte ihm wieder die Hand geben. Bei Ibrahim Böhme könnte ich das nicht. Er hat mit hoher Intelligenz auf das schlimmste denunziert, über viele Jahre hinweg. Er hatte eine Art, ich würde sie mit Gift bezeichnen. Wenn man die Akten mit den Taten Böhmes veröffentlichen würde, sähe man, wie er denen, die er denunziert, Denunziationen Dritter unterlegt. Dinge, die gar nicht ausgesprochen wurden. Böhme arbeitete für die Stasi auf schlimme Art und Weise und nicht selten genüßlich.

Reiner Kunze komprimierte den Aktenberg, den die Stasi angelegt hatte, zu einer Dokumentation von 125 Seiten. Sie zeigt deprimierend deutlich, wie eng das Netz der Stasi-Zuträger in der einstigen DDR gewesen ist und mit welchen Methoden die Firma jene zu zermürben in der Lage war, die der zu erwartende Protest des Westens davor schützte, ins Gefängnis zu kommen. In den Aktenbänden wird Ibrahim Böhme, der sich damals noch Manfred Böhme nannte, mit zwei Decknamen geführt: Als ›August Dremker‹ lieferte er demnach im Falle Kunze 54 Seiten Berichte, als ›Paul Bonkarz‹ 264 Seiten Berichte, Einschätzungen und Analysen.

Hämisch urteilte ›Paul Bonkarz‹ am 12. Mai 1976: ›K. . . unterschätzt . . . die Qualität der Mitarbeiter des Ministeriums für Staatssicherheit.‹ Über Kunzes Buch ›Die wunderbaren Jahre‹, das 1976 bei S. Fischer erschien und einen Großangriff der Stasi gegen den Autor auslöste, heißt es: ›Das Buch ist der Entwicklung der DDR . . . nicht nur schädlich, weil es in einem BRD-Verlag erscheint, sondern, weil es in wirkungsvoller Form bewußt nihilistische Tendenzen unterstützt.‹ Am 21. Dezember 1976 meldet ›Bonkarz‹: ›Am Ende unserer Zusammenkunft übergab Reiner Kunze mir das Buch „Die wunderbaren Jahre" mit folgender Widmung: „Ein Buch muß die Axt sein für das gefrorene Meer in uns. Daran glaube ich. Franz Kafka." Mit Zwischenraum darunter: „Für Manfred, einen derer, die kein gefrorenes Meer in sich tragen, von Reiner, Dezember 1976."‹

Nach den vorliegenden Dokumenten hat ›Bonkarz‹ auch den ersten Chef der Staatskanzlei des CDU-Ministerpräsidenten Kurt Biedenkopf, Arnold Vaatz, denunziert: ›. . . fand in Kunzes Wohnung eine interne Beratung Kunze–Vaatz–Böhme statt . . . Vaatz muß unbedingt unter strenge Kontrolle genommen werden . . .‹ Auch den Schriftsteller Jürgen Fuchs spähte ›Bonkarz‹ aus, ein Jahr vor dessen Verhaftung und späterer Abschiebung nach West-Berlin:

›. . . und er bittet mich, in einem Kreis von Leuten aus der gesamten DDR mitzuarbeiten, die Nachdenklichkeiten anstoßen . . . Er wäre sich natürlich darüber im klaren, daß man ihm eines Tages auch Staatsgefährdung vorwerfen könne . . .‹

Jürgen Fuchs lernte Manfred Böhme als Kreissekretär des Kulturbundes in Greiz 1974 kennen: ›Böhme war dort eine absolute Vertrauensperson für die Opposition.‹ Über den Bericht des ›Paul Bonkarz‹ sagt er: ›Das ist eine vollkommen aufgeputschte konspirative Konstruktion. Wir waren nie eine Gruppe.‹ Wolf Biermann und er haben Böhme schon vor längerem brieflich ›dringlich‹ gebeten, einige Merkwürdigkeiten in seinem früheren Verhalten zu besprechen. Jürgen Fuchs: ›Böhme hat darauf nicht geantwortet.‹

Vom Ausschluß Kunzes aus dem DDR-Schriftstellerverband erhält die Stasi einen Bericht, der einen kompromißlos der Wahrheit verpflichteten Kunze zeigt: ›Kunze stellt sich voll inhaltlich hinter seine Aussagen im Buch „Die wunderbaren Jahre" und behauptet, daß alles von ihm Erlebte und zur Kenntnis Genommene Tatsachen aus der DDR-Wirklichkeit seien, er allerdings mit diesem Buche nur die Spitze des Eisbergs sichtbar gemacht habe. Kunze unterstrich . . . daß sich nach seiner Auffassung im Vereisungsprozeß der DDR faschistoide Machtstrukturen dergestalt ausgeprägt hätten, daß der Sicherheitsdienst alle Vorgänge im Leben beherrscht . . .‹

Zwei Tage vor dem Heiligen Abend 1976 meldete ›Paul Bonkarz‹, der nach der Aktenlage Ibrahim Böhme ist, der Stasi in Gera makabre Erfolge: ›. . . Reiner als auch Elisabeth Kunze fast am Ende ihrer physischen Kräfte . . . psychische Zerrüttung ist mehr auf eine Zermürbung im Bereich der Ungewißheit (zurückzuführen). Während ich vor Monaten noch daran glaubte, daß Reiner Kunze eine Ausbürgerung oder Übersiedlung in die BRD als die . . . unliebsamste Maßnahme gegen sich betrachtete, gewann ich am 20. 12. 76 endgültig den Eindruck, daß sich Reiner Kunze geistig bereits abgefunden hat . . .‹

Am 13. April 1977 verließ Kunze mit seiner Frau Elisabeth die DDR. Das Schlußbild der Stasi-Fotodokumentation zeigt, wie beide mit ihrem Wagen den Grenzkontrollpunkt Rudolphstein erreichen. Am 4. Mai 1977 werden in Gera ›politisch-operative Maßnahmen zur Verunsicherung des in die BRD übergesiedelten antisozialistischen Schriftstellers‹ eingeleitet.«

Die HVA war nicht »der gute Teil der Stasi«

Die Stasi verwirklichte im Auftrag der SED den bedingungslosen Kampf gegen die Opposition. Zuständig waren vor allem zunächst – nach offizieller Lesart des MfS – beispielsweise die Hauptabteilung XX, die Zentrale Koordinierungsgruppe und die Abteilung M zum Bruch des Postgeheimnisses. Führende Offiziere der Hauptverwaltung Aufklärung (HVA) haben immer wieder den Eindruck versucht zu wecken, als sei die HVA im Osten nicht tätig gewesen, sondern habe sich auf den Westen konzentriert, um dort – wie es jeder »Staat« tue – Erkenntnisse zu sammeln. Nicht wenige MfS-Mitarbeiter, die sich ja nach der Einstellung ihr Aufgabenfeld in fast allen Fällen nicht selbst aussuchen konnten, sind verbittert, von jenen HVA-Bereichen die Schuld für alles zu bekommen, die in Wirklichkeit eine andere Rolle gespielt haben, als sie in den Monaten nach der Revolution zugaben. Von Verantwortlichkeiten für das SED-Auslandsvermögen ganz zu schweigen.

Der Versuch der HVA, sich der Verantwortung zu entziehen, schlägt fehl. Tatsächlich hat die HVA als Teil des MfS auch dazu beigetragen, den Stasi-Apparat gegen die Landsleute im Osten erbarmungslos einzusetzen. HVA-Eliteeinheiten, denen mit der Begründung der Tätigkeit gegen den »Feind im Ausland« besondere Methoden, Rechte und Hilfen eingeräumt worden waren, wurden von der SED und MfS-Führung eingesetzt, um die Landsleute im Osten wie Feinde zu bekämpfen.

In der ideologischen Einbahnstraßen-Argumentation der SED war es allein »der Feind« im Westen, der die Opposition im eigenen Regime inspirierte. Für die SED war es nicht vorstellbar und daher ideologisch ausgeschlossen, daß auch die eigene Diktatur und Mißwirtschaft von den nach Freiheit und Wohlstand sich sehnenden Deutschen verhaßt war. Die operative Arbeit des MfS richtete sich in jedem Fall immer gegen die Ausgangsbasis von Angriffen; somit war die HVA für die SED-Spitze die richtige Einheit, um die Ursache für das Entstehen einer Opposition zu bekämpfen. Die lange von Wolf und später von Großmann geleitete HVA widmete sich immer stärker der Aufklärung des Komplexes Inspiration und Organisation des »politischen Untergrundes« im Inneren. Die Abwehrdiensteinheiten des MfS erhielten von der HVA alle Erkenntnisse, die die HVA durch ihre Verankerung im Operationsgebiet – also im Westen Deutschlands – gewonnen hatte. Ob Briefe, Hilfeersuchen an Ministerien im Westen oder die Weitergabe von Informationen – erfuhren die HVA-Agenten auch nur eine Kleinigkeit, wurden jene Stasi-Einheiten sofort informiert, die sich von da an um jene im Osten Deutschlands »kümmerten«, deren Hilferuf an den Westen verraten worden war. Es ist aus dieser Sicht auch zeitlich folgerichtig, daß die Aufgabenstellung der HVA, die in den siebziger Jahren noch relativ eigenständig war, im Laufe der achtziger Jahre immer mehr zur Sicherung der SED-Herrschaft im eigenen Bereich ausgerichtet wurde.

In dem entscheidenden Grundsatzdokument zur Arbeit der HVA von 1979, der Richtlinie über die Führung der Arbeit mit Informellen Mitarbeitern in der HVA, wurde die Einheit der Stasi unter ausdrücklicher Einbeziehung der HVA schriftlich festgelegt, wie in Kapitel I dokumentiert.

Die HVA wollte natürlich auch jeder Überraschung aus dem

Westen ausschalten. Mielke hat dazu einen Befehl 1986 erlassen; in Ausführung seiner Anordnungen wurde ein Lage- und Operationszentrum eingerichtet, in dem alle Informationen gebündelt wurden, die in irgendeiner Weise als geeignet erschienen, Hinweise auf »gegnerische Angriffe« zu geben.

Die Überwachung der Kontakte zwischen Ost und West und die Sammlung von Erkenntnissen im Westen war der HVA nur möglich, weil sie intensiv im Osten verankert war. Im SED-Regime unterhielt die HVA ein höchst effektives und hochkarätiges Netz Inoffizieller Mitarbeiter. Ein Netz, das »vom Feinsten« war. Wo sich Westkontakte auf hoher Ebene entwickelten, war die HVA, beispielsweise im wissenschaftlich-technischen Bereich, bestens durch Inoffizielle Mitarbeiter präsent. An Universitäten, Hoch- und Fachschulen, in den Ministerien oder den Kombinaten und Betrieben – überall dort, wo Personen durch Westkontakte für die HVA genutzt werden konnten, wurden diese angesprochen und – fast ausnahmslos verpflichtet. Dies galt selbstverständlich auch für die Räte der Bezirke und Kreise.

Die geheime HVA-Anweisung aus dem Jahr 1979 bezieht in großer Klarheit diese IMs ein. »Die Qualität des IM-Netzes in der DDR« beeinflusse wesentlich die Möglichkeit der HVA zur Lösung der Aufgaben im Operationsgebiet.

Die HVA unterschied also auch hier keinesfalls.

»Alle IM« seinen »zu erziehen«, so die wörtliche Formulierung, »feindliche negative Kräfte auf dem Boden der DDR aufzuspüren; begünstigende Umstände für feindliche Handlungen aufzudecken und im Rahmen ihrer gesellschaftlichen Stellung und ihrer staatsbürgerlichen Rechte aktiv zur Gewährleistung von Ordnung und Sicherheit beizutragen: die operative Sicherung des Reise-, Besucher- und Transitverkehrs zu unterstützen.

Und nochmals wird auch in diesem Zusammenhang ausdrücklich festgehalten: »Die Einbeziehung von IM (DDR) der Diensteinheiten der Aufklärung in die Lösung der vorgenannten Aufgaben hat in enger Abstimmung und Koordinierung mit den zuständigen Diensteinheiten der Abwehr zu erfolgen.« Wolf und seine Führungsoffiziere wissen also sehr genau, daß ihr Versuch, sich von der Stasi abzugrenzen, fehlgeht.

Die Einbeziehung der HVA in den Stasi-Apparat wird auch durch eine andere, bedeutsame Funktion nachvollziehbar: Die zuständigen Abwehreinheiten des MfS observierten im Auftrag der HVA sowohl die Inoffiziellen Mitarbeiter auf ihre Zuverlässigkeit als auch jene Agenten, die entweder nach großem Erfolg oder mangels demselben aus dem Westen zurückgerufen worden waren. Rund um die Uhr wurden jene überwacht, die im Westen nicht mehr eingesetzt werden konnten, und bei denen man natürlich seitens der HVA keinerlei Risiko eingehen wollte, daß aus Unbedachtsamkeit, Übermut und Enttäuschung jemand auch nur die kleinste Kleinigkeit ausplaudern würde.

»Perfekt arbeitende politische Polizei«

Mielke verfestigte in der Dienstanweisung Nr. 2 im Jahre 1985 diese Aufgaben der HVA. Die HVA sei für »die rechtzeitige Aufklärung und beweiskräftige Dokumentierung der Pläne, Absichten und Maßnahmen feindlicher Führungszentren und Kräfte zur Inspirierung und Organisation politischer Untergrundtätigkeit in der DDR durch Geheimdienste, Zentren der politisch-ideologischen Diversion und anderer politischer Zentren« zuständig.

Auch die bisherigen Untersuchungen haben schon Klarheit über die wirkliche HVA-Funktion erbracht. In dem bereits erwähnten Zwischenbericht vom Sommer 1990 wird festgehalten, daß diese Rolle »mit ausdrücklicher Zustimmung des Leiters der HVA gestellt« worden sei; 1985 war dies Wolf. Zudem, so bilanziert man in diesem Punkt präzise, sei festzustellen, daß alle grundsätzlichen Befehle und Weisungen des ehemaligen MfS »in gleicher Weise für Abwehr und Aufklärung galten«. Alle ehemaligen Bereiche des MfS seien »in irgendeiner Weise« beteiligt gewesen, den Machtapparat der SED-Führung »in deren Auftrag« zu stärken. Die beiden Bereiche Abwehr und Aufklärung des MfS hätten »einander bedingt«. Es entspreche, so wird klar festgestellt, »nicht den realen Gegebenheiten«, die verschiedentlich skizzierte Trennung oder Gegenüberstellung von Abwehr und Aufklärung vorzunehmen. Es sei keinesfalls zutreffend, daß die Abwehr »völlig isoliert vom Bereich Aufklärung« gearbeitet habe und die »Alleinverantwortung für die Durchsetzung der Interessen der ehemaligen SED-Führung beziehungsweise in Anwendung nach ›innen‹ gerichteter verwerflicher Praktiken für die Stärkung und den Ausbau ihres Machtapparates« trage. Im Abwehrbereich sei das MfS im Oktober 1989 »mehr eine perfekt arbeitende politische Polizei als ein Abwehrorgan zur Bekämpfung geheimdienstlicher Angriffe« gewesen.

Wolf war stellvertretender Stasi-Chef

Wolf war ein glänzend informierter MfS-Insider. Dies ergibt sich schon allein aus der Länge seiner Dienstzeit: Mehr als drei Jahrzehnte überlebte er viele SED-Größen, um für seine politische Ideologie in der Funktion als HVA-Chef zu dienen. Die Machtfülle der HVA und ihres obersten Leiters wird schon dadurch deutlich, daß der HVA-Chef automatisch stellvertretender MfS-Minister war – eine Funktion, die oftmals in ihrer Bedeutung nicht gebührend dargestellt wird. Als Mitglied des Kollegiums des MfS, in dem die operativen Maßnahmen nach den SED-Vorgaben erörtert und befohlen wurden, hatte er genauso wie als Mitglied des mächtigen »Sekretariats der SED-Kreisleitung« alle Möglichkeiten, Einfluß auch aus dieser Funktion zu nehmen und Entscheidungsprozesse in seinem Sinne zu beeinflussen. Wolf saß direkt an den Schaltstellen der von der SED befehligten Stasi.

Der frühere stellvertretende Leiter des Stasi-Auflösungskomitees in der Berliner Normannenstraße, Ralf Merkel, berichtete der WELT, nach seinen Informationen habe Wolf bis zum Dezember 1989 in einem Stasi-Objekt gewohnt. Das Haus inmitten eines Hochsicherheitstraktes in Hohenschönhausen bei Berlin sei von speziellen Überwachungseinrichtungen gesichert gewesen. Er habe wesentliche Aufschlüsse über Wolfs Rolle von den Stasi-Auflösern, die sich mit der HVA beschäftigt hätten, erhalten, als diese ihm Anfang August das Objekt gezeigt hatten. Bezeichnenderweise sei ihm dabei untersagt worden, Haus und

Grundstück zu fotografieren. Auf seine Bemerkung, hier also habe Wolf seine Tätigkeit weitergeführt, sei ihm geantwortet worden: »Na ja, so einen General kann man nicht entlassen.« Auch sei bestätigt worden, daß Wolf mit früheren Stasi-Generalen weiter Kontakt gehalten habe: »Natürlich, die sind doch nicht im Unfrieden geschieden.« Bis zur Auflösung des MfS gab es in der HVA einen »Arbeitsstab Markus Wolf«, als MfS-Struktureinheit im zentralen Datenspeicher geführt und besoldet, womit Wolf Finanzmittel zur Verfügung standen.

MfS-intern gab es übrigens keinen Zweifel, daß Großmann von Wolf als Nachfolger aufgebaut und durchgesetzt wurde.

Der Mißbrauch der Spionageabwehr

Die ab Mitte der achtziger Jahre sich vollziehenden entscheidenden Veränderungen im MfS erfaßten auch die Spionageabwehr. Die Hauptabteilung II, in der mehr als 1300 Mitarbeiter in rund 20 operativen Abteilungen tätig waren, wurde zum Instrument gegen die eigene Bevölkerung. Enttarnte man bis Mitte der achtziger Jahre jährlich 30 bis 50 Spione – oder solche, die man dafür hielt –, so sank danach die Erfolgsbilanz rapide. Es waren im Jahr noch nicht einmal ein halbes Dutzend der Spionage Beschuldigte, die von dem allmächtigen MfS aufgespürt wurden, zuletzt je einer 1988 und 1989.

Mielke benötigte die Hauptabteilung, personell und materiell hervorragend ausgestattet sowie mit Sonder- und Ausnahmerechten versehen, zur Unterdrückung jener, die das SED-Regime nicht mehr hinnehmen wollten. Kratsch, vom Stasi-Chef sehr gefördert und mit diesem eng zusammenarbeitend, führte die Abteilung mit äußerster Härte; er gab den Druck, mit dem Mielke Erfolgserlebnisse verlangte, an die untergebenen Mitarbeiter weiter. Dies hinderte Kratsch nicht, ein angenehmes persönliches Leben, beispielsweise in einem Ferienhaus oder Jagdgebiet, zu führen.

In der Hauptabteilung II wurde ein Sicherungsbereich »Mitte« gebildet, der das gesamte Territorium um die Botschaften im

Markus Wolf – der Mann mit den verschiedenen Gesichtern und Rollen.

V. l.: jovial, arrogant, nachdenklich sowie als Redner am 4. 11. 1989 auf einer Großkundgebung in Berlin.

Berliner Stadtzentrum kontrollierte. Dabei stand allerdings nicht der Schutz dieser Einrichtung im Mittelpunkt, sondern die Kontrolle jener, die versuchten, entweder dort ihr Anliegen vorzutragen, einen Brief abzugeben oder gar die Ausreise zu erzwingen. Die Hauptabteilung II ist verantwortlich für die Aktionen, mit denen Stasi-Schergen auch Frauen und Kinder drangsalierten, um deren Zuflucht in Botschaften zu hindern. Durch breitgefächerte Abschirmungsmaßnahmen versuchte man, schon weit vor der amerikanischen Botschaft oder der Ständigen Vertretung Bonns einen Ring zu ziehen. Gelang es dennoch, vorzudringen, bearbeitete die Hauptabteilung II die Angelegenheit und setzte entsprechende Stasi-Maßnahmen in Gang. Wer nach den Verantwortlichen für die Aktion sucht, mit der Bewohner aus der Botschaft Dänemarks herausgeholt wurden, muß bei der Hauptabteilung II ansetzen.

Ein Oberst der Roten Armee bezahlte die Stasi-Aktionen mit dem Leben. Als er sich 1987 an die amerikanische Botschaft wandte, um überzulaufen, wurde er vor dem Betreten der Mission durch Offiziere der Stasi-Spionageabwehr mit Gewalt festgenommen und dem KGB überstellt. Der hohe Offizier, der durch seine bedeutsame Tätigkeit bei den Raketentruppen von höchstem Interesse war, wurde in die Sowjetunion geflogen und später zum Tode verurteilt.

Zunehmend beschränkte man sich bei der Stasi allerdings nicht mehr darauf, nur räumliche Überwachungen vorzunehmen. Kontakte aus der amerikanischen Botschaft zu Kirchen- und Oppositionsvertretern wurden kontrolliert. Lauschangriffe gegen Treffen in Gaststätten und Hotels gehörten zum selbstverständlichen Repertoire der Abteilung II/3, die kaum noch ihre eigentliche Arbeit zur Aufklärung und Abwehr amerikanischer Geheimdienste realisierte. Zumeist wurde Mielke direkt informiert, der natürlich – aus seiner Sicht – bedeutende Hinweise an Honecker weitergab.

Auch die westlichen Korrespondenten und Journalisten standen unter der Kontrolle der Spionageabwehr. 1977 wurde die Abteilung II/13 gebildet, die die Aktivitäten der Journalisten überwachte. Wohnungen wurden ausspioniert, Wanzen eingebaut, Telefone abgehört – die Stasi-Mittel wurden auch hier schamlos eingesetzt. Mancher Einschüchterungsversuch, auf den sich damals ein Betroffener keinen Reim machen konnte, ist hier einzuordnen. In den entscheidenden Tagen der Revolution 1989 war es diese Abteilung, die von Mielke beauftragt wurde, mit allen Mitteln zu verhindern, daß Bilder aus Leipzig in den Westen gelangen konnten.

Unter strenger Geheimhaltung arbeitete die Abteilung II/6, in der zweiten Hälfte der siebziger Jahre von Mielke gegründet. Der MfS-Chef, durch die Verankerung im Politbüro damals gerade in die SED-Spitze gekommen, schuf sich ein Instrument, um Unliebsame in der SED attackieren zu können. Sowohl zu Angehörigen der Parteiführung als auch des Apparats wurden Aktionen gestartet und Informationen gesammelt, um Kritiker auszuschalten. Die in der Abteilung Tätigen wurden von der SED-Abteilung Kader und Schulung ganz besonders scharf auf absolute Linientreue überprüft. In der Abteilung wurden auch »sensible« Berichte bearbeitet, wie jene, die mit Übersiedlungswünschen aus Familien von Spitzenpolitikern zusammenhingen; so aus der Familie von Stoph. Als die Tochter von Inge Lange, Kandidatin des Politbüros, gegen den ausdrücklichen Wunsch der Mutter darauf beharrte, in den Westen Deutschlands auszureisen, setzte die Abteilung II/6 die junge Frau wochenlang unter Druck und versuchte sie zu indoktrinieren, sich zumindest politisch nach der Ausreise zurückzuhalten, wenn sie schon den Übersiedlungswunsch nicht zurücknehme. Die operative Abwicklung aller Aktionen war für die Abteilung überhaupt kein Problem; beispielsweise konnte sie ohne weitere Genehmigung aus der MfS-Spitze jederzeit Wanzen einbauen.

Auch gegen MfS-Mitarbeiter, die mit kritischen Tönen nicht zurückhielten, agierte die Spionageabwehr. Die Abteilung II/1 wickelte mit der Hauptabteilung Kader und Schulung entsprechende Aktionen geräuschlos ab. Zuletzt genügte die Darlegung einer eigenständigen Meinung, um in den Verdacht zu geraten, »nicht mehr linientreu« zu sein. In den MfS-Archiven finden sich nicht wenige Beispiele von MfS-Mitarbeitern, die allein aus politischen oder vorgeschobenen Gründen brutal diszipliniert wurden. Viele von ihnen haben, im Ministerium für Staatssicherheit zum Schweigen und absoluten Gehorsam erzogen, Schmach und die Zerstörung der beruflichen Existenz hingenommen. Es ist zu hoffen, daß nicht nur die Archive, sondern auch die MfS-internen Opfer sich öffnen.

Wie die Bürgerkomitees betrogen wurden

Sind viele der entscheidenden Weichenstellungen zur Vernebelung der Stasi-Aktionen erst Anfang 1990 vorgenommen worden? Einiges spricht dafür. Die Bürgerkomitees, die mit größtem persönlichen Engagement und Mut die Stasi offen attackierten, wurden von Stasi-Strukturen in dieser Zeit hinters Licht geführt.

Der schwerwiegendste Fehler war in diesem Zusammenhang die vielerorts gebilligte Vernichtung von Material der Hauptverwaltung Aufklärung und der Spionageabwehr. Die Stasi-Mitarbeiter, die sich in die Bürgerkomitees eingeschlichen hatten, forcierten diese Vernichtung, indem sie diese überzeugten, daß es sich doch um Unterlagen eines »rechtmäßigen« Dienstes handele, wie ihn jeder Staat habe. Durfte dies jenen, die die Akten angelegt und Aktionen durchgeführt haben, vorgeworfen werden? Der Coup gelang; die Bürgerkomitees ließen sich überzeugen, daß diese Aktionen ungesühnt bleiben müßten und für die weitere Stasi-Aufklärung nicht mehr notwendig seien. Ein folgenschwerer Irrtum, denn später, als die Komplexität der Stasi weiter bekannt wurde, blieb kein Zweifel mehr, daß es eine Unterscheidung zwischen einem »guten und schlechten« Teil der Stasi nicht geben konnte. Eine Stasi-Einheit war eine Stasi-Einheit mit allen Rechten und Pflichten – dieser Grundsatz war in den ersten Monaten nach der Revolution noch nicht bekannt und verschaffte den Stasi-Hardlinern den Spielraum, den sie benötigten, um zu vertuschen. Von Auslandsvermögen und -aktivitäten, die danach allmählich bekannt wurden, hatten die Stasi-Aufklärer seinerzeit noch kaum Kenntnisse. Und sie wußten natürlich nicht, daß die volle Aufschlüsselung von Stasi-Akten erst dann möglich ist, wenn alles, was es dazu in den Archiven gibt, ausgewertet werden kann. Sonst sind auch Manipulationen nicht auszuschließen. Viele derjenigen, die in Bürgerkomitees gekämpft haben, haben die Blendung durch Stasi-Mitarbeiter als schlimmste Täuschung in der Revolution empfunden. Diejenigen, die, mit dem heutigen Wissensstand, fundiert die Stasi-Aufklärung betreiben, wundert die Stasi-Strategie nicht. Es ist nicht ausgeschlossen, daß es beim MfS, das stets neben aktuellen Erfordernissen langfristig gedacht hat, eine Art »Schlafbefehl« gegeben hat. In diesem könnten für den Fall X die Strukturen gelegt worden sein. Ein Stasi-Befehl vom Januar 1989 gibt einen fundierten Hinweis. In einer Anweisung über die »Beschaffung, Beantragung und Ausstellung operativer Dokumente« – also alle Möglichkeiten, um den Lebenslauf beispielsweise eines Stasi-Mitarbeiters grundsätzlich anders darstellen zu können – heißt es, daß die Leiter bestimmter Abteilungen »bei Veränderungen der Regimeverhältnisse notwendige Informationen übergeben«.

Weiter wird ausgeführt, daß die beteiligten Dienststellen »erforderliche Direktbeziehungen zum Zusammenwirken zwischen staatlichen Organen, gesellschaftlichen Organisationen, Einrichtungen, Betrieben sowie Objekten« herstellten. Durch diese Verwobenheit zwischen Staat und Gesellschaft wurde jene Entwicklung theoretisch skizziert, die durch den Einsatz der Offiziere im besonderen Einsatz später deutlich geworden ist.

In den ersten Monaten 1990, als Stasi-Mitarbeiter sich in die Bürger- und Auflösungskomitees einschlichen, waren dies diejenigen, die immer noch nichts hinzugelernt hatten. Jene MfS-Mitarbeiter, die von der Stasi aus Überzeugung Abstand genommen hatten, hatten die innere Umkehr begonnen. In 90 Prozent der Fälle, so Schätzungen, waren es fest SED-Eingeschworene, die seitens des MfS in dieser Zeit den Zugang in die Auflösungskomitees suchten. Sie gingen davon aus, daß Modrow und die PDS sich bei den nächsten Wahlen durchsetzen würden, und deshalb auch für sie eine Perspektive gegeben sei. In den Bürgerkomitees wurde und konnte kaum Einblick genommen werden in Unterlagen, die Aufschluß über Stasi- und SED-Funktionen von eingeschleusten Stasi-Kräften hätten geben können. Einige Zeit auf Tauchstation, zugleich die Aufklärer kontrollieren und einen neuen Geheimdienst aufbauen – dies war der Traum in jenen Wochen. Schon kurz nach dem Sturm auf die regionalen Stasi-Zentralen versuchte man in Berlin, die Dinge wieder in den Griff zu bekommen. Man wußte natürlich, welches brisante Material in jenen Archiven lag, die Deutschland noch lange beschäftigen werden. Regierungsbeauftragte, die mit Militärstaatsanwälten, Vertretern der örtlichen Polizeibehörden und MfS-Mitarbeitern zusammenarbeiteten, konnten sich um die Verwischung der Spuren kümmern. Vor allem auch Offiziere der Spionageabwehr standen hier im Einsatz: Wölfe im Schafspelz.

MfS-Offiziere, die für Festnahmen der Opposition und Observationen verantwortlich waren, die im SED-Dienst die Parteimacht durchsetzten, waren nun tätig, sich um die »Auflösung« der Stasi zu kümmern. Oberstleutnant Bernd Häseler, Leiter der Abteilung II/3, ist ein Beispiel. Major Frank Neuberger, der politische Sondervorgänge in der Abteilung II/6 zu verantworten hatte, war genauso dabei. Er, der durch den kompromißlosen Einsatz für SED und Stasi auf sich aufmerksam gemacht hatte, war für Lauschangriffe auf westliche Journalisten genauso zuständig wie für Beobachtungen gegen Verwandte von »SED-Prominenten«, die es im »Arbeiter- und Bauernstaat« nicht mehr aushielten. Namen, die dort genannt werden müssen, wo das Kapitel der unbewältigten Vergangenheit der Stasi-Auflösung erörtert und aufgearbeitet wird. Namen, die für eine nicht geringe Zahl von MfS-Mitarbeitern stehen, die versuchten, die Träume der Vergangenheit in die Zukunft zu retten.

Erst ab Februar, als auch für die MfS-Kräfte klar wurde, daß es ein Zurück nicht mehr geben würde, forcierten sie die erneute Aktenvernichtung, die in erheblichen Ausmaßen bereits im November/Dezember 1989 praktiziert worden war. Andere kopierten Akten und versuchten, Erpressungsmaterial zu sichern. Auch wurden Unterlagen genutzt, um den Aufbau privater Organisationen zu ermöglichen.

Ein besonders düsteres Kapitel ist die Aktenmanipulation. Die Stasi-Kräfte, die noch lange Zeit nach jenen Monaten in der Lage waren, perfekt zu fälschen, hatten natürlich auch keine Probleme, um Veränderungen an Akten vorzunehmen. Hier wurde

Erpressungspotential für die Zukunft angelegt; wer sich schuldig gemacht hat, soll sich dafür verantworten müssen. Es kann jedoch nicht angehen, daß Akten auf den Markt geworfen werden, ohne daß diese auf den tatsächlichen Wahrheitsgehalt überprüft wurden. Ganoven der Vergangenheit dürfen nicht die Manipulateure der Zukunft sein, sonst wird der weitere Weg Deutschlands mit einem langen Weg des Leidens einzelner Schicksale verknüpft sein, deren tatsächliche Zuordnung keinesfalls so klar ist, wie dies nach dem ersten Anschein eines Aktenstudiums der Fall ist. Der Einsatz hervorragender Fachkräfte zur Aufklärung ist unabdingbar; guter Wille kann Fachkompetenz gerade an dieser Stelle nicht ersetzen.

Salzgitter dokumentierte mehr als 40 000 Menschenrechtsverletzungen

Die Erfassungsstelle Salzgitter hat viele Unterlagen über Menschenrechtsverletzungen dokumentiert, die für die Aufarbeitung des Unrechts im Osten von historischer Bedeutung sind. Sie hat dabei nicht von allen Seiten die volle politische Rückendeckung erhalten; SPD-regierte Bundesländer haben noch kurz vor der Revolution die finanzielle Unterstützung für die Arbeit versagt.

In Salzgitter ist in den letzten Jahren der SED-Herrschaft eine deutliche Zunahme der systembedingten Gewaltakte im Osten registriert worden. 1988 wurden beispielsweise 1232 Gewaltakte aktenkundig. Seit Gründung der Erfassungsstelle 1961 nach dem Bau der Mauer wurden mehr als 40 000 Menschenrechtsverletzungen erfaßt, darunter Schießbefehl, Mißhandlungen im Strafvollzug, politische Verdächtigungen und Verurteilungen aus politischen Gründen. Beispiele, die in Salzgitter dokumentiert sind:

Ein junger Mann, der sich auf seinen Arm »Ich hasse die Zone und die SED, ich liebe die Freiheit in der BRD« eintätowieren ließ, wurde wegen »öffentlicher Herabwürdigung der DDR« zu 22 Monaten Haft verurteilt. Als er während der Haft das Urteil weiterhin nicht akzeptierte, bekam er wegen »Gefangenenmeuterei« nochmals acht Monate.

Ein 30jähriger Mann in Schwerin schrieb auf einen Panzer vor dem sowjetischen Ehrenmal in Schwerin: »Perestrojka« und »Befreit uns noch mal.« In nichtöffentlicher Verhandlung wurde er zu 18 Monaten Haft ohne Bewährung verurteilt.

Die 23jährige Tochter eines Mannes, der wegen versuchter Republikflucht zu 15 Monaten verurteilt worden war, erhielt 2500 Mark Geldstrafe wegen »Nichtanzeige von Verbrechen« nach Paragraph 225 des Strafgesetzbuches der DDR, weil sie das Fluchtvorhaben nicht gemeldet hatte.

Einem 32jährigen Musiker war vorgeworfen worden, »sich unkontrolliert in der DDR« bewegt zu haben. Als man ihm trotz Festnahme und Verhör nichts nachweisen konnte, hielt man ihm vor, er habe die DDR mit »Scheißstaat« und SED-Funktionäre als »Bonzen« bezeichnet. Als er sagte, daß dies zutreffend sei, wurde er zu 20 Monaten ohne Bewährung verurteilt.

Ein ausreisewilliger Leipziger hängte aus seinem Fenster ein schwarz-rot-gold bemaltes Bettlaken ohne DDR-Wappen, allerdings mit den Zeilen »Laß uns dir zum Guten dienen, Deutschland, einig Vaterland« aus der Becher-Hymne der DDR, die seit 1971 nicht mehr gesungen, sondern nur noch gespielt wurde. Für das Zitat aus der nicht verbotenen Hymne wurde er mit 15 Monaten ohne Bewährung bestraft.

»Wegen Beeinträchtigung staatlicher oder gesellschaftlicher Tätigkeit« nach Paragraph 214 des Strafgesetzbuches wurde ein 23jähriger Mann im Bereich Dresden zu 16 Monaten ohne Bewährung verurteilt, nachdem er sich am Gebäude des Rates der Stadt Dresden angekettet hatte, um auf seinen Ausreisewunsch hinzuweisen.

Am 12. Dezember 1988 wurde ein 40 Jahre alter Ingenieur festgenommen, der in Spiegelschrift auf der Heckscheibe seines Trabi von innen »Realität und Wirklichkeit« und auf den Kofferraumdeckel »40 Jahre UNO-Menschenrechte« geschrieben hatte. Nach der Festnahme einen Tag später wurde der Mann, der erfolglos Ausreiseanträge gestellt hatte, in Untersuchungshaft genommen und zu 16 Monaten Haft verurteilt. Der Pkw wurde entschädigungslos eingezogen. Die Tochter durfte nicht mehr die Oberschule besuchen.

Ein zum Zeichen der Ausreisewilligkeit am 12. September 1988 auf einer Fahrt zu einer kirchlichen Veranstaltung in Leipzig an den Innenspiegel des Autos geheftetes weißes Bändchen wurde einem Ehepaar zur Last gelegt, das zudem an die Heckscheibe ein Plakat mit der Aufschrift »Weltkirchentag 1988 für Frieden und Freiheit« gehängt hatte. Nach der Rückkehr wurde es zu 14 Monaten verurteilt.

Am 7. Oktober 1989 nahm ein Ehepaar, das einer Kirchengemeinde und einer Menschenrechtsgruppe angehörte, an einem Schweigemarsch zur Ständigen Vertretung in Ost-Berlin teil. Auch das Paar trug die weißen Bändchen. Nach der Hinderung zum Weitermarsch und der Festnahme wurde der Mann zu einem Jahr Freiheitsstrafe ohne Bewährung verurteilt; die 32jährige Frau wurde mit einer Geldstrafe von 1800 Mark belegt.

Ein 24jähriger wandte sich im Februar 1988 an das ZDF-Büro in Ost-Berlin und wies auf einen Friedensgottesdienst in der Christuskirche in Dresden hin. Mit Freunden zeigte er dort ein Transparent »Frieden, Gerechtigkeit und Verwirklichung der Menschenrechte in der DDR«. Anschließend suchte er noch die Botschaft der Bundesrepublik Deutschland in Prag auf. Das Kreisgericht Dresden verurteilte ihn im Mai 1988 zu drei Jahren und vier Monaten.

Psychiatrie im Dienste der Stasi

Als im Frühsommer 1990 bekannt wurde, daß auch psychiatrische Einrichtungen von der Stasi mißbraucht wurden, sprach WELT-Chefreporter Andreas Engel mit Ärzten, Seelsorgern und anderen Beschäftigten. Seine Reportage:

»Seltsam, sagt er, da habe er von sich gedacht, seine Arbeit als Psychiater so gut wie möglich getan zu haben in den vergangenen 25 Jahren, und jetzt komme die Erinnerung wie eine freundliche Lüge zu ihm zurück. ›Wir Mediziner haben vergessen wollen, daß uns die frühere Staatssicherheit ins Handwerk pfuschte. Als meine Kollegen und ich vor wenigen Tagen von den entsetzlichen Mißhandlungen erfuhren, lief uns ein Schauer den Rükken hinunter. Solche Greueltaten hielten wir Monate zuvor noch für absolut unwahrscheinlich‹, seufzt Norbert Fröhlich, im Juni 1990 vom Oberarzt zum Direktor des Psychiatrischen Krankenhauses im thüringischen Mühlhausen-Pfafferode befördert.

Während er seinen Kugelschreiber umklammert, sieht er aus dem Fenster und formuliert tief bewegt: ›Die Enthüllungen in der Anstalt Waldheim des psychiatrischen Großkrankenhauses Hochweitzschen in Sachsen treten eine Lawine los. Auch zu uns schickte die Stasi politisch aufmüpfige Bürger. Man erkannte sie sofort. Sie sahen verstört aus, denn sie wußten nicht, warum sie zu uns gebracht wurden. Wir mußten sie zumindest ein paar Tage zur Einschüchterung dabehalten. Wenn wir sie entließen, holte die Stasi sie ab. Was mit ihnen geschah, erfuhren wir nicht.‹

Inzwischen weiß man es, zumindest was die Anstalt Waldheim angeht. Sie war Endstation für Geisteskranke, die als ›besonders gewalttätig‹ eingestuft wurden. In Waldheim hatte der frühere Klinikchef Wilhelm Poppe, der in Mühlhausen seine Facharztausbildung absolvierte, und den manche Schwestern heute noch als ›höflich und hilfsbereit‹ beschreiben, offenbar am Wissen der meisten Ärzte vorbei, einen Kooperationsvertrag mit der Stasi abgeschlossen. Er ließ, so bestätigten Mitglieder einer Untersuchungskommission des Gesundheitsministeriums, bei gesunden Menschen Hirnoperationen und (in Leipzig oder Chemnitz) Kastrationen mit Röntgenstrahlen vornehmen. Dafür lagen gefälschte Freiwilligkeitserklärungen vor.

Poppe sperrte Bewohner, die einen Ausreiseantrag gestellt hatten, tagelang nackt in eine dunkle Zelle ohne Waschbecken und Toilette. Schaumspray wurde ihnen in die Augen gesprüht; mit Feuerzeugen sengte man ihre Fußsohlen an und drückte Zigaretten auf ihrer Haut aus; man spritzte ihnen intramuskulär das Brechmittel Apomorphin, das einen Brechreiz auslöste, der eine Stunde anhielt.

Fröhlich sagt, es sei für ihn ein Rätsel, warum SED-Genosse Poppe, früheres Vorstandsmitglied, so voller Menschenverachtung handeln konnte. »Das war im Grunde nur möglich, wenn man sich auf ein solches Spiel mit der Stasi eingelassen hatte, die ihre Mitarbeiter mit großzügigen Geschenken erpreßte.« So geriet der Täter, ehe er sich versah, selbst in die Rolle einer in die Enge getriebenen Maus. Fröhlich weiß, wovon er spricht. In der einstigen Freien Reichs- und heutigen Kreisstadt Mühlhausen saß er nach der Wende mit am Runden Tisch und prangerte Mißbrauch und Korruption in der zuständigen Kreisleitung an.

Als Ärztlicher Direktor von Mühlhausen-Pfafferode, der eines der größten psychiatrischen Krankenhäuser der DDR mit mehr als zwanzig Häusern und 1200 Patienten leitet, steht Fröhlich in engem Kontakt zu den anderen Klinikchefs und zum Gesundheitsministerium, um »die Vergangenheit der DDR-Psychiatrie aufzuarbeiten«.

Natürlich auch die der Klinik Mühlhausen-Pfafferode. Auch hier war die Stasi Drahtzieher für die Einweisung von »Störenfrieden« aufgrund des früheren Straftatbestandes der Asozialität oder der Republikflucht. »Die Ärzte in Mühlhausen waren angehalten, gesunden Patienten große Mengen an schädlichen Medikamenten zu verabreichen, um sie ruhigzustellen«, klagt Pfarrer Martin Danz an, der Seelsorger des Krankenhauses. Grobe Mißhandlungen wie in Waldheim habe es in Mühlhausen jedoch nicht gegeben: »Das kann ich bezeugen, denn zu fast allen Patienten habe ich intensiven Kontakt.« Zu den Vorwürfen von Pfarrer Danz meint Fröhlich: »Eine Teilschuld trifft uns alle. Ich als damaliger Oberarzt versuchte aber immer, von der Stasi zu Unrecht eingewiesene Menschen so schnell wie möglich nach Hause zu schicken. Viele kamen trotzdem nicht frei – wegen unserer Grenznähe zu Bad Hersfeld und daher angeblich nicht ausreichend garantierter Sicherheit. Sie wurden vor der Entlassung auf Intervention der Stasi verlegt und woanders neu untersucht . . .«

Rosemarie Raschdorf, mehr als 15 Jahre Sekretärin des Ärztlichen Direktors in Mühlhausen, erinnert sich an Anrufe über Jahre hinweg: »In barschem Ton erkundigte sich ein Stasi-Mitarbeiter regelmäßig nach manchen Patienten und wollte wissen, ob sie noch da seien.« Man versuchte, den früheren Chef, Dr. Heinroth, einzuschüchtern. Er setzte sich am 8. November 1989 in den Westen ab.

Nachfolger Fröhlich kündigte seinen Mitarbeitern an, daß er

alle Zwangseinweisungen aus den vergangenen Jahren überprüfen will. »Unser Archiv ist der bestgehütete Schatz der Klinik. Hier haben wir auch Hinweise gefunden, daß vor Ende des Zweiten Weltkrieges ein Krematorium gebaut werden sollte.«

Waldheim und Mühlhausen sind keine Einzelfälle. Politisch mißliebige DDR-Bewohner wurden nach Informationen des Gesundheitsministeriums auch in den Anstalten von Eberswalde, Neuruppin und Ost-Berlin ruhiggestellt.

4 Der Westen Deutschlands im Fadenkreuz der Stasi

HVA – die Speerspitze für den Kommunismus

Die HVA führte die entscheidenden operativen Maßnahmen der Stasi im Westen Deutschlands durch. Ziel der Hauptverwaltung Aufklärung, so weist es die geheime Richtlinie von 1979 über »Die Hauptaufgaben und die Hauptmethoden der operativen Arbeit der Diensteinheiten der Aufklärung des MfS« aus, war es, »der kommunistischen Weltbewegung und anderer revolutionärer Kräfte gefährdende und beeinträchtigende Pläne, Absichten, Agenturen, Mittel und Methoden des Feindes rechtzeitig und zuverlässig aufzuklären und Überraschungen auf politischem, militärischem, wirtschaftlichem und wissenschaftlich-technischem Gebiet zu verhindern«. Die HVA, der Feind aller, die bei der kommunistischen Weltrevolution nicht mitmachen wollten. Sie fühlte sich verantwortlich »zur Aufdeckung und Zerschlagung feindlicher Stützpunkte und Agenturen in der DDR, in der sozialistischen Staatengemeinschaft, in der kommunistischen Weltbewegung sowie in anderen revolutionären Kräften beizutragen« – eine Generalvollmacht, überall außer- und innerhalb des SED-Regimes aktiv und offensiv agieren zu können, wo die kommunistische Ideologie dies aus der SED-Sicht gebot. Auch daran wird deutlich, daß es der HVA keinesfalls allein um den äußeren Schutz des SED-Regimes ging. Wo es um die Gefahren aus der Stasi-Vergangenheit für die Zukunft geht, muß diesem Aspekt eine ganz erhebliche Bedeutung hinsichtlich möglicher weiterer Wirkungsmöglichkeiten früherer HVA-Offiziere beigemessen werden.

Und nicht vergessen werden darf, daß in der HVA-Richtlinie ausdrücklich festgehalten wurde: »Durch eine hohe Qualität der Arbeit der IM ist zu gewährleisten, daß von der operativen Arbeit keine Störungen für die Politik der Partei- und Staatsführung ausgehen.« HVA und PDS-Vorgängerin SED sind nicht voneinander zu trennen.

Nur durch die Unterstützung von anderen MfS-Einheiten erreichte sie ihre Schlagkraft. Hinweise, die bei der Stasi über Kontakte oder Informationen zum Westen eingingen, wurden an die HVA weitergegeben, so daß von dort Maßnahmen eingeleitet werden konnten. Der Westen Deutschlands als Hauptangriffs-ziel der HVA wird schon aus der Struktur deutlich; bis auf zwei Abteilungen, nämlich eine für die Vereinigten Staaten und eine für die dritte Welt, waren alle anderen gegen ihn gerichtet. Dies entsprach den Vorgaben der SED: Die Vorgängerin der PDS war weder fähig noch willens, den Erfolg der Demokratie und der sozialen Marktwirtschaft zu akzeptieren. In der Existenz und Ausstrahlungskraft des Westens Deutschlands sah die SED immer eine entscheidende Gefährdung ihres eigenen Machtanspruches und ihrer eigenen Existenz. So war es aus dieser Sicht nur logisch, den Westen Deutschlands vorrangig ins Fadenkreuz der Stasi zu nehmen. Ulbricht, Honecker und Mielke wollten den erfolglosen politischen Kampf durch Spionage, Zersetzung und Subversion ersetzen. Die HVA sah es in diesem Rahmen als ihre Aufgabe an, die »Führungszentren der USA, der BRD, der anderen imperialistischen Staaten, West-Berlins, der Nato, der EG, der VR China und anderer operativ bedeutsamer Staaten« auszuspähen.

»Zentren, Dienststellen und Mitarbeiter der imperialistischen Geheimdienste, Polizei- und Abwehrorgane, insbesondere des CIA, des BND, des BfV, der MAD sowie anderer Zentren der Subversion« standen ausdrücklich genauso auf der HVA-Zielliste wie »Führungszentren der systemtragenden Parteien, besonders in der BRD und in West-Berlin sowie ihre internationalen Vereinigungen«. Dies galt für Wirtschaft und Hochschulen genauso wie für »andere Basisobjekte, deren Bearbeitung günstige Voraussetzungen für das Eindringen in die imperialistischen Hauptobjekte schaffte«. Wer die Demokratie bekämpfte, half dem Kommunismus – die HVA wußte genau, was sie wollte.

In der Abteilung I (HVA I) wurden alle Angriffe gegen den westlichen Staatsapparat geführt. Kanzleramt, Ministerien und Behörden des Bundes wie der Länder wurden »operativ« bearbeitet. Die Enttarnung Guillaumes 1974 ließ keinen Zweifel, daß das MfS bis ins Zentrum der Macht gelangt war. Parteien und gesellschaftliche Organisationen waren im Visier der HVA II. Die Bonner Botschaften, aber auch Deutsche aus dem Westen, die sich im Ausland aufhielten, gehörten zum Aufgabengebiet der

HVA III. HVA-Agenten, die in Botschaften, Generalkonsulaten, Handelsvertretungen und Firmen verdeckt arbeiteten, sorgten für die notwendigen Informationen. Mit Beginn der siebziger Jahre wurde auch der internationale Terrorismus in dieser Abteilung bearbeitet. Die militärische Spionage, um Bundeswehr und Nato-Einrichtungen auszuspähen, war in der HVA IV angesiedelt, während die HVA VI alles auszukundschaften hatte, was für die Reisetätigkeit von Agenten und Kurieren von Interesse war. Über diese Abteilung wurden auch jene Übersiedler in den Westen Deutschlands geführt, die in Wirklichkeit keine Gegner der SED-Herrschaft, sondern deren Agenten waren. Dabei wurden keine Kosten und Mühen gescheut. Selbst über Südamerika und Südafrika wurden »Legenden« für Agenten aufgebaut. In der HVA VII wurden mit wissenschaftlichen Methoden die gewonnenen Erkenntnisse verwertet und bei künftigen Operationen eingesetzt. Der Kern der Hauptverwaltung Aufklärung wird abgerundet durch die HVA IX, die den Bundesnachrichtendienst, Verfassungsschutz und MAD auszuspionieren versuchten.

Immer wichtiger wurde die Wirtschaftsspionage. Der Sektor SWT (Wissenschaft und Technik) operierte in den achtziger Jahren mit vier eigenständigen Abteilungen, um für die SED und den Ostblock jenes Know-how zu gewinnen, das dringend benötigt wurde, um die kaputte Staatswirtschaft nicht völlig in den Abgrund stürzen zu lassen. Die Abteilung XIII beschäftigte sich mit der Grundlagenforschung im Westen Deutschlands und attackierte entsprechende Ministerien und Forschungseinrichtungen, während die Abteilung XIV die elektronische Industrie ins Visier nahm. Wirtschaftsspionage gegen Maschinenanlagen und -fahrzeugbau gehörte zum Aufgabenbereich der XV.

Sehr eng war die Zusammenarbeit mit den militärischen Spionageorganen. Es ist kein Zufall, daß rund 80 Prozent der enttarnten Spione aus diesem Bereich kommen. Aber auch auf anderen Feldern war die HVA erfolgreich. Honecker brüstete sich vor dem ZK der SED im Frühjahr 1976, er sei über die Bonner Regierung und die Parteien sehr gut informiert. Eine ganz entscheidende Hilfe erhielt die HVA von der Funkaufklärung. Diese arbeitete zunehmend nur noch für die HVA, um Grundlagenmaterial für

Wer machte was für die HVA

»Quelle«

Die Agenten der HVA im »Operationsgebiet« Bundesrepublik und westliches Ausland zur Beschaffung von Dokumenten und Informationen.
IM für besondere Aufgaben gemäß speziellen Weisungen, vor allem für »aktive Handlungen« im Operationsgebiet.

»Resident«

Im »Operationsgebiet« mit festem Wohnsitz, nach Übersiedlung oder tätig in einer Institution (Botschaft, Betriebe u. a.) des SED-Regimes, wie Offiziere im besonderen Einsatz, die Spionagearbeit im betreffenden Land, in einzelnen Bereichen zu organisieren und zu führen hatten, oftmals mit »Gehilfen«.

»Führungs-IM«

zur Führung einzelner Quellen oder anderer IM, die im Operationsgebiet wohnten oder arbeiteten.

»Werber«

waren IM, die operativ-interessante Zielpersonen aufklärten und zur Zusammenarbeit zuführten oder selbst anwarben.

»Instrukteure«

leiteten als Beauftragte der HVA-Zentrale wichtige IM im Operationsgebiet persönlich an, trafen sich mit ihnen überall in der Welt, bildeten sie aus und legten ihre Aufgaben fest.

»Kuriere«

hatten Informationen, operativ-technische und finanzielle Mittel zwischen dem MfS und den IM im Operationsgebiet zu transportieren.

»Funker«

übermittelten konspirativ verschlüsselt Informationen auf funktechnischem Weg.

»Perspektiv-IM«

Jede Person, an der die HVA interessiert und von der Perspektive einer erfolgreichen Anwendung ausging.

»Hilfsnetz-IM«

waren Inhaber von KW, DA, DT und Anlauf-

	stellen zur Sicherung der konspirativen Zusammenarbeit sowie des Verbindungswesens.
»Grenz-IM«	waren IM, die Personen und operatives Material über die Staatsgrenze (Tunnel, offene Abschnitte) schleusten.
»Ermittler«	hatten Informationen über interessante Personen, Objekte und Sachverhalte festzustellen, auch Personen zu beobachten.
»Sicherungs-IM«	die zum Schutz von Operationen der HVA in der DDR und im Operationsfeld geführt wurden.
»DDR-IM«	Bewohner wurden in großem Umfang angeworben und als IM geführt, sie waren auch in einflußreichen Positionen in der DDR.

Angriffe auf Persönlichkeiten aus dem Westen zu besorgen. Erst Mielke-Vize Neiber, später Schwanitz, erfüllten mit ihren Einheiten Wolf und Großmann alle Wünsche, um mit den Erkenntnissen der Lauschoperationen erpressen zu können. Oder durch gezielte Täuschungsmanöver Persönlichkeiten diskreditieren zu können.

6000 bespitzelten westliche Politiker

Weitaus mehr Mitarbeiter als 1990 bekanntgeworden haben für die Hauptabteilung III des MfS die Telefongespräche westlicher Politiker, Wirtschaftsführer und Sicherheitsdienste abgehört. Verläßliche Erkenntnisse gehen von rund 6000 MfS-Mitarbeitern aus, die allein für diese Spitzeltätigkeit mittels der elektronischen Funkaufklärung eingesetzt wurden. An erster Stelle in der Prioritätenliste standen die Politiker.

Die Funkaufklärung verfügte über exzellente technische Möglichkeiten. In einem Befehl vom 7. Dezember 1987 teilte Schwanitz, Chef der Abteilung, mit, die Linie III könne »Telefon-, Telex- und Faksimileanschlüsse in der DDR und im Operationsgebiet« anzapfen (Operationsgebiet war der Westen, die Autoren). Auch könnten Telefonanschlüsse in Autos und Schiffen problemlos mitgehört werden; dies gelte auch für Eurosignalanschlüsse.

Schnelles Handeln gehörte zum Merkmal der Einheit. »Kontrollaufträge«, also der Wunsch von Stasi-Einheiten, mittels der Funkaufklärung Erkenntnisse zu erhalten, waren schriftlich nicht notwendig, sofern diese »Kontrollaufträge« kurzfristig zu verwirklichen waren. Über »telefonisch gesicherte Leitungen« wurden jene Aufträge erteilt, die dazu dienten, die Telefone des Westens hemmungslos abzuhören.

Die Arbeit in der Linie III, wie die Funkaufklärung in den Stasi-Einheiten genannt wurde, war von allerhöchster Geheimhaltung geprägt. »Einsichtnahme in Originalmaterialien der Diensteinheiten der Linie III beziehungsweise ein Anhören von Magnetbandaufzeichnungen erfolgen ausschließlich in Dienstobjekten der Diensteinheiten der Linie III«, wies Mielke am 3. Juli 1987 mit dem Hinweis an, daß die »Nachweisführung über die Einsichtnahme in Originalmaterialien beziehungsweise das Anhören von Magnetbandaufzeichnungen lückenlos« festzuhalten seien. Man traute niemandem.

»David gegen Goliath«, so beschreibt ein hochrangiger Sicherheitsexperte die Vergangenheit mit dem Hinweis, daß allein für die Telefonabhöraktion des MfS mehr Mitarbeiter eingesetzt gewesen seien als das Bundesamt für Verfassungsschutz und die Verfassungschutzämter der Länder zusammen hätten. Nicht die Tatsache des Abhörens hat nach dem Zusammenbruch des SED-Regimes die westlichen Dienste überrascht, sondern das Ausmaß.

Abgehört wurde durch massive Abhörstationen jenseits der Grenze, aber auch mit Hilfe von Satelliten. Auf dem Boden der Bundesrepublik Deutschland agierte die Stasi nicht nur von der Ständigen Vertretung in Bonn aus. Computer waren auch in Köln und Düsseldorf installiert, um der SED- und MfS-Spitze jeweils aktuelle Erkenntnisse über Vorgänge in Bonn übermitteln zu können. Jedes ankommende Gespräch von jemandem, dessen

Ministerrat
der Deutschen Demokratischen Republik
Ministerium für Staatssicherheit
Stellvertreter des Ministers

Berlin, 07. 12. 19

(|

1. Durchführungsbestim   ur Ordnung Nr. 5/87

Festlegungen zur Er   gezielter Informations-
bedarfsvorgaben so   trollaufträge durch die Diensteinheiten des MfS   Diensteinheiten der Linie III

3. Kontrollaufträge an die Diensteinheiten der Linie III können erteilt werden zu

- Telefon-, Telex- und Faksimileanschlüssen in der DDR und im Operationsgebiet

- Mobiltelefonanschlüssen (Autotelefon, Schiffstelefon usw.) des Operationsgebietes

- Eurosignalanschlüssen des Operationsgebietes.

Kontrollaufträge zu weiteren Anschlußarten (Bildschirmtextanschlüsse, Datexanschlüsse, Teletexanschlüsse und Gentexanschlüsse) sind vor ihrer Erteilung mit dem Leiter der HA III abzustimmen.

3.1. Voraussetzungen für die Erteilung von Kontrollaufträgen an die Diensteinheiten der Linie III sind

- die aktive Erfassung der Anschlußnutzer in der Abteilung XII des MfS Berlin für die auftraggebende Diensteinheit bzw. bei Nichterfassung die territoriale, objektmäßige oder sachliche Zuständigkeit

- keine zu den Anschlußinhabern gleichzeitig bei den Diensteinheiten der Linie 26 eingeleiteten A-Maßnahmen.

3.2. Die Erteilung von Kontrollaufträgen an die Diensteinheiten der Linie III hat mittels Formblatt (siehe Anlage) zu erfolgen. Der Zeitraum von der Erteilung der Kontrollaufträge an die Diensteinheiten der Linie III bis zum Wirksamwerden der Kontrollmaßnahmen beträgt bis zu vier Wochen.

Ausnahmen davon bilden:

- Kontrollaufträge, die aus operativ besonders bedeutsamen Gründen sofort (innerhalb von drei Stunden) zu realisieren sind. (Sie sind den Diensteinheiten der Linie III telefonisch über gesicherte Leitungen zu übermitteln.)

- Kontrollaufträge, die aus operativen Gründen kurzfristig zu realisieren sind. (Sie sind den Diensteinheiten der Linie III fernschriftlich oder mittels Sonderkurier zu übermitteln bzw. zu übergeben.)

Die fernschriftliche bzw. telefonische Erteilung von Kontrollaufträgen an die Diensteinheiten der Linie III hat nur in operativ begründeten und vom Leiter der HV A/HA/selbständigen Abteilung/ Bezirksverwaltung bzw. seinen Stellvertretern bestätigten Ausnahmefällen zu erfolgen.

Fernschriftlich bzw. telefonisch an die Diensteinheiten der Linie III erteilte Kontrollaufträge sind innerhalb von 14 Tagen auf dem bestätigten Wege schriftlich zu erteilen. Andernfalls sind diese Kontrollaufträge nach vier Wochen zu löschen.

184

3.4.2. Die Laufzeiten der Kontrollaufträge sind bei operativer Notwendigkeit zu verlängern. Die Verlängerungen sind einen Monat vor Beendigung der Laufzeiten durch die erteilenden Diensteinheiten bei den Diensteinheiten der Linie III formlos schriftlich, unter Bezugnahme auf den laufenden Kontrollauftrag, zu beantragen.

3.5. Bei Veränderungen der Anschlüsse, der Anschlußinhaber bzw. des Informationsbedarfs haben die Diensteinheiten diese Veränderungen den zuständigen Diensteinheiten der Linie III zu übermitteln.

Dazu sind den Diensteinheiten der Linie III neue Kontrollaufträge zu erteilen.

Die Kontrollaufträge zu den bisherigen Anschlüssen können entsprechend der Entscheidung der Leiter der Diensteinheiten in den Diensteinheiten der Linie III weitergeführt oder gelöscht werden.

Werden Veränderungen der Anschlüsse, der Anschlußinhaber bzw. des Informationsbedarfs durch die Diensteinheiten der Linie III festgestellt, sind die betreffenden Diensteinheiten schriftlich darüber zu informieren und deren Entscheidung zum weiteren Verfahren zu fordern.

3.6. Durch die Diensteinheiten sind Löschungen erteilter Kontrollaufträge zu veranlassen, wenn die Notwendigkeit weiterer Kontrollmaßnahmen nicht mehr gegeben ist.

Die Löschungen der Kontrollaufträge in den Diensteinheiten der Linie III haben formlos schriftlich zu erfolgen.

3.7. Die Bereitstellung der Formblätter zur Erteilung von Kontrollaufträgen an die Diensteinheiten der Linie III hat zu erfolgen

- für die Diensteinheiten des MfS Berlin durch den Bereich Auswertung der HA III

- für die Diensteinheiten der Bezirksverwaltungen durch die Abteilungen III der Bezirksverwaltungen.

4. Diese Durchführungsbestimmung tritt mit sofortiger Wirkung in Kraft.

/...,?/

Generalleutnant

Die Stasi hat im Westen nicht nur Telefongespräche abgehört, sondern auch alles mitgeschnitten, was über Telex, Bildschirmtext, Auto- wie Schiffstelefone und Eurosignalanschlüsse lief.

Nummer in einer Zielkontrollkarte vermerkt war, wurde somit belauscht. Zuletzt war sogar eine Operative Abteilung im Einsatz, die mit Hilfe Inoffizieller Mitarbeiter Kabel im Westen anzapfte. Alles, aber auch alles wurde gesammelt, auch wenn es zunächst oftmals »auf Halde« gelegt werden mußte, weil die Arbeitskapazitäten ein Verwerten nicht ermöglichten. Entscheidend war jedoch, daß nichts verlorenging: Was man in die Hände bekam, wurde deponiert. Und in den Fällen, wo die abgehörten Tonbänder im MfS nicht abgeschrieben, sondern nur gestapelt werden konnten, war es natürlich jederzeit möglich, sich des gesammelten Materials zu »bedienen«. Gab es eine Affäre im Westen (oder solche, die als solche gesehen wurde), mußten die Materialien sofort ausgewertet werden. Honecker, Mielke und die SED-Spitze konnten sich jederzeit ein (ergänzendes) Bild der Lage machen.

»Prominente« – Freiwild der Stasi

Die Stasi war auch besonders geschärft, sich bei Einreisen um Prominente, vor allem aus Politik und Wirtschaft, zu kümmern. Die »Feststellung beabsichtigter Einreisen von Persönlichkeiten (›Prominenz‹) sowie von politisch-operativen bedeutsamen Einzelpersonen und Reisegruppen« gehörten nach den Mielke-Befehlen zu den vorrangigen Aufgabenstellungen.

Es ist bekannt, daß beispielsweise die Interhotels lückenlos überwacht wurden. Dazu war es gar nicht nötig, alle Zimmer mit Ausspähungsmöglichkeiten zu versehen. Durch die Inoffiziellen Mitarbeiter der Stasi, die in den Hotels in Schlüsselpositionen verankert waren, wurde sichergestellt, daß Prominente aus dem Westen nur in jenen Zimmer plaziert wurden, die in allen Bereichen überwacht werden konnten. In einem Interhotel im Norden waren rund 15 der etwa 300 Zimmer entsprechend präpariert. Durch einen Überwachungsraum, in dem die Monitore installiert waren, konnten Tag und Nacht alle Bewegungen und Gespräche vollständig kontrolliert werden. Auch in den Bars und beim Empfang war selbstverständlich alles eingebaut, um das dokumentieren zu können, was sich abspielte. Die Stasi beschränkte sich allerdings nicht auf die Hotels. Ob Messen, Tagungen, Poststätten, »Objekte der Volkswirtschaft« oder Raststätten, überall galt der Befehl, die »systematische Abschöpfung der einreisenden Personen« lückenlos sicherzustellen.

Die Stasi-Kontrolle westlicher Politiker war sehr intensiv. Durch Erkenntnisse der Funkaufklärung und Hinweise »aus dem Operationsgebiet« schon mit wichtigen Informationen versehen, dienten die Beobachtungen »vor Ort« vor allem dazu, die Dossiers zu vervollständigen. An alles dachte man. Die Fahrten wurden genauso kontrolliert wie Besuche. Ob in Kirchen oder Gaststätten, Wanzen und Inoffizielle Mitarbeiter sorgten dafür, daß die wichtigsten Gesprächsinhalte und Beobachtungen, zuweilen sogar mit detaillierten Darlegungen, in Stasi-Hände kamen. Manch biederer Bewohner aus dem Osten, der mit Politikern in Kontakt kam, war Stasi-Agent; das Problem war nur, daß die Bespitzelten es oft nicht merkten. Der Aufwand, der bei Gruppenreisen oder bei einer Einreise als Tourist getätigt wurde, war – jedenfalls bei den Personen, die die Stasi für wichtig erachtete –, erheblich.

1983 war in der Hauptabteilung VI im Bereich OT (Objekte und Tourismus) eine eigene Einheit zur Kontrolle des »Polittourismus« geschaffen worden. Sie übenahm die umfassende Überwachung der Politiker aus dem Westen, die sich privat oder in dienstlicher Eigenschaft im Osten aufhielten. Die strikte Befehlsgewalt der SED gegenüber der Stasi wurde auch hier vollständig eingehalten. Traf sich ein Politker mit einem hohen SED-Funktionär, wurden im Rahmen dieses Kontaktes keinerlei Stasi-Observationen vorgenommen. Weder der Versuch, den Politiker »zu beschatten« oder in sonst einer Weise zu agieren. Auch in den einzelnen Einsatzbefehlen der Stasi wird dieses ausdrücklich vermerkt. Die HVA, die die Politiker hauptsächlich »bearbeitete«, gab viele Weisungen und Wünsche an die Abteilung. Sie bestimmte somit maßgeblich Umfang und Ausmaß der Überwachung und Kontrolle. Dabei wurden häufig Inoffizielle Mitarbeiter der HVA, die beispielsweise in Hotels angesiedelt waren, eingesetzt.

Die geheime Struktur der HVA

Führungs- und Kontrollorgane des Chefs HVA

Stellvertreter des Ministers für Staatssicherheit und Chef HVA Generaloberst Großmann

bis 1986/87 Generaloberst Wolf

Abt. 3 der HA
Kader und Schulung des MfS in der HVA
Oberst Kisch

Abteilung VII
Auswertung, Information, Anmeldung und Kontrolle

AGL – Arbeitsgruppe des Leiters
Mobilmachungsfragen
Alarmübungen

AGS – Arbeitsgruppe
Sicherheit
Innere Abwehr

KOOST
Koordinierungsstelle zur Vorbereitung, Sicherstellung Auslandsreisen

Sekretariat der HVA zur inneren Dienstorganisation

Stellv. des Chefs HVA
Generalmajor Prosetzky

Stellv. des Chefs HVA
Generalmajor Tauchert

Abt. III
Legale Residenturen
in DDR-Botschaften

Abt. IV
Spionage gegen Bundeswehr

Abt. XIX
Dolmetscher, Schulungen, Betreuungen

Abt. XI
Aufklärung in USA und US-Armee Europa

HVA-Schule
Beelitz bei Potsdam

Abt. XII
NATO und EG

HVA-Fremdsprachenschule
Goßen bei Berlin

Abteilung IX
Äußere Spionageabwehr. Aufklärung, Eindringen in Sicherheitsbehörden, Nachrichtendienste des Westens

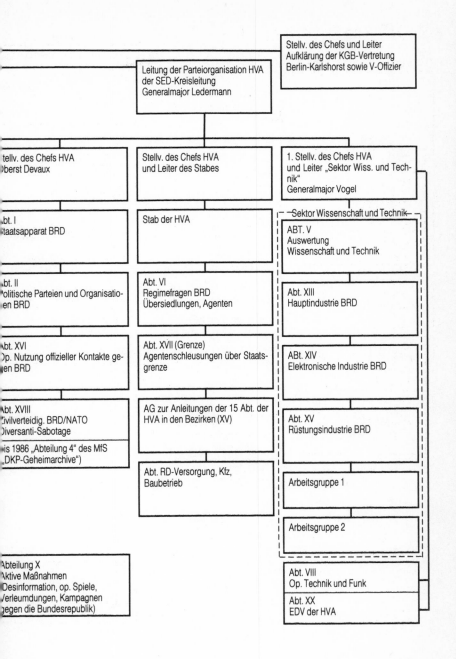

Stellv. des Chefs und Leiter
Aufklärung der KGB-Vertretung
Berlin-Karlshorst sowie V-Offizier

Leitung der Parteiorganisation HVA
der SED-Kreisleitung
Generalmajor Ledermann

Stellv. des Chefs HVA
Oberst Devaux

Stellv. des Chefs HVA
und Leiter des Stabes

1. Stellv. des Chefs HVA
und Leiter „Sektor Wiss. und Technik"
Generalmajor Vogel

Abt. I
Staatsapparat BRD

Stab der HVA

—Sektor Wissenschaft und Technik—

ABT. V
Auswertung
Wissenschaft und Technik

Abt. II
Politische Parteien und Organisationen BRD

Abt. VI
Regimefragen BRD
Übersiedlungen, Agenten

Abt. XIII
Hauptindustrie BRD

Abt. XVI
Op. Nutzung offizieller Kontakte gegen BRD

Abt. XVII (Grenze)
Agentenschleusungen über Staatsgrenze

ABt. XIV
Elektronische Industrie BRD

Abt. XVIII
Zivilverteidig. BRD/NATO
Diversanti-Sabotage

bis 1986 „Abteilung 4" des MfS
„DKP-Geheimarchive")

AG zur Anleitungen der 15 Abt. der
HVA in den Bezirken (XV)

Abt. XV
Rüstungsindustrie BRD

Abt. RD-Versorgung, Kfz,
Baubetrieb

Arbeitsgruppe 1

Arbeitsgruppe 2

Abteilung X
Aktive Maßnahmen
Desinformation, op. Spiele,
Verleumdungen, Kampagnen
gegen die Bundesrepublik)

Abt. VIII
Op. Technik und Funk

Abt. XX
EDV der HVA

Wollte die Stasi Barschel erpressen?

Außerordentlich intensiv hat die Stasi Uwe Barschel beobachtet, der im Oktober 1987 als schleswig-holsteinischer Ministerpräsident im Zuge der Barschel/Pfeiffer-Affäre zurücktrat und in Genf ums Leben kam. Der CDU-Politiker wurde von der Stasi in internen Untersuchungsberichten massiv attackiert und verunglimpft. Barschel gelte »als extrem rechtskonservativer Vertreter der CDU von Schleswig-Holstein«, formulierte man in der Normannenstraße. Und weiter heißt es: »Die BRD-Presse verwies des öfteren auf Dr. Barschels Sympathien für ehemalige Nazigrößen. Während seiner Amtszeit als Innenminister veranlaßte er mit besonderer Intensität die Überwachung der politischen Tätigkeit der DKP, der Friedensbewegung und der ›Grünen‹. Ebenfalls setzte er sich für eine stärkere Überwachung der Aktivitäten der Friedensbewegung ein, insbesondere der Anhänger des ›Krefelder Appells‹.«

Details der umfangreichen Stasi-Beobachtungen über Barschel bei dessen Reisen in den SED-Staat werden aus Unterlagen, die zu Reisen in den Jahren 1982, 1983 und 1984 vorliegen, deutlich. Die »erforderlichen Maßnahmen zur Gewährleistung einer durchgehenden Sicherung, Kontrolle und Überwachung des Dr. Dr. Barschel während seines Aufenthaltes in der DDR« seien »eingeleitet und realisiert«, teilte ein hoher MfS-Offizier in einem Schreiben den Diensteinheiten mit. Ob Inoffizielle Mitarbeiter, die Installation von Wanzen oder die Beobachtung der Fahrzeuge – die Stasi widmete Barschel allergrößte Aufmerksamkeit. Und dies bereits zu einer Zeit, als er noch nicht einmal Ministerpräsident war. Das Engagement, mit dem man ihn beobachtete, wird auch aus folgender Beschreibung deutlich:

Barschel, der zunächst als »kontaktfreudig, gesellig, unterhaltsam, elegant und vornehm« skizziert worden war, sei bei den Einreisen im September 1983 und im April 1984 »sehr arrogant und überheblich in Erscheinung getreten«. Er habe beispielsweise mit sehr abfälligen Bemerkungen und Kommentaren bei Empfehlungen von Speisen und Getränken in Gaststätten reagiert. Vornehmlich habe er solche gewünscht, von denen er glaubte, daß diese nicht vorhanden seien. Als ein Kellner auf seine Frage, welcher Kaviar im Angebot sei, ihm geantwortet habe, daß es sich um Seehasenrogen handele, habe Barschel wörtlich geantwortet: »Ist das die schwarze Kaninchenscheiße? Nein, danke!« So jedenfalls vermerkte es die Stasi.

Aber mehr noch wird die Stasi, die Barschels politischen Kurs mit allergrößter Abneigung verfolgte, geärgert haben, daß dieser sich auch im Osten klar und deutlich gegen die SED äußerte. Barschel habe »verleumderische Äußerungen gegen die DDR« getätigt, hieß es zu Beobachtungen 1984. Das MfS wollte den CDU-Politiker bestrafen. Es sei vorgesehen, ihm »einmalig bei einer beabsichtigten Einreise in die DDR aus touristischen oder privaten Gründen zurückzuweisen«. Ausdrücklich spricht das MfS von einer »Disziplinierungsmaßnahme«, deren Verwirklichung von Barschels »Verhaltensweise« bei erneuten Einreisen abhängig sei.

Barschels Ausspähung war hochrangig angesiedelt. Bereits 1984 veranlaßte die Stasi einen »gesonderten Maßnahmeplan«, in dem die »konkreten Sicherungs-, Kontroll- und Überwachungsmaßnahmen sowie die Verantwortlichkeiten« festgelegt wurden. Dieser sei »dem Stellvertreter des Ministers, Genossen Generalleutnant Neiber, zur Bestätigung vorgelegt« worden. Informiert über die Maßnahmen wurde neben anderen Abteilungen auch Großmann. Gleichfalls wurde der stellvertretende Minister Mittig in Kenntnis gesetzt. In jedem Fall seien »die notwendigen Schlußfolgerungen« gezogen worden und fänden »Verwendung«, heißt es an anderer Stelle. Die »eingeleiteten inoffiziellen und politisch-operativen Maßnahmen zur Sicherung, Kontrolle und Überwachung« hätten »ihre volle Wirksamkeit« erzielt.

Die Stasi war bemüht, Material – oder solches, was sie dafür hielt oder dazu machen wollte – zu sammeln, das aus ihrer Sicht geeignet erscheinen konnte, Barschel im persönlichen Bereich in ein ungünstiges Licht zu rücken. Dazu wurden Inoffizielle und hauptamtliche Stasi-Mitarbeiter – »zielgerichtet« – eingesetzt, die vor allem auch Kontakte zu weiblichen Personen zu beobachten hatten. Es ging der Stasi darum, Schwachpunkte zu erfahren,

Hauptabteilung VIII gewährleistet in Abstimmung mit
Hauptabteilung VI, Abteilung Objektsicherung und Tourismus, die Koordinierung der operativen Beobachtungsmaß-
men auf Linie, einschließlich der Übergaben/Übernahmen.

konkreten Sicherungs-, Kontroll- und Überwachungsmaß-
men sowie die Verantwortlichkeiten werden in einem ge-
derten Maßnahmeplan, der dem Stellvertreter des Mini-
rs, Genossen Generalleutnant NEIBER, zur Bestätigung
gelegt wird, festgelegt.

r alle politisch-operativ relevanten Vorkommnisse und Er-
einungen, einschließlich Bewegungsabläufe, ist unverzüg-
h die Hauptabteilung VI, Abteilung Objektsicherung und
rismus, Telefon 36 695 (OvD), zu informieren.
r Abschlußbericht ist unmittelbar nach Verlassen des terri-
rialen Verantwortungsbereiches fernschriftlich zu übersen-
n.

Vorbereitung der Aktion werden durch einen verantwortli-
en Mitarbeiter der Hauptabteilung VI, Abteilung Objektsiche-
ng und Tourismus, die erforderlichen Sicherungs-, Kontroll-
d Überwachungsmaßnahmen mit den territorial zuständigen
ensteinheiten persönlich abgestimmt.

*Mielke-Vize Neiber, der im Verdacht steht, die RAF gefördert zu haben, war auch
für Barschel zuständig.*

die dazu hätten dienen können, den CDU-Politiker mit Sachver-
halten zu konfrontieren, die, zumindest in der Öffentlichkeit,
wohl höchst unangenehm gewirkt hätten. Barschel, so ist in
Stasi-Akten der Normannenstraße festgehalten, war in einem
Hotel – in dem auch andere Politiker übernachteten –, aber auch
auf Spazierwegen von Stasi-Mitarbeitern detailliert observiert
worden. Ob Kontakte in einer Bar, Spaziergänge im Kurpark
oder Verabredungen zu Treffen: Das MfS war immer dabei.
Wanzen, mitgeschnittene Telefonate und die Erkenntnisse aus
Gesprächen: Honeckers und Mielkes Spitzel ließen ihn nicht
eine Minute unbeobachtet, auch wenn Barschel – jedenfalls nach
Aktenlage des MfS – bei persönlichen Kontakten nicht seine
wahre Funktion zu erkennen gab, sondern sich beispielsweise als
Mitarbeiter des Innenministeriums vorstellte, der sich »privat in
der DDR« aufhalte.

Wollte das MfS ihn unter Druck setzen? Die Zeitabläufe würden dazu passen. 1983 hieß es, Barschel habe sich an den Verfas-

sungsschutz gewandt, weil an ihn das Ansinnen gerichtet worden sei, sich mit Vertretern aus dem Osten in Schweden zu treffen. Dies habe er abgelehnt. Die Stasi blieb Barschel jedenfalls auf der Spur. Aus dem MfS war nach der Wende zu hören, man habe die Barschel/Pfeiffer-Affäre mit größter Aufmerksamkeit verfolgt und sei sehr gut informiert gewesen.

Stasi kaufte Stimme für Brandt – Wer war der zweite »Verräter?« – Wanzen in Barzels Büro

April 1972: Die Republik ist in einer schweren politischen Krise. Nach nur zweieinhalb Jahren Amtszeit ist offensichtlich, daß die sozialliberale Regierungskoalition unter Bundeskanzler Willy Brandt und Außenminister Walter Scheel das Ende der Legislaturperiode kaum noch handlungsfähig erreichen kann. Neuwahlen scheinen zwingend. Oppositionsführer Rainer Barzel will den Kanzlersturz mit einem konstruktiven Mißtrauensvotum erzwingen. Hinter den Kulissen wird deshalb seit Wochen fieberhaft agiert und agitiert. Die Fraktionschefs schwören in zahlreichen Vier-Augen-Gesprächen ihre Bataillone auf eine gemeinsame Linie ein. Die Hinterbänkler im Parlament stehen plötzlich im Rampenlicht; die Frage, ob alle loyal zur politischen Sache stehen, dominiert. Am 27. April, einem Donnerstag, ist die Stunde der Wahrheit gekommen. Nach erregenden Debatten eröffnet Bundestagspräsident Kai-Uwe von Hassel um 12.59 Uhr die Abstimmung über den Antrag der CDU, Brandt zu stürzen.

Die Fraktion der SPD bleibt mit Ausnahme des Münchener Abgeordneten Günther Müller, einer Weisung der Fraktionsführung folgend, auf ihren Plätzen; aus den Reihen der FDP nehmen einige der Abgeordneten an der Abstimmung teil. Um 13.22 Uhr dann das Unwahrscheinliche, das von der SPD/FDP kaum mehr Erhoffte. Von Hassel: »Von den stimmberechtigten Abgeordneten wurden abgegeben 260 Stimmen, von den Berliner Abgeordneten elf Stimmen. Von den 260 stimmberechtigten Abgeordneten haben für den Antrag – mit Ja – gestimmt 247, mit Nein zehn Abgeordnete; drei Stimmen sind Enthaltungen. Von den Berliner

193

Abgeordneten haben zehn Abgeordnete mit Ja und ein Abgeordneter mit Nein gestimmt; keine Enthaltung ... Ich stelle fest, daß der von der Fraktion der CDU/CSU vorgeschlagene Abgeordnete Dr. Barzel die Stimmen der Mehrheit der Mitglieder des Deutschen Bundestages nicht erreicht hat.«

Fassungsloses Entsetzen bei der Opposition, stürmischer Jubel bei der Regierung. Barzel, der sich der Mehrheit sicher wähnte, fehlten zwei Stimmen. Er hätte für die erforderliche absolute Mehrheit 249 Stimmen benötigt. Der Verrat in den eigenen Reihen schockte die Union zutiefst. Die historische Chance, in den Turbulenzen um die Ostverträge den amtierenden Bundeskanzler zu stürzen und eine politische Wende einzuleiten, war vertan. Die Sozialdemokraten unter Brandt nutzten die Situation. Es kam zu vorgezogenen Neuwahlen. Bei der Bundestagswahl am 19. November 1972 wurde die SPD mit 45,8 Prozent erstmals im Nachkriegsdeutschland sogar stärkste Partei.

Die politische Affäre vom 27. April 1972 löste eine Flut von Verdächtigungen und Gerüchten aus. Die Suche nach den Verrätern in der Opposition begann. Eine endgültige Klärung, wer damals Barzel den Rückhalt verweigerte und aus welchen Motiven heraus das geschah, gelang in den zurückliegenden fast 19 Jahren nicht. Nach mehr als einjähriger Recherche der WELT steht jetzt fest: Das Honecker-Regime hat das Votum gegen Barzel im Bundestag beeinflußt. Es hat die Stimme des ehemaligen CDU-Bundestagsabgeordneten Julius Steiner für 50 000 Mark gekauft. Das Geld hat der damalige Oberstleutnant beim Ministerium für Staatssicherheit (MfS), Ingolf Freyer, gemeinsam mit seinem Mitarbeiter Dr. Frieder Kilian persönlich an Steiner übergeben. Der Geldtransfer erfolgte kurz vor dem konstruktiven Mißtrauensvotum in einem konspirativen »Gästehaus« des MfS in der Liebermannstraße in Ost-Berlin.

Ins Zwielicht geriet der CDU-Hinterbänkler Steiner bereits ein Jahr nach Barzels mißglücktem Kanzlersturz. Nachdem am 16. Mai 1973 die »Südwest-Presse« meldete, daß sich der Verdacht verdichte, zwei Mitglieder der CDU/CSU-Bundestagsfraktion aus dem Raum Baden-Württemberg, die beide nicht mehr in den siebten Bundestag gewählt worden waren, hätten – gegen finanzielle Zusagen – am 27. April 1972 gegen Barzel gestimmt, löste Steiner mit seinen Enthüllungen eine Sensation aus. Am 29. Mai 1973 berichtete er dem Nachrichtenmagazin »Der Spiegel«, er sei Doppelagent, der mit Wissen des Bundesnachrichtendienstes Kontakte mit der DDR unterhalte, und er habe dem Mißtrauensantrag gegen Brandt nicht zugestimmt. Im Juni offenbarte er dann der Illustrierten »Quick«, er habe entgegen der Empfehlung seiner Partei gegen Barzel gestimmt, weil er dazu vom parlamentarischen Geschäftsführer der SPD, Karl Wienand, mit 50 000 Mark bestochen worden sei.

Vor dem von der CDU/CSU beantragten parlamentarischen Untersuchungsausschuß des Bundestages aber hatte Steiner erklärt, er sei »im Hinblick auf seine Stimmabgabe bei der Abstimmung über den Mißtrauensantrag weder von der DDR noch von einem anderen Ostblockstaat beeinflußt worden. Die hier fraglichen 50 000 DM stammten auch nicht aus derartigen Quellen« (Protokoll des Bundestages vom 13. März 1974, Seite 25).

Die Mehrheit in dem Untersuchungsausschuß aus SPD und FDP kam damals zu dem Ergebnis, daß eine »Beeinflussung des Zeugen Steiner von seiten der DDR« im Zusammenhang mit dem Mißtrauensvotum »nicht erwiesen« sei. Der Generalbundesanwalt hatte parallel zu den politischen Untersuchungen in Bonn am 5. Juni 1973 aufgrund von Veröffentlichungen ein Ermittlungsverfahren gegen Unbekannt wegen des Verdachts geheimdienstlicher Tätigkeit eingeleitet. Es richtete sich seit dem 30. Juni 1973 gegen Julius Steiner als »Beschuldigten« (Az.: 7 BJs 134/37 – I BGs 211/73). Dieses Verfahren wurde von der Bundesanwaltschaft im Februar 1975 eingestellt.

Julius Steiner ist mittlerweile 66 Jahre alt, kränklich. Seine meiste Zeit verbringt er in seinem ansehnlichen Einfamilienhaus in Oberhöfen, rund 40 Kilometer von Ulm entfernt. In diesem Ortsteil leben rund 800 Menschen. Natürlich kennt fast jeder den »Jule«. Selten kommt er zu einem Schoppen Wein ins Gasthaus »Roßkopf«. Zu den damals noch vagen Erkenntnissen der WELT, die Steiner bereits am 31. Juli 1990 vorgehalten wurden, wollte der Ex-Bundestagsabgeordnete keine Stellung nehmen. Er lehnte sogar zunächst jeden Gesprächstermin mit der WELT ab. Bei einem ersten Anruf teilte seine Frau Maria mit, ihr Mann sei nicht zu sprechen. »Etwas Wichtiges gibt es für uns nicht mehr.« Den Hinweis, es handele sich um eine wichtige Angelegenheit, wehrte sie ab: »Nein, das hat ja doch mit Politik zu tun, damit haben wir nichts mehr zu tun.« Ihr Mann habe eine Herzattacke erlitten und sei mit Blaulicht ins Krankenhaus gefahren worden. Dieser Vorfall lag zurück, wie sich später herausstellte. Bei einem zweiten Anruf mit einem Hinweis auf offene Fragen zu einem Vorgang im Jahr 1972 antwortet Steiner schließlich selbst: »Das Ereignis ist so veraltet, ich möchte mit der Geschichte nicht an die Öffentlichkeit treten.« Auf die Vorhaltungen, es gebe den Verdacht, daß er damals doch vom MfS Geld erhalten habe, antwortet Steiner: »Vom MfS keine Rede, nein, überhaupt nicht.«

Die Wirklichkeit war aber anders. Nach langen Erkundungen hat die WELT am 25. Februar 1991 den Weg zu Ingolf Freyer gefunden. Er war in der fraglichen Zeit 1972 Chef des Referates in der Hauptverwaltung Aufklärung des MfS, das die Unionsparteien »betreute« und den »Fall Steiner« führte. Freyer steht zu seiner Aufgabe von damals. Mit dem Repressionsapparat des MfS nach innen, gegen die eigene Bevölkerung, habe er nichts zu tun gehabt. Im übrigen habe er nach den Ereignissen von 1972 in Finnland gelebt und an der DDR-Botschaft gearbeitet. Den Zusammenbruch der DDR hat er wenige Tage nach seiner Rückkehr aus Helsinki in Berlin erlebt.

Ingolf Freyer hat nach eigenem Bekunden Julius Steiner vor dem konstruktiven Mißtrauensvotum 50 000 Mark übergeben. Dabei war sein Mitarbeiter Dr. Frieder Kilian. Man hat den für die Verhältnisse des MfS enormen Betrag an Devisen in ein »Westkuvert« gesteckt. »Mit einem Kuvert unserer Qualität wäre er vielleicht aufgefallen.« Die Geldübergabe fand in dem getarnten »Gästehaus« des MfS in der Liebermannstraße in Ost-Berlin statt, in dessen holzverkleideter Kellerbar – von den MfS-Mitarbeitern in ihrer Freizeit ausgebaut – man sich oft traf.

Steiner selbst hat die Verbindung gesucht. Freyer: »Steiner war 1971 beim MfS aufgelaufen. Es gab etwa zehn bis 15 Treffen mit ihm.« Treffpunkt war immer das konspirative Haus in der Liebermannstraße. Eines Tages hatte er mit der S-Bahn von West-Berlin den Bahnhof Friedrichstraße erreicht und dort bei den DDR-Kontrolleuren seinen Ausweis als Bundestagsabgeordneter gezeigt und um einen kompeteten politischen Gesprächspartner nachgesucht. Die Grenzer informierten daraufhin sofort das MfS. Angesichts der Brisanz, einen Bundestagsabgeordneten »zu haben«, wurde der Fall von Freyer »persönlich bearbeitet«. Die fragwürdige Persönlichkeit Steiners, der bereits nach den ersten Begegnungen als »hinfällig, alkoholabhängig« eingestuft wurde, verunsicherte das MfS lange Zeit. War Steiner nicht vielleicht ein raffinierter Doppelagent des BND? Dennoch zahlte das MfS ihm regelmäßig die Flugkosten nach West-Berlin, die Übernachtungskosten für ein Hotel. Und es gab ihm fast nach jedem Treff »1000 oder 2000 Mark« (Freyer) mit auf den Weg. In diesen Gesprächen seit 1971, so erinnert sich Freyer, hatte Steiner seine »politische Distanz« zum Fraktionsvorsitzenden der CDU/CSU, Rainer Barzel, zum Ausdruck gebracht. Freyer: »Mit Barzel konnte er nicht.«

Das MfS erkannte sehr früh seine Chance, denn die CDU war ja die Kraft, die sich dem »Prozeß der Ostverträge widersetzt hat« (Freyer). In dieser Situation habe man jeden genommen, »der sich anbot«. Die »Naivität« Steiners, sich selbst im Bahnhof Friedrichstraße anzudienen, wurde als Beleg für seine »Ehrlichkeit« genommen.

Erster Anlaufpunkt nach dem Grenzwechsel war oft eine Gaststätte. Von dort wurde Steiner vom MfS abgeholt und in die Liebermannstraße gefahren. Er hatte seinen Gastgebern nichts Erregendes zu berichten, denn Steiner war in der Unionsfraktion keine bedeutende Größe. Er hatte auch keine Verbindungen, eher war er isoliert. In den Akten des MfS wurde er als »Selbststeller« geführt. Das MfS wartete auf eine Aktion mit ihm in »größerem Sinne« (Freyer). Es war selbstverständlich, daß Spionagechef Wolf und MfS-Minister Mielke informiert wurden.

Im Vorfeld der Abstimmung im Bundestag am 27. April 1972 genehmigten sie persönlich die Auszahlung der 50 000 Mark. »Für uns eine horrende Summe«, erinnert sich Freyer. Er hat den Betrag an der Kasse des Ministeriums abgeholt. Bevor man Steiner das Geld aushändigte, wurde ein »Vertrag« geschlossen, schriftlich. In diesem »Vertrag«, der eine »verdeckte Verpflichtungserklärung« war (Freyer), verpflichtet sich Julius Steiner sinngemäß zu folgenden Punkten:

a) zur Bereitschaft, politisch zu beraten;

b) der DDR Informationen aus der CDU/CSU-Bundestagsfraktion zu liefern; im Gegenzug versicherte das MfS, Steiner über die »politische Linienführung« in der DDR auf dem laufenden zu halten;

c) mitzuhelfen, die Ostverträge durchzusetzen;

d) Stillschweigen über die Kontakte und diesen Vertrag zu bewahren.

Freyer: »Steiner hat sich durch sein Abstimmungsverhalten daran gehalten.«

An den späten Abend, an dem die 50 000 Mark zu Julius Steiner über den Tisch geschoben wurden, erinnert sich Freyer noch genau. Es wurde gegessen und viel getrunken. Steiner hat dabei so tief ins Glas geschaut, daß man sich Sorgen machte, ob er mit dem Geld in der Tasche auch gut im Westen ankomme. Dr. Kilian begleitete den leicht schwankenden Julius Steiner bis zum »Glaskasten«. So wurde die Kontrollstelle bei der Ausreise im Bahnhof Friedrichstraße genannt. Dort sprach Kilian einen ausreisenden Mann aus dem Westen an mit der Bitte, sich um den »auf Besuch gewesen Opa zu kümmern«. Der Opa war Julius Steiner. Bevor sich Steiner auf den Weg zu seinem Hotel im Westen aufgemacht hatte, war er seinen Gastgebern durch schwäbisches Mißtrauen aufgefallen: Schein für Schein, es waren vor allem Tausender, hatte er gezählt. Im Angesicht der Geldscheine war er so euphorisch, daß er sogar eine Quittung unterschrieb. Mit Klarnamen: Julius Steiner. Selten läßt ein Geheimdienst einen Informanten aus den Fingern. Für das MfS war mit der Abstimmung im Bundestag, mit dem Sieg von Brandt, das Ziel im wesentlichen erreicht. In der Normannenstraße wurde gefeiert. Das MfS hatte jedoch kein Interesse mehr an Steiner, als in der Stuttgarter Presse eine Meldung erschien, er habe auch für das Landesamt für Verfassungsschutz (LfV) von Baden-Württemberg gearbeitet. Wie und mit welchem Ergebnis, blieb im dunkeln. Beim MfS tauchte der Verdacht auf, Steiner könne ein »Doppelagent« sein. Tatsächlich hatte ihm das LfV Stuttgart den Decknamen »Zacharias« gegeben.

Julius Steiner ist Freyer als ein gravierender, eben »hochpolitischer« Fall über die Jahre hindurch in Erinnerung geblieben. Er spricht von einem »konzentrischen Angriff« des MfS mit politischer Rückendeckung der DDR-Führung gegen die CDU/CSU damals. Mit der Frage, ob diese Operation unter dem Decknamen »Aktion Akzent« gelaufen sei, kann Freyer in dem Gespräch mit der WELT nichts anfangen. Es könnte sein, daß dieser Deckname weiter oben in der Hierarchie des MfS angelegt wurde. Denn in einem offiziellen Bericht von ehemaligen hohen MfS-Offizieren ist davon die Rede.

Der WELT liegt das Exemplar 00029 dieser »Dokumentation zur politisch-historischen Aufarbeitung der Tätigkeit des MfS« vor. Sie ist »nur zur persönlichen Kenntnisnahme bestimmt«. In diese Dokumentation werden »Ursachenkomplexe« für die »Ausweitung der Aufgabenstellung des MfS« genannt:

»1. Die Anfang der 70er Jahre eingeleitete Westöffnung nach außen (Entspannungspolitik), verbunden mit einer rigiden Abgrenzung nach innen, schuf neue Sicherheitsbedürfnisse.

a) – Absicherung von »Staatsbesuchern« (beginnend mit dem Treffen Stoph-Brandt 1970, das bezeichnenderweise unter dem Kennwort ›Konfrontation‹ lief),

– die Kontrolle, und Sicherung von diplomatischen Vertretungen in der DDR und von DDR-Vertretungen im Ausland,

– die Überwachung von ausländischen Korrespondenten,

b) – Sicherstellung außerpolitischer Aktionen der DDR-Führung, zum Beispiel 1972 die sogenannte Geste des guten Willens (›Aktion Akzent‹) zur Unterstützung der SPD/FDP-Regierung bei der Durchbringung der Ostverträge durch den Bundestag.«

Julius Steiner hat später erklärt, er habe die 50 000 Mark vom damaligen Geschäftsführer der SPD-Bundestagsfraktion, Karl Wienand, erhalten. Im Untersuchungsausschuß des Bundestages gab es Widersprüche, Gegenüberstellungen und Ortsbesichtigungen. Am Ende blieben die Widersprüche. Schließlich wurde

Julius Steiner im Dezember 1977 vom Schöffengericht Bonn wegen uneidlicher Falschaussage vor dem Untersuchungsausschuß zu 1500 Mark Strafe verurteilt. Zeuge bei diesem Gerichtstermin war auch Herbert Wehner. Der langjährige Vorsitzende der SPD-Bundestagsfraktion hat später mit einem Satz in einem Interview mit dem Norddeutschen Rundfunk (Interviewer Jürgen Kellermeier) Spekulationen ausgelöst. Wehner am 5. Januar 1980 im NDR: »Ich kenne zwei Leute, die das wirklich bewerkstelligt haben: Der eine bin ich, der andere ist nicht mehr im Parlament.«

Der zweite Mann, auf den Herbert Wehner im NDR-Interview von 1980 anspielte, war offenkundig der ehemalige parlamentarische Geschäftsführer der SPD, Karl Wienand. Ein Mittagessen mit Wienand über »diese Sache« hat wenig gebracht. Wenn Wienand nicht noch ein Buch schreibt oder sein Testament ergänzt, dann wird er sein Geheimnis eines Tages mit ins Grab nehmen. Wienand sagt, auch er sei über Wehners Aussage »überrascht« gewesen. Sie sei nicht mit ihm abgesprochen gewesen.

Nun, Barzel fehlte nicht nur die Stimme von Julius Steiner, obwohl sie, so oder so, für ihn entscheidend war. Wer war der zweite Mann – oder die zweite Frau –, der oder die gegen Barzel votiert hat? Es gab damals, bei der geheimen Abstimmung am 27. April 1972, wenn man Barzel folgt, zwei bemerkenswerte »Enthaltungen«. Die zwei weißen Stimmkarten seien mit einem waagerechten Bleistiftstrich versehen gewesen. Das kann nur bedeuten: Die zwei Parlamentarier haben sich entweder gegenseitig oder gegenüber Auftraggebern zu erkennen gegeben.

Über den zweiten Parlamentarier, der gegen Barzel gestimmt hat, gab es im Laufe der Jahre viele Spekulationen. Im Zuge der Recherchen wurde der WELT auch der damalige CDU-Abgeordnete Herbert Gruhl genannt. Gruhl, ein erfolgreicher Buchautor (»Ein Planet wird geplündert«), später zu den Grünen konvertiert, ist zweifellos ein geradliniger Mann. Gegenüber dieser Zeitung hat er sich nicht geziert, sondern sofort und ohne Einschränkungen geantwortet: »Ich habe für Barzel gestimmt.« Zweifel an dieser Redlichkeit sind nicht erlaubt.

War der zweite Abtrünnige Hermann Höcherl? Bei Gesprächen mit einem Angehörigen des MfS fiel sein Name. Ein Urteil dazu verbietet sich. Der bekannte und beliebte CSU-Politiker ist tot, er kann sich nicht mehr wehren. Höcherl selbst hat allerdings Anlaß für Spekulationen dieser Art gegeben. Er hat aus seiner Abneigung zu Barzel nie einen Hehl gemacht, obwohl er auch einmal sagte, man dürfe »noch nicht einmal denken«, daß er gegen Barzel gestimmt habe. Höcherl hatte immer ein gutes Verhältnis zu Horst Ehmke und zu Karl Wienand von der SPD. Er war der einzige aus der Union, der nach der Verleihung des Friedensnobelpreises an Willy Brandt in dessen Gästehaus auf dem Bonner Venusberg mitfeierte. Karl Wienand nennt Höcherl noch heute »seinen Freund«. Wienand sagt: »Der Hermann war das nicht.« Später kommt der Zusatz, der »Hermann hätte das auch nie für Geld getan«.

Unbestritten ist, daß Karl Wienand, den seine Partei, die SPD, später im Stich gelassen hat, eine Schlüsselfigur in diesem trüben Spiel darstellt. Ehemalige Offiziere des MfS kennen noch heute seinen Namen. Da wurde auch von »Arbeitsteilung« gesprochen: Das MfS hatte Steiner an der Angel, den »zweiten Mann« soll die SPD besorgt haben. Später, als Barzel verloren und Brandt obsiegt hatte, sei für das MfS offenbar gewesen, daß diese »Arbeitsteilung« geklappt habe. Einen Beweis dafür gibt es nicht.

Horst Ehmke war damals Kanzleramtsminister bei Willy Brandt. Inzwischen ist sein Einfluß in der SPD stark reduziert. Ehmke hat am 26. April 1972, also einen Tag vor dem konstruktiven Mißtrauensvotum, schriftlich 50 000 Mark aus der Bundeshauptkasse angefordert. Der ausführende Beamte, Oberamtsrat Remig, hat anschließend, am 26. April nach 13 Uhr, bei der Bundeskasse einen Barscheck erhalten und quittiert und noch am selben Tag den Scheck bei der Landeszentralbank in Nordrhein-Westfalen eingelöst. Die Summe hat Remig noch am 26. April an Ehmke gegen Quittung übergeben. Das Geld wurde aus einem Sonderfonds des Bundeskanzleramtes entnommen, aber es sei laut Ehmke »kein Geld an Abgeordnete gegangen«.

Der ehemalige Präsident des Bundesrechnungshofes, Hans Schäfer, hatte später ausgesagt, er habe bei einer Prüfung der ihm am 11. Dezember 1972 vorgelegten Belege für den Sonderfonds des Bundeskanzleramtes »und der mündlichen Erläuterungen, die ihm entweder freiwillig oder auf Befragen gegeben worden seien, keine Anhaltspunkte dafür, daß aus dem Sonderfonds des Bundeskanzleramtes Mittel für solche Zwecke verwendet worden seien . . .« (Protokoll des Untersuchungsausschusses, Seite 21). Er könne »selbstverständlich nicht aussagen, an welche zweite, dritte oder vierte Person die Mittel geflossen seien, weil ihm nur Auskunft über die Erstempfänger gegeben worden sei«.

Wenn neben Steiner ein Abgeordneter aus purer politischer Überzeugung gegen Barzel votierte, wie sich ein ehemaliger MfS-Offizier erinnert, sind auf Basis dieser Information folgende Interpretationen möglich: Es könnte sein, daß Julius Steiner nicht nur vom MfS kassiert hat. Es könnte auch sein, daß die 50 000 Mark, die Ehmke kurzfristig von der Bundeskasse angefordert hat, über einen Mittelsmann und dann via MfS Julius Steiner erreicht haben. Ist das so absurd, wie es auf den ersten Blick erscheinen mag? Die weitere Möglichkeit, die sich ergibt, wäre, daß ein zweiter Abgeordneter von diesem Betrag profitiert hätte.

Eine Minderheit des Untersuchungsausschusses war schon damals der Auffassung (Protokoll, Seite 58), daß »nicht unerhebliche Anhaltspunkte dafür sprechen, daß der Zeuge Prof. Dr. Ehmke mit den 50 000 DM, die er sich am 26. April 1972 aus dem Verfügungsfonds des Kanzleramtes auszahlen ließ, zumindest eine Art Zwischenfinanzierung getätigt hat«.

Die Einlassungen von Ehmke über den Grund der Anforderung der 50 000 Mark und deren Verwendung sind im Untersuchungsausschuß jedenfalls als unschlüssig oder nicht befriedigend gewertet worden. Ehmke hatte damals erklärt, daß Zahlungen aus dem Betrag erst ab Anfang, Mitte Mai, keinesfalls im April erfolgt seien. Das Geld habe unberührt in seinem Panzerschrank gelegen. Daraus folgerte der Untersuchungsausschuß damals, »daß der Zeuge Wienand nach der Kontaktaufnahme mit dem Zeugen Steiner sich mit dem Zeugen Prof. Dr. Ehmke in Verbindung setzen konnte und daß diesem nach den feststehenden Terminen Zeit blieb, 50 000 Mark aus dem Verfügungsfonds zu beschaffen. Der Zeuge Wienand konnte dem Zeugen Steiner die Summe sodann am 27. April 1972 oder bereits am 26. April 1972 irgendwann nachmittags überreichen, damit eine Finanzierungslücke überbrücken und eventuell in den Tagen darauf dem Zeugen Prof. Dr. Ehmke eine gleich hohe Summe zurückgeben.«

Jedenfalls gibt es bis heute nichts, was Ehmke widerlegen würde. Alles andere ist Spekulation.

Das Ministerium für Staatssicherheit war Ende der sechziger und Anfang der siebziger Jahre, was Barzel betraf, ziemlich gut im Bilde. Barzel war im Fadenkreuz, wie auch Ingolf Freyer, der Führungsoffizier von Julius Steiner, bestätigt. Er selbst sei allerdings nie in Bonn gewesen.

Das MfS, so stellte sich jetzt heraus, hat Barzel in diesen spannenden Jahren mit einer Wanze abgehört. Es wußte Bescheid, wie Barzel über das »Innenleben« der Unionsfraktion dachte, bei welchen Abgeordneten er »Risikofaktoren« sah. Daß das MfS über die Wanze gut über die Gespräche im Barzel-Büro informiert war, führte zu erstaunlichen Erkenntnissen. So wurde im Vorfeld des konstruktiven Mißtrauensvotums der damalige sowjetische Botschafter Falin bei Barzel vorstellig, um Interesse an dem Zustandekommen der Ost-Verträge zu hinterlegen. Moskau meldete später an die SED-Führung in Ost-Berlin, Botschafter Falin sei energisch aufgetreten. Durch die Wanze wußte die SED, daß es eher eine angenehme Plauderei zwischen Barzel und Falin gegeben hatte.

Die Wanze war in einer Blumenvase in seinem Büro installiert. Sie wurde täglich ausgetauscht und mit dem D-Zug Paris-Warschau in die damalige DDR transportiert. Den Transport übernahm das MfS-Referat »Schiene«. Toiletten des Zuges waren für den Transport geheimdienstlichen Materials präpariert. Auf dem Betriebsbahnhof Rummelsburg wurden die Spionagebehälter entnommen. Dieser Transportweg hatte sich als sehr zuverlässig erwiesen und wurde auch in späteren Jahren noch benutzt, auch von dem MfS-Offizier Rolf Tröbner, der Freyer in der Leitung des MfS-Referats »CDU/CSU« nachfolgte und der sich, nach der Wende, an der Gründung der PDS beteiligte. Allerdings hat er nach dem PDS-Finanzskandal einen Schnitt gemacht.

Tröbner ist ein Mann, der zu seinen früheren Aufgaben steht.

Das hat er am 18. Februar 1991 in einem Gespräch mit der WELT erkennen lassen. Er tut sich schwer mit dem, was auf ihn zugekommen ist. Aber er sei, wie er sagt, »Realist«. Schon am 6. November 1990 haben ihn Beamte des Bundesamtes für Verfassungsschutz (BfV) aufgesucht. Tröbner spricht, ganz selbstverständlich, von »Kollegen«. Er räumt dabei ein, er habe die Union »bearbeitet«, sich mit »Quellen getroffen«.

Barzel war mehrfach eingekreist. Da war einmal die Sekretärin Inge Goliath bei Werner Marx, dem damaligen außenpolitischen Sprecher der CDU/CSU-Bundestagsfraktion. Goliath war eine Spionin. Sie kannte auch die Verbindung von Werner Marx zum Bundesnachrichtendienst. Aus ihren Berichten war die MfS-Zentrale auch auf Hanneliese Kress, die Chefsekretärin von Barzel, aufmerksam geworden.

Die unverheiratete, damals 46jährige Frau sei zielstrebig ins Visier genommen worden. Das MfS setzte 1968 einen Mann namens Wolfgang Hammer auf die Barzel-Sekretärin an. Hammer, der wahrscheinlich bereits im November 1966 in die Bundesrepublik eingeschleust worden war, hatte beim MfS den Decknamen »Hulda«. Er war vor seinem West-Auftrag Leiter des Bereichs Fernstudium an der Humboldt-Universität. Hammer war für die Stasi der geeignete »Romeo«-Kandidat, da er gerade geschieden und somit in jeder Weise unabhängig war. Das MfS gab ihm den Namen »Rudolf Reggentin«, verschaffte ihm ein Appartement in unmittelbarer Nähe zur Wohnung der Barzel-Sekretärin, die damals in der Bernhardstraße 2 im Bonner Ortsteil Oberkassel wohnte. Die Spionageaffäre begann im März 1968 scheinbar zufällig. »Reggentin« alias Hammer bot sich an, den Wagen der Barzel-Sekretärin mit in die Waschanlage zu nehmen. So entwickelte sich ein Verhältnis; ein gutes Jahr später, am 30. Juni 1969, traute Berthold Martin, ein Mitglied des Bundestages, das Paar.

Der echte Rudolf Reggentin war nach dem Zweiten Weltkrieg und Kriegsgefangenschaft in Frankreich hängengeblieben und hatte als Hilfsarbeiter seinen Unterhalt verdient. In den sechziger Jahren war er freiwillig zu seinen Eltern nach Waren a. d. Müritz übergesiedelt. In seinen Namen schlüpfte dann Hammer. Um die

Legende des Agenten Hammer nicht zu gefährden, wurde die gesamte Familie Reggentin vom MfS hermetisch abgeschirmt.

Als »Rudolf Reggentin« bot der Agent Hanneliese Kress die Heirat an. Vor der Eheschließung drängte sie ihren Lebensgefährten wiederholt, die angeblich in Ost-Berlin lebenden Eltern des Mannes kennenzulernen. Diese Bitte kam für das MfS überraschend. In aller Eile wurden Vorkehrungen getroffen. Hammer schickte einen fingierten Brief an seine Eltern, der kurz darauf mit dem Aufdruck »Empfänger unbekannt« zurückkam. Daraufhin fragte die Sekretärin bei ihrem Chef Rainzer Barzel an, ob sie mit ihrem Lebensgefährten in die DDR fahren könne. Sicherheitsbestimmungen standen dagegen. Deshalb fuhren »Rudolf Reggentin« alias Hammer und die Mutter von Hanneliese in die DDR.

Das MfS hatte mittlerweile auf dem Papier die Eltern von Rudolf bei einem Autounfall in Polen »sterben« lassen. In Ost-Berlin war bereits ein Notar präpariert. Er legte den »Sachverhalt« dar und fragte, ob das »Erbe angenommen wird«. Während des Gesprächs mit dem Notar saß der für diesen Fall zuständige MfS-Offizier im Nebenzimmer und hörte Wort für Wort mit. Reggentin alias Hammer bejahte, worauf ihm der Totenschein und »Erinnerungsfotos« ausgehändigt wurden. Als die Frau das Grab der Verstorbenen sehen wollte, so die Mutter von Frau Reggentin später, führte sie Hammer an ein namenloses Grab. Als sie am folgenden Tag dort ein Blumengebinde niederlegen wollte, war plötzlich ein Grabstein mit der Inschrift Reggentin aufgestellt.

Frau Reggentin, wie sie später hieß, hat keinen Verrat verübt, zumindest nicht wissentlich. Sie wurde »unter französischer, also falscher Flagge, angesprochen.« Frau Reggentin war im Glauben, der französische Geheimdienst wolle wissen, wie »standfest« Rainer Barzel bei den Ost-Verträgen sein werde oder »ob er sich von der SPD beschwatzen läßt«. Eine Schlüsselrolle hierbei spielte der angebliche Kriegskamerad ihres Mannes namens Helmut Düring. Obwohl Reggentin ihn angeblich seit Jahren nicht gesehen hatte, traf das Ehepaar ihn nach einem Einkaufsbummel im Kölner Restaurant »Bastei«.

Düring war Boleslaw Zimmermann. So lautet sein bürgerlicher Name. Um die Fäden auf kurzem Wege in der Hand zu behalten, hatte das MfS ihn in der spannenden Zeit eigens als »Instrukteur« für Hammer an den Rhein entsandt. Er hat die Termine für die Treffs gemacht und laufend Informationen an seine Auftraggeber in der MfS-Zentrale weitergegeben.

Im Jahre 1977 wurde Frau Reggentin unter Spionageverdacht verhaftet. Ihr Mann Rudolf, der bei der Bonner Zweigstelle der französischen Firma Guilleaume beschäftig war, hatte sich nach Frankreich abgesetzt.

Dieser Fall beunruhigte Bonn. Die damals 54 Jahre alte Hanneliese Reggentin hatte eine liebenswürdige Art der Hilfsbereitschaft, war aber äußerlich eher unscheinbar. Die Sorge um ihre alte Mutter, mit der sie bis zu ihrer Festnahme in dem gemeinsamen Haus in Oberkassel wohnte, und die Arbeit im Büro, zuletzt bei dem CDU-Abgeordneten Manfred Abelein, waren ihr Lebensinhalt. Ihr Verhältnis zu dem um drei Jahre jüngeren Rudolf Reggentin war durch Merkwürdigkeiten belastet. Das Ehepaar führte getrennte Bankkonten, von dem Gehalt ihres Mannes bekam die Frau fast nichts. Dennoch half sie, wo Not war. Das Schicksal ehemaliger politischer Gefangener aus der DDR, die inzwischen im Westen lebten, rührte sie. Frau Reggentin hat dem Spionageverdacht widersprochen. Am 4. März 1977 wurde sie festgenommen. Anfang September des gleichen Jahres wurde sie wieder aus der Haft entlassen. Die Akten wurden geschlossen. Sie war keine Spionin. Aber der Verdacht, der hängenblieb, hat dieser Frau das Leben schwergemacht.

Die Niederlage von Rainer Barzel am 27. April 1972 war ein Triumph für das MfS. Willy Brandt hat damals gewonnen. Mit Hilfe des MfS, ohne dies zu wissen. 1974 ist er über den MfS-Spion Guillaume gestürzt.

Die Werbung der MfS-Agenten –
»notfalls mit Gewalt«

Wolf hat im Jahr 1955 die Entführung einer Frau von West- nach Ost-Berlin angeordnet, wie aus MfS-Akten ersichtlich ist. Die damals 26jährige Frau arbeitete bei der amerikanischen Mission in West-Berlin. Sie wurde durch die Entführung gezwungen, eine »Verpflichtungserklärung« für das MfS zu unterzeichnen. In der Anordnung, die Wolf absegnete, war auch ausdrücklich erwähnt, daß die Entführung der Frau notfalls »mit Gewalt« erfolgen sollte.

Die Dokumente sind vom MfS als »Geheime Verschlußsache« unter dem Datum »Berlin, den 23. 3. 1955« angelegt. Wolf hatte dazu nur zwei Anmerkungen: Erstens ordnete er eine »andere Variante« in bezug auf die Entführung über die Sektorengrenze an, und zweitens machte er einen Vorschlag über die Tarnung des MfS-Mitarbeiters, der als »Stein« in Erscheinung trat. Ansonsten gab der künftige Generalmajor Wolf grünes Licht für die Entführungsaktion, indem er links oder über die Vorlage des Ministeriums schrieb: »Bestätigt. 31. 3. 1955. Wolf.«

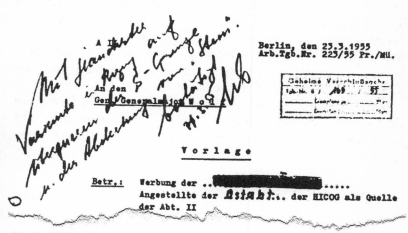

Markus Wolf gab grünes Licht für die Entführungsaktion, in dem er links oben über die Vorlage des Ministeriums schrieb: bestätigt. 31. 3. 55 Wolf.

Frau T. war damals die einzige deutsche Sekretärin bei der »Ostabteilung« der amerikanischen Mission. Das MfS war der Meinung: »Aufgrund dieser Tätigkeit kann sie wertvolle Informationen und interessante operative Hinweise liefern.« Aus dieser Einschätzung heraus wurde dann ihre Entführung vorbereitet. Die Dokumentation anhand der MfS-Originalakten:

Durchführung der Werbung: Die Werbung soll am 2. 4. 1955 im demokratischen Sektor auf materieller Grundlage durchgeführt werden.

Das Werbegespräch führte der Gen. Prosetzky und der Gen. Jänicke, die beide später zu stellvertretenden Leitern Wolfs als Chef der HVA avancierten. T. soll folgendermaßen in den demokratischen Sektor gebracht werden, den sie freiwillig nicht betreten würde. GM »Stein« hat mit ihr für den 2. 4. 55 eine Verabredung zum Besuch einer Kabarettveranstaltung, die um 22.00 Uhr beginnt. Er lädt sie an diesem Tage zum Abendessen ein, um dann anschließend ins Kabarett zu fahren. Das Abendessen wird in einem Speiserestaurant in Berlin-Neukölln eingenommen. Als Begründung für die Auswahl dieses Restaurants schiebt »Stein« vor, in Neukölln bei dieser Gelegenheit noch für die Firma kurz etwas erledigen zu wollen, da er am 28. 3. 55 nach Westdeutschland fahren muß. Nachdem beide das Abendessen eingenommen haben, fahren sie gegen 21.30 Uhr von Neukölln ab. Sie fahren dann aber nicht zurück die Karl-Mann-Str. (Karl-Marx-Straße, die Autoren) entlang, sondern biegen rechts in die Wildenbruchstr. ein, mit der Bemerkung (falls T. fragen sollte), den Weg zu verkürzen. Von hier aus kann man mit einem Pkw, ohne von der Westpolizei oder vom Zoll kontrolliert zu werden, in den demokratischen Sektor gelangen. Während dieser Fahrt wird »Stein«, um sie abzulenken, zudringlich, küßt sie usw. Nachdem die Wildenbruch-Brücke passiert ist, biegt der Wagen: a) entweder in die Straße Kiefufer ein, um von hier auf die Lohmühlenstr. zu kommen, diese ein Stück entlangzufahren, wo dann der Kontrollposten der VP steht.

b) oder in die Harzer Str., von dort in die Bauchestr., die bereits zum demokratischen Sektor gehört, wo aber die VP-Posten viel weiter unterhalb der Straße stehen.

Die Erkundung der Umgebung am Tage und in der Zeit bis 22.00 Uhr (zu Fuß und mit Taxi) hat ergeben, daß dort in der Harzer Str. ein reger Betrieb von Westwagen ist und in der Bauchestr. ebenfalls verschiedentlich Westwagen parken.

Auf der Harzer Str. ist ein beweglicher Stupo-Posten, ferner hält dort verschiedentlich ein Funkwagen. Ein Pkw mit West-Nr. sowie der Fahrer werden von der HA VI zur Verfügung gestellt. GM »Stein«, der sich am 2. 4. 55 bei T. im Wagen vorfahren läßt, begründet dies damit, daß ihm von seiner Firma ein Wagen geschickt wurde, der ihn zu einer Besprechung nach Westdeutschland am 4. 4. 55 holen soll (dies bereitet »Stein« bereits in dem Englischunterricht mit ihr am 22. 3. und 25. 3. 55 vor).

In der Lohmühlenstr. beziehungsweise in der Bauchestr. wird der Wagen von der VP angehalten und kontrolliert und Frl. T. nach Einsicht ins Fahndungsbuch aufgefordert, zur Vernehmung mitzugehen. Von hier aus fährt der Gen. Prosetzky mit ihr in die VP-Insp. Treptow, wo das Werbegespräch durchgeführt wird. Vor den Augen der T. wird der Wagen des »Stein« sichergestellt«.

Skizzierung des Werbegesprächs: T. wird erst nach dem Grund des Betretens des demokratischen Sektors befragt, nach ihrer Tätigkeit, ihren genauen Personalien usw. Ihr wird hierbei auf den Kopf zugesagt, daß sie in der HICOG (Ostabtl.) arbeitet. Sie wird dann veranlaßt, ihre genaue konkrete Tätigkeit darzulegen, über ihre Vorgesetzten und Arbeitskollegen, über die Tätigkeit der Ostabteilung überhaupt zu sprechen. Es wird dann mit ihr über die Stärke des Friedenslagers gesprochen und darüber, daß sie wegen der Tätigkeit für den Amerikaner und gegen das deutsche Volk zur Verantwortung gezogen werden wird. Hiervon wird ein Angebot zur Zusammenarbeit mit den Aufklärungsorganen der DDR abgeleitet. Es werden ihr bei ehrlicher Mitarbeit und Erfüllung der ihr zu stellenden Aufgaben monatlich 500 DM (West) geboten. Ferner wird ihr das Versprechen gegeben, nach dreijähriger Tätigkeit für uns ihr die Ausreise in die USA zu ermöglichen und ihr hierfür 10 000 DM auszuhändigen.

Nachdem sie sich dazu bereit erklärt hat, wird mit ihr eine entsprechende schriftliche Vereinbarung getroffen.

Im Anschluß daran werden mit ihr die Fragen der Konspiration, der Disziplin, der Abdeckung des Geldes usw. besprochen. Dann werden von ihr als erster Beweis ihrer ehrlichen Bereitschaft mitzuarbeiten genaue Angaben über die Struktur und personelle Besetzung der HICOG, die Tätigkeit der einzelnen Abteilungen und Darlegung des Inhaltes der im letzten Monat von ihr geschriebenen Berichte verlangt. Hierfür werden ihr 300 DM (West) ausgehändigt. Die Quittung wird ausführlich in kompromittierender Form ausgeschrieben.

Das Gespräch klingt dann in ruhiger und freundschaftlicher Atmosphäre aus. Sie wird abschließend darauf hingewiesen, daß die Dinge, die sie uns über die HICOG berichtet hat, ausreichen, um ihre Entlassung aus der HICOG zu bewirken und sie in West-Berlin unmöglich zu machen. Sollte sie Verrat üben, wird davon Gebrauch gemacht.

Sollte T. auf dieses Angebot nicht eingehen, wird sie unter Druck gesetzt (Verhaftung wegen aktiver Arbeit gegen die DDR).

Aus der Führung des Gespräches muß T. ersehen, daß wir über die HICOG, über die Angestellten und über sie selbst sehr gut informiert sind. Das wird großen Eindruck auf sie machen und sie beeinflussen, wenn sie auf diesem Wege unsere Kraft und Stärke vordemonstriert erhält. Der nächste Treff mit ihr wird einige Tage nach dem Werbegespräch im demokratischen Sektor durchgeführt.

Aufgabenstellung:
1. Beschaffung von Durchschlägen der Berichte, die sie bis zum nächsten Treff schreibt,
2. Aushändigung der Stenoblöcke,
3. Sammlung von Stimmungen der Amerikaner und deutschen Angestellten zu aktuellen politischen Fragen,
4. Berichterstattung über alle Veränderungen in der HICOG, Studium von Angestellten.

Verschiedenes:
1. Das Werbegespräch wird auf Tonband aufgenommen. Das Gerät bedient die Gen. Müller.

2. Am Morgen nach dem Werbegespräch wird T. mit dem Gen. Prosetzky fotografiert.

3. T. wird eventuell veranlaßt, wichtige Mitteilungen aus der HICOG handschriftlich niederzulegen.

4. GM »Stein« besucht sie nach dem Werbegespräch nicht mehr. T. wird mitgeteilt, daß er des illegalen Ost-West-Handels beschuldigt ist und in Untersuchungshaft sei und ihr von dieser Seite keine Gefahr drohen kann. GM »Stein« besucht auch GM »Gisela« vorerst nicht. Ihr teilt er mit, daß er für einige Wochen nach Westdeutschland zurück muß.

5. GM »Gisela« erhält von der Werbung keine Kenntnis. Ihr wird mitgeteilt, daß »Stein« nach Westdeutschland zurück müsse und wir die aktive Bearbeitung der T. vorerst aufgeben. Sie soll sich der T. gegenüber so verhalten wie bisher. Mit ihr wird über das Verhalten bei eventuellen Verhören gesprochen, falls man sich für »Stein« – nachdem er in Westdeutschland ist – interessieren soll. T. weiß nicht, daß beide noch miteinander in Verbindung stehen.

Der nächste Treff mit »Gisela« findet am 6. 4. 55 statt.

6. Der Mutter und Bekannten gegenüber gebraucht T. die Legende, daß sie mit »Stein« die ganze Nacht unterwegs war.

7. Sollten sich Schwierigkeiten dergestalt ergeben, daß T. im Auto an der Sektorengrenze schreien will o. ä., verhindert »Stein« dies mit Gewalt. Dementsprechend wird dann die Legende dahingehend umgeändert, daß »Stein« unser Mitarbeiter sei.

8. Sollte der Grenzübertritt wider Erwarten vor der Veranstaltung um 22.00 Uhr nicht gelingen, erhält »Stein« den Auftrag, die T. nach der Kabarettveranstaltung in den demokratischen Sektor zu bringen. Sollte auch dies nicht gelingen, aber T. noch keinen Verdacht geschöpft haben, wird die Vorlage zu einem späteren Zeitpunkt durchgeführt.

Leiter der Abteilung II
(Jänicke), Major

Frau T. beugte sich dem Druck. Sie unterzeichnete eine »Erklärung«, die sie dem MfS auslieferte.

Mielke gab Vollmacht für Stasi-Aktionen im Westen

Die Stasi war durch eine geheime Anweisung auch offiziell ermächtigt, im Westen Deutschlands agieren zu können. Mielke befahl im Februar 1988: »Besteht die operative Notwendigkeit, können Fahndungen zur Durchsetzung operativer Maßnahmen im Reiseverkehr über die Staatsgrenze der DDR erweitert oder verändert werden.« Diese Vollmacht gelte für alle Stufen (»Antrags-, Prüfungs- und Entscheidungsverfahren«) der damaligen Reiseregelungen, wie aus vorliegenden Anweisungen hervorgeht.

Die Reisetätigkeit aus dem Westen in den Osten Deutschlands stand unter vollständiger Kontrolle der Stasi. Über den zentralen Speicher des MfS wurden sämtliche Personendaten (»Name, Vorname, Geburtsdatum und, soweit gegeben, auch Geburtsname des Reisenden und des antragstellenden DDR-Bürgers mit PKZ«) in den Reiseanträgen überprüft. (PKZ sind Personenkennzahlen, die Autoren.) Dazu wurden auch alle Fahndungsdaten einbezogen, die dem MfS vorlagen. Bereits am 6. August 1975 war allen Behörden im Zusammenhang mit Reisetätigkeiten von der Stasi-Führung befohlen, eine »lückenlose Übergabe aller Informationen an die zuständigen Diensteinheiten des MfS« sicherzustellen. Dies galt vor allem für die Volkspolizei, aber auch für die »Hausbuchführer« in den Wohngebieten.

Viele, die bislang nicht wußten, warum sie seinerzeit von den Handlangern des SED-Regimes an der Einreise in den Osten gehindert wurden, haben jetzt Klarheit: Die Stasi-Interessen waren allen anderen Gesichtspunkten übergeordnet. In dem Befehl von 1988 wird vorgegeben, daß »in Wahrnehmung der politisch-operativen Interessen des MfS« zu sichern sei, daß »Anträge auf Einreise grundsätzlich abgelehnt werden, wenn Hinweise vorliegen, daß die Personen die Einreise zu feindlich-negativen Handlungen mißbrauchen könnten«. Diese Formulierung war die Generalvollmacht, mit der jeder abgelehnt werden konnte, dem ein Kontakt zu kritischen Stimmen zugeordnet werden konnte. Als weiteres Kriterium für die Einreiseverweigerung galten »Festnahmefahndungen und Einreisesperren«. Während aus politischen Gründen von der SED-Diktatur »Einreisesperren« verhängt wurden, konnten mutmaßliche RAF-Terroristen zumindest mit Duldung der SED-Spitze Unterschlupf finden.

Stasi-Sondereinheit mit 300 Mann für Mord und Terror im Westen

Die SED-Spitze hatte eine eigene Stasi-Sondertruppe aufbauen lassen, deren Auftrag es war, im »Spannungsfall« Morde und Terroranschläge im Westen Deutschlands zu verüben. Die Einheit umfaßte rund 300 Personen; durchschnittlich beteiligte sich jede Stasi-Bezirksverwaltung mit 15 bis 20 Mitarbeitern, deren »Ausbildungslager« in einem strengstens abgeschirmten Gebiet im Norden an der Grenze zu Polen lag. Ein Mitglied der Einheit: »Ich bin ausgebildeter Terrorist und Mörder.«

Das MfS verfügte damit über Kräfte, die jederzeit in Marsch gesetzt werden konnten, um im Westen jemanden umzubringen. Unter absolut höchster Geheimhaltung wurde die Aktion abgewickelt, die zentrale Steuerung erfolgte in der »AGMS«, der direkt Mielke zuarbeitenden Arbeitsgruppe im MfS. In den nachgeordneten MfS-Behörden war die Arbeitsgruppe der Leiter (AGL) zuständig. Die direkten Vorgesetzten der Mitglieder der Einheit wußten über den tatsächlichen Auftrag ihrer Mitarbeiter nichts.

In »zahlreichen Varianten« sei trainiert worden, wie jemand ermordet werden könnte, so ein Mitglied der Einheit. Die Stasi-Kräfte seien kompromißlos auf die Ziele der SED zum Kampf gegen den »Imperialismus« eingeschworen gewesen: »Wir waren vorgesehen, unser Leben zu geben, und wir hätten es getan.« Ein Bereitschaftssystem bei Tag und Nacht stellte sicher, daß eine ausreichend große Zahl von Gruppen zu jedem Augenblick zum Einsatz bereitstand. »Spannungsfall« bedeutete in der MfS-Terminologie nicht erst ein Kriegszustand; auch mit dem Ziel der Destabilisierung der politischen Landschaft in der Bundesrepublik Deutschland wäre diese Sondertruppe eingesetzt worden.

Sie verfügte über detaillierte Kenntnisse hinsichtlich wichtiger Politiker und Wirtschaftsführer; sie hätten sich »sehr ausgekannt«, wie stolz geschildert wird. Diese Detailkenntnisse gingen mindestens bis auf die Landesebene.

Die »Grundausbildung« erfolgte in einem rund halbjährigen Lehrgang, der nach gut einem Jahr in einem vierwöchigen Kurs »aufgefrischt« wurde. Drei- bis viermal jährlich wurden einzelne Gruppen für eine Woche zusammengezogen; Treffpunkt für die Fahrt ins Camp war das Sportforum Berlin. Die Einheit erhielt eine perfekte Einzelkämpferausbildung. Der Schußwaffengebrauch (»Wir haben geschossen mit allem, was es gibt, vor allem westlichen Fabrikaten, aber auch östlichen«) wurde intensivst trainiert, selbst aus Hubschraubern. Nahkampf, Sprengfallen, der Angriff auf Züge, Pipelines, Öl- und Industrieanlagen wurden genauso intensiv trainiert wie der Umgang mit Kontaktgift. Es wäre »ein leichtes« gewesen, bei jemandem, von dem bekannt war, daß er eine Vorliebe für schnelle Autos und Alkohol gehabt habe, »etwas ins Bier zu tun und ein Kontaktgift an den Griff der Wagentür zu schmieren«. Alles weitere würde sich dann ergeben, im Verwischen von Spuren war die Truppe exzellent ausgebildet. Die Sondereinheit war nicht nur spezialisiert, fingierte Autounfälle perfekt auszuführen, sondern verfügte auch über alle Kenntnisse, um Selbstmorde bei Gewaltverbrechen vortäuschen zu können.

Bei der Sprengstoffausbildung wurde auch mit Semtex geübt, jenem tschechoslowakischen Material, welches Terroristen bei Flugzeuganschlägen verwandt haben. Der Sprengstoff ist von den Sicherheitsbehörden besonders gefürchtet, weil er kaum aufspürbar ist. Auch Terrorakte mit Lichtschranken, jene grauenvolle Methode, die RAF-Terroristen verwenden, konnte die Einheit perfekt ausführen. Briefbomben gehörten zu den selbstverständlichen Einsatzmitteln. Für geschlossene Räume gab es »Türkontaktsprengungen«: Betrat jemand den Raum, wurde ein Zünder ausgelöst, und es erfolgte die Explosion. Eine Einsatzgruppe bestand aus fünf Personen in der Stärke 1:4. Ein »Führer«, zwei »Kämpfer«, ein Funker und ein »Sprenger«. Jeder konnte jeden innerhalb der Gruppe ersetzen; in den Ausgangsfunktionen waren die MfS-Mitarbeiter aber so eingesetzt, daß dort jeweils ihre intensivsten Spezialkenntnisse waren.

Für den Einsatzfall im Westen Deutschlands sahen die Befehle vor, daß die Gruppen strikt auf sich allein gestellt waren. Sie konnten auf keine Hilfe von MfS-Agenten oder Inoffiziellen Mitarbeitern rechnen. Zur Übung wurden sie in einem zweiwöchigen Einzelkämpferkurs ausgesetzt; »wir mußten uns durchhauen«, schildert ein Beteiligter die Erlebnisse entsprechender Übungen. Strengstens untersagt war ihnen auch jeder Kontakt zur DKP. Die MfS-Spitze ging davon aus, daß die Sicherheitsbehörden über die DKP so intensiv informiert waren, daß bei Treffen mit ihren geheimen Einsatzgruppen deren Wirkungsmöglichkeiten eingeschränkt gewesen wären.

Mordbefehle gegen Gartenschläger, Eigendorf, Weinhold und Stiller?

Klare Hinweise liegen vor, daß Mielke in mehreren Fällen Gewaltaktionen gegen Bewohner im Westen Deutschlands angeordnet haben könnte: Michael Gartenschläger (32), der am innerdeutschen Todeszaun zwei Selbstschußanlagen vom Typ SM 70 abgebaut hatte, soll 1976 von einem Sonderkommando des MfS erschossen worden sein. Gartenschläger, der bereits als 17jähriger in der DDR Widerstand geleistet hatte, später zu lebenslanger Haft verurteilt und von der Bundesregierung freigekauft worden war, hatte zuvor im Frühjahr 1976 innerhalb von vier Wochen die zwei Selbstschußanlagen abgebaut und mit dieser spektakulären Aktion weltweites Aufsehen erregt. Zugleich hatte er die Aussage von Honecker, solche Apparate gäbe es nicht, widerlegt. Der Mord ereignete sich in der Nacht zum 1. Mai 1976 im Grenzabschnitt zwischen Lauenburg und Lübeck. Das MfS hatte über Mittelsmänner Gartenschläger bewogen, in diesem Grenzabschnitt eine dritte Selbstschußanlage abzubauen. Gartenschläger ging in die Falle.

Das Mordkommando des MfS soll ihn zehn Meter vor dem Todeszaun erwartet haben. Es hatte sich in einer Erdmulde getarnt. Gartenschläger selbst hatte keine Chance, der Grenzstreifen bot keine Deckung, er war nur mit Heidekraut bewachsen. Zwei MfS-Angehörige wurden jedenfalls später in diesem Zusammenhang für einen »Sondereinsatz« dekoriert.

Mittels eines Kontaktgiftes wurde vermutlich vom MfS am 5. März 1983 ein »Verkehrsunfall« des früheren DDR-Fußballnationalspielers Lutz Eigendorf inszeniert. Eigendorf spielte früher beim Stasi-Klub Dynamo Berlin und hatte sich im März 1979 nach einem Freundschaftsspiel beim 1. FC Kaiserslautern in die Bundesrepublik Deutschland abgesetzt. Seine Frau, seine kleine Tochter sowie seine Eltern hatte er zurücklassen müssen.

Mielke, so berichten Insider, habe sich über diese Flucht maßlos erregt und die Ermordung von Eigendorf angeordnet. Es wurde in der Spitze des MfS ein »Operationsplan Verkehrsunfall« ausgearbeitet. Danach sollte Eigendorf zu Beginn einer Autofahrt mit Gift – vermutlich beim Öffnen der Autotür – in Kontakt gebracht werden, das ihn nach einer gewissen Zeit während der Fahrt betäubte. Eigendorf ist bei einem »Verkehrsunfall« in Braunschweig ums Leben gekommen. Ermittlungen hinsichtlich eines Verbrechens wurden damals nicht angestellt, während bei Gartenschläger schon bald der Verdacht aufgetaucht war, er sei in eine Falle des MfS geraten.

Mordpläne bestanden gegen Werner Weinhold, der als Soldat der Nationalen Volksarmee (NVA) bei seiner Flucht 1975 in den Westen zwei DDR-Grenzsoldaten erschossen hatte. Auch bei ihm wurde ein »Verkehrsunfall« vorbereitet. Die Alternative aus der Sicht des MfS dazu war ein »Bergunfall« während eines Urlaubs in den österreichischen Alpen. Die Aktion wurde aber schließlich aufgegeben, da das MfS sie als »politisch zu risikoreich« eingestuft hatte. Weinhold war am 1. Dezember 1978 vom Landgericht Hagen wegen Totschlags in zwei Fällen zu fünfeinhalb Jahren Haft verurteilt worden.

Sehr ernst zu nehmende Hinweise lagen dafür vor, daß die Stasi beabsichtigte, Werner Stiller zu ermorden. Stiller, MfS-Offizier, war 1979 geflüchtet und hatte wichtigste Erkenntnisse dem Westen übermittelt. Zudem hatte seine Flucht nicht nur einen Schock in der SED- und Stasi-Spitze ausgelöst, sondern auch das MfS völlig verunsichert. Nach seiner Flucht war der Ehrenkodex im MfS, daß es dort keine Chance für Überläufer gebe und man sich bedingungslos vertrauen konnte, gebrochen; man traute sich nicht mehr.

Auch die Bundesligaspieler Pahl und Nachtweih, die 1976 geflüchtet waren, wurden danach von der Stasi beobachtet. Nachtweih: »Wir sind vom BND darauf aufmerksam gemacht worden. Selbst festgestellt hatten wir die Observierungen nicht. Die sind ja in diesen Dingen ungeheuer geschickt.« Ein Rentner soll von der Stasi seinerzeit beauftragt gewesen sein, die Wohnorte der Freundinnen der beiden Fußballspieler festzustellen.

Aus Furcht vor einer möglichen Entführung hatten die beiden Fußballer nach der Flucht ein Vertragsangebot in West-Berlin nicht angenommen. Nachtweih: »Wir haben uns schon ausgerechnet, daß wir in Berlin schnell mal eine Pille ins Bierglas bekommen und dann am Alexanderplatz aufwachen würden. Deshalb haben wir uns ja einen Verein auf dem Boden des Bundesgebietes ausgesucht.«

Allerdings sei Eigendorf auch ein »anderes Kaliber« gewesen. »Wir waren kleine Lichter, ich spielte in Halle. Der Lutz gehörte schon zur Nationalmannschaft und spielte beim Stasi-Klub Dynamo. Da waren die Schlagzeilen natürlich besonders groß.«

Die Stasi könnte auch am Tod mehrerer westdeutscher Manager nicht unbeteiligt gewesen sein, die im DDR-Handel tätig waren, darunter der Hamburger Unternehmer Uwe Harms, der 1987 in der Hansestadt erschossen wurde. Harms soll es abgelehnt haben, im Auftrag der SED-Führung Waffen in Krisengebiete der dritten Welt zu verschiffen, und diese Weigerung sowie das Wissen über solche Exporte mit dem Leben bezahlt haben. Harms, der DKP-Mitglied war, galt in Hamburg als »Honeckers Spediteur« und arbeitete eng mit der Niederlassung der ostdeutschen Spedition »Deutrans« zusammen. Sicherheitsexperten hielten ihn für eine Schlüsselfigur im Ost-West-Transportgeschäft. Nach Erkenntnissen von Verfassungsschutzbehörden wurde Harms von Stasi-Spitzeln observiert.

Zwei weitere mysteriöse Todesfälle: Im Spetember 1981 starb der frühere Geschäftsführer der SED-Firma »Intema GmbH« in

Essen, Karl-Heinz Nötzel, im Leipziger Interhotel »Stadt Leipzig« unter seltsamen Umständen. Nötzel war zu einer Besprechung in die Messestadt zitiert worden. Ebenfalls nach drüben beordert wurde im August 1982 sein Nachfolger J. F. Bruns, der am 20. August 1982 im Ostberliner Hotel »Metropol« gleichfalls auf mysteriöse Weise ums Leben kam. Beide Manager sind von Stasi-Agenten observiert worden.

Stasi-Haß auf Heimatgruppen und Plattdeutsches

Ein besonderer Dorn im Auge der Stasi waren Menschen, denen die Pflege heimatlicher Kulturen und der plattdeutschen Sprache am Herzen lag. Sie waren nicht in staatlich kontrollierten Organisationen und somit ein »potentieller Gegner« der SED.

Seit Anfang 1988 intensivierte das MfS die Anstrengungen erheblich, um Spitzel in diesen Gruppen im Westen zu verankern, aber auch Ostkontakte der Gruppen zu unterbinden.

Die »politisch-operative Lage« auf diesem Gebiet sei »zunehmend vom verstärkten Mißbrauch des Niederdeutschen im Sinne der politisch-ideologischen Diversion sowie des Revanchismus durch reaktionäre Kräfte der BRD gekennzeichnet«, heißt es in einer Unterlage, die die Stasi-Bezirksverwaltungen Schwerin, Rostock und Neubrandenburg am 15. Juni 1988 verfaßten. Bei »einer Reihe von Kunst- und Kulturschaffenden der DDR, einzelnen Wissenschaftlern sowie bei in niederdeutschen Laienschaften tätigen Personen« habe »der Gegner bereits zu beachtende Wirkungen erzielt«. Es sei notwendig, daß die Stasi durch ein »einheitliches, abgestimmtes Vorgehen sowie die Erhöhung der Effektivität des Einsatzes der operativen Kräfte gegen Mittel und Methoden« vorgehe.

»Feindliche Kräfte im Operationsgebiet«, im Osten wie im Westen, über die es Hinweise zu »subversivem Mißbrauch des niederdeutschen Bereiches« gebe, seien auszukundschaften. Auch der Ein- und Ausreiseverkehr sei ein geeignetes Mittel, empfahl die Stasi, Kontakte und »Quellen« zu beschaffen. Noch drohender die Anweisung an diejenigen, die im Osten die Pflege der heimatlichen Kulturen trotz SED-Diktatur wahrnahmen. »Feindliche und politisch negative DDR-Bürger«, die sich nicht einschüchtern ließen, seien zu »bearbeiten«. Für die Planungen für 1989 bedeutete dies, den Bereich »Niederdeutsch noch qualifizierter zu durchdringen, um über die Erarbeitung von Erkenntnissen zur Vorgehensweise des Gegners« diesem offensiver begegnen zu können. Dazu wurde angewiesen, wesentlich mehr Inoffizielle Mitarbeiter einzusetzen.

Besonders im Visier des Stasi waren die Stiftung Mecklenburg, die Fritz-Reuter-Gesellschaft, das Institut für niederdeutsche Sprache, der Niederdeutsche Bühnenbund Schleswig-Holstein und Medien, die sich um die Pflege der Heimat bemühten. So wies die Stasi an, Erkenntnisse über die NDR-Sendung »Talk op Platt« zu sammeln. »Zielsetzung und Wirksamkeit der Sendung« sollten erforscht werden sowie »Finanzmittel und deren Herkunft und die Personenstruktur des NDR«. Die »Entstehung und Entwicklung der Sendung« und die Kooperation mit dem Ostsee-Studio Rostock sei zu ermitteln.

Wie die Stasi über Heimat- und Kulturpflege dachte, wird auch in einer Bemerkung vom 20. Februar 1989 deutlich. Der damalige SED-Chef des Bezirks Rostock vermerkt auf einer Parteiinformation: »Wir (!) brauchen keine Niederdeutschtümelei!«

Die Kontakte zur DKP und die Geheimarmee

Unter allergrößter Geheimhaltung vollzogen sich die Kontakte von SED und Stasi zur DKP. Eine kleine Diensteinheit von höchstens rund 50 Mitarbeitern war in den siebziger Jahren auf Initiative der Westabteilung des Zentralkomitees der SED gegründet worden, um jene Aktion einzuleiten, die unter dem Stichwort DKP-Geheimarmee bekannt wurde. In einer Villa im Bezirk Friedrichshagen in Berlin wurde die Einheit total abgeschirmt. Selbst jene »Suchzettel«, mit denen jede Einheit Stasi-intern sehr schnell alles Wissenswerte erfahren konnte, was im MfS gespeichert war, wurden von dieser Abteilung nicht verwendet. Mielke hatte dies angeordnet, nachdem in der Anfangsphase des Aufbaus einzelne Suchzettel zumindest MfS-intern Hinweise gegeben hatten, daß es eine solche Einheit geben könnte, was selbst viele MfS-Mitarbeiter für völlig ausgeschlossen hielten.

Hintergrund war der Wille der SED, im Falle einer Auseinandersetzung alle Möglichkeiten für konspirative Tätigkeiten im Westen zu erschließen. Mitglieder der DKP gehörten genauso zum Zielkreis der Aktion wie stramm SED-Linientreue, die offiziell übergesiedelt, in Wirklichkeit jedoch als geheime Agenten im Westen verankert wurden. In Parteischulen ideologisch fest geschult und für verdeckte Tätigkeiten ausgebildet, dienten diese Kräfte der »SED-Geheimarmee«. Die DKP war von der SED gebeten worden, »stillzuhalten«, falls von der Aktion etwas öffentlich bekannt werden sollte.

Die DKP, von der SED finanziell erheblich unterstützt, wurde allerdings teilweise auch von dieser kontrolliert. Die Abteilung 19 in der Spionageabwehr wurde pikanterweise beauftragt, alle DKP-Mitglieder, die mit SED-Gliederungen in Berührung kamen, umfangreich zu überprüfen. In mehreren Fällen wurden DKP-Mitglieder, die in Parteischulen ideologisch gefestigt wurden, als Spione verdächtigt und durch die Abteilung II/19 überprüft. In einigen Fällen sollen DKP-Mitglieder sogar verhaftet worden sein. Allerdings sorgte der letzte Leiter dieser Abteilung, Rolf Bauer, dafür, daß der Ausspähung und Kontrolle unliebsamer Genossen zumindest gewisse Grenzen gesetzt wurden. Nicht ohne Risiko für ihn, denn Honecker und Mielke, die trotz aller kommunistischen Brüderlichkeit auch Teilen der DKP mißtrauten, wünschten sich ein schärferes Einschreiten.

Zwischen Verfassungsschutz und Stasi gibt es keine Parallelen

Immer noch haben viele im Osten – dies darf nicht unterschätzt werden – erhebliche Vorbehalte gegen den Einsatz eines Verfassungsschutzes. Die Stasi hat tiefe Wunden hinterlassen, die noch lange nicht vernarbt sein werden. Um so wichtiger ist es, auf diese Ängste und Sorgen einzugehen. Zwischen Stasi und Verfassungsschutz gibt es keinerlei Gemeinsamkeiten. Der Präsident des Bundesamtes für Verfassungsschutz, Gerhard Boeden, hat dies anläßlich des 40jährigen Bestehens der Behörde im Dezember 1990 exakt auf den Punkt gebracht: »Der Verfassungsschutz hilft – neben anderen Behörden –, das Entstehen einer Diktatur zu verhindern. Die Stasi stützte die Diktatur.« Nach dem Zusammenbruch des totalitären SED-Regimes habe sich gezeigt, wie Sicherheitsdienste »ohne demokratische Kontrolle und ohne Befugnisbegrenzung zu wahren Monstern und zum Staat im Staate werden« konnten.

Die Stasi war allein der SED verantwortlich, sie diente der Partei, nicht dem Gemeinwesen. Ohne das MfS hätte die SED nicht so regieren können, wie sie dies in ihrer menschenverachtenden Diktatur tat. Wo die Politik versagte, wurden die Repressalien der Stasi zum Mittel. Selbst seitens der Partei lagen die entscheidenden Weichenstellungen nur bei wenigen – eine Diktatur in der Diktatur.

Für das MfS gab es keine Grenze. Es war Ermittler, Ankläger, Richter und Vollzugsorgan in einem. Die Stasi war eine politische Polizei zur Gesinnungsschnüffelei, Unterdrückung, Spionage und mit allen exekutiven Möglichkeiten, vom Wanzeneinbau bis zum Haftbefehl. In der Demokratie gibt es dieses nicht. Eine strikte Gewaltenteilung verhindert dies genauso wie streng voneinander abgegrenzte Aufgabenstellungen der Sicherheitsbehörden. Der Bundesnachrichtendienst ist auf die Auslandsaufklärung begrenzt, der Verfassungsschutz nur dort zuständig, wo Angriffe auf die freiheitlich-demokratische Ordnung erkennbar werden. Allein dem Bundeskriminalamt und den Polizeibehörden steht das Recht zu, Festnahmen zu tätigen.

Die Stasi stand unter keiner Kontrolle – mit Ausnahme der Partei – und keiner Verantwortung der Regierung. Selbst der Ausschuß für Nationale Verteidigung der Volkskammer hatte keine Rechte zur Kontrolle des MfS. Nur auf dem Papier war das MfS, als Ministerium, »ein Organ des Ministerrates«, tatsächlich hatte es alle Befugnisse, um jedem in der Regierung seinen Willen aufzudrängen. Das Innenministerium war zum Erfüllungsorgan der Stasi degradiert. Zudem gab es im Einparteienstaat keinerlei Möglichkeiten, über die Öffentlichkeit Fehlentwicklungen anzuprangern. Das genaue Gegenteil dessen ist die Situation in der Demokratie.

Dieses sind einige der entscheidenden Punkte, die verdeutlichen sollen, daß es vom Grundansatz her nicht statthaft ist, Stasi und Sicherheitsbehörden einer Demokratie in einem Atemzug zu nennen. Es gibt keinerlei Parallelen.

5   MfS und Terrorismus

RAF-Mitglieder von der Stasi intensiv verhört, aber unbehelligt freigelassen

Als im Juni 1990 die Verhaftung mutmaßlicher RAF-Terroristen im Osten Deutschlands bekannt wurde, wurden erste Einzelheiten einer besonderen deutsch-deutschen Tragödie sichtbar. RAF-Mitglieder, die Persönlichkeiten aus Politik, Wirtschaft und Verwaltung zu den Zielen ihrer Anschläge gemacht hatten, hatten mit aktiver Hilfe der SED und Stasi Unterschlupf gefunden. Während Fahnder – möglicherweise sogar von der Stasi getäuscht – die RAF-Mitglieder im Nahen Osten wähnten, hatten diese bei Honecker und Genossen längst Unterschlupf gefunden.

Die Stasi sorgte für eine perfekte neue Identität. Mit entsprechenden Papieren ausgestattet, wurden die RAF-Mitglieder in verschiedenen Bezirken im Osten untergebracht. Ihre Umwelt ahnte nichts von dem Vorleben jener, die den Kampf gegen den »Imperialismus« – der ja auch zu den Zielen der SED gehörte – als eines ihrer widersinnigen Ziele immer wieder genannt hatten. Teilweise wurden sie sogar in Stasi-Objekten untergebracht.

Schon während der Zeit, als diese RAF-Generation im Westen Anschläge verübte, standen deren Mitglieder unter Beobachtung der Stasi. Durch ein zielgerichtetes Fahndungssystem mit den modernsten operativen Möglichkeiten war man beim MfS jederzeit in der Lage, Ein- und Ausreisen zu kontrollieren. Alle wichtigen Informationen, seien sie von der Funkaufklärung oder durch Phantombilder, wurden in den entsprechenden Speichern verankert. Die zuständigen Hauptabteilungen XXII und VI gaben und realisierten Anweisungen, nach RAF-Mitgliedern zu fahnden, sowohl bei Grenzübertritten als auch bei Aufenthalten auf dem Flughafen Schönefeld. Auch aus arabischen Quellen verschaffte sich die Stasi wichtige Hinweise auf die Identität von RAF-Mitgliedern.

Mehrere RAF-Mitglieder wurden von der Stasi in konspirativen Objekten verhört, durften jedoch auf SED-Anweisung unbehelligt weiterreisen. Ein verdächtigter Terrorist wurde rund drei Wochen über Einzelheiten der RAF-Struktur und deren Pläne

Die von der Stasi geschützte mutmaßliche RAF-Terroristin Inge Viett (links oben) wird nach Karlsruhe gebracht. In diesem Haus in Cottbus (r.) soll Werner Lotze gewohnt haben; (l.) ein Stasi-Objekt im Kreis Fürstenwalde.

verhört; trotz der gewonnenen Erkenntnisse war man in der SED-
und Stasi-Führung nicht bereit, einen Beitrag zu leisten, Mord
und Terror im Westen zu bekämpfen. Die Hoffnung, daß durch
die Vorzugsbehandlung die RAF nicht im Osten Deutschlands tätig werden würde, war der SED-Spitze wichtiger.

Der CDU-Bundestagsabgeordnete und Sicherheitsexperte Rolf
Olderog resümierte, Honecker und Mielke hätten »zumindest
billigend in Kauf genommen«, daß durch die Aufnahme der Mitglieder »die RAF gestärkt« worden sei. Olderog nennt einen weiteren wichtigen Aspekt: Die RAF im Westen habe profitiert, weil
sie sich »keine Sorge um die Enttarnungsmöglichkeiten aufgrund des eventuellen Aufgriffs der ausgestiegenen Terroristen«
habe machen müssen. Deshalb seien durch das Handeln der
SED-Spitze die Sicherheitsinteressen im Westen Deutschlands
nachhaltig beeinträchtigt worden.

Stasi-Kontakte zu aktiven RAF-Terroristen, Hilfe bei der Vorbereitung von Anschlägen

Ende März 1991 enthüllen Stasi-Akten ungeheuerliche Tatsa-
chen. Die HA XXII bot nicht nur Aufenthalt und Schutz im SED-
Staat, sondern sie unterstützte auch aktiv RAF-Topaktivisten im
Untergrund.

In Ostdeutschland wurden Anschläge vorbereitet, geprobt,
Ausbildung im Töten, Schießen und im Umgang mit Sprengstoff
gegeben, Lichtschrankenmethodik und andere Spezialkenntnisse, die bei den Anschlägen Anfang der 80er Jahre wirksam
umgesetzt wurden.

Kein Mitleid mit den Opfern

Zynisch, ohne ein Wort des Bedauerns für die Opfer – so sah die
Stasi das Wirken der Terroristen. In einer 23seitigen Darlegung,
die als »Lesematerial« zur »Rolle des Terrorismus und des Terrors in der Klassenauseinandersetzung zwischen Imperialismus

und Sozialismus« deklariert wurde, stufte die Stasi den Terror als durch den »Kapitalismus« verursacht ein. Es sei »der Imperialismus selbst, der die Gewalt hervorbringt, von der sich der ›links‹ drapierte Terrorismus nährt«, heißt es in Fortsetzung der Argumentation; »der Kurs auf die Verstärkung der Repressivorgane des Staates und der weitere Abbau der Demokratie sind Zeichen dafür, daß vom Monopolkapital die zunehmende Verschärfung der Klassenauseinandersetzung einkalkuliert« werde. Der Polizeieinsatz gegen die APO 1967 in Berlin sei ein Beispiel für diesen »Terror«. Hier sei es um »Einschüchterung und faktische Einschränkung geltender Rechte und um Abschreckung künftiger Proteste« gegangen.

Lob für die GSG 9 und ihre Einsätze gegen Terroristen wurden als »Großmannssucht« gesehen. Die Anti-Terror-Einheit sei Ende der siebziger Jahre als »Notstandsgruppe zu einem militärischen Exekutionskommando« zunehmend ausgestaltet worden. Bedrückend, mit welcher unglaublichen Kälte in dem Stasi-Papier führende Wirtschaftsvertreter, die zu Opfern der Terroristen wurden, skizziert wurden. Kein Wort der Anteilnahme mit den Opfern und deren Angehörigen von jenen, die im Sold einer SED- und MfS-Spitze standen, die Tätern Unterschlupf gewährte. Das »Großkapital« wisse die »menschenverachtenden Zutreiberdienste der Terroristengrüppchen sehr wohl zu schätzen«, formulierte man in der Unterlage, die im Bestand des MfS gefunden wurde. Besonders deutlich sei dies nach dem Anschlag auf Hanns-Martin Schleyer geworden. »Eine wochenlang beinahe pausenlos betriebene, von den reaktionären Massenmedien mit großem Aufwand gesteuerte Kampagne« habe zum Ziel gehabt, »eine Massenstimmung anzuheizen«. Der Terrorismus habe der »imperialistischen Reaktion als willkommener Vorwand gedient, den Anti-Kommunismus zu verschärfen, die demokratischen Rechte auszuhöhlen und juristische Instrumente zu schaffen, um unter dem Deckmantel der Legalität noch rigoroser gegen die Arbeiterklasse und die anderen demokratischen Kräfte vorgehen zu können«.

Der hier angeprangerte antidemokratische Kurs auf die Unterdrückung aller nach Veränderung der bürgerlichen Gesellschaft strebenden Kräfte ist ein spezifischer Ausdruck dafür, daß es der Imperialismus selbst ist, der die Gewalt hervorbringt, von der sich der „links" drapierte Terrorismus nährt. W. I. Lenin hat überzeugend nachgewiesen, daß dem Monopol gesetzmäßig der Drang nach Herrschaft und Gewalt entspringt und daß diesem immanenten Drang die Mittel untergeordnet sind, deren es sich bedient, um Höchstprofite zu machen und seine Machtpositionen auszubauen. Sie reichen „von ‚bescheidenen' Abstandszahlungen bis zur amerikanischen ‚Anwendung' von Dynamit gegen den Konkurrenten"[10]. Und die Geschichte hat seither bestätigt: Der Reaktion ist in ihrem Drang nach Herrschaft und Expansion kein Verbrechen gegen Frieden, Menschlichkeit, Freiheit und Menschenrechte zu groß, vom politischen Mord an Führern der Arbeiterbewegung oder nicht genehmen liberalen Politikern über zahllose Invasionen und Aggressionen, von imperialistischen Geheimdiensten organisierten Putschen und Putschversuchen, von grausamen Kolonialkriegen und neokolonialistischen „Strafexpeditionen" bis hin zum Völkermord im Strudel der vom Imperialismus angezettelten Weltkriege.

Nährboden des Terrorismus

Um den zunehmenden Widerstand der demokratischen Kräfte gegen die wachsenden Rechtstendenzen in der BRD zu denunzieren, haben die reaktionär-konservativen Kreise ein ganzes Heer von Terrorismus-„Forschern" in Bewegung gesetzt, um die geistigen Ursachen und ideologischen Quellen des Terrorismus zu „untersuchen". Was dabei bisher zutage gefördert wurde, läuft auf die vom Antikommunismus durchdrungene Behauptung hinaus, allen Terroristen gemeinsam sei das Bekenntnis zum Marxismus, und diese Berufung auf Marx und Lenin bestehe zu Recht. „Wer den Terrorismus unserer Tage überwinden will, darf sich an dieser Tatsache nicht vorbeimogeln"[7], denn schließlich sei es ja der Marxismus, so heißt es demagogisch, der die bürgerliche Gesellschaft einer konsequenten Kritik unterziehe und daraus die Forderung nach Veränderung der Welt – wie sie in der 11. Feuerbach-These von Marx enthalten ist ableite. Nach dieser eigenartigen Logik ist nicht die bürgerliche Gesellschaft und ihre tiefe Krise der Nährboden für den Terrorismus, sondern die marxistisch fundierte Kritik dieser Gesellschaft. Hier wird an einer pseudotheoretischen Konstruktion gezimmert, die keineswegs nur

In MfS-Archiven gefundenes Material »Zur Rolle des Terrorismus und des Terrors in der Klassenauseinandersetzung zwischen Imperialismus und Sozialismus«.

»La Belle«: Honecker und Mielke über Anschlag informiert, Stasi-Agent beteiligt, Mord und Terror libyscher Agenten gedeckt

Das SED-Regime war ein Zentrum des libyschen Staatsterrorismus. Auf Geheiß von Honecker und Mielke konnten libysche Teroristen von Ost-Berlin aus Sprengstoffanschläge und Morde im Westen vorbereiten und durchführen.

In den Akten des MfS über die Vorbereitung des Anschlags auf die Diskothek »La Belle« und weiterer Verbrechen von libyscher Seite (bei dem Anschlag auf »La Belle« wurden drei Menschen getötet und mehr als 200 verletzt) ist folgendes festgehalten: Das MfS wußte bereits am 20. März 1986 konkret, daß vom Libyschen Volksbüro (Botschaft) aus ein Sprengstoffanschlag in West-Berlin geplant wurde. Es war sogar durch einen Agenten direkt beteiligt. Der Agent, ein Araber, wurde beim MfS unter dem Decknamen »Alba« geführt. »Alba« hatte das MfS ständig über den Stand der Vorbereitungen des Verbrechens unterrichtet und war auch an der Tatausführung in West-Berlin direkt beteiligt. »Alba« wurde von den MfS-Oberstleutnants Bobzin und Stuchly geführt, die vergeblich ihre Vorgesetzten auf politische und operative Schritte zur Verhinderung des Anschlages drängten. Die MfS-Leitung hatte, was die Aktion »La Belle« betraf, dem Agenten schließlich einen Freibrief erteilt. »Wissen«, welches das MfS und die SED erlangt hatte, war ihnen wichtiger als die Verhinderung von Anschlägen.

Bereits am 12. Februar 1986 hatte die DDR dem Libyer Masbah Abulgasem (33) bei der Einreise ein Visum ausgestellt. Das MfS, das ihn als Verantwortlichen für Mordanschläge einstufte, gab ihm den Decknamen »Derwisch«. Ihm wurde der Palästinenser Yussef Salam (37), alias Yasser Chraidi, zugeordnet, der im Volksbüro arbeitete. Auch er war vom MfS als Mörder erkannt worden und unter dem Decknamen »Nuri« erfaßt. Er beauftragte den in West-Berlin lebenden Libanesen Imad Salim Mahmoud (35) mit der Auswahl eines Gebäudes für einen Anschlag. Dafür waren Kasernenanlagen der Amerikaner, ein Krankenhaus der US-Streitkräfte und Diskotheken ausersehen worden.

Gesprächsanhalte zur Beratung am 9. 4. 1986

1. Zum Tathergang

Am 5.4.1986, um 01.49 Uhr, explodierte im

"Disco-La-Belle-Club"
1000 Berlin 41
Hauptstraße 78

ein Sprengsatz, bestehend aus ca. 4 kg hochbrisantem Sprengstoff, der unter einer Polsterbank in der Nähe der Bar abgestellt war.
(Kenner des Lokals bezeichnen die Diskothek als seit Monaten
sehr baufälliges, dunkel beleuchtetes Lokal, das um 22.00 Uhr
öffnet und wegen niedriger Preisstufe besonders bei farbigen
US-Amerikanern Zuspruch fand. Die Frage Abriß oder Verkauf
wurde in einschlägigen Kreisen noch diskutiert)

Die Wirkung der Explosion war dementsprechend groß; das
Lokal wurde völlig zerstört, es gab zwei Tote

- den US-Soldaten

FORD, Kenneth Terrance
geb.: 4. 6. 1964

und die Türkin

HANEY, Nermin
geb.: 18. 8. 1957

und 204 Verletzte (darunter 26 Schwerverletzte).

Zum Anschlag sollen fünf Bekennungen vorliegen, von den
lediglich bekannt wurden:

- die Bekennung eines "Kommando's Holger Meins" in London;

- ein Anruf der "Roten Armee Fraktion" (RAF);

- ein Telefonanruf einer sogenannten "Antiamerikanische
Arabische Befreiungsfront".

Mit der Aufklärung des Anschlages ist am 5. 4. 1986 die bereits
im Zusammenhang mit dem Sprengstoffanschlag gegen das Büro
der

"Deutsch-Arabischen Gesellschaft e.V."

gebildete Sonderkommission der gegnerischen Staatsschutzorgane
beauftragt worden. Diese konzentrierte ihre Ermittlungen insbesondere in Richtung der arabischen (libyschen) Spur. Dabei
schließt der Gegner nicht aus, daß ein Zusammenhang zwischen dem
am 29. 3. 1986 stattgefundenen Anschlag gegen die "Deutsch-
Arabische Gesellschaft" und der jetzigen Aktion besteht (gleicher
Sprengstoff, gleiche Detonationswirkung).

Über den konkreten Täterkreis liegen dem Gegner noch keine
gesicherten Erkenntnisse vor, sodaß man Kontroll-, Ermittlungs- und
Überprüfungsmaßnahmen besonders gegen in Westberlin aufhältige
bzw. reisende Araber durchführt.

2. Zur Vorbereitung des Anschlages

Als direkte Zuspitzung des sich eskalierenden Konfliktes zwischen
Libyen und den USA gingen erste Informationen über Aufklärungshand-
lungen des libyschen Volksbüros in der DDR gegen US-Objekte in
Westberlin Anfang März 1986 bei uns ein.
Während anfangs eine Kaserne, ein Krankenhaus und eine Tankstelle
der US-Armee aufgeklärt werden sollte, konzentrierten sich die
Geheimdienstmitarbeiter im libyschen Volksbüro

(Klarname:	LESHLAF, Ali	Diplomat
	SALAH, Yousef	Verwaltungsangestellter
	SHREIDI, Yasser)	
	ELAMIN, Elamin	Diplomat

besonders auf Diskotheken, die von US-Personal häufig frequen-
tiert werden (darunter auch der "Disco-La-Belle-Club").

Vorbereitungshandlungen wurden unter Einbeziehung bekannter
Palästinenser realisiert.

Aus uns nicht bekannten Gründen hatte man von 3 Diskotheken den
"La-Belle-Club" ausgewählt und wollte dieses Lokal mit Handgranaten
und Handfeuerwaffen am 25. 3. 1986 angreifen.
Dieser Plan wurde wegen des Fehlens eines Fluchtautos zurückge-
stellt.
Durch eine routinemäßige Kontrolle der Westberliner Polizei soll
man verunsichert worden sein und die Waffen in das Volksbüro in
Berlin zurückgeführt haben.

Am 28. 3. 1986 tauchte erstmals bei den Beteiligten die Idee
für einen Sprengstoffanschlag auf. Ab 31. 3. 1986 berichteten
alle Quellen übereinstimmend über die Zurückstellung der Anschlags-
pläne gegen die Diskothek und einsetzende Vorbereitungen auf
Attentate gegen amerikanische Einzelpersonen in Westberlin (dieser
Plan wird immer noch diskutiert).

Der Anschlag am 5. 4. 1986 gegen den "La-Belle-Club" kam für uns
aus o.g. Gründen unerwartet.

Quellenberichte liegen vor über den Transport von Waffen nach
Westberlin, ihre Einlagerung beim Palästinenser

MARUF, Imad
1000 Berlin 61
Wiener Str. 19,

die Rückführung der Waffen am 28. 3. 1986 mit Hilfe der Ehefrau
des SHREIDI über die GÜST Bahnhof Friedrichstraße und das derzeitige
Vorhandensein von zwei Pistolen in der Wohnung des SHREIDI in

Berlin-Lichtenberg
Hans-Loch-Str. 235

und von 10 kg Sprengstoff in der Wohnung des LESHLAF

1100 Berlin
Arnold-Zweig-Str. 26.

3. Bekanntgewordene Reaktionen nach dem Anschlag

Bestätigte Informationen beschreiben das Verhalten der o.g.
Inspiratoren in der Nacht zum 5.4.1986, unmittelbar vor und
nach dem Anschlag.
Interessant ist, daß insbesondere SHREIDI vor dem Tatzeitpunkt
versuchte, telefonisch Neuigkeiten aus Westberlin zu erfahren
und nach dem Anschlag zu einer telefonischen Bekennung anregte.

Die Person LESHLAF zeigte sich am 5. 4. 1986 ebenfalls sehr
erfreut, erklärte gegenüber Quellen jedoch, keine Kenntnis
über die Täter zu besitzen.
Am 5. 4. 1986 fand in den Abendstunden im Hotel "Berolina"
in Anwesenheit von mehreren Angehörigen des libyschen Volksbüros
und libyschen Studenten aus dem Bezirk Karl-Marx-Stadt eine
öffentlichkeitswirksame Feier statt.

Zur Zeit ist SHREIDI bemüht, alle Pressemeldungen zum Anschlag
zu sammeln und Fernsehberichte aufzuzeichnen.

Streng geheim!

V e r m e r k
zum Anschlag auf die Westberliner Diskothek "La Belle"

Operative Kontakte aus Palästinenserkreisen in Berlin informierten
über ihnen vorliegende Hinweise zur Vorbereitung und Durchführung
o. g. Anschlages (Stand 30. 11. 1986):

Der Sicherheitsmitarbeiter des libyschen Volksbüros Amer (bis   —
Sommer 1986 in Berlin tätig) forderte von Yussef ash-Shreidi die
Ausführung einer militärischen Aktion gegen amerikanische Objekte
in WB. Daraufhin informierte ash-Shreidi den Palästinenser Saleh
al-Hadba, der sich ständig in Berlin aufhält, von diesem Vorhaben
und beauftragte ihn, ein mögliches Angriffsziel zu benennen.
Saleh al-Hadba legte einen Plan für einen Anschlag auf die Diskothek "La Belle" vor, in der amerikanische Soldaten verkehren und
auch anderen Ausländern der Zutritt möglich ist. Dieser Plan wurde
in der Wohnung von ash-Shreidi in Anwesenheit des Amer besprochen.
Amer stimmte dem Plan zu und erklärte, er werde ihnen 12.000 DM
zahlen, wenn ash-Shreidi die Sprengmittel (4 kg TNT, 25 kg Eisenteile und Nägel) nach WB transportiere. Dieser erklärte sich bereit
und ließ seine Frau Soad Mansur mit ihrem Diplomaten-Kfz die genannten Materialien nach WB transportieren und bei einem seiner
Freunde abgeben.

Am folgenden Tag fuhr ash-Shreidi mit Misbah (ebenfalls Sicherheitsmitarbeiter des libyschen Volksbüros) nach WB. Dort trafen sie sich
mit einem Libanesen namens Mohammed, der den geplanten Anschlag ausführen sollte. Dieser übernahm den Sprengstoff und die Eisenteile.

*MfS-interne, als »Streng geheim!« eingestufte Unterlagen beweisen: das MfS war über
Terrorpläne genau informiert.*

Am 25. März 1986 brachte der als »diplomatischer Kurier« getarnte Libyer Musbah el Albani mit dem Dienstfahrzeug »CD 68-20« des Volksbüros sieben Handgranaten, drei Pistolen und zwei Maschinenpistolen nach West-Berlin. Musbah hielt sich noch im Mai dieses Jahres in Ost-Berlin auf, in der Ho-Chi-Minh-Straße 2. Die Waffen wurden in der Wohnung von Mahmoud gelagert. Da die für diesen Tag geplante »Aktion« aber ungenügend vorbereitet war, wurde sie verschoben. Daraufhin wurde der in West-Berlin lebende Libanese Ali Mansur (32) mit der Beobachtung eines Objektes beauftragt, wobei zunächst auch an die Diskotheken »Stardust« und »Nashville« in West-Berlin gedacht war. Schließlich verständigte sich der Kreis auf »La Belle«.

Bei Musbah, der am 30. März nach West-Berlin ausreiste, wurde bei der Zollkontrolle ein Zettel mit den Adressen der Diskotheken gefunden. Er hielt sich bis zum 4. April in West-Berlin auf, reiste am späten Abend über Bahnhof Friedrichstraße nach Ost-Berlin ein. Am 5. April – dem Tag des Anschlags – erhielt Chraidi in seiner Wohnung in Ost-Berlin Anrufe von Arabern aus West-Berlin mit der Mitteilung, es sei noch nicht gelungen. Die Anrufe wurden vom MfS um zwei Uhr morgens registriert. Danach fuhr Chraidi ins Hotel »Berolina« und traf sich dort mit dem libyschen Botschaftsangehörigen Musbah el Albani. Gegen 5 Uhr morgens meldete RIAS den Anschlag auf »La Belle«.

Von Yasser Chraidi, der bei dem Anschlag auf »La Belle« eine Schlüsselfigur darstellte, hatte die Zentrale des libyschen Geheimdienstes in Tripolis zuvor einen »Vertrauensbeweis« abverlangt. Er wurde beauftragt, den in West-Berlin wohnenden libyschen Regimegegner Mustafa Elashek, den man als Mitarbeiter des amerikanischen Geheimdienstes CIA verdächtigte, zu ermorden. Chraidi übernahm diesen »Befehl«, beauftragte aber den ebenfalls in West-Berlin lebenden Palästinenser Chassan Ayaub mit der Tat. Am 30. Juli 1984 wurde dieser Mord ausgeführt. Chraidi und Ayaub wurden eine Woche lang in der Westberliner Wohnung eines im Libyschen Volksbüro in Bonn arbeitenden Diplomaten versteckt. Danach wurden sie mit einem Fahrzeug des Libyschen Volksbüros in Ost-Berlin in die DDR gebracht. Ih-

In dem total zerstörten Lokal hielten sich zum Zeitpunkt des Bombenanschlags rund 500 meist amerikanische Gäste auf.

nen wurden Pässe ausgehändigt, mit denen sie dann über den Flughafen Schönefeld nach Tripolis flogen. Bei einem späteren Besuch in der DDR, im Juni 1988, hat Chraidi gegenüber dem MfS ausführlich über »La Belle« berichtet.

Nach dem Anschlag war der Angestellte im Libyschen Volksbüro in Bonn, Mohamed Ashur, verdächtigt worden, Informationen weitergegeben zu haben. Tripolis hatte den Verdacht, Ashur sei nunmehr Agent der CIA, und beschloß, ihn zu ermorden. Ashur wurde von dem Chef des Nachrichtendienstes im Libyschen Volksbüro in Ost-Berlin, el Ibrahim Keshlaf, zu einem Gespräch bestellt. Am 1. Mai 1986 reiste er in Ost-Berlin ein und fuhr zu einem Treff auf einem Parkplatz im Treptower Park, zu seinen Mördern, zu Musbah und einem Palästinenser. Sie ermordeten Ashur mit einem Kopfschuß. Die Leiche wurde am Morgen des

2. Mai gefunden. Die Tatwaffe, das hat das MfS ebenfalls ermittelt, war eine Beretta 7,65 mm und gehörte zu dem angemeldeten, also offiziellen Waffenarsenal des Libyschen Volksbüros. Angehörige der Spionageabwehr des MfS waren sogar nach der Tat in eine Wohnung des Volksbüros eingedrungen, um die Waffe zu untersuchen. Die beiden Mörder konnten ungehindert in Richtung Libyen ausreisen.

Die ersten Berichte des MfS über terroristische Aktivitäten Libyens vom Boden des SED-Regimes aus stammen von 1985. Honecker und Mielke waren frühzeitig – spätestens durch einen ausführlichen MfS-Bericht vom 24. März 1986 – über das geplante Verbrechen auf »La Belle« informiert worden. Einzelne Versuche aus dem MfS heraus, diesen Anschlag zu verhindern, weil man das Risiko einer Verwicklung der DDR hoch einschätzte und dem ungehemmten Treiben der Libyer Schranken setzen wollte, wurden auf höchste Anweisung der SED unterbunden. Diese Linie änderte sich auch nicht, als der amerikanische Botschafter vorstellig wurde. Statt dessen erließen Honecker und Mielke die Weisung an das MfS, alles zu tun, um die libysche Täterschaft zu verheimlichen. Dies war, als Honecker den Angehörigen der Opfer von »La Belle« sein »Beileid« aussprach.

Kritische MfS-Offiziere, die gegen die offizielle Linie opponierten, wurden gemaßregelt. Die Linie der SED- und MfS-Führung wurde erbarmunglos durchgesetzt.

»Der Hauptfeind« hatten die USA zu bleiben, der »Partner im antiimperialistischen Befreiungskampf«, Libyen, war zu decken und zu unterstützen. Verantwortliche Leiter des MfS spielen heute ihren damaligen Wissensstand bewußt herunter und wollen von ihren damaligen Entscheidungen nichts mehr wissen, obwohl die Akten sie überführen.

Stasi – Spinne im Netz des internationalen Terrorismus

RAF und PLO, die international gesuchten Terroristen Carlos und Abu Daud sowie die Abu-Nidal-Gruppe, Geheimdienste und Kommandos aus Südjemen, Libyen, dem Irak, Äthiopien, Libanon und Syrien – alles was im weltweiten Terrorismus einen Namen hatte, genoß im SED-Regime Schutz und Unterstützung.

Nach gesicherten Erkenntnissen waren sowohl die SED-Spitze wie auch das MfS seit mehr als 20 Jahren in weit größerem Umfang als zunächst vermutet im internationalen Terrorismus engagiert. So konnten Terrororganisationen und Killerkommandos aus vielen Ländern, insbesondere aus arabischen Staaten, mit Billigung von Honecker und seiner Regierungsclique sowie aktiver Unterstützung des MfS das SED-Territorium als sichere Operationsbasis für ihre Arbeit gegen Ziele in Westeuropa nutzen. Doch man beschränkte sich nicht nur auf die Duldung terroristischer Aktivitäten vom eigenen Territorium aus. Man übernahm darüber hinaus eine aktive Rolle beim Aufbau arabischer Geheimdienste durch das MfS, erlaubte gewaltsame Mittel und Methoden des »politischen« Kampfes vom SED-Regime aus, förderte die Ausbildung von Terroristen sowie Gewaltverbrechen.

Hatte nicht gerade das SED-Regime peinlich auf seine Reputation als »Friedensstaat« geachtet und international immer wieder betont, seine marxistisch-leninistische Gesellschaftstheorie lehne individuellen Terrorismus generell ab? Was veranlaßte die SED-Führung, einen derartig verhängnisvollen Kurs zu steuern?

Die Anfänge der terroristischen Verwicklung lassen sich zeitlich bis zum Ende der 60er Jahre zurückverfolgen. Zu diesem Zeitpunkt geriet die Sowjetunion durch ihr immer stärkeres Engagement in der dritten Welt ökonomisch unter Druck und forderte von ihren sozialistischen Bruderländern arbeitsteilige Unterstützung. In der Folgezeit wurden die für den Sozialismus strategisch wichtigen Länder in Interessen- beziehungsweise Verantwortungsgebiete aufgeteilt. Dem SED-Regime fielen Länder im Nahen Osten und Afrika sowie Mittelamerika zu. Für das Engagement der SED-Spitze war neben ökonomischen Interes-

Eine verhängnisvolle Altlast der SED – der Aufbau der Organisation Abu Nidals in der DDR wurde 1987 abgeschlossen.

sen entscheidend, daß den Organisationen und Staaten der dritten Welt, insbesondere im arabischen Raum, im Kampf um diplomatische Anerkennung Ost-Berlins eine besondere Rolle zukam. Nicht zuletzt daraus resultierten enge Parteibeziehungen der »Abteilung für Internationale Beziehungen« des ZK der SED unter Leitung von Hermann Axen sowie die freundschaftlichen Beziehungen Honeckers zu den Führern bestimmter arabischer Staaten.

Innenpolitisch begünstigt wurde der Einstieg mit Honeckers Machtübernahme 1971. Dieser trat mit dem Versprechen an, das SED-Regime aus der außenpolitischen Isolierung zu führen und international in die Politik einzugreifen. Aus den Zielen und Sachzwängen dieser Politik heraus wuchsen dem MfS zusätzliche Aufgaben zu. Nicht unwesentlich für die dynamische Entwicklung der bis dahin überschaubaren MfS-Engagements im Ausland war der Aufstieg Mielkes in die unmittelbare Parteiführung als Dank für seine Rolle beim Sturz von Ulbricht. Er bekam als Honecker-Intimus die Sicherheitspolitik uneingeschränkt in die Hand. In der Folgezeit wuchsen der HVA und Wolf eine Schlüsselrolle zu. Das MfS, bis dahin nur auf nationaler Ebene gegen den Westen Deutschlands tätig, agierte von nun an im großen internationalen Maßstab.

Wolf realisierte in wenigen Jahren jenen Teil der HVA, der in allen Botschaften und Vertretungen des SED-Regimes durch sogenannte Residenten vertreten war und eine umfangreiche Aufklärung betrieb. Als Gegenleistung für eine ungestörte Tätigkeit der HVA im Ausland half das SED-Regime arabischen Staaten, wie (dem früheren) Südjemen und Libyen, beim Aufbau eigener schlagkräftiger Geheimdienstorganisationen.

Im Gegenzug lieferten die arabischen Staaten wertvolles Material über die Geheimdienste des Westens. Darüber hinaus nahm die SED Angebote arabischer Organisationen, wie der PLO, zur Liquidierung von MfS-Aussteigern im Westen an. Ohne Gegenleistung war das alles nicht zu erhalten. Das machten die arabischen Partner bald unverblümt deutlich. Allerdings gaben sie sich nicht mit von der HVA gelieferten Informationen über die Geheimdienste Großbritanniens, Frankreichs und der USA zufrieden. Deshalb mußte das MfS stillschweigend dulden, daß die Araber immer häufiger das SED-Regime als terroristisches Sprungbrett für ihre Anschläge im Westen nutzten, wobei Arafat und Gaddafi ihre Wünsche, beispielsweise nach einer operativen Basis, in Gesprächen oder Verhandlungen direkt bei Honecker vortrugen. So wurde das MfS auch in konkrete Operationen gegen Personen und Organisationen in der Bundesrepublik eingebunden. Das MfS unterstützte in der Folge den Südjemen gegen Nordjemen, half Äthiopien bei Operationen gegen die Eritrea-Befreiungsfront und lieferte Erkenntnisse westdeutscher Behörden über Terroristen an die Araber.

Um nicht selbst zum Zielobjekt arabischer Kommandos zu werden, die größte Sorge der SED-Führung, intensivierte Mielke über die zuständige Abteilung XXII sowie Diensteinheiten der Spionageabwehr die Überwachung der von den arabischen Nachrichtendiensten geführten Organisationen in Westeuropa. Ein Eingreifen oder das Verhindern von Anschlägen war dem MfS jedoch nicht gestattet. Die vordringliche Strategie der SED-Führung lautete, Terror in jedem Fall vom eigenen Territorium fernzuhalten, auch um den Preis der stillschweigenden Duldung von Attentaten im Westen. Das MfS beschränkte sich auf die Erstellung von Personendossiers gemäß Mielkes Maxime, »alles überall wissen«. Schließlich mußte das MfS auf Weisung der SED-Führung tatenlos zusehen, wie die international gesuchten Terroristen Carlos und Abu Daud ungestört von Ost-Berlin aus gegen den Westen arbeiten konnten.

Gesicherte Erkenntnis ist, daß sich Carlos mit Wissen von Honecker 1980 und 1983 in Ost-Berlin aufhielt. Mehr noch: Vom MfS wie ein Staatsgast bewacht, konnte er ungestört seinen »Geschäften« nachgehen; untergebracht in einer jemenitischen Diplomatenwohnung und mit einem von den Syrern gestellten Fahrer.

Stasi-Mitschuld am Sprengstoffanschlag auf das französische Kulturzentrum in West-Berlin 1983

1983 stellte die Stasi bei der Einreise eines Carlos-Kuriers 24 Kilogramm Sprengstoff fest und beschlagnahmte ihn zunächst. Obwohl bereits gesicherte Informationen in der Abteilung XXII zur Vorbereitung des Anschlages vorlagen, entschieden Neiber als stellvertretender Minister und Oberst Dahl als Leiter der Abteilung, den Sprengstoff zurückzugeben. Bei der Ausreise aus Ost-Berlin erhielt der Carlos-Agent ihn am Grenzübergang zurück. Bilanz: 1 Toter und 24 Verletzte am Kurfürstendamm. Die Stasi wurde zum Komplizen.

Am 18.4.1991 enthüllten Stasi-Akten nähere Einzelheiten. Die Staatsanwaltschaft erließ Haftbefehl gegen Neiber und den verantwortlichen Leiter der XXII/8, Oberstleutnant Helmut Voigt, der auch für die RAF-Schulungen verantwortlich zeichnete.

Auch Abu Daud erhielt wie Carlos Personenschutz vom MfS. Spezialisten der Abteilung XXII begleiteten ihn bei allen Besuchen auf Schritt und Tritt, stellten bei seinen Treffen mit arabischen Botschaftern des Libanons, Syriens und der PLO im »Palasthotel« konspirative Sicherheitskommandos. Wie im Fall Carlos wurde das MfS von der höchsten politischen Führung zu offiziellem »Stillhalten« angewiesen.

Auch in einem weiteren brisanten Fall schwiegen Honecker und Mielke. Im Herbst 1987 erhielt das MfS Kenntnis davon, daß ein »Gruppenleiter DDR« der Abu-Nidal-Organisation arabische Bürger auf dem Gebiet des SED-Regimes anwarb. Überprüfungen ergaben, daß zu diesem Zeitpunkt bereits eine Gruppe von etwa 20 aktiven Leuten angeworben war, die politische Propaganda an Hochschulen betrieb. In kurzer Zeit gelang es der Stasi, die Identität des »Gruppenleiters« aufzudecken: Es handelte sich um den Araber »Hassan«, Informeller Mitarbeiter des MfS und Lehrer an der Universität in Leipzig.

»Hassan«, der der Stasi umfangreiche Akten über kompromittierende Lebensgewohnheiten arabischer Diplomaten lieferte, unterhielt darüber hinaus enge Kontakte zum Geheimdienst des Libyschen Volksbüros in Ost-Berlin und beste Kontakte zu dem Palästinenser »Chraidi«, einem der Drahtzieher des Anschlags auf »La Belle«. Auch hier wurde, wie in allen anderen Fällen, durch Mielke ein Eingreifen unterbunden.

Eine möglicherweise verhängnisvolle ›Altlast« der SED-Spitze: Nach Ansicht von MfS-Mitarbeitern ist der Aufbau der Abu-Nidal-Organisation im Osten Deutschlands im Jahr 1987 »erfolgreich« abgeschlossen worden. Damit steht gut ausgebildetes, konspiratives Terroristen-Potential in Deutschland bereit, das jederzeit handlungsfähig ist.

Stasi-Waffen für die PLO

Die Stasi hat die PLO mit Waffen unterstützt. Mielke – auch sein Vize Neiber nahm teil – sagte bei einem Treffen mit führenden Vertretern der PLO-»Sicherheitsorgane« am 23. August 1979, in das auch die HVA einbezogen war, zu, man werde »Schiffssprengladungen und Handgranaten in der gewünschten Menge« bereitstellen. Zudem wurden »zwei Scharfschützengewehre westlicher Produktion mit Munition« geliefert.

B e r i c h t

über ein Gespräch des Genossen Minister mit dem Leiter der Vereinigten PLO-Sicherheit, ABU AYAD, am 22. August 1979

1. Teilnehmer:

seitens des MfS   Generalmajor Dr. Neiber
                         Oberst Dr. Dahl
                         Oberstleutnant Roscher
                         Hauptmann Böhm (Dolmetscher)

seitens der PLO   ABU AYAD
                         ABU HISHAM

Der Genosse Minister bestätigte nochmals die im Juni abgeschlossene
Vereinbarung. Er sagte hinsichtlich der materiellen Unterstützung
weitgehendes Entgegenkommen entsprechend unseren Möglichkeiten zu.

Er sicherte die Bereitstellung von Schiffssprengladungen und Handgranaten in der gewünschten Menge zu.
Darüber hinaus erfolge die Übergabe von 2 Scharfschützengewehren
westlicher Produktion mit Munition.

Auch weiteren Anliegen, wie sie auf dem Gebiete der operativen
Technik, der Bereitstellung von Sprengmitteln und der Kaderausbildung unterbreitet wurden, werden entsprechend unseren Möglichkeiten entsprochen.

Mielke und sein Vize Neiber sagten der PLO 1979 Waffen zu.

Die Vereinbarung, die in einem Gesprächsvermerk eines MfS-
Offiziers festgehalten wurde, bestätigt, daß das MfS sich an der
aktiven Unterstützung der PLO auch im Kampf gegen den »Imperialismus« beteiligte. Mielke und seine Offiziere wußten sehr genau, wofür die Mitstreiter Arafats das Material benötigten: »Entsprechend unseren Möglichkeiten«, so sagte der Stasi-Chef zu,
werde man auf »dem Gebiete der operativen Technik, der Bereitstellung von Sprengmitteln und der Kaderausbildung« fördernd
eingreifen. Sollten Materialien beim MfS nicht vorrätig sein,
würden diese »durch uns beschafft werden«, erklärte Mielke mit
dem Hinweis, daß dies alles hoffentlich dazu diene, die »Arbeit«
der PLO in diesem Bereich zu stärken.

Mielke hob die »besondere Sympathie« der SED für die PLO
hervor. Deren »gerechter Kampf« gegen die westliche Welt
werde unterstützt. Man befürworte eine noch intensivere Zusammenarbeit mit der PLO, um im Kampf gegen den »Imperialismus«, wie die westlichen Staaten mit ihren Zielsetzungen abqua-
lifiziert wurden, noch geschlossener führen zu können. Er
benutzte ungeheuerliche Vergleiche: So wie die SED in Berlin
Grenze an Grenze mit dem »Imperialismus« sich auseinandersetz-
zen müsse, geschehe dies seitens der PLO gegen die USA und Is-

rael im Nahen Osten. War es da Zufall, daß einige Jahre später arabische Terroristen Anschläge gegen amerikanische und deutsche Ziele planten und verübten?

Neben den Vereinigten Staaten stand der Westen Deutschlands in der gemeinsamen Ziellinie von Arabern und SED. »Die BRD spielt eine besondere Rolle«, heißt es in dem Vermerk. Sie unterstütze die gemäßigten Kräfte in Nahen Osten und müsse deshalb in Überlegungen einbezogen werden. Stasi-Chef und PLO verabredeten, alles, was sie über polizeiliche Fahndungserkenntnisse des Westens wußten, gegenseitig auszutauschen. So konnte die Stasi-Spionage den PLO-Kräften helfen und von dort manchen Hinweis bekommen, wo sich beispielsweise RAF-Terroristen im Nahen Osten aufhielten.

Auch das Gesprächsprotokoll bestätigt jene Linie, mit der SED und Stasi den internationalen Terrorismus von dem eigenen Territorium fernhielten. Mielke, der berichtete, er werde Honecker über das Gespräch informieren, schilderte eher beiläufig, daß man sich mitten in den Vorbereitungen zum 30jährigen Jubiläum des SED-Regimes befinde und er »seine Gewißheit« ausspreche, daß »auch diese wichtigen Ereignisse ohne Vorkommnisse terroristischen Charakters durchgeführt werden«. Sie seien, so Mielke eindringlich, doch »Verbündete im Kampf gegen den gleichen Feind«.

Mielke an Wolf und Neiber: Anschläge verhindern

Berührungspunkte der HVA zum internationalen Terrorismus hat Mielke persönlich dokumentiert. Er hatte 1986 Informationen erhalten, daß von der Gruppe Abu Nidal eine terroristische Aktion gegen die vom 2. bis 15. Mai in Düsseldorf stattfindende Internationale Verlagsmesse vorbereitet werde. Mielke wurde in Kenntnis gesetzt, daß die Hinweise von den Amerikanern übermittelt worden seien. »Es ist nicht bekannt, ob die amerikanischen Angaben völlig ausgedacht sind, oder ob sie doch irgendeine Grundlage haben«, heißt es in der Unterlage mit der

Empfehlung, den Führungen arabischer Länder und Arafat zu signalisieren, daß »neuerliche Terroraktionen, wie sie auch motiviert sein mögen, lediglich der Reagan-Administration in die Hände spielen«. Also auch hier keine Distanz zum Terror, sondern nur die politische Abwägung, daß es zu dem damaligen Zeitpunkt nicht opportun war, entsprechende Aktionen hinzunehmen. Und entscheidend war wohl, daß die Stasi besorgt war, daß amerikanische Dienste über Erkenntnisse verfügten, Abu Nidal sei im Ostblock gesehen worden: »Aufmerksamkeit verdient der Umstand, daß die Amerikaner, als sie uns diese Informationen übermittelten, durchblicken ließen, daß ihren Erkenntnissen zufolge im vergangenen Jahr das Auftauchen Abu Nidals in einigen Ländern des Warschauer Paktes festgestellt worden sei«.

Mielke jedenfalls richtete am 9. Mai 1986 an den »Genossen Generaloberst Wolf« und den »Genossen Generalleutnant Neiber«, also zwei seiner Stellvertreter, ein Schreiben, in dem er unter Beifügung der Informationen und Schlußfolgerungen empfahl, »unsere Möglichkeiten zu nutzen«, um Terroranschläge zu vermeiden. Dabei sollten auch Grüße von Honecker an Arafat »mit der Bitte übermittelt werden, darauf Einfluß zu nehmen, daß solche terroristischen Aktionen, von welcher Seite sie auch immer geplant sein sollten, nicht durchgeführt werden«. Mielke befahl Wolf und Neiber, »dieser Auftrag« sei »zu koordinieren, damit diese Verbindung zu Arafat durch die HVA oder die Abteilung XXII aufgenommen wird, abhängig davon, welche Diensteinheit die besseren Beziehungen bzw. Verbindungen hat.«

Ausbildungslager für »Untergrundkämpfer«

Untergrundkämpfer von »Befreiungsorganisationen« wurden in den siebziger und achtziger Jahren auf Anweisung der SED von der Stasi ausgebildet. Hermann Axen forcierte diese Entwicklung erheblich. An der Juristischen Hochschule des MfS gab es einen Lehrstuhl für Internationale Beziehungen, der nicht in dem Schulkomplex der Hochschule eingerichtet war, sondern in

Der Minister   Berlin, den 9. 5. 1986
                                VHA/101/06

Genossen Generaloberst Wolf
Genossen Generalleutnant Neiber
_____

                                        ▪

Ich empfehle, entsprechend den Vorschlägen der Freunde
unsere Möglichkeiten zu nutzen, um den Standpunkt der
Freunde durchsetzen zu helfen.
Es sollten auch Grüße vom Generalsekretär des ZK der
SED und Vorsitzenden des Staatsrates der DDR, Genossen
Erich Honecker, an Y. Arafat mit der Bitte übermittelt werden
darauf Einfluß zu nehmen, daß solche terroristische Aktionen
von welcher Seite sie auch immer geplant sein sollten,
nicht durchgeführt werden.

Dieser Auftrag ist zu koordinieren, damit diese Verbindung
zu Arafat durch die HV A oder die Abteilung XXII aufgenommen
wird, abhängig davon; welche Diensteinheit die besseren
Beziehungen bzw. Verbindungen hat.

                            Mielke

Anlage: 1. Blatt   Armeegeneral

*Stasi und SED – ihre Kontakte zum internationalen Terrorismus waren so gut,
daß sie Einfluß nehmen konnten.*

einem konspirativen Objekt im Bezirk Potsdam. Seit 1969/70 wurden – beginnend mit PLO-Vertretern – »Abwehr- und Aufklärungsarbeit« geschult und praktiziert.

Die Hauptabteilung II bildete Kader der Chilenischen Sozialistischen Partei und der Kommunistischen Partei aus. Insgesamt waren es mehr als 200 Chilenen, die für den bewaffneten Untergrundkampf ausgebildet wurden. Der letzte dieser »Lehrgänge« wurde vom März bis August 1989 in dem konspirativen Objekt »Baikal« bei Wirchensee im Kreis Eisenhüttenstadt absolviert. Der Auftrag an das MfS kam von der SED-Spitze, nachdem Axen Honecker entsprechende Wünsche radikaler chilenischer Parteien und Organisationen vorgetragen hatte. Dabei achtete die SED-Spitze darauf, daß das MfS strikt die vorgegebenen Aufgabenstellungen, zu denen auch terroristische Einsatzpläne gehörten, erfüllte. Verantwortliche Mitarbeiter des ZK gingen im »Baikal« ein und aus, kontrollierten, erteilten Weisungen und demonstrierten »die führende Rolle der Partei«, auch unter Berufung auf Axen und Honecker.

Auch andere »Befreiungsbewegungen« in aller Welt erhielten Rückendeckung und Hilfe von der Stasi. Die Dienste einiger afrikanisch-arabischer Staaten mit »sozialistischer Orientierung« wurden von der Stasi aufgebaut. Arbeitsteilig ging man mit dem KGB gemeinsam vor, »die Aufgaben waren aufgeteilt«. Die Stasi war in erster Linie zuständig für die (ehemalige) volksdemokratische Republik Jemen und hat dort bis zuletzt mit einer Operativgruppe von zeitweise rund 50 Leuten gearbeitet. Das Dienstgebäude der dortigen Staatssicherheit glich dem eines Stasi-Gebäudes; »selbst der letzte Bürohefter war von uns«, erinnert sich jemand, der vor Ort war. Auch in Mosambik agierten mehr als 50 Personen. In Äthiopien stabilisierte die Stasi nicht nur das Regime, sondern beteiligte sich auch an Infrastrukturmaßnahmen. Neiber koordinierte auf persönlichen Wunsch Honeckers mehr als ein Jahr die Aktivitäten des MfS in Äthiopien und avancierte zum wichtigsten Berater von Staatsoberhaupt Mengistu.

Konspirative Gespräche zur Abwicklung entsprechender Kontakte wurden oft im Ausland geführt. Beispielsweise wurden im Grenzgebiet der damaligen CSSR Geld und Dokumente übergeben. Die für den Einreise- und Ausreiseverkehr zuständige Hauptabteilung VI hatte jeden Wunsch der ZK-Abteilungen der SED nach unkontrollierten und bevorzugten Ein- und Ausreisen von geheimen Kurieren zu realisieren. Es war dem MfS untersagt, Autos oder Gepäck zu kontrollieren und Einreisestempel in den Pässen anzubringen. Keine »Spuren« sollten die Reisen aufdecken können.

Großzügigste Ein- und Ausreisemöglichkeiten galten auch für jene, die mit dem diplomatischen Status eines Landes versehen waren, in Wirklichkeit aber Waffen und Sprengstoff transportierten. Diese »Diplomaten« konnten alles, was sie wollten, in das SED-Regime schaffen, um von dort agieren zu können. Gegenleistung war lediglich, daß die Organisationen nicht gegen die SED tätig werden durften. Allerdings wurde die SED-Spitze seit Anfang der achtziger Jahre zusehends nervöser, daß ihr Doppelspiel von offiziellen politischen Erklärungen und tatsächlichem Handeln bekanntwerden könnte. Nach dem Papstattentat Anfang der achtziger Jahre mußte jeder Anschlag, der irgendwo in der Welt passierte, sofort Mielke gemeldet werden. Die wichtigste Aufgabenstellung für das MfS war es nicht nur, Hinweise auf die Täter zu geben, sondern vor allem auch Erkenntnisse zu sammeln, ob diese irgendwelche Bezugspunkte – auch hinsichtlich eines möglichen vorherigen Aufenthaltes – zum SED-Regime haben könnten.

6   MfS und KGB

Gleiche Brüder, gleiche Kappen – MfS, Zwillingsbruder des KGB

Der Aufbau des MfS entsprach dem der politischen Strukturen des SED-Regimes: Man schuf ein getreues Abbild der Sowjets. Ob in Selbstverständnis, Auftrag, Kaderfragen, Mitteln und Methoden – das MfS organisierte sich nach dem Vorbild des KGB. Sichtbarer Ausdruck dieser Vorbildfunktion ist das Stasi-Wachregiment »F. E. Dzierzynski«, das nach dem Gründer der sowjetischen Geheimpolizei, Feliks Dserschinskij, benannt wurde. Die tschekistische Treue und Bindung war die höchste Ehrenbezeigung im MfS. Mielke beschwor immer wieder das enge Kampfbündnis zwischen KGB und MfS und bezeichnete die MfS-Mitarbeiter als Tschekisten der Sowjetunion.

Die sowjetischen Geheimdienste organisierten sich frühzeitig im Osten Deutschlands nach dem Zweiten Weltkrieg. Das aus dem NKWD (»Volkskommissariat für Innere Angelegenheiten«) hervorgegangene MWD (Ministerium für Innere Angelegenheiten) sorgte für den Aufbau sowjetischer Dienststellen und den Einsatz bewährter Kommunisten im Sicherheitsapparat. Mit Bildung des MfS 1950 wurden in allen MfS-Diensteinheiten sowjetische Berater tätig, die bis Mitte der fünfziger Jahre über die tatsächliche Macht verfügten. Zugleich wurden in den Einheiten der sowjetischen Streitkräfte in Deutschland eigene Sicherheitsapparate der Sowjets mit Aufklärung und Abwehr eingerichtet, angesiedelt im Hauptquartier der Roten Armee in Zossen bei Berlin. Die KGB-Zentrale Moskau schuf sich im Osten Deutschlands ihre stärkste Auslandsdependance. In der KGB-Zweigstelle mit Sitz in Berlin-Karlshorst waren in den letzten Jahrzehnten durchschnittlich jeweils zwischen 800 und 1200 Mitarbeiter tätig; zusätzlich agierten rund 100 KGB-Leute in den Diensteinheiten der Abwehr in Potsdam und mehrere hundert des militärischen Nachrichtendienstes der Roten Armee. Sowohl das KGB als auch der militärische Dienst GRU waren wie die Zentralen in Moskau organisiert; daran hat sich seither nichts Entscheidendes geändert.

Das KGB wirkte in verschiedenen Richtungen. Der Stellvertre-

Das KGB war nicht nur Karlshorst

„Vertretung des Komitee für Staatssicherheit der UdSSR beim Ministerium für Staatssicherheit der DDR" (offz. Titel der KGB-Vertretung)

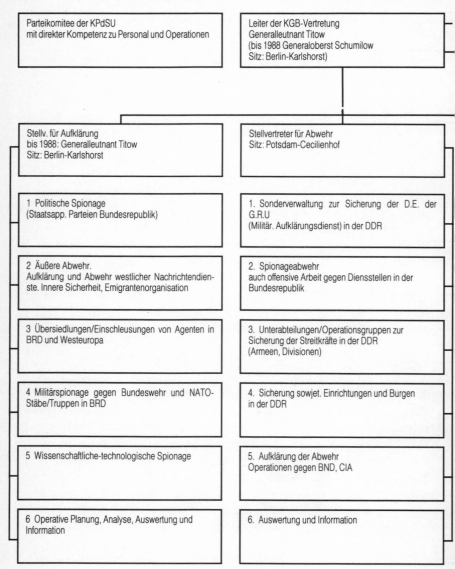

Parteikomitee der KPdSU
mit direkter Kompetenz zu Personal und Operationen

Leiter der KGB-Vertretung
Generalleutnant Titow
(bis 1988 Generaloberst Schumilow
Sitz: Berlin-Karlshorst)

Stellv. für Aufklärung
bis 1988: Generalleutnant Titow
Sitz: Berlin-Karlshorst

Stellvertreter für Abwehr
Sitz: Potsdam-Cecilienhof

1 Politische Spionage
(Staatsapp. Parteien Bundesrepublik)

1. Sonderverwaltung zur Sicherung der D.E. der G.R.U
(Militär. Aufklärungsdienst) in der DDR

2 Äußere Abwehr.
Aufklärung und Abwehr westlicher Nachrichtendienste. Innere Sicherheit, Emigrantenorganisation

2. Spionageabwehr
auch offensive Arbeit gegen Dienststellen in der Bundesrepublik

3 Übersiedlungen/Einschleusungen von Agenten in BRD und Westeuropa

3. Unterabteilungen/Operationsgruppen zur Sicherung der Streitkräfte in der DDR
(Armeen, Divisionen)

4 Militärspionage gegen Bundeswehr und NATO-Stäbe/Truppen in BRD

4. Sicherung sowjet. Einrichtungen und Burgen in der DDR

5 Wissenschaftliche-technologische Spionage

5. Aufklärung der Abwehr
Operationen gegen BND, CIA

6 Operative Planung, Analyse, Auswertung und Information

6. Auswertung und Information

Gedeckte Residenturen der KGB-Aufklärung in Moskau in
– Botschaft der UdSSR
– Handelsvertretung West-Berlin

Die Vertretung des Militär-Aufklärungsdienstes der UdSSR (G.R.U.)
Sitz: Potsdam

Operative und administrative Hilfseinheiten

Stellv. für die Führung der Verbindungsoffiziere in den Diensteinheiten der MfS

Operativ-techn. Sicherstellung
– Dokumente
– Container, Geheimschriften

Telefonüberwachung, Einbau von Abhörmitteln

Gruppe der Verbindungsoffiziere bei den Diensteinheiten in der Zentrale der MfS

Beobachtungen

Funkverbindungen

Chiffrierwesen

Verbindungsoffiziere in den MfS-Bezirksverwaltungen
1. Berlin
2. Rostock
3. Schwerin
4. Neubrandenburg
5. Magdeburg
6. Potsdam
7. Halle
8. Leipzig
9. Erfurt
10. Suhl
11. Gera
12. Karl-Marx-Stadt
13. Dresden
14. Cottbus
15. Frankfurt/Oder

Material-techn. Versorgung

Registratur für Agenten

Finanzen

terbereich Aufklärung, in Karlshorst angesiedelt, beschäftigte sich mit umfassender Spionage gegen den Westen, von der Abwehr gegnerischer Geheimdienste bis zur Übersiedlung und Einschleusung von Agenten, bis hin zur wissenschaftlich-technischen Ausspähung. In Potsdam kümmerten sich die Abwehreinheiten um die Sicherung der GRU, die Abschirmung der Roten Armee vor Spionageversuchen und die Sicherung eigener Agenten. Ausgeprägt war auch die Verankerung des KGB in den regionalen MfS-Diensteinheiten. Sowohl zur Stasi-Zentrale in der Normannenstraße als auch zu den MfS-Bezirksverwaltungen gab es auf der jeweiligen Ebene wichtiger Abteilungen eine direkte Zuordnung. Zusätzlich zu diesen offiziellen KGB-Aktivitäten operierten im Osten Deutschlands weitere gedeckte KGB-Residenturen, zum Teil auch in Handelsunternehmen.

Die Zusammenarbeit zwischen MfS und KGB war schrankenlos. Das MfS leistete in jeder gewünschten Weise Unterstützung. Ob es um die Ausspähung von Deutschen aus dem Westen im Osten oder aber die Erkenntnisse der HVA über die Spionage ging, das KGB konnte sich immer »bedienen«. Wünschte man Kontrollen in Hotels oder Telefonüberwachungen, war dies selbstverständlich kein Problem. Blankodokumente, wie Personalausweise, Fahrerlaubnisse oder Zeugnisse, wurden genauso zur Verfügung gestellt wie die Absicherung der KGB-Zentrale in Ost-Berlin durch eine Operativgruppe des MfS. All das macht es dem KGB auch heute noch problemlos möglich, »Legenden« über Agenten oder Inoffizielle Mitarbeiter in jeder gewünschten Form herzustellen.

Seit Anfang der achtziger Jahre konnte das KGB ausgeschiedene MfS-Mitarbeiter als illegale Residenten übernehmen. Mielkes Befehl sorgte dafür, daß vor allem Sprachbarrieren schneller bei Werbungsversuchen für das KGB überwunden werden konnten. Dem KGB war es gestattet, ohne Rücksprache mit dem MfS Agenten zu werben. Dies galt auch für die Inoffiziellen Mitarbeiter. Auch wenn solche heute offiziell nicht mehr durch die Stasi geführt werden, so bedeutet dies keinesfalls, daß im Osten Deutschlands keine mehr wirken. Das KGB hat auch in der Vergangenheit Inoffizielle Mitarbeiter geworben, die nur dort und nicht beim MfS angesiedelt waren. In diesem Zusammenhang darf auch nicht vergessen werden, daß es mindestens rund 20 000 Bewohner sowjetischer Herkunft in den fünf neuen Bundesländern gibt, die als solche nicht mehr alle erkennbar sind und die dauerhaft und bevorzugt das IM-Potential der KGB-Einheiten im Osten Deutschlands bildeten. Ihre Weiterverwendung durch das KGB erlangt nach dem Zusammenbruch des MfS eher an Bedeutung.

Das geheime Protokoll von 1982

Die massive materielle Unterstützung des KGB durch das MfS wurde in einem geheimen Protokoll auch formell vereinbart. Am 10. September 1982 unterzeichneten Mielke und KGB-Chef Fedortschuk in Moskau das »Protokoll über die gegenseitigen Verpflichtungen des Ministeriums für Staatssicherheit der DDR und des Komitees für Staatssicherheit der UdSSR« nebst einer Reihe detaillierter Anlagen. Ziel war es, so weist Artikel I aus, die »materiell-technische und anderweitige Sicherstellung der Tätigkeit der Vertretung« des KGB im Osten Deutschlands sicherzustellen.

Dem KGB wurden in Berlin und in den Bezirken zehn Dienstgebäude, 74 Diensträume in Stasi-Verwaltungen, mehr als 350 Wohnungen, 57 Kraftfahrzeuge, 67 Garagen, Einrichtungen zur Freizeitgestaltung, Kaufmöglichkeiten und medizinische Betreuung zugesagt. Jährlich wurden die Einhaltung und die Aktualisierung der Vereinbarung durch entsprechende Offiziere beider Geheimdienste vorgenommen. Dazu wird in dem Vertrag festgehalten, »die laufende Zusammenarbeit zu Fragen, die mit dem Protokoll im Zusammenhang stehen, wird zwischen dem Leiter der Verwaltung rückwärtige Dienste des MfS der DDR und dem Stellvertreter des Leiters der Vertretung des KfS durchgeführt«. KfS ist die Bezeichnung für KGB. »Prinzipielle Fragen der gegenseitigen Verpflichtungen« wurden auf der Ebene des MfS-Ministers und des KGB-Chefs geklärt.

Das MfS kam auch für die Ausstattung und Instandhaltung

Dieses Protokoll tritt mit der Unterzeichnung durch beide
Seiten in Kraft.

Dieses Protokoll wurde am *10 September 1981.* in Moskau
in zwei Exemplaren ausgefertigt, jedes in deutscher und
russischer Sprache, wobei beide Texte gleichermaßen gültig
sind.

Minister   Vorsitzender
für Staatssicherheit   des Komitees für Staatssicherheit
der DDR   der UdSSR

Mielke   *Fedortschuk*

M i e l k e   F e d o r t s c h u k

der Wohnungen und Diensträume auf. Dazu wurden die Dienst-
und Wohnräume in zwei Kategorien eingestuft. Die KGB-Ver-
bindungsoffiziere zur Stasi-Zentrale und deren Bezirksverwaltungen konnten in der Kategorie I für die Ausstattung ihrer
Diensträume über einen »Richtwert von 9000 Mark« verfügen,
die anderen Mitarbeiter mußten sich mit einem »Richtwert von
1860 Mark« begnügen.

Zur Kategorie I gehörten beispielsweise auch ein Fernsehgerät,
ein Radiogerät Stereosuper, der Kühlschrank und eine syntheti-
sche Auslegeware. Bei den Wohnräumen wurde penibel dargelegt, was in der Kategorie I mit einem »Richtwert von 29000
Mark« anzuschaffen sei. Wohnzimmer, Speisezimmer, Arbeits-
oder Jugendzimmer, Schlafzimmer, Küche, Flur und selbst die
Gartenmöbel (»Gartenschaukel, Gartenmöbelgarnitur«) wurden
bis ins einzelne festgelegt. Bescheidener mußten sich jene ein-
richten, die, in der Kategorie II eingestuft, über rund 12000

3. Ausstattungsnormen für Wohnräume:

Kategorie 1

Richtwert: 29.000,-- Mark

Wohnzimmer

- Anbauwand, komplett und poliert	1 Stück
- Couchgarnitur mit Sessel	1 Stück
- Couchtisch	1 Stück
- Fernsehtisch	1 Stück
- Hydrobank	1 Stück
- Teppich, 3 x 4 m, velour oder Auslegware	-
- Wohnzimmerleuchte	1 Stück
- Stehlampe	1 Stück
- Übergardinen und Dederonstores	-
- Fernsehgerät, color	1 Stück
- Radiogerät, stereo	1 Stück
- Plattenspieler	1 Stück

Speisezimmer

- Speisezimmermöbel, poliert	-
- Ausziehtisch	1 Stück
- Stühle, Vollpolster	8 - 10 Stüc
- Blumenständer	1 Stück
- Teppich, 2 1/2 x 3 1/2 m, velour	1 Stück
- Zimmerleuchte	1 Stück
- Übergardinen und Dederonstores	

Ob Wohnung oder Dienstzimmer – bis ins kleinste Detail hatten die Chefs von MfS und KGB verabredet, wie das MfS die sowjetischen Freunde zu unterstützen hatte.

Arbeits- oder Jugendzimmer

- Anbaumöbel, mehrteilig   1 Stück
- Liege   1 Stück
- Clubtisch   1 Stück
- Schreibtisch (bei Erfordernis)   1 Stück
- Armlehnsessel   1 Stück
- Zimmerleuchte   1 Stück
- Schreibtischlampe   1 Stück
- Teppich, 2 1/2 x 3 1/2 m, velour·   1 Stück
- Übergardinen und Dederonstores   -

Schlafzimmer

- Schlafzimmer komplett, hochglanzpoliert   1 Stück
  mit Stahlfederböden und Federkernmatratzen
- Frisierhocker   1 Stück
- Bettumrandung   1·Stück
- Deckenleuchte   1 Stück
- Nachttischlampe   2 Stück
- Polsterstuhl   1 Stück
- Übergardinen und Dederonstores   -

Küche

- Anbauküche, 5 - 7teilig   1 Stück
- Küchenstühle oder -hocker, Kunstleder   2 - 4 Stück
- Küchenleuchte   1 Stück
- Kühlschrank H 170   1 Stück
- Tiefkühltruhe TK 70   1 Stück
- Übergardinen und Kurzstores   -

Ausstattungsnormen für Diensträume:

Kategorie 1

Richtwert: 9.000,-- Mark

- Arbeitszimmerschrankwand oder Schrankwand nach Wahl (Typensatz) mit Schreib- und Konferenztisch	1 Stück
- Stahlschrank	1 Stück
- Schreibtischsessel	1 Stück
- Armlehnsessel	8 Stück
- Couchgarnitur (3teilig)	1 Stück
- Couchtisch	1 Stück
- Fernsehgerät (schwarz/weiß)	1 Stück
- Radiogerät, Stereosuper	1 Stück
- Auslegware, synthetisch	-
- Hydrobank	1 Stück
- Kühlschrank	1 Stück

Kategorie 2

Richtwert: 1.860,-- Mark

- Schreibtisch	1 Stück
- Aktenkleiderschrank	1 Stück
- Registraturschrank mit Sockel	1 Stück
- Beistellschrank	1 Stück
- Stahlschrank	1 Stück
- Sitzungstisch	1 Stück
- Stahlrohrstuhl	6 Stück
- Radiogerät, Kleinsuper	1 Stück
- Hydrobank	1 Stück

Mark disponieren durften. Für das KGB wurden die Zahlung einer Raummiete, die Begleichung der Kosten für kommunale Dienstleistungen und die Zahlung einer Nutzungsgebühr verabredet; dies wurde – im Ermessen des MfS stehend – über deren Konten »verrechnet«.

Großzügig die Dispositionen der Kraftfahrzeuge. Das KGB erhielt Tankkredithefte und Kraftstoffgutscheine, um sich an öffentlichen Tankstellen und denen des MfS bedienen zu können. Auch beim »Betrieb und der technischen Wartung« der Kraftfahrzeuge beteiligte sich das MfS. Bei Fahrzeugen, die dem KGB selbst gehörten, konnten bis zu einem Betrag von 200 Mark Reparaturen auf MfS-Kosten durchgeführt werden. Bei höheren Kosten, so lautet die Formulierung, erfolge die Bezahlung »durch die Vertretung des KGB nach Vorlage der Rechnung«.

Erheblich unterstützte die Stasi bei der »Organisierung und materiell-technischen Sicherstellung der Erholung sowie der sozialen, kulturellen und sportlichen Betreuung der Mitarbeiter« des KGB und ihrer Familienangehörigen. Für die Kosten kam das MfS auf. Ob Klubhaus, Erholungsheim, Hotel, Sportzentrum, Kaufhalle, Poliklinik, Kindergarten, Pionierklub, Friseursalon oder die Bereitstellung von Plätzen in Pionierferienlagern des MfS – die Stasi kümmerte sich um alles, um das KGB zu fördern.

Instandhaltungskosten wurden genauso übernommen, wie Personal zur Verfügung gestellt. Beispielhaft die Vereinbarung über ein Hotel, das das KGB zur Nutzung erhielt: »Die Instandhaltung und Instandsetzung des Hotels sowie seine Ausstattung mit Mobiliar und Inventar erfolgt durch das MfS der DDR. Die dabei entstandenen Kosten werden durch das MfS der DDR getragen. Die zum Betreiben des Hotels erforderlichen Arbeitskräfte werden durch die Vertretung des KfS gestellt und durch das MfS der DDR entlohnt. Die für die Nutzung des Hotels durch die Mitarbeiter des KfS zu zahlenden finanziellen Mittel werden an das MfS der DDR abgeführt«. Brüderlich wurde auch beim Sport vorgegangen; die Nutzung des Sportzentrums wurde zwischen KGB und MfS im Verhältnis von 40:60 Prozent verabredet.

5. Sportzentrum, Zwieseler Straße 52

Das MfS der DDR gewährleistet die Instandhaltung und Instandsetzung des Sportzentrums sowie seine Ausstattung mit Mobiliar
und Inventar und trägt die damit verbundenen Kosten.

Die für das Betreiben des Sportzentrums erforderlichen Arbeitskräfte werden durch das MfS der DDR gestellt und entlohnt.

Die Nutzung des Sportzentrums erfolgt zu 40 % durch Mitarbeiter
der Vertretung des KfS und zu 60 % durch Mitarbeiter des MfS
der DDR.

KGB-Mitarbeiter und ihre Familienangehörigen erhielten in den
medizinischen Einrichtungen des MfS kostenlose Betreuung.
»Je ein verantwortlicher Mitarbeiter« wurde abgestellt, um auch
im Einzelfall sicherzustellen, daß die medizinische Behandlung
und Vorsorge bestmöglich erfolgen konnte. Zudem verpflichtete sich das MfS, auch bei notwendigen medizinischen Behand-
lungen, »entsprechend den vorhandenen Möglichkeiten«,
außerhalb des MfS zu helfen. Und die waren auch in diesem
Punkt grenzenlos.

In Moskau steht der entscheidende Speicher

Von unschätzbarem Wert für das KGB ist der seit 1986 aufgebaute Speicher der internationalen Zusammenarbeit aller sozialistischen Staaten. In diesem Speicher wurden und werden alle Informationen zusammengefaßt, die bedeutsam erscheinen. Nach
einem Sieben-Punkte-Katalog wurden zu der Zeit, als das MfS
noch existierte, die Erkenntnisse zu folgenden Gebieten ausgewertet:
- Westliche Geheimdienste, ihre Dienststellen und Mitarbeiter;
- westliche Agenten in den sozialistischen Staaten;
  ausländische Terrororganisationen und namentlich bekannte
  Terroristen;
- Emigrantenorganisationen sozialistischer Staaten im Westen;

– politische Extremisten;
– wichtige Personen in Nato und EG; weitere besonders »interessante« Personenkreise.

Auch nach dem Ende des MfS verfügt das KGB damit über die wichtigsten Erkenntnisse und Informationen des MfS, so auch zu »Spitzenquellen« in den alten und neuen Bundesländern, interessante Zielpersonen in Politik, Wirtschaft und dem Militär- und Sicherheitsapparat.

»KGB log und betrog« – da wurde man im MfS böse

Die reibungslose Zusammenarbeit zwischen MfS und KGB überstand selbst – in gewissen Grenzen – politische Differenzen zwischen Moskau und Ost-Berlin, wie es sie nach der Amtsübernahme Gorbatschows zunehmend gab. KGB und MfS ließen sich davon nicht wesentlich beeindrucken; zum Teil rückte man sogar noch enger zusammen.

Nur einmal wurde man bei der Stasi so richtig ungehalten, als man merkte, daß das KGB der sowjetischen Führung Informationen übermittelte, die gar nicht aus eigenen Quellen stammten, sondern denen Aktivitäten des MfS zugrunde lagen. Als ein hoher MfS-Offizier von der sowjetischen Aufklärung Informationen mit dem Hinweis »auf eine geheime Quelle aus dem Operationszentrum« erhielt, die in Wirklichkeit direkt aus dem MfS stammten, wurde man ungehalten: ». . . und dann haben die Brüder sich noch nicht einmal die Mühe gemacht, den Satz umzustellen.« Als er eine entsprechende Unterlage bekommen habe und seinen Auswerter habe kommen lassen, habe dieser bestätigt, »ja, Chef, das ist unsere Information«. Auch anderen Leitern im MfS ist es ähnlich ergangen, so daß es der MfS-Spitze allmählich dann doch zuviel wurde.

Die Ausmaße, mit denen »das KGB auf unserem eigenen Territorium uns betrogen und belogen hat«, seien seit Mitte der achtziger Jahre so groß geworden, daß Ost-Berlin »exemplarisch« die Absetzung mehrerer KGB-Mitarbeiter durchgesetzt habe. Der damalige sowjetische KGB-Chef Tschebrikow (übernahm 1982 die Leitung und schied 1988 im Rahmen der von Gorbatschow durchgeführten Veränderungen als KGB-Chef aus, die Autoren) habe sogar an alle Diensteinheiten des KGB im Osten Deutschlands einen Brief geschrieben und die Mitarbeiter, ›nachdrücklich ermahnt«, die deutschen Kollegen nicht mehr zu hintergehen.

Unverkennbar war auch das KGB in den Breschnew-Jahren der »gesellschaftlichen Stagnation« nicht frei von Niedergangs- und Zerfallserscheinungen; auch eine zunehmende Bürokratie war unverkennbar. Die Zweigstelle des KGB kaschierte ihre Mißerfolge deshalb mit Arbeitsergebnissen des MfS. Unter Gorbatschow erhielt das KGB seine alte Effektivität zurück, auch im Osten Deutschlands. Ab 1988 versuchte das KGB, das MfS für die Unterstützung der Reformen Gorbatschows zu gewinnen, forderte realistische Informationen über die Lage des SED-Regimes und warb schließlich selbst MfS-Mitarbeiter als Informanten an.

7 Honecker wollte den Kommunismus retten

Honecker befahl Stasi-Einsatz in Polen:
Spitzel hörten Walesa und Kirchenführer ab

Honecker und die SED-Spitzel hielten es in ihren kühnsten Vorstellungen nicht für möglich, daß der Aufstand der Arbeiter in Polen der Beginn des Niederganges des Kommunismus war. In ihren Analysen der Solidarność-Bewegung werteten sie die Entwicklung vor allem als ein typisch polnisches Merkmal. »Den Polen werden wir es schon zeigen«, lautete die Parole bei den internen Beratungen über den Einsatz der Stasi im Nachbarland. Die SED führte, besessen von dem Wahn der Unfehlbarkeit ihrer Ideologie, die Ereignisse auf polnische »Schlamperei« und eine falsche Interpretation der Anwendung des Marxismus-Leninismus zurück, was zudem noch durch die Unfähigkeit von führenden KP-Funktionären begünstigt werde.

Gleichwohl war Honecker in Sorge, konnte er doch nicht völlig ausschließen, daß der polnische Bazillus sich auf den Osten Deutschlands ausdehnen könnte. Insoweit verlagerte sich der Kampf um die Sicherung der SED-Macht im Osten Deutschlands ab Dezember 1981 auch auf das Territorium Polens. Die polnische Freiheitsbewegung durfte nicht auf die SED-Diktatur übergreifen; Polen mußte um jeden Preis als Mitglied der kommunistischen Staatengemeinschaft erhalten bleiben. Man beschloß, nach Ausrufung des Kriegsrechts im Dezember 1981 alle notwendigen Maßnahmen einzuleiten, um die Arbeiterbewegung mit niederzuschlagen und die polnische KP zu stärken.

Von der SED-Spitze wurde das MfS mit der Durchführung der Aktion beauftragt. Mielke erhielt von Honecker die entsprechenden Vorgaben, um diese mit großer innerer Überzeugung und Initiative durchzusetzen. Der neue deutsche Einfall in Polen verlief in jenen Wochen und Monaten lautlos. Ziel war die Unterwanderung der Solidarność und des polnischen Sicherheits- und Machtapparates, um die polnischen Vorgänge in Polen künftig steuern zu können. Das MfS übernahm auch die Bekämpfung der Auslandsorganisationen der Arbeiterbewegung, um die Verbindungen des polnischen Widerstandes in den Westen wirksam und gründlich bekämpfen zu können.

Mielke machte sich sogar mit dem MfS-Verantwortlichen für Aufklärung und Abwehr selbst auf den Weg, um in Warschau vor Ort die MfS-Maßnahmen zu überwachen. Später kamen Vertreter der polnischen Sicherheitsorgane zu ihm nach Berlin, um sich dort abzustimmen. Schon kurz nach Ausrufung des Kriegsrechts marschierten die ersten MfS-Stäbe in Polen ein. An der Botschaft in Warschau wurde für die MfS-Operativgruppe eine Etage reserviert; Oberst Karl-Heinz Herbrig, der den Einsatz befehligte, hielt ständigen Kontakt zu den polnischen Sicherheitsbehörden. Er soll gegenüber dem Botschafter in Sicherheitsfragen nahezu weisungsberechtigt gewesen sein. In den Generalkonsulaten und Konsulaten in Stettin, Danzig, Breslau und Krakau entstanden Stasi-Stützpunkte. Durch dieses MfS-Netz wurden die entscheidenden Persönlichkeiten der Arbeiterbewegung und der Kirche abgehört und beschattet; eine große Zahl von Informationsquellen wurde geworben. Lech Walesa, damals als Arbeiterführer und später als Präsident das Symbol eines freien und demokratischen Polens, wurde genauso von MfS-Agenten abgehört wie die führenden Vertreter der Kirche, die mit Walesa schließlich doch entscheidend dafür sorgten, daß der Kommunismus weichen mußte.

Die maßgeblichen Einsatzkräfte des MfS wurden gemeinsam von der damals von Wolf geführten Hauptverwaltung Aufklärung und der Spionageabwehr (Hauptabteilung II) mit ihrem Leiter Kratsch gestellt. Die Arbeitsgruppe 4 der Spionageabwehr wurde eigens 1981 für den Einsatz in Polen gegründet. Die Spionageabwehr des Honecker-Regimes war also im Ausland aktiv, um dort innenpolitisch mitzumischen. In Zusammenarbeit mit HVA-Offizieren wurde nicht nur die polnische Opposition überwacht, sondern auch Deutsche aus dem Osten, die in Polen beruflich tätig waren oder Verwandte besuchten. Mit Reisebeschränkungen, Verboten oder Entlassungen aus Berufspositionen, in denen eine hundertprozentige Zuverlässigkeit im Sinne des SED-Regimes vorausgesetzt wurde, wurden nicht selten später jene bedacht, die sich überhaupt keinen Reim darauf machen konnten, warum sie Polen verlassen und in den Osten Deutschlands zurückkehren mußten. Daß SED-Verwaltungen, die in der

Nähe zur polnischen Grenze ihren Sitz hatten, in diese Aktionen einbezogen waren, war in einem solchen System selbstverständlich; gleichfalls wurde mit dem KGB eine enge Zusammenarbeit verwirklicht.

In der ersten Etappe der Aktivitäten konzentrierten sich im Zusammenwirken mit dem KGB die MfS-Gruppen vor allem auf die Werbung leitender Offiziere. Offiziere des polnischen Sicherheitsapparats wurden Inoffizielle Mitarbeiter des MfS und KGB. Zu führenden Vertretern des Regierungs- und Parteiapparats wurden »Arbeitskontakte« hergestellt, um von dort Informationen zu sammeln und Einfluß zu nehmen.

In einer Arbeitskartei in der Berliner Normannenstraße wurden alle Erkenntnisse gespeichert. Darin einbezogen waren alle Informationen über Regimekritiker in Polen. Durch die geworbenen Mitarbeiter des polnischen Sicherheitsapparats verfügte die Stasi-Zentrale zudem über Zugang zu den polnischen Speichern und Computern, um auch von dort die polnische Opposition zu überwachen. Das MfS wußte alles.

Parallel sorgte man dafür, daß in allen Stasi-Einheiten die Aktionen in Polen abgesichert und verwirklicht wurden. Die Arbeitsgruppe 4 der Spionageabwehr richtete in allen MfS-Bezirksverwaltungen Referate ein, in denen zumeist rund ein Dutzend Mitarbeiter tätig waren. Dadurch war die umfassende Überwachung der polnischen Staatsbürger, die im Osten Deutschlands lebten – damals mehr als 30 000 –, sichergestellt. Auch die Kontrolle des Reiseverkehrs von und nach Polen einschließlich der Transitwege wurde dadurch wesentlich erleichtert. Hilfssendungen aus aller Welt, die über die Transitwege nach Polen transportiert wurden, durchsuchte die Stasi auf Druckerzeugnisse und Sender, die Solidarność hätten unterstützen können. Vorwand: Es bestünden Aktivitäten westlicher Geheimdienste. Auch die Bekämpfung der Auslandszentren der Walesa-Bewegung wurde durch die regionale Absicherung der Stasi-Aktivitäten schneller und wirkungsvoller möglich.

Bis Mitte 1982 hatte die Stasi ihren Apparat so eingesetzt, daß sie alle wesentlichen Probleme in Polen, die sie damals ausmachte, angegangen war. Die schlechte Versorgungslage wurde

272

Gegner in Polen: Honecker und der mit Solidarność sympathisierende Kardinal Glemp.

schamlos ausgenutzt, um MfS-Spitzel zu werben. Mit Zigaretten, Waschmitteln und Grundnahrungsmitteln wurden Polen bedacht, wenn sie sich bereit erklärten, im Dienste von SED und Stasi das eigene Volk zu verraten.

Auch in Ungarn, der CSFR, Bulgarien und der Sowjetunion aktiv

Für den Einsatz erhielten die MfS-Mitarbeiter höchste Belobigungen. Oberst Brückner, dessen Arbeitsgruppe 4 später in die Arbeitsgruppe 10 umgewandelt wurde, war stets in engstem Kontakt mit Kratsch. 1985 glaubte man, Polen im Griff zu haben, und analysierte, wie man die gewonnenen Erfahrungen auch an anderer Stelle nutzen konnte. Polen wurde zum Grundstein einer neuen MfS-Aktivität; angesichts der erkennbaren politischen Erosionen im Ostblock wies die SED-Spitze an, auch in anderen Ländern aktiv zu werden.

Die Abteilung II/10 richtete Operativgruppen in Prag, Budapest und Sofia ein. Erfahrene Leiter der Spionageabwehr führten jene Einheiten, denen es gelang, sich in kürzester Zeit in den jeweiligen Ländern festzusetzen, um Regimegegner erbarmungslos zu bekämpfen. Das Informationsaufkommen war gewaltig, wobei natürlich auch ein Stück Selbstdarstellung betrieben wurde. Berichte, die über Diplomaten ohnehin an die SED gegangen wären, nahmen den Weg über die Operativeinheiten des MfS, um als »eigenständige MfS-Erkenntnisse« nach Berlin zu gelangen. Viele Kontakte, nicht nur zu den Sicherheitsorganen der jeweiligen Länder, wurden aufgebaut. Die Kontakte zu den jeweiligen Sicherheitsbehörden waren so intensiv, daß auch nach der Wende 1989 zum MfS Kontakt gehalten wurde.

Neben der Post- und Telefonkontrolle waren MfS und die jeweiligen Sicherheitsbehörden gemeinsam tätig, um die Menschen des jeweils anderen Landes im gegenseitigen Auftrag auszuspionieren. Urlauber aus dem Osten Deutschlands wurden in Ungarn, Bulgarien und der CSFR von den dortigen Sicherheitsorganen bespitzelt; mit den Erkenntnissen agierte die Stasi dann auf dem eigenen Territorium. Briefe, die aus dem Urlaub in den Westen geschickt wurden, gingen nicht selten als Kopien an das MfS; viele der Betroffenen konnten sich damals keinen Reim darauf machen, warum sie nach der Rückkehr aus dem Urlaub plötzlich von der Stasi schikaniert wurden. Die Kontrollen, mit denen die sozialistischen Bruderländer sich gegenseitig halfen, waren intensiv. Einmischung in die inneren Angelegenheiten der Nachbarländer war inzwischen zur Selbstverständlichkeit geworden; in Ungarn mischten sich Honecker und Mielke völlig ungeniert ein. Das MfS versuchte, führende Leute im dortigen Sicherheitsapparat gegen Reformkräfte zu mobilisieren.

Auch vor den Bonner Botschaften im Ostblock machte die Stasi nicht halt. Sie wurden zu vorrangigen Objekten der Ausspähung und Kontrolle. Durch politische Agitation in Form von Schulungsmaterial wurden Angriffe auf den Westen bei den kommunistischen Verbündeten verstärkt. Die SED-Spitze legte größten Wert auf diese MfS-Tätigkeiten, um politisch-ideologisch im Ostblock eine »Vorbildfunktion« wahrzunehmen. Honeckers Versuch, so den Kommunismus des Ostblocks zu retten, sparte selbst die Sowjetunion nicht aus. Die starke MfS-Einheit, die in Moskau an der Botschaft seit Ende der fünfziger Jahre tätig war, wurde ab 1986 eingesetzt, um diskret Glasnost und Perestrojka in Mißkredit zu bringen. Kontakte zu KGB-Offizieren, die Gorbatschows Kurs ablehnten, wurden genauso gepflegt wie Bindungen in den Parteiapparat. Das MfS begann sogar, Analysen und Einschätzungen über leitende Mitarbeiter der sowjetischen Sicherheitsorgane zu erstellen. Man engagierte sich gegen die Reformpolitik, ohne natürlich einen offenen Konflikt zu riskieren. Der letzte Leiter der Operativgruppe in Moskau, Oberstleutnant Rudi Wenzel, unterlief allerdings mit Zivilcourage viele Anweisungen aus der Stasi-Zentrale in Berlin. Er informierte die Sowjets über die tatsächliche Lage im Osten Deutschlands, die wirklichen SED- und Stasi-Absichten und warnte vor Operationsversuchen des MfS. Sein Engagement war in Berlin aber nicht verborgen geblieben; nach seiner Rückkehr wurde er außerhalb der MfS-Zentrale eingesetzt.

8 Zum Äußersten bereit – SED und Stasi kämpften gegen die Wende

Stasi-Eliteeinheit gegen Demonstranten

Die SED-Spitze hatte seit 1988 begonnen, Sondertruppen zur Niederschlagung von inneren Unruhen aufzubauen. Die mit Spezialausrüstungen, wie kugel- und steinsicheren Schilden und Elektrostöcken, ausgestattete Einheit, deren besonderes Kennzeichen die weiße Behelmung war, knüppelte Ausreisewillige nieder, die in Dresden die aus Prag kommenden Züge erreichen wollten, mit denen die Botschaftsflüchtlinge in die Freiheit kamen. Auch in Leipzig standen am 9. Oktober die Kampfkräfte in Alarmbereitschaft.

Ausschlaggebend für den Aufbau der Einheit, die mehrere Bataillone umfassen sollte, waren auch die Ereignisse in Polen und Ungarn. Die SED-Spitze kam zu der Erkenntnis, daß es nicht mehr möglich sein werde, den Ruf nach Freiheit gewaltlos zu unterdrücken. Deshalb ordnete Mielke Mitte 1988 an, daß das MfS sich auf diese immer stärker werdende Rolle nach innen einzurichten habe. Die Hauptabteilung XXII wurde die bisherige Abteilung XXIII, die bereits 1988 Sondertruppen aufstellte. All das reichte der SED-Spitze nicht. Für den Kampf gegen das eigene Volk mußte noch mehr Schlagkraft her: Erfahrungen und Mittel der »internationalen Terrorbekämpfung« dienten zum Einsatz gegen die eigene Bevölkerung.

Die Angst vor inneren Unruhen, die auch unter dem Eindruck von vereinzelten Anti-SED-Parolen sogar bei Fußballspielen und Rockkonzerten seit 1985 zunahmen, führte auch zu neuen Befehlsstrukturen der Stasi vor Ort. Stabsbusse, mit modernsten Nachrichtenmitteln ausgestattet, waren die zentralen Führungspunkte der Hauptabteilung XXII für die Einsatzkräfte der Stasi und Volkspolizei bei jeder größeren Veranstaltung. Die absolute Befehlsgewalt der Partei war nicht nur durch die Anweisungen von Mielke stets gewährleistet, sondern auch durch die ersten Sekretäre der SED in den Bezirksleitungen, die als Chefs von Stasi, Volkspolizei und Armee über die zentrale Einsatzgewalt verfügten. Aus den Stabsbussen konnten jederzeit die »operativen« Maßnahmen aufgrund politischer Anweisungen in aller Intensität auch »vor Ort« durchgesetzt werden.

Besonders trainiert waren die Sondertruppen, um führende Oppositionelle anzugreifen. »Rädelsführer« in Versammlungen zählten zu ihren vorrangigen Angriffsobjekten. Die Zuführung in »zentrale Sammelpunkte«, in Wirklichkeit die Vorstufe zu Internierungs- und Isolierungslagern, wurde dann anderen Kräften überlassen. Äußerste Härte, Mobilität, Flexibilität und bedingungsloser Gehorsam zur Parteilinie waren die bezeichnenden Forderungen der SED an die Leitung der Sondertruppen.

Einsatzkräfte, wie vor allem auch das Stasi-Wachregiment, wurden zum Teil »wie in Käfigen« gehalten. Auf kleinsten Räumen wurden bis zu zehn Personen kaserniert, um bei diesen Aggressionen aufzustauen und sie – wie es ein Stasi-Aufklärer ausdrückt – »scharf wie Hunde zu machen«. Wer so unter Druck gesetzt worden sei wie die Stasi-Sondereinsatzkräfte, habe nur noch »von der Kette gelassen« werden müssen, um brutal zuzuschlagen, berichteten jene, die nach der Wende sich mit den Personen und Räumlichkeiten befaßten. Bei diesen Stasi-Kräften sei gelegentlich sogar intensiver Alkoholgenuß geduldet worden, um Aggressionen abzubauen.

MfS schlägt Alarm: Westliche Geheimdienste und Kirchen gefährden SED

Das MfS warnte im Frühjahr 1989 die SED eindringlich angesichts der innenpolitischen Entwicklung vor der Wirkung der Arbeit westlicher Geheimdienste und des zunehmenden Engagements der Kirche. Dies geht aus einer »streng geheimen« Information hervor, die die Hauptabteilung II im Ergebnis ihrer Überwachung oppositioneller Kräfte im Innern und der Beobachtung westlicher Nachrichtendienste im April 1989 fertigte. Im Kern, so die Stasi-Bilanz, sei es westlichen Diensten gelungen, durch den Kontakt zu oppositionellen Kräften zur »Destabilisierung« des SED-Regimes beizutragen.

Besonders Kirchenkreise wurden als Zentrum der Opposition ausgemacht. Allein 1988 hätten »zirka 400 Kontaktaktivitäten gegenüber den Kirchen, davon zirka 300 persönliche Treffen mit

Vertretern der Kirchen« seitens »des Feindes« aus dem Westen, stattgefunden, die größtenteils von der Spionageabwehr abgehört und kontrolliert wurden. Dabei sei es vorrangig darum gegangen, verläßlich das Verhältnis zwischen Staat und Kirche einzuschätzen. Die »allseitige Bewertung« dieser Situation sei für den Westen »eine wesentliche Komponente zur Einschätzung der innenpolitischen Stabilität der DDR«, warnte die Stasi und ergänzte, daß vor allem die »BRD-Geheimdienste seit dem 2. Halbjahr 1988« in zunehmendem Maße versuchten, verläßliche Erkenntnisse darüber zu erhalten, wie sich Kirchen und kirchliche Amtsträger beispielsweise in Fragen des Umweltschutzes engagierten und wie die »Reaktionen staatlicherseits« erfolgten. Insbesondere der BND sei bemüht, dort, wo das »politische Risiko als vertretbar eingeschätzt« werde, »zielgerichtet Quellen« zu erschließen. Schon 1987 wurde dem BND von der Stasi bescheinigt, er verfüge über technische Einsatzmöglichkeiten (»uns war die Verwendung präparierter Kugelschreiberminen für das Kontaktverfahren noch nicht bekannt«), über die die Stasi nicht verfüge. Auch die Besuche von Politikern aus der Bundesrepublik wurden von der Stasi sehr kritisch bewertet; »seit 1985« gebe es »kaum einen DDR-Aufenthalt von BRD-Politikern ohne Gespräche mit Vertretern der Kirche«.

»Umfangreiche Aktivitäten« gingen auch von der CIA aus, heißt es in der MfS-Bewertung, die auf eine lückenlose Überwachung der US-Botschaft und ihrer Diplomaten in Ost-Berlin, aber auch einreisender hoher Beamter der amerikanischen Administration durch die Hauptabteilung II zurückgingen. »Sehr intensive persönliche Verbindungen« seien in die kirchlichen Bereiche festgestellt worden. Dies gelte auch hinsichtlich der Kontakte zu »feindlich-negativen Kräften«, also der Opposition.

Die Gefährlichkeit der sich abzeichnenden Situation für die PDS-Vorgängerin SED wurde von der Stasi auch an anderer Stelle klar eingeschätzt. Es solle vom Westen »Druck auf die Partei- und Staatsführung der DDR ausgeübt werden, den Kirchen in der DDR größere Handlungsmöglichkeiten einzuräumen«, heißt es unter Hinweis darauf, daß vor allem solche Kräfte ermutigt würden, denen es darum gehe, »zunehmend ein Mitspracherecht in staatlichen Angelegenheiten« zu fordern und die Opposition zu fördern. Auf diesem Weg sei es eine wichtige Etappe, daß die »DDR international diskreditiert« werde. Ziel des Westens – so die Stasi sechs Monate vor der friedlichen Revolution – sei es, »kontrollier- und steuerbare revolutionäre Prozesse zur Untergrabung der inneren Stabilität der DDR« zu realisieren.

Parteidisziplin der Verfasser dieser Stasi-Informationen durchzieht alle Aussagen. Nicht die verfehlte Politik der SED-Führung, nicht innere Ursachen, sondern »äußere Einwirkung« durch ausländische Diplomaten und Nachrichtendienste, die man als »Inspiratoren und Organisatoren« des politischen Widerstandes und der Krise des SED-Regimes verantwortlich machte, trugen die Schuld. Dementsprechend wurden Kirche und Opposition zu »Handlangern und Werkzeugen ausländischer Geheimdienste« abgestempelt. So leisteten Generale der Stasi »ihren Beitrag« zur Realitätsferne der SED-Spitze und blieben deren willfähriges Werkzeug.

SED-Angst nach der KSZE

Die Strategie des Westens in den achtziger Jahren gegenüber den Kommunisten im Osten hat sich nicht nur hinsichtlich der tatsächlichen Entwicklung als völlig richtig erwiesen, sondern wurde auch von den MfS-Machthabern als bedrohlich erkannt. Mielke im Juni 1989: »Die Reden besonders von US-Präsident Bush vor, auf und nach der Nato-Ratstagung in Brüssel sowie die Ergebnisse dieser Tagung lassen erkennen, daß das Ziel des Imperialismus, den Sozialismus zu beseitigen, noch wesentlich stärker in den Mittelpunkt ihrer Politik gerückt wird. Ausgehend von der Einschätzung, daß sich die sozialistische Staatengemeinschaft in einer Systemkrise befinde, und der großsprecherischen Behauptung, daß der Sozialismus Bankrott gemacht habe, erklärte Bush die Zeit für gekommen, ›über die Eindämmung des Kommunismus hinauszugehen zu einer neuen Politik für die neunziger Jahre‹.«

Der MfS-Chef weiter: »Zu einer zweiten Komponente im stra-

tegischen Plan des Gegners – der Propagierung und Infiltrierung
der bürgerlichen Ideologie, der westlichen Demokratie, Freiheit
und Werte in die sozialistischen Länder hinein in neuen Dimensionen. Diese Hauptrichtung ist darauf gerichtet, die sozialistische Ideologie, unsere kommunistische Lehre zu untergraben,
die sozialistische Bewußtseinsentwicklung unserer Menschen
zu zerstören und an deren Stelle die bürgerliche Ideologie, westliche Moral- und Wertvorstellungen zu etablieren.«

»Bekanntlich« habe Bush dazu aufgerufen, »Glasnost nach
Berlin« zu tragen. Und auch andere ließen »keine Möglichkeit
aus, uns Vorschriften machen zu wollen, wie und in welchen
Richtungen wir unsere Republik umgestalten sollen«. Bereits seit
langem, so fuhr er fort, nehme »im strategischen Vorgehen des
Imperialismus der Mißbrauch und die Ausnutzung der Verhandlungen und Vereinbarungen, besonders des KSZE-Prozesses, zur
ständigen Erweiterung der Einflußmöglichkeiten und der
Druckausübung einen immer größeren Platz ein. Mit dem Wiener KSZE-Folgetreffen und seinen Ergebnissen hat die Einmi-
schungs- und Einwirkungspolitik des Gegners unter Mißbrauch
und Nutzung des KSZE-Prozesses an Umfang und Intensität eine
neue Qualität erreicht. Die von den Nato-Staaten unter Berufung
auf die KSZE-Dokumente unternommenen Aktivitäten belegen,
daß die Nato-Mitglieder den KSZE-Prozeß in noch stärkerem
Maße als ein Hauptinstrument zum Systemwandel in den sozialistischen Ländern« betrachteten. Der Westen wolle »sich verstärkt in die inneren Angelegenheiten sozialistischer Staaten«
einmischen mit dem Ziel, die Zulassung und ein freies Betäti-
gungsfeld oppositioneller Gruppen zu erreichen.

Der Chef der SED-Kreisleitung im MfS, Felber, formulierte die
SED-Sorgen 1989 so: »Gegnerische Wertungen des abschließen-
den Dokuments des Wiener KSZE-Folgetreffens hinsichtlich der
vereinbarten Folgeveranstaltungen sowie die seit dem Abschluß
des Wiener Treffens eskalierende Medienkampagne gegen einzelne sozialistische Staaten, unter Berufung auf das Dokument
von Wien, lassen die Absicht des Westens erkennen, den KSZE-
Prozeß weiterhin als Rahmen für seine Einmischungs- und Dif-
ferenzierungspolitik gegenüber den sozialistischen Staaten zu

mißbrauchen. Die Menschenrechtsproblematik wird dabei nach
wie vor als erfolgversprechendste ideologische Angriffsrichtung
betrachtet, um in den sozialistischen Staaten revolutionäre Prozesse im Sinne westlicher Demokratie- und Wertvorstellungen
sowie zur Etablierung und Legalisierung oppositioneller Organisationen zu stimulieren beziehungsweise zu unterstützen.«

Auch hier spiegelt sich das begrenzte Denken und Handeln
der MfS-Führung wider. Es wird ihr Unvermögen deutlich, die
gesellschaftsbedingten Ursachen, nämlich die Herrschaftsme-
thoden und die Unfähigkeit der SED, als Hauptgefahr für den Bestand des Regimes zu erkennen. Die Defizite der Regierenden
wurden kaschiert, finstere Verschwörungen äußerer Feinde
mußten dafür herhalten.

Der Jubel blendete Honecker

Der Mai war sowohl eine entscheidende Zäsur für die galoppie-
rende Realitätsferne der SED-Spitze als auch die zunehmend
schwindende Geduld der Bevölkerung. Am 1. Mai bekundeten
mehr als 800 000 Menschen ihre unverbrüchliche Verbundenheit
mit Honecker, als sie jubelnd an ihm und der SED-Führung vor-
beizogen. Die Propagandisten der PDS-Vorgängerin SED über-
schlugen sich angesichts dieser gewaltigen Manifestation des
Vertrauensverhältnisses von »Volk und Partei«, wie sie – in völli-
ger Verkennung der tatsächlichen Stimmung in der Bevölkerung
– schwelgten.

Für Honecker mußte der 1. Mai von nun an dafür herhalten,
mögliche Kritik an seiner Amtsführung entschieden zu begegnen. Er ließ warnende Hinweise gar nicht erst aufkommen, indem er immer wieder auf die Massen verwies, die hinter ihm
stünden. Besonders die vielen jungen Menschen, die im FDJ-
Auftrag vorbeimarschiert waren, wurden von ihm als Beweis des
großen Rückhaltes in der jungen Generation gewertet, der auch
Debatten über eine Verjüngung des Politbüros schon im Keim
ersticken mußte. Wer konnte es – bei der Feigheit derjenigen, die
Honecker umgaben – schon wagen, dem Generalsekretär und

Staatschef zu widersprechen, wollte er nicht selbst von da an auf Karriere und Pfründe verzichten müssen. Die Verlogenheit der SED in und mit sich selbst war eine entscheidende Hilfe für die beginnende Revolution. Als bei dem Pfingsttreffen der FDJ in Berlin erneut jubelnde Massen der SED huldigten und die (manipulierten) Ergebnisse der Kommunalwahl weiter die Flucht in die Träume zu ermöglichen schienen, war es um die tatsächliche Stärke der SED geschehen, was die Landsleute im Osten wohl allmählich instinktiv spürten, und Mielke intern im MfS schonungslos analysierte. Er ließ sich aber bis September 1989 offiziell nichts anmerken.

Wie hartnäckig Honecker bis zuletzt die Realität leugnete, wird auch aus einer anderen Begebenheit deutlich. Als im September 1989 die Generaldirektoren konferierten und dabei eine ungeschminkte Analyse über die bedrohliche Stimmung in den Betrieben gaben, berichtete der für Wirtschaftspolitik zuständige Honecker-Intimus Günter Mittag dem kranken Generalsekretär telefonisch: »Es war eine hervorragende Sitzung, Erich, 6000 neue Verpflichtungen sind übernommen worden.« Darauf antwortete Honecker, dann könne er sich ja gut erholen.

Hemmungsloser denn je – die Manipulation der Kommunalwahl 1989

Mit Hilfe der Stasi manipulierte die SED auch Wahlen. Kandidaten wurden von den Vorschlagslisten entfernt, sobald die Staatssicherheit aus ihrer Sicht Zweifelhaftes zu vermelden hatte. Stand zu befürchten, daß Ausreisewillige sich auf Wahlveranstaltungen äußern würden, wurde »unter Führung der Leitung der Partei« für einen reibungslosen Ablauf mit Hilfe der Sicherheitsorgane gesorgt. In den Betrieben funktionierte dieses System mit Hilfe der »Sicherheitsbeauftragten«, die zumeist als Offiziere im besonderen Einsatz arbeiteten.

Hemmungsloser denn je wurde die Kommunalwahl vom 7. Mai 1989 manipuliert, was bei der Bevölkerung entscheidend dazu beitrug, das »Faß zum Überlaufen« zu bringen. Die SED-

Bezirkssekretäre und damit auch Modrow, damals noch SED-Bezirkschef in Dresden, waren nach Angaben von Mielke informiert. In seinem Befehl vom 19. Mai 1989 wurden diese SED-Spitzenpolitiker »über den wesentlichen Inhalt der zentral getroffenen Festlegungen«, mit denen verhindert wurde, daß die Aufdeckung des Wahlschwindels bekannt werden konnte, »mündlich« in Kenntnis gesetzt. Damit wird auch unzweideutig die Strategie der SED-Politiker entlarvt: Man äußerte sich nur mündlich, um möglichst wenig Spuren zu hinterlassen.

»Zentral«, das heißt in der Spitze der SED und Stasi, wurde die Manipulation der Wahl geregelt. Die Sekretäre der Wahlkommissionen wurden angewiesen, wie folgt auf Eingaben, Schreiben oder Erklärungen zu antworten: »Die Wahlkommission hat anhand der von den Wahlvorständen entsprechend Paragraph 39 Absatz 1 des Wahlgesetzes exakt gefertigten Niederschriften die ordnungsgemäße Durchführung der Wahlen geprüft, das Wahlergebnis festgestellt und veröffentlicht. Dem ist nichts hinzuzufügen.« Außerordentlich aufschlußreich ist Mielkes ergänzende Anweisung, es sei »auf jeden Fall zu vermeiden, daß zur Sache selbst oder zu den angeblichen Fakten argumentiert« werde.

Strafanzeigen gegen die Wahlergebnisse seien »ohne Kommentar entgegenzunehmen«. Nach Ablauf der vorgesehenen Fristen für die Anzeigenbearbeitung, so Mielke, sei von den jeweils zuständigen Organen zu antworten, daß keine Anhaltspunkte »für den Verdacht einer Straftat« vorlägen. Wer dagegen Beschwerde einlege, sei gleichfalls abschlägig zu bescheiden. Entsprechende Dienstanweisungen »zur Gewährleistung eines einheitlichen Vorgehens« würden durch den Generalstaatsanwalt, den Innenminister und den Chef der Volkspolizei erlassen.

Wer sich unvorteilhaft über die Wahl äußern würde, sei strafrechtlich zu verfolgen. SED und Stasi legten sogar die Quote fest: Die Einleitung strafprozessualer Maßnahmen sei »auf einen engen, offen feindlich handelnden Personenkreis« zu beschränken, wies Mielke an, offenbar, um angesichts der sich zuspitzenden Situation eine Eskalation zu vermeiden. Mielke setzte auf die »bewährten« Möglichkeiten des Stasi-Apparates: In Gesprächen (»eine Diskreditierung der Ergebnisse ist nicht zuzulassen«)

seien Kirchenvertreter in die Schranken zu weisen und der Versand von Materialien mit Belegen für den Wahlschwindel zu unterbinden.

Hunderte protestierten gegen die chinesischen Panzer

Die Landsleute im Osten reagierten mit Zorn auf den gewaltsamen Einsatz von Panzern und Maschinengewehren, mit denen die chinesische KP-Spitze Anfang Juni 1990 die Proteste in Peking niederwalzen ließ. Mehrere hundert Personen protestierten täglich vor der chinesischen Botschaft in Pankow; im Westen wurden diese Informationen nicht bekannt. MfS und Volkspolizei mußten mit Gewalt jene verdrängen, die trotz eines dichten Sicherheitsringes um die chinesische Botschaft immer wieder in jenen Tagen in deren Nähe gelangten. Festnahmen und »Zuführungen« von Demonstranten prägten das tägliche Bild des Stasi-Alltages; anschließend traten die Staatsanwaltschaften in Aktion, um Verurteilungen wegen Verletzung der öffentlichen Ordnung einzuleiten. Ob Mielke tatsächlich diese Härte gegen die Demonstranten wollte, mag dahingestellt bleiben. Tatsache ist jedoch, daß er von sich aus nur passive Schutzmaßnahmen anordnete, die Leiter der ausführenden Diensteinheiten jedoch weit aktiver einschritten.

Mielke hatte die Verantwortung für die Niederschlagung der Proteste nicht der Bezirksverwaltung Berlin oder einer Kreisdienststelle übertragen, sondern angesichts der hohen Sensibilität, mit der diese Aktionen verbunden waren, seinem Vertrauten, dem Leiter der Spionageabwehr, Kratsch. Ein operativer Einsatzstab in der Hauptabteilung II unter der Leitung des 1. Stellvertreters, Generalmajor Lohse, und des Stabschefs, Major Uhlig, organisierte alle Maßnahmen; Mielke begründete den Einsatz dieser Abteilung mit der Verantwortung der Spionageabwehr zum Schutz und zur Sicherung der ausländischen diplomatischen Vertretungen. In seinem Fernschreiben VVS 4489 vom 9. Juni 1989 sowie in Ergänzung zu diesem Schreiben mit VVS 008

Nummer 4589 vom 10. Juni traf Mielke die Anordnungen. Diese wurden extensiv ausgelegt und führten zu einschneidenden weiteren Einschränkungen. Kratsch verfügte auch in seiner Verantwortlichkeit für die Abteilung M, die für die Postkontrolle zuständig war, daß aus dem Postverkehr alle Briefe und Protestschreiben an die SED-Führung, aber auch an die chinesische Botschaft herauszunehmen und zu vernichten seien; er trug somit dazu bei, daß die SED-Führung das volle Ausmaß der Proteste und Empörung überhaupt nicht auf den Tisch bekam.

»Lage wie in Ungarn 1956« – Mielke fordert die harte Linie

Mielke, der sich auf Weisungen von Honecker berief, stellte im Juni unmißverständlich klar, daß es keinen Dialog mit der Opposition gebe. »Ausgewählte zentrale Diensteinheiten im MfS und die Leiter der Bezirksverwaltungen« hätten »entsprechende Aufgabenstellungen und Orientierungen erhalten, die mit aller Konsequenz durchzusetzen« seien.

In einer 145seitigen Geheimrede vom 29. Juni 1989 im MfS warnte er, »feindliche, oppositionelle Kräfte und Gruppierungen erlangten bereits Zugang zur Macht beziehungsweise strebten die Veränderung der politischen Machtverhältnisse mit allen Mitteln an«. Eine solche Situation habe sich »bei den konterrevolutionären Ausschreitungen« in China gezeigt; gleichfalls eine Formulierung, die eindeutig einen Hinweis auf die Bereitschaft gibt, mit allen Mitteln und Methoden in einer vergleichbaren Situation vorzugehen. Entsprechend wurden Proteste gegen das Vorgehen der chinesischen Führung bereits im Keim erstickt. Mielke zur Begründung: Die Vorgänge in Peking seien »ausschließlich eine innere Angelegenheit der Volksrepublik China«, man wende sich gegen »jegliche ausländische Einmischung«. Es gehe »um die Machtfrage«, peitschte er ein. Dies zeige sich in Polen, und auch »Ungarn befindet sich an einem Scheideweg, entweder Sicherung und Fortführung der sozialistischen Entwicklung, oder Ungarn wird weiter in das bürgerliche Lager abgleiten«. Was aus seiner Sicht der ungarischen KP zu raten wäre, signalisierte er mit dem Hinweis auf die Niederschlagung des Volksaufstandes: »Im Grunde genommen erinnert die Lage an die Situation 1956.«

Zugleich ließ er aber keinerlei Zweifel, daß die ideologische Politik der PDS-Vorgängerin SED für ihn weiter unfehlbar sei: »Auf der Grundlage der führenden Rolle« der SED seien »solide Fundamente« geschaffen worden, meinte er in einer Bewertung der Leistungen der Partei mit Blick auf die Feierlichkeiten zum 40. Jahrestag. Die Politik der SED »zum Wohle des Volkes« sei »von Kontinuität und Erneuerung« geprägt. Dies werde auch in der Bevölkerung honoriert, wie aus den »Arbeitsleistungen, Initiativen und Verpflichtungen der Werktätigen in Stadt und Land« sichtbar abzulesen sei. Das »überzeugende Votum für die Kandidaten der Nationalen Front« anläßlich der Kommunalwahl zeuge von einem »machtvollen Bekenntnis zu unserem Arbeiter- und Bauernstaat«.

4000 MfS-Leute gegen 100 Demonstranten: »Ich will kein Bild in den Westmedien«

Mielke verschärfte seinen Kurs. Am 3. Juli teilte er gegenüber den Leitern der MfS-Diensteinheiten mit, man habe rund 200 Personen unter ständiger »operativer Kontrolle«, die beabsichtigten, am 7. Juli auf dem Alexanderplatz in Berlin gegen die Wahlfälschungen zu protestieren. 19 Oppositionellen, die gleichfalls ihre Absicht bekundet hätten, durch öffentlichen Protest ihrer Haltung Ausdruck zu verleihen, sei bereits in »Vorbeugungsgesprächen« unmißverständlich signalisiert worden, sie würden bestraft, sofern sie sich tatsächlich an der Demonstration beteiligten. Der Stasi-Chef ließ über die Stärkeverhältnisse für den 7. Juli keine Zweifel. 4000 MfS-Mitarbeiter würden – von 1500 SED-Angehörigen unterstützt – aufgeboten, um die rund 100 erwarteten Demonstranten in Schach zu halten. Nicht ausreichend bedachte der Honecker-Vertraute angesichts der eskalierenden Nervosität allerdings, daß durch die ungeheure MfS-Präsenz erst die eigentliche Massenwirksamkeit einer solchen Veranstaltung erzeugt wurde, die durch die Zahl der Demonstranten selbst in diesem Ausmaß jedenfalls nicht gegeben gewesen wäre.

Mielke dachte, er könne die öffentliche Wirksamkeit mit einer Verschärfung der Aktionen gegen westliche Korrespondenten verhindern. Um jeden Preis und mit jedem Mittel, so bei dieser Sitzung erstmals seine sich in den nächsten Wochen ständig verstärkende Aussage, seien die westlichen Korrrespondenten an der Arbeit zu hindern: »Es darf keine Bilder in den Westmedien geben.« Parallel wurde von ihm klargestellt, daß es keinen Dialog mit der Opposition, im MfS als »politischer Untergrund« bezeichnet, geben werde. Das schwelende Feuer im eigenen Haus müsse ausgetreten werden, lautete Mielkes Parole, denn die Opposition sei der Feind der SED-Herrschaft. Die Hauptabteilung IX wurde von ihm angewiesen, Zuführungspunkte zur Festnahme von Demonstranten in der Nähe des Alexanderplatzes, insbesondere im Präsidium der Volkspolizei, zu schaffen und unnachgiebig gegen die »Rädelsführer« vorzugehen.

Mielke, sowohl mit der SED als auch den MfS-Möglichkeiten nicht mehr zufrieden, weil er das Anwachsen der Opposition und die Lethargie der Partei klar analysierte, verlangte politische Agitation. Es müßten mehr Genossen, die auch für die Partei kämpften, geworben werden, betonte er mit dem Hinweis, dies gelte auch für die Inoffiziellen Mitarbeiter. Beispielsweise sei sofort zu prüfen, wer für die Ausbildung als Pfarrer gewonnen werden könne, um langfristig die Kirche noch wirkungsvoller unterwandern zu können. Die Abteilung XX erhielt den Auftrag, MfS-Spitzel in der Kirche durch offensive Maßnahmen so zu unterstützen, daß sie in der Hierarchie aufstiegen und damit mehr Einfluß gewännen.

Sofort-Einsatzgruppe für Berlin

In Berlin wollte Mielke natürlich keinerlei Risiko eingehen. Deshalb ließ er unter anderem eine Sofort-Einsatzgruppe in der Hauptabteilung VIII bilden, in der mehrere hundert MfS-Mitarbeiter mit weitgehenden Rechten formiert wurden. Im Kampf gegen die Opposition und die Unterbindung ihrer Aktionen sei es auch ohne vorherige Rücksprache mit der MfS-Spitze zulässig, Festnahmen zu tätigen, lautete die Mielke-Generalvollmacht. Die Kräfte der Stasi wurden beispielsweise aus den Abteilungen rekrutiert, die für die Spionageabwehr und Terrorismusbekämpfung zuständig waren. Das macht deutlich, daß »innere Feinde« und ihre Bekämpfung für das MfS nun wichtiger als die Abwehr ausländischer Terroristen und Geheimdienste wurden. Alle Potenzen des MfS wurden für den »Endkampf an der Heimatfront« mobilisiert, das Volk zum Hauptfeind erklärt.

Von Vergreisung wollte Mielke nichts wissen

Die beiden alten Herren analysierten vieles klar, nur nicht ihren eigenen Zustand. Mielke berichtete im Juli im Kreise führender MfS-Offiziere, Honecker sei nach seinem Besuch in Moskau sehr niedergeschlagen. Er erwarte den wirtschaftlichen Zuammenbruch der Sowjetunion, aber leider setze Gorbatschow weiter auf Glasnost und Perestrojka, anstatt auf die Erfahrungen eines SED-Regimes zu setzen.

Die Probleme in der SED und die Vertrauensverluste in der eigenen Bevölkerung leugnete Mielke nicht, lehnte jedoch strikt ab, auch über das Thema zu sprechen, was eines *der* Themen in der Bevölkerung war: die völlige Überalterung der Spitze, ihre Starrheit und politische Ideenlosigkeit. Der seinerzeit 81jährige Stasi-Chef suchte Unterstützung für die Diskussion gegen Überalterung, Vergreisung und Verkalkung der Spitze, die auch in Teilen der SED und des MfS hinter vorgehaltener Hand diskutiert wurde, im Ausland. Auch bei den Indianerstämmen seien es die Ältesten, Klügsten und Erfahrensten gewesen, die, besonders in schwierigen Zeiten, der Turm in der Schlacht gewesen seien, wandte Mielke seine Karl-May-Kenntnisse an. Auch die japanischen Gepflogenheiten, die doch in Politik und Wirtschaft dort zu großem Erfolg geführt hätten, zeigten, daß eine Erörterung über das Alter völlig fehl am Platze sei.

Allerdings konnte Mielke vor seinen Getreuen – oder denen, die er dafür hielt –, trotz aller Durchhalteappelle seine tatsächliche Verfassung nicht ganz verbergen. Erste Tendenzen der Resignation und der Vorahnung auf die kommende Zeit wurden erkennbar. »Wenn ihr denkt und Lust habt, in eurem späteren Leben als Sozialdemokraten zu arbeiten, ich habe das nicht«, sinnierte der Kommunist. Er werde »bald« sterben, aber »ihr müßt dann euer Leben unter entwürdigenden Umständen als Sozialdemokraten verbringen«, versuchte er das Kommunistenheil zu retten.

Das Trauma, in den Augen der SED die Entwicklung zum 17. Juni 1953 nicht richtig gesehen zu haben, beschäftigte ihn auch an diesem Tag. Wenn schon alle Bastionen fielen, so Mielke, »sein« MfS sollte jedenfalls nicht schuldig sein. »Es soll mal wieder keiner sagen können, er habe nichts gewußt und das MfS habe nicht informiert«, bemerkte er und gab den Stasi-Offizieren eindringlich mit auf den Weg, ständig und schnell die SED-Spitzen auf den jeweiligen Ebenen über die sich rapide verschlechternde Stimmung in der Bevölkerung und Situation der Partei zu informieren, damit man endlich aufwache.

Und Mielke machte eine Andeutung, mit der keiner an diesem 31. August so recht etwas anfangen konnte, die jedoch angesichts der Entwicklung im Oktober mit dem Sturz Honeckers dann völlig nachvollziehbar wurde. Mielke sprach allgemein davon, »kritische Kräfte in der Parteiführung« seien zum Handeln entschlossen; das MfS solle Geduld und Vertrauen haben, man würde schon sehen, was sich (und daß sich) in den nächsten Tagen und Wochen etwas tue. Er ließ aber nicht durchblicken, daß er insgeheim bereits Kontakte zu anderen Kollegen im Politbüro aufgenommen hatte, um die Weichen zu stellen.

Stasi starrte auf die Fluchtwelle – Kohl und Nemeth machten alles klar

Die politische Lähmung der SED-Spitze griff auf das MfS über. Befehle und Weisungen zu dem schwierigsten aktuellen Problem, der Fluchtwelle, wurden kaum erteilt; jedenfalls keine grundsätzlichen. Das MfS zeigte sein Selbstverständnis: Kamen keine Befehle von der politischen Führung, wurde auch aus eigener Verantwortung nicht agiert. Man starrte auf die Ereignisse in Ungarn, wo viele Urlauber geblieben waren und viele noch hinfuhren, wie das Kaninchen auf die Schlange, obwohl spätestens seit Ende Juli MfS-intern die anschwellende Flüchtlingswelle erkannt und bis in die Bezirksverwaltungen und Kreisdienststellen zwecks Verhinderungsaktivitäten weitergegeben war. In der MfS-Spitze war man aber bis Ende August nicht willens oder bereit, sich festzulegen. SED-Chefideologe Otto Reinhold hatte allerdings auch die Dimension dessen, um was es ging, in jenen Tagen unmißverständlich dargelegt: Man könne sich das »Risiko« von politischen Reformen wie in anderen Ländern des Ostblocks nicht leisten, weil dies die Existenz des SED-Regimes bedrohen würde. Reinhold: »Welche Existenzberechtigung sollte eine kapitalistische DDR neben einer kapitalistischen Bundesrepublik haben? Natürlich keine.«

Erst am 29./30. August nahm Mielke MfS-amtlich erstmals Stellung; die Fluchtwelle hatte nicht nur Ungarn, sondern auch die ČSFR längst erreicht. Am 13. September verfügte er, daß Reisen nach Ungarn wie Westreisen zu überprüfen und zu genehmigen seien. Die ganze Hilflosigkeit, die das MfS in diesen entscheidenden Wochen prägte, erfaßte auch ihn; er teilte mit, daß die Anweisung zu den neuen Reisemöglichkeiten nicht bekannt werden dürfe. Das MfS war über die Situation in Ungarn schlecht informiert, denn Inoffizielle Mitarbeiter waren nicht in den Flüchtlingslagern präsent. Da eine entsprechende Anweisung nicht ergangen war, war auch niemand in dem unübersehbaren MfS-Apparat tätig geworden. Als Ende August in einer Beratung von leitenden Mitarbeitern der Diensteinheiten ZKG (Zentrale Koordinierungs-Gruppen), die für alle Antragsstellun-

Das gute Einvernehmen zwischen Helmut Kohl und Miklos Nemeth
stellte Weichen für Deutschland.

gen verantwortlich waren, der Hauptabteilung XX und der Hauptabteilung II eine entsprechende Unterwanderung verabredet wurde, war es zu spät.

Im August, während seines Urlaubs in St. Gilgen am Wolfgangsee, erhielt Bundeskanzler Helmut Kohl einen Telefonanruf des damaligen ungarischen Ministerpräsidenten Miklos Nemeth. Nemeth kündigte an, daß Ungarn »die Grenzen öffnen wird«. Am 25. August trafen sich Kohl, Genscher, Nemeth und der damalige ungarische Außenminister Horn auf Schloß Gymnich bei Bonn. Dort wurde die Zusage, die Grenze zu öffnen, wiederholt und der Termin für »Anfang September« fixiert. Der Kanzler in einem WELT-Gespräch: »Da war klar: Das ist der Durchbruch für die Menschen und der Anfang vom Ende des Honecker-Regimes.« Honeckers einzige Überlebenschance habe ja darin bestanden, die Menschen einzusperren: »Die mutige Tat der Ungarn war der erste Schritt.«

»Es wird an den Problemen vorbeigeredet« – die SED blieb in Lethargie

»Vorliegenden Informationen zufolge sind zahlreiche, vor allem langjährige Parteimitglieder von tiefer Sorge erfüllt über die gegenwärtige allgemeine Stimmungslage unter großen Teilen der Werktätigen, besonders in den Betrieben, teilweise verbunden mit ernsten Befürchtungen hinsichtlich der weiteren Erhaltung der politischen Stabilität der DDR.« Die Zentrale Auswertungs- und Informationsgruppe (ZAIG), die für Mielke die Spitzelberichte analysierte und komprimierte, übermittelte diesem am 11. September 1989 einen schonungslosen Bericht über die Stimmung. »Unwillige, Unzufriedenheit, in immer aggressiverem Ton geführte Diskussionen« auf der einen Seite und zunehmende »Erscheinungen von Passivität und Gleichgültigkeit andererseits« kennzeichneten die Stimmung. Und dann das Alarmsignal, das die SED allerspätestens hätte aufwecken müssen: »Auch zahlreiche Parteimitglieder«, so diagnostizierte das MfS, äußerten sich entsprechend und seien »kaum noch von Parteilo-

sen« zu unterscheiden. Zunehmend werde die Staats- und Parteiführung für die Eskalation der Krise verantwortlich gemacht;
dies gelte sowohl für die ökonomische Lage als auch für das
mangelnde Vertrauen in die Parteiführung. Hauptamtliche Parteifunktionäre wirkten in ihrer Argumentation »hilflos«, teilweise wichen sie unbequemen Fragen aus. Dies gelte auch für
Parteiveranstaltungen, wo überzeugende Argumente und fundierte Hintergrundinformationen vermißt würden. Fazit: Es
werde an den Problemen vorbeigeredet. Dazu komme eine Infor-
mationspolitik, die keinerlei Offensive zeige und von Mitgliedern und Funktionären der SED mit »Unwillen« offen abgelehnt
werde.

Von den SED-Spitzen waren bis auf wenige Ausnahmen kaum
Aktivitäten erkannbar. Politische Ratlosigkeit konnte im Urlaub
vergessen werden. Die Dramatik der Situation wurde nur wenigen bewußt; und wer es ahnte, versuchte zu verdrängen. Eine der
wenigen Ausnahmen war Wolfgang Herger, ein enger Mitarbeiter von Krenz und im ZK Leiter der Abteilung Sicherheitsfragen.
Er versuchte immer wieder, Krenz zu ermuntern, sich gegen Honecker zu stellen. Dieser konnte sich noch nicht durchringen;
unentschlossen lavierte er, zudem unsicher, auf welche Seite
Mielke sich mit dem mächtigen MfS-Apparat stellen würde.
Herger suchte den Kontakt zu Mielke, der ja in diesen Wochen
hinter den Kulissen die Fäden zog. Herger hat sich dazu später,
nämlich Ende Oktober, auf einer Aktivtagung führender Dienst-
und Parteifunktionäre im MfS ausführlich geäußert und betont,
ohne Mielke hätte Krenz nicht gehandelt, ohne den MfS-Chef
wäre der Wechsel von Honecker zu Krenz niemals zustande gekommen. Die Stimmung in der Bevölkerung spitzte sich zu, die
Zahl der zum Protest Bereiten wuchs an, derweil im unmittelbaren Macht- und Herrschaftsapparat der SED Resignation und
Untätigkeit sich verfestigten. Die SED-Spitze erstarrte hilflos an
der eigenen Ideologie und Unfähigkeit.

Im MfS kein Widerstand gegen die SED

Die Erkenntnisse des MfS über die politische Lage wurden immer eindeutiger. Es hätte schon ganz Entscheidendes geschehen müssen, um die Revolution noch zu verhindern. Kirche und Opposition entwickelten sich wirkungsvoll – trotz aller SED-Parolen, diese hätten keinen Gestaltungsplatz in der Gesellschaft. Das MfS wußte, daß die Entwicklung kaum mehr aufzuhalten war. Nicht zuletzt waren es auch Mitarbeiter des MfS und deren Familienangehörige und Freunde, die hinsichtlich restriktiver Reisemöglichkeiten oder brutaler Unterdrückung im Inneren am eigenen Leib erfuhren, zu welchen Mitteln das SED-Regime bereit war und daraus ihre Schlußfolgerungen zogen.

Gemäß der Losung, man sei als »Schild und Schwert« der SED für deren bedingungslosen Schutz verantwortlich, wagte man nicht, die SED mit stärkeren Mitteln als Informationen unter Druck zu setzen. Gewiß, die Zahl der Parteiverfahren gegen MfS-Mitarbeiter stieg seit 1988 deutlich an, weil immer mehr ihren Unmut über die Taubheit und Starrheit des Politbüros artikulierten; dies alles war aber nur ein Tropfen auf den heißen Stein. Man schützte weiterhin die SED als den Verursacher des Ruins; durch die Abschirmung der Partei konnte sie weiter hemmungslos agieren und sich in jener trügerischen Ruhe fühlen, die den Absturz um so schneller bewirkte. Es wäre gewiß interessant zu analysieren, was passiert wäre, wenn das MfS auch in den SED-Apparat hätte hineinwirken können; das MfS war jedenfalls weit disziplinierter und schlagkräftiger als die SED in ihrem rasanten Niedergang. Das MfS blieb jedoch der SED treu. Oftmals wider besseres Wissen verfolgte man diejenigen, die als »Regimegegner« eingestuft wurden, obwohl es in jenen Wochen und Monaten vielen noch gar nicht um eine Revolution, sondern um einzelne Veränderungen und Verbesserungen ging. Wurden MfS-Mitarbeiter auf die Situation angesprochen, trösteten sie sich: Man gebe doch die richtigen Informationen, es sei daher Sache der SED, die entsprechenden Folgerungen zu ziehen und Maßnahmen einzuleiten.

Das Beispiel eines hohen Funktionärs verdeutlicht die Kluft

zwischen MfS und SED, aber auch das ganze Ausmaß der Verlogenheit des Spitzelsystems. Der Generaldirektor eines Betriebes, als Inoffizieller Mitarbeiter vom MfS zur wahrheitsgemäßen Berichterstattung verpflichtet, analysierte schonungslos die Situation und schilderte, wie er unter Mittags völlig falscher Politik mit seinem Betrieb zu leiden habe. Mittag, der dies auf irgendeine Weise erfahren haben mußte, ging im Politbüro in die Offensive und attackierte den Betreffenden, um seine eigene Verantwortlichkeit negieren zu können. Dadurch wagte man im MfS nicht, den führenden Wirtschaftsvertreter mit seiner schonungslosen Darlegung zu stützen. Dieser wiederum hatte nicht den Mut, in offizieller Funktion auch nur ein Wort jener Kritik darzulegen, die er dem MfS geschildert hatte. In seinem offiziellen Wirtschafsbericht jubilierte er über Planerfüllung und Zufriedenheit im Betrieb.

»Mir ist egal, wofür ihr sie einsperrt«

Die Demonstration in Leipzig am 2. Oktober nahm Mielke zum Anlaß, eine weitere Eskalation herbeizuführen. »Und nun werde ich am nächsten Montag erstmals und endlich auch meine Spezialtruppen einsetzen und werde denen zeigen, daß unsere Macht noch Zähne hat«, formulierte er triumphierend im Kreis leitender MfS-Offiziere. Es sei »eine explosive Situation entstanden«, meinte er höhnisch. Er habe erstmals gestattet, mit Schlagstöcken und Hunden in Leipzig präsent zu sein. Er äußerte sich in gewohnter Weise: schockierend brutal, ohne menschliche Empfindung. Die Demonstranten beschimpfte er als »feige Hunde«, die »wie die Hasen gelaufen sind, als sie unsere Hunde nur gesehen haben«. Nur durch Härte sei »bei diesen Leuten« etwas zu bewirken. Deshalb werde von jetzt an jeder festgenommen, der für die Opposition eintrete: »Mir ist egal, wofür ihr sie einsperrt, aber diese Leute verschwinden von der Straße«, wies er an. Auch Rockgruppen seien »Potential der Konterrevolution«, so daß diese von nun an zu kontrollieren seien. Die Abteilung XX erhielt den entsprechenden Befehl.

»Wer zu spät kommt, den bestraft das Leben«

Michail Gorbatschow wurde bei seinem Besuch zum 40jährigen Bestehen des SED-Regimes von der Bevölkerung stürmisch gefeiert. »Gorbi, Gorbi – Hilf uns«, »Weiter so« und »Wir bleiben hier« schallte es ihm entgegen, als er bei Terminen in Berlin am 6. und 7. Oktober direkten Kontakt mit der Bevölkerung hatte. Die SED-Spitze, die durch die Schließung von Grenzübergängen und schärfste Einschüchterungsmaßnahmen alles versuchte, um eine »heile Welt« zu demonstrieren, bekam in Anwesenheit des Gastes aus Moskau die Quittung für Brutalität, Unterdrückung und Menschenverachtung. »Freiheit für die Inhaftierten«, »Freiheit, Freiheit«, »Pressefreiheit«, »Wir feiern 40 Jahre DDR und fünf Monate Wahlbetrug«, »Schämt euch was«, »Lügner, Lügner« waren einige der Rufe, mit denen vor allem junge Leute unter großem Beifall von Passanten bis zum Palast der Republik gezogen waren, wo ein gewaltiges Aufgebot von Stasi und Volkspolizei die offizielle Jubelfeier hermetisch abriegelte.

Gorbatschow ließ an dem, was er von der SED verlangte, keinen Zweifel. Er forderte Reformen und die Zusammenarbeit mit allen gesellschaftlichen Kräften; die Bevölkerung solle »nicht in Panik verfallen, aber auch nicht Trübsal blasen«, munterte er die für Freiheit Kämpfenden auf: »Wir kennen unsere deutschen Genossen sehr gut. Sie sind Fachleute darin, eine Sache zu durchdenken und, falls notwendig, Korrekturen vorzunehmen.« Der Kremlchef, der nach der Rückkehr in Moskau die Attacke auf Honecker direkt mit dem Hinweis eröffnete, er habe bei seinem Besuch »viele freudige Befürworter der Perestrojka« gefunden, täuschte sich zwar nicht in der Mehrheit des Politbüros, wohl aber in dem starren und eiskalten Honecker. Dieser, von einer Operation noch nicht vollständig genesen, zeigte sich jovial. »Totgesagte leben länger«, meinte er auf Fragen nach seinem Gesundheitszustand, derweil die sowjetische Seite in offener Anspielung auf Honeckers fehlende Bereitschaft, Veränderungen herbeizuführen, Gorbatschow nach der Unterredung mit dem SED-Politbüro noch in Berlin mit dem Satz zitierte: »Wer zu spät kommt, den bestraft das Leben.«

Michail Gorbatschow und SED-Chef Erich Honecker auf der Ehrentribüne der Militärparade am 7. 10. 1989.

Mit brutaler Gewalt schlugen unterdessen Stasi und Volkspolizei zu, nachdem man versucht hatte, am Samstag während der Feierlichkeiten die westliche Presse zu vertreiben. Fotografen und Berichterstatter wurden verprügelt, Stasi-Mitarbeiter zerstörten Fotoausrüstungen und beschlagnahmten Filme. Mit Massenverhaftungen in Berlin, Dresden, Plauen, Jena und Potsdam versuchten SED- und Stasi-Spitze noch einmal der Lage Herr zu werden. In Dresden, wo bereits zuvor Tausende demonstriert hatten und Hunderte zusammengeschlagen worden waren, kam es zu schweren Ausschreitungen. Demonstranten lagen blutüberströmt auf den Straßen, nachdem die SED-Schergen zugeschlagen hatten.

Die Stasi-Schläger in Aktion: »Wollen Sie eine Sonderbehandlung?«

Einer, der in den bewegenden Stunden den Protest direkt erlebte, berichtet:

»Am 8. 10. 1989 fuhr ich mit der U-Bahn von der Dimitroffstraße zum Alexanderplatz. Gegen 23.30 Uhr fuhr der Zug in den Bahnhof ein. Durch die Fenster sah ich entlang des Bahnsteiges Mann an Mann Polizei stehen, die Gesichter zum Zug gewandt. Die andere Bahnsteigkante war auf dieselbe Weise abgesperrt. Zwischen den Polizeiketten war der Bahnsteig leer. Ich öffnete die Wagentür. Mehrere Polizisten riefen: ›Drinbleiben‹.

Ich öffnete die Tür und sprach den mir direkt gegnüber stehenden Polizisten an. Ich erklärte, daß ich nach Hause wolle, und fragte, wie ich dort hinkommen könne. Während ich sprach, kam von rechts ein Leutnant der Polizei und nahm mir meinen Personalausweis aus der Hand, sah kurz hinein und sagte dann: ›Steigen Sie mal aus, ich zeige Ihnen, wo es langgeht.‹ Ich stieg aus. Er zeigte nach rechts, in die Richtung, aus der er gekommen war, und gemeinsam gingen wir in Richtung Ausgang (Das Gute Buch). Die U-Bahn fuhr weiter.

Während ich mit dem Leutnant den Bahnsteig entlanglief, fragte ich nochmals, wie ich nach Hause kommen könne. ›Gehen Sie, gehen Sie‹, sagte der Leutnant, nahm meinen Personalausweis aus der Hülle und sagte: ›Das haben Sie alles vorher gewußt.‹ Dann gab er mir die leere Ausweishülle. Oben an der Treppe des U-Bahn-Ausganges (Das Gute Buch) standen links und rechts der Teppe zur U-Bahn zwei Lkw W50, die Ladeflächen dem U-Bahn-Ausgang zugewandt. Um die Lkw herum und dazwischen standen weitere Polizisten, Unteroffiziere und zwei oder drei Offiziere. Außerdem befanden sich dort noch etwa zehn zivil gekleidete Personen, die eindeutig dienstlich dort waren. Der Leutnant, der meinen Personalausweis behalten hatte, griff mich am Oberarm, führte mich an die Ladefläche des linken Lkws und sagte: ›Rauf‹. Ich sagte: ›Lassen Sie mich los‹, und er sagte noch einmal: ›Rauf‹.

Ich erinnerte mich, währenddessen über die merkwürdige Mechanik und Selbstverständlichkeit des Vorganges nachgedacht zu haben. Ich wunderte mich über meine Widerstandslosigkeit, mit der ich tat, was von mir verlangt wurde.

Auf dem Lkw saßen etwa 15 meist jüngere Menschen. Nur ein Mann schien älter als 40. Es war still. An der Ladeklappe saßen drei Offizierschüler der Polizei. Den, neben dem ich direkt saß, fragte ich leise, was los sei. ›Das haben Sie alles vorher gewußt‹, sagte er. Ich erzählte ihm, wie ich auf den Lkw gelangt war, und er antwortete, das werde sich alles klären. ›Sie werden zugeführt‹, sagte er. Ich fragte ihn, wohin; er, das wisse er nicht. ›Sie müssen doch wissen, was Sie tun.‹ Er sagte: ›Ich lerne ja erst.‹ ›Wir lernen alle jetzt‹, sagte ich. Ein Mädchen, das auch auf dem Lkw saß, sagte: ›Zu mir haben sie gesagt, daß sie uns auf die Müllkippe fahren.‹

Der Lkw kam etwa in Höhe der Kongreßhalle, die Ladefläche zur Karl-Marx-Allee gewandt, zum Stehen. Auf der K.-M.-Allee stand ein Ikarus-Reisebus. Polizisten und zivil Gekleidete bilde-

Mit Lkws wurden die friedlich für Freiheit Demonstrierenden abtransportiert.

ten zwischen Reisebus und Lkw zwei Ketten, so daß eine Gasse entstand, die Ladefläche wurde geöffnet, wir kletterten einzeln vom Lkw und gingen durch diese Gasse zum Reisebus.

›Einsteigen und hinsetzen‹, erinnere ich mich noch. Im Reisebus befanden sich neben dem Fahrer vier Unteroffiziere der Polizei, zwei standen im Heck, zwei vorn neben dem Fahrer. Sie hatten, wie alle Polizisten, Gummiknüppel in den Händen. Einer der Polizisten sagte: ›Hinsetzen und Mund halten!‹

Einige fragten, wohin wir gebracht würden. Der Polizist antwortete nicht. Als die Frage wieder und wieder gestellt wurde, sagte er: ›Das haben Sie alles vorher gewußt. Hier herrscht Ruhe.‹

Ich habe nichts mehr gefragt. Ich saß etwa in der Mitte des Reisebusses und sah aus dem Fenster zum Alex. Ich zählte zwölf leere Ikarus-Reisebusse, geparkt entlang der Kurve zur Karl-Marx-Allee, die die Sicht auf den Alex versperrten. Auf dem Gehweg neben unserem Reisebus partrouillierten Dreiergruppen zivil gekleideter Männer.

Das war gegen Mitternacht. Inzwischen kam der zweite Lkw vom U-Bahn-Ausgang (Das Gute Buch), und auf dieselbe Weise wie vorhin wir verließen die Menschen auf der Ladefläche den Lkw, liefen durch die Gasse und bestiegen den Reisebus. Unter ihnen war ein Mädchen, vielleicht 18 Jahre alt, es hatte ein blaugeschlagenes Auge. Insgesamt waren wir jetzt etwa 30 Menschen, keiner kannte keinen.

Ich habe nicht auf die Uhr gesehen, als der Bus losfuhr. Vorneweg fuhr ein Streifenwagen der Polizei mit eingeschaltetem Blaulicht. Hinter dem Bus fuhr ein Lkw. Ich hörte die Sirene des Streifenwagens. Er hielt vor dem Polizeirevier Albert-Norgen-Straße in Hellersdorf.

›Alles, was weiblich ist, einzeln raus‹, sagte der Polizist. Die Mädchen, keines war älter als 25, standen auf und verließen den Bus durch die Vordertür. Es waren sieben oder acht.

Dann verließen auch wir den Bus auf dieselbe Weise. In einer Reihe, mit einem Abstand von vier oder fünf Metern, gingen wir durch das Tor des Polizeireviers. Dahinter war durch Polizisten, wieder mit Gummiknüppeln in den Händen, und einigen zivil

Gekleideten eine Gasse gebildet worden. Ich lief durch diese Gasse, meinem Vordermann hinterher. Die Gasse führte zu einer geöffneten Garage, die als solche jedoch ich erst erkannte, als ich plötzlich in diesem weißen Raum aus Beton stand. Links und rechts von mir standen die anderen aus dem Bus, nebeneinander, das Gesicht zur Wand. Ich stand in einer Mittelreihe. Ich erinnerte mich noch an die Rufe: ›Schneller, schneller‹ und ›Mittelreihe bilden‹.

Ich stand von drei Viertel eins bis zum Morgen um zehn Uhr in dieser Garage. In der Erinnerung, jetzt, drei Tage später, schieben sich diese Stunden zu wenigen Momenten, Bildern und Sätzen zusammen, und was bleibt, sind die Fetzen dieser Nacht.

Die gebrüllten Sätze:

›Wollen Sie eine Sonderbehandlung?‹

›Schiffen Sie in die Hosen, oder schwitzen Sie es aus den Rippen.‹

›Hier herrscht Ruhe.‹

›Köpfe zur Wand.‹

›Verstehen Sie kein Deutsch?‹

›Das haben Sie vorher gewußt.‹

Die leisen Sätze, die ich manchmal von draußen hörte:

›Der da.‹

›Laß sie stehen, bis sie weich sind.‹

›Aber einzeln.‹

›Individuell.‹

›Jetzt.‹

Vorn links in der Ecke drehte sich einer um und sagte: ›Mir ist schlecht, ich kann nicht mehr stehen.‹ Eine Stimme hinter mir sagte: ›Das ist nicht unser Problem.‹ Der Junge setzte sich langsam auf den Betonfußboden. Hinter mir brüllte es: ›Stehen bleiben!‹ Zwei Polizisten kamen an mir vorbei. Sie rissen den Jungen hoch und drückten ihn gegen die linke Wand der Garage, so, daß er hinter ihren Körpern nicht mehr zu sehen war. Ich sah ihre am Handgelenk baumelnden Gummiknüppel. Ich erinnerte mich genau an das dabei fragend nach draußen gewandte Gesicht des einen Polizisten, seine dunklen Augen hinter der goldfarbenen Metallbrille. Der andere sagte nach einer Weile: ›Der ist weg.‹

Dann ließen beide den Jungen los, er sackte zusammen.

Ich erinnere mich, im Laufschritt durch eine Gasse aus Polizisten, die Gummiknüppel schlagbereit in den Händen hielten, etwa 30 Meter zu einer Halle mit einer Rampe gelaufen zu sein. Ich lief über die Rampe und gelangte von dort in einen Flur. Links war eine Toilette. Während ich versuchte zu pinkeln, standen hinter mir zwei Polizisten, ihre Gummiknüppel haltend, wie vorher die Polizisten der Gasse.

Das Pinkeln gelang mir nicht. Dann rannte ich zurück über die Rampe, Gasse und Halle in meine Garage. Es dämmerte.

Ich erinnere mich noch an das Bild der vor mir schwankenden Körper. Manchmal schlief einer ein und erwachte, als sein Körper das Gleichgewicht vollends zu verlieren begann. Um halb acht erhielten wir jeder einen halben Plastikbecher lauwarmen Zitronentee.

Ich erinnere mich, daß einer geholt wurde und nicht wiederkam.

Ich weiß nicht, was sonst geschah. Es war hell. Wir standen, einige hockten auf dem Beton. Es geschah nichts, ich war müde. Gegen zehn wurden wir in Zweiergruppen aus der Garage in ein Gebäude geführt. Die Garage war zu Ende, wir waren weich.

Im Polizeigebäude warteten wir auf dem Boden eines von Möbeln freigeräumten Raumes im Halbkreis, ›schön von der Wand weg, hier ist kein Sanatorium‹, auf unser Verhör. Uns gegenüber stand ein Tisch, auf dem Polizisten saßen.

Wir erhielten jeder einen Knacker und eine Schrippe.

Ich wurde als einer der letzten verhört. Etwa eineinhalb Stunden lang sollte ich lückenlose Angaben über meinen Tagesablauf seit dem 6. 10. 1989 machen.

Mein Versuch zu schildern, was ich am 8. 10. 1989 nach dem 18-Uhr-Gottesdienst der Gethsemanekirche erlebt hatte, interessierte nicht. Es interessierte, ob es eine Möglichkeit gab, mich festzuhalten, und ich bereit wäre, die Kirchenmitarbeiter als Rädelsführer im Protokoll zu kennzeichnen, was ich nicht getan habe.

Es interessierte nicht die brutale Gewalt von Schlägern des Ministeriums für Staatssicherheit, die ich zwischen Räumfahrzeu-

Mielke (oben Mitte) und seine Getreuen waren während der Proteste
am 7. 10. 1989 zum brutalen Zuschlagen bereit.

gen mit rotweißen Schutzschilden und doppelten Polizeiketten hindurch auf die zurückweichende Menschenmenge habe zustürzen sehen; es interessierte nicht, daß ich gesehen habe, wie von ihnen wahllos Frauen und Männer herausgefangen, über die Schönhauser Allee geschleift und zusammengeschlagen wurden.

Die Aussage des Stabschefs des VP-Präsidiums, Oberst Dr. Dietze, daß Zuführungen erst unvermeidlich waren, nachdem Demonstranten tätlich die Polizei angriffen, ist unwahr. Zweimal habe ich gesehen, wie Leute, die fotografierten, blutig geschlagen wurden. Ich habe vor Angst und Schmerz schreiende Menschen gesehen. Das interessierte nicht.

Ich habe nicht erzählt, daß ich gesehen habe, wie ein Zuschauer in schwarzen Lederstiefeln, schwarzer Lederhose und -jacke mit Igelfrisur und weißem Stirnband von den Greifern des Ministeriums für Staatssicherheit über die Straße gezerrt wurde, diesem es dabei aber gelang, einen kleinen, klappbaren Ausweis zu zeigen, der bewirkte, daß er sofort losgelassen wurde. Es interessierte nicht, und ich habe nicht mehr darüber geredet, daß wir Angst hatten.

Ich war weich. Ich habe das Befragungsprotokoll mit meinen Tagesabläufen unterschrieben und auch, daß ich über meine Rechte belehrt wurde. Die Belehrung war die Antwort auf meine Frage, welches denn die Rechte seien: ›Sie können sich beschweren‹, sagte der Vernehmer.

Ich wurde gegen halb fünf entlassen.«

Die Geheimkonferenz am 8. Oktober

Auch jene, die in der SED-Spitze sich nicht hatten durchringen können, gegen Honecker vorzugehen, wußten nach den massiven Protesten bei den Jubelfeiern zum 40. Jubiläum des SED-Regimes, daß keine Zeit mehr zu verlieren war. Es war nicht einmal mehr fünf vor zwölf; wollte man noch etwas bewegen, so mußte dies unverzüglich geschehen.

Das Ziel war klar: Honecker entmachten und zugleich durch

deutliche Schritte klarzumachen, daß es keine entscheidenden Aufweichungen der SED-Linie geben würde. Die Teilnehmer der Geheimkonferenz vom 8. Oktober waren sich dessen bewußt, als sie sich bei Mielke trafen, um die notwendigen Schritte einzuleiten. Neben Krenz gehörten Schabowski (seit 1984 Politbüromitglied und nach dem von Krenz unterstützten Sturz Naumanns SED-Bezirkschef, die Autoren), Innenminister Dickel und Herger, seit der FDJ-Zeit ein enger Weggefährte von Krenz und im Politbüro als dessen Nachfolger ZK-Sekretär für Sicherheit, zu den Teilnehmern.

Sollte der Plan, Honecker zu stürzen, nicht doch noch in letzter Minute gefährdet werden, mußten Mittel gefunden werden, die erwarteten Proteste in Leipzig und anderen Städten unter Kontrolle zu bekommen. Nicht in der Lage zu sein, die sich ausweitenden Demonstrationen – selbst die SED-Spitze rechnete am Montag in Leipzig mit mindestens 50 000 Teilnehmern – unter Kontrolle zu bekommen, wäre eine schlechte Empfehlung gewesen, sich selbst der SED als Hoffnungsträger zu präsentieren. Unter diesem Blickwinkel müssen jene Entscheidungen gesehen werden, mit denen Mielke nach der Konferenz die Stasi auf die kommenden Ereignissse einschwor.

Die Rollen wurden verteilt; Mielke sagte zu, mit Stoph über die Ablösung von Honecker zu reden. Stoph war es dann auch tatsächlich, der einige Tage später im Politbüro zum Entsetzen des SED-Generalsekretärs als erster die Attacke auf diesen eröffnete. Zugleich wurden die Verbindungen zu jenen SED-Bezirkschefs aufgenommen, die man auf seiner Seite glaubte.

Schon die Tatsache, daß das Treffen beim MfS-Chef stattfand, war von größter Wichtigkeit, denn für jene in der SED und im MfS, die sich noch nicht festlegen wollten, auf welche Seite sie sich im Falle eines parteiinternen Konfliktes schlagen sollten, war es natürlich sehr bedeutsam, wie man bei der Stasi dachte. Krenz und seine Mitstreiter taten deshalb auch manches, um deren Wohlwollen zu gewinnen. Er habe tiefstes Verständnis für den Frust im MfS, er könne nur bestätigen, daß die Informationen der Stasi in der Partei nicht ausreichend ernstgenommen würden, ließ er verlauten. Er jedenfalls nehme die Arbeit ernst, man möge doch erkennen, daß die Zeit des Handelns, auch aus seiner Sicht, gekommen sei. Ähnlich äußerte sich Schabowski, der auch nicht unerwähnt ließ, daß er hinter jenen Maßnahmen stehe, die jetzt als erforderlich erachtet würden.

Kurz nach 16.00 Uhr kamen die Befehle – die Drohung mit der »chinesischen Lösung«

Das MfS handelte. Kurz nach 16.00 Uhr erreichte die Bezirksverwaltungen am 8. Oktober 1989 jener Befehl, der überhaupt keinen Zweifel an der endgültigen Gangart lassen konnte: der Schlag gegen die Opposition. Es seien »geeignete Maßnahmen« festzulegen, um kurzfristig »die Zuführung bzw. Festnahme« jener Personen »zu realisieren«, von denen »aufgrund der vorliegenden Hinweise und Erkenntnisse in Verbindung mit der möglichen Lageentwicklung antisozialistische und andere feindlich negative Handlungen und Aktivitäten zu erwarten bzw. nicht auszuschließen sind«, befahl Mielke mit der dringlichen Stufe »Luft« im MfS-Fernschreibverkehr. Der Befehl, der übrigens ausdrücklich auch an den Leiter der Stasi-Hochschule ging, war die Aufforderung, Internierungs- und Isolierungslager vor Ort vorzuhalten; Stasi-Einheiten haben ab Beginn des kommenden Tages entsprechend agiert, um die »zügellose Hetz- und Verleumdungskampagne des Gegners«, wie Mielke sich ausdrückte, abzuwehren.

Man hatte keine Illusionen mehr: Eine »Gefährdung der sozialistischen Staats- und Gesellschaftsordnung« sei aktuell gegeben, schrieb der Stasi-Chef, der die »volle Dienstbereitschaft« für alle Diensteinheiten anordnete. Die »ständigen Waffenträger« hätten ihre »Dienstwaffe ständig bei sich zu führen«. Die härtesten MfS-Einheiten sollten zum Einsatz kommen. Mielke verlangte, »ausreichende Reservekräfte bereitzuhalten, deren kurzfristiger Einsatz auch zu offensiven Maßnahmen« geeignet sei. Diese Formierungen in Verbindung mit dem Prüfungsauftrag, alles Material über die Opposition unter dem Gesichtspunkt sofort zu präzisieren, von wo aktuell die stärkste Gefahr ausging – dies war unzweideutig.

schaerft.

es verschaerfen sich die erscheinungen und damit verbunden gefahren der zusammenrottung feindlicher, oppositioneller sowie weiterer
feindlich-negativer und rowdyhafter kraefte mit dem ziel, die staatliche sicherheit sowie die oeffentliche ordnung und sicherheit
zu stoeren und damit eine gefaehrdung der sozialistischen staats-
und gesellschaftsordnung der d r herbeizufuehren.

zur konsequenten und wirksamen zurueckdraengung/unterbindung aller
diesbezueglichen handlungen und aktivitaeten

weise ich an:

1. fuer alle diensteinheiten besteht bis auf widerruf entsprechend
der anweisung nr. 1/89, ziffer 11, ''volle dienstbereitschaft''.
angehoerige, die staendige waffentraeger sind, haben ihre dienstwaffe entsprechend den gegebenen erfordernissen staendig bei
sich zu fuehren.

die in meinem fernschreiben vom 05.10.89, vvs mfs 0008-69/89 rpt
051089/vvs mfs 0008-69/89, getroffenen festlegungen zur ueber-
pruefung und bereitstellung der erforderlichen kraefte und reserven
sind nochtmals unter der gegenwaertigen lageentwicklung zu praezi-
sieren. es sind ausreichende reservekraefte bereitzuhalten, deren
kurzfristiger einsatz auch zu offensiven maszna' mmen zur unterbindung
und aufloesung von zusammenrottungen zu gewae hrleisten ist.

9. ueber politisch-operativ zu beachtende handlungen, vorkommnisse und erscheinungen im zusammenhang mit versuchen zur
stoerung der staatlichen sicherheit und der oeffentlichen ordnung und sicherheit und zum verhalten feindlicher, opposition-
neller und anderer negativer kraefte sind unverzueglich meldungen an den zos im mfs zu geben.

es sit eine staendige aktuelle und objektive einschaetzung der
reaktion der bevoelkerung zu gewaehrleisten und darueber
laufend an die zaig zu berichten.

die 1. sekretaere der bezirks- und kreisleitungen der sed sind
staendig aktuell und objektiv ueber die entwicklung der
politisch-operativen lage, einschlieszlich der reaktion der
bevoelkerung, zu informieren.

besonders bedeutsame handlungen, vorkommnisse und erscheinungen
sind mir bzw. meinem zustaendigen stellvertreter sofort zu
melden.

mfs berlin, der minister
mielke
armeegeneral

diese weisung ist in vollem umfang den leitern der kd/od zur
kenntnis zu geben.

Auszug aus Mielkes Befehl.

311

Zugleich wurde angewiesen, die Inoffiziellen Mitarbeiter sofort zum Einsatz zu bringen. Jeder Abteilungsleiter sei dafür verantwortlich, daß zu jedem IM ein stabiles Verbindungssystem funktionsfähig installiert werde. Schwerpunkt dieses Einsatzes sei das Herausarbeiten von politischen Gefahren. Auch sollten die IM in den Betrieben und Wohngegenden darauf hinwirken, daß die Stimmung sich beruhige. Insbesondere in den Betrieben sei das kleinste Signal zu Streikbereitschaft aufzugreifen und offensiv zu bekämpfen.

Besonderen Schutz sicherte Mielke seinen Mitarbeitern zu. Verstärkte Sicherungsmaßnahmen für die Dienstobjekte wurden genauso angeordnet wie in den Wohnbezirken, in denen zumeist MfS-Angehörige wohnten. Mielke sah SED-Funktionäre und -Mitglieder von »Terror- und Gewalthandlungen« bedroht. Diese Angriffe auf die SED und »andere progressiv auftretende Bürger« seien »konsequent zu verhindern«. Sogar diejenigen, die als Jäger begrenzt zum Führen von Waffen die Erlaubnis besaßen, mußten sich einer verstärkten Kontrolle unterziehen. Mielke: »Alle Möglichkeiten des Inbesitzbringens von Waffen und Munition sind auszuschließen.«

NVA in erhöhter Alarmbereitschaft – »Befehl bis 30. Oktober vernichten«

»Zur Gewährleistung der öffentlichen Sicherheit und Ordnung« während der Jubiläumsfeiern am 7. Oktober 1989 hat der damalige SED-Verteidigungsminister Heinz Keßler »Maßnahmen zum Übergang zu einer höheren Stufe der Gefechtsbereitschaft« befohlen. WELT-Korrespondent Detlev Ahlers schildert die wesentlichen Inhalte des Befehls Nr. 105/89 und die Reaktionen der davon Betroffenen:

»Offiziere der durch diesen Befehl in Bereitschaft versetzten Fallschirmjägerkompanie des Luftsturmregiments 40 in Lehnin berichteten ein gutes Jahr nach der Wende, sie seien an diesem entscheidenden Wochenende in die Nähe von Leipzig verlegt und dort in einem Verfügungsraum auf den Einsatz gegen die

Montagsdemonstration am 9. Oktober vorbereitet worden:
›Viele haben sich das Gesicht geschwärzt, weil sie nicht von Verwandten und Freunden unter den Demonstranten erkannt werden wollten. Uns wurde gesagt, daß „diese Staatsfeinde gewalttätig sind". Mit Kissen hatten wir bereits unsere Körper gepolstert, weil wir mit Stockschlägen gerechnet haben.‹

Die Fallschirmjägeroffiziere ließen keinen Zweifel daran, daß sie einem Befehl, gegen die Demonstration vorzugehen, gehorcht hätten. In der Nacht zum Dienstag sei es dann aber im Verfügungsraum zu lautstarken Diskussionen unter den Offizieren gekommen. Dabei sei es nicht um die Bedenklichkeit eines Einsatzes gegen das eigene Volk gegangen, sondern um Kritik an der nach Ansicht vieler Offiziere ›verwirrten‹ militärischen Führung, die mehrmals an diesem Abend sich widersprechende Anweisungen gegeben habe: Einsatz ja – Einsatz nein, Einsatz mit Waffen – Einsatz nur mit Schlaghölzern zum Beispiel.‹

Die Offiziere erzählten, was auch dem Befehl Keßlers zu entnehmen ist, daß die Vorbereitung der Truppe auf dieses kritische Wochenende durch die Politoffiziere besonders gründlich war: ›Wir waren damals fest davon überzeugt, daß man diese Staatsfeinde bekämpfen müsse.‹

Keßler hatte den ›Chefs und Leitern der Politorgane‹ befohlen: ›Der Führung von persönlichen politischen Gesprächen ist besondere Aufmerksamkeit zu widmen.‹

In dem fünfseitigen Bericht vom 27. September 1989 wird die erhöhte Gefechtsbereitschaft mit ›einer außergewöhnlichen Hetzkampagne gegen unsere Partei- und Staatsführung‹ durch ›bestimmte Kreise in der BRD‹ begründet. ›Vom 3. 10. 1989, 6.00 Uhr, bis 9. 10. 1989, 6.00 Uhr‹ hat Keßler deshalb ›an der Staatsgrenze der DDR zu Berlin (West) verstärkte Grenzsicherung‹ befohlen.

Den meisten Platz in dem Befehl nehmen jedoch die Vorbereitungen des Einsatzes im Inneren ein. So sollten die Streifen in den Standorten ›im engen Zusammenwirken‹ mit der Volkspolizei verstärkt werden und die Chefs von Grenztruppen und Marine ›die erforderlichen Maßnahmen des Zusammenwirkens mit den anderen Schutz- und Sicherheitsorganen‹ abstimmen. Wo der eigentliche Feind steht, ist jedoch nur zwischen den Zeilen zu lesen. So hat ›die Bereitstellung der Reserven mit dem Ziel zu erfolgen, im Zusammenwirken mit den Kräften des Ministeriums für Staatssicherheit und des Ministeriums des Innern jederzeit zuverlässig Aufgaben zur Gewährleistung der gesamtstaatlichen Sicherheit, der öffentlichen Sicherheit und Ordnung sowie einer stabilen politischen Lage in der Hauptstadt der DDR, Berlin, erfüllen zu können‹.

Dafür hatten sich in ›erhöhter Gefechtsbereitschaft‹ zu halten: 200 Mann des Wachregiments 2, 300 Mann des Wachregiments ›Berlin‹, ein motorisiertes Schützenbataillon in Stahnsdorf und eine Fallschirmjägerkompanie in Lehnin. ›Bereitschaftsstufe 3‹ galt für eine Hubschrauberstaffel in Brandenburg/Briest. Außerdem wurden 400 Mann der Grenztruppen und ein Tauchertrupp ›in Bereitschaft‹ versetzt. ›In der Militärmedizinischen Akademie und im Lazarett Potsdam sind zusätzliche Bettenkapazitäten bereitzuhalten.‹

Für NVA- und Grenztruppensoldaten außer Dienst war es am Wochenende der Feierlichkeiten verboten, nach Berlin zu fahren. Bis zum 30. Oktober mußte dieser Befehl, ›bis auf die Urschrift‹, vernichtet werden.

Die Stunden in Leipzig

Die volle Einsatzbereitschaft, die für die Stasi am 8. Oktober angeordnet worden war, wurde am 9. Oktober, dem Tag, der die SED stürzen und Deutschland vereinigen sollte, nochmals verschärft. Waffen, Fahrzeuge und Ausrüstung wurden erneut überprüft; die Stasi-Macht stand im Auftrag der SED zum Schlag bereit.

Abteilungen des MfS hatten »Operationsgruppen« mit Kraftfahrzeugen bereitzustellen; die Listen für vorbeugende Fahndungen und Festnahmen mußten nochmals aktualisiert werden. Nichts sollte nach dem Willen der SED- und Stasi-Spitze dem Zufall überlassen werden. In Leipzig, so lautete die aufmunternde Parole, werde »exemplarisch ein Unruheherd der Konterrevolution liquidiert«; das Schicksal des SED-Regimes stehe auf dem Spiel. Die führenden MfS-Offiziere wurden über die Einsatzplanung informiert. Der Demonstrationszug sei aufzuhalten und zu zerschlagen, drei Kessel aus den Demonstranten zu bilden und alle »Rädelsführer« von der Stasi festzunehmen. Mielke teilte mit, daß er die Spezialtruppen des MfS zum Einsatz bringen werde, die Kampfgruppen eingesetzt würden und NVA- Einheiten in Reserve stünden. Fallschirmjäger waren um die Stadt postiert. Polizeiführer haben Monate nach der Wende ausgesagt, es habe einen Schießbefehl für Leipzig gegeben; allerdings sei dieser nicht schriftlich formuliert worden. »Es fehlte nur noch ein Schuß bis zum Bürgerkrieg«, so die Bilanz eines Stasi-Aufklärers nach der Revolution, der Dokumente eingesehen und Gespräche geführt hat.

Mielke versuchte ein letztes Mal, das MfS einzupeitschen. Die Mitarbeiter seien an die Fahneneide zu erinnern, das Disziplinarrecht ohne Widerspruch anzuwenden. Offen seien die MfS-Mitarbeiter auf die sich dramatisch zuspitzende Situation einzustellen, mahnte er, weil er (nicht unbegründet) befürchtete, daß selbst Teile des MfS nicht mehr hinter ihm stehen würden, falls es in Leipzig zu einer blutigen Eskalation kommen würde. Und wäre die SED nicht gescheitert, hätten auch die Blockparteien nach dem 9. Oktober mit schärfsten Maßnahmen rechnen müssen.

Der Stasi-Chef gab am 9. Oktober die Anweisung, konsequent die »politisch-operative Arbeit« auf diese zu konzentrieren, da sie »mit dem Feind« liebäugelten.

In Leipzig versammelten sich seit dem Vormittag die Menschen. Sie riefen zur Gewaltlosigkeit auf und appellierten auf Flugblättern, diese konsequent beizubehalten. Jedem war klar, daß ein Stein genügt hätte, den Bürgerkrieg auszulösen. Aber die Menschen der Messestadt haben den Frieden und Deutschlands Einheit gerettet. Mit einer Disziplin, die in der Geschichte beispielhaft ist, widerstanden sie der Versuchung, an diesem Tag den SED- und Stasi-Schergen auch nur den kleinsten Teil des Unrechts zurückzuzahlen, das diese ihnen, den Eltern und Freunden in vier Jahrzehnten brutaler Diktatur zugefügt hatten.

Für den äußersten Fall ausgebildete Sicherheitskräfte, wie hier in Leipzig, waren die letzte Waffe der SED.

Die SED-Scharfmacher waren in diesen Stunden weiter zum Äußersten entschlossen. In Leipzig war die Grundlage zum vollen Einsatz bereits am 27. September gegeben worden; die Leipziger SED-Spitzen waren angewiesen – und gaben dies weiter –, alle »antisozialistischen Aktivitäten zurückzudrängen«. Demonstrationen seien nicht zuzulassen. Polizisten, die in höchster Sorge und Gewissensnot waren, ob sie den Schießbefehl anwenden sollten, wußten, daß das Schlimmste kommen könnte. Der Chef der Polizeitruppen in Leipzig, Gerhard Straßenburg, bestätigte indirekt, daß noch in den frühen Abendstunden, als die Demonstration begann, Anweisung zur letzten Konsequenz bestand: »Exakt 18.25 Uhr habe ich den Befehl zum Rückzug gegeben und festgelegt, daß nur noch Selbstverteidigung erfolgen dürfe.« Erst um 19.00 Uhr sei er von dem Appell unter Führung von Kurt Masur, es dürfe keine Gewalt angewandt werden, durch einen SED-Sekretär informiert worden.

Wer gab den Rückzugsbefehl wirklich? Zwischen 17.15 Uhr

und 18.00 Uhr kam aus Ost-Berlin die Anweisung nach Leipzig und in die umliegenden Bezirke, man schalte auf »Dialogpolitik« um. Es war wohl doch Honecker, der dies maßgeblich herbeiführte. Nicht so sehr, weil er nicht bereit gewesen wäre, auch im Inneren des Landes einen Schießbefehl anzuordnen. Es war eher die Sorge, dadurch seine Ablösung zu forcieren, seine Kritiker und Widersacher zu ermuntern und für einen Bürgerkrieg verantwortlich gemacht zu werden.

»Im MfS bröckelt es«

Natürlich konnten sich nur ganz wenige im MfS erklären, warum es nicht zum Einsatz in Leipzig kam. Fast alle, die eingeschworen waren, daß Leipzig über die Zukunft des SED-Staates entscheiden würde, waren konsterniert, daß die Freiheit sich durchsetzte, und sie tatenlos zusehen mußten, wie die Revolution ihren Lauf nahm. Von den SED-Machtkämpfen wußten ja nur einzelne.

Mielke spürte, daß er sich auf das MfS nicht mehr bedingungslos verlassen konnte: »Im MfS bröckelt es. Wir müssen aufpassen, daß die Disziplin der Mitarbeiter, die jetzt sichtbar verärgert und verunsichert sind, nicht zu stärkeren Zweifeln an der politischen Spitze führt.« Es dürfe keine Diskussion zugelassen werden nach der hinhaltenden Erklärung des Politbüros, bemerkte er mit deutlichem Unmut über die Führungsschwäche der SED, vor der er ja in den letzten Wochen, zumindest im kleinen Kreis, gewarnt habe. Die Kollektive im MfS seien besonders aufmerksam zu beobachten, schärfte er den MfS-Offizieren ein. Sie hätten konsequent gegen »jeden Nörgler und jeden Pessimisten« einzugreifen.

Für das MfS komme es darauf an, den »politischen Untergrund« jetzt noch stärker zu bearbeiten. In der nächsten Woche werde es unausweichlich sein, den »Durchbruch« in der SED-Spitze, also die Ablösung Honeckers, zu erreichen. Mielke war derjenige, wie bereits ausführlich beschrieben, der entscheidend den Wechsel von Honecker zu Krenz herbeiführte.

»Wie vor dem 17. Juni 1953«

Die friedliche Revolution gewann immer mehr die Oberhand, SED und Stasi gerieten zunehmend in die Defensive. Mielke nannte es »die Verschärfung des Klassenkampfes«, es sei jetzt alles möglich, die Situation entspreche dem Vorabend des 17. Juni 1953. Die Unruhe habe auf die Universitäten übergegriffen, »der Mob« beherrsche vielerorts die Szene. Er erwähnte, daß MfS-Mitarbeitern mit Gewalt gedroht werde und Einbrüche in NVA-Waffenkammern und der Gesellschaft für Sport und Technik geschehen seien. Die Partei schlafe, Entscheidungen würden nicht getroffen – der Bevölkerung werde die Hilflosigkeit der SED-Führung deutlich. Und erstmals sprach der Chef des nach außen immer noch als sehr stark geltenden Ministerium für Staatssicherheit in einem größeren Kreis davon, daß die westlichen Geheimdienste zur Destabilisierung der Lage beitrügen. Sie »seien an allem schuld«.

Nach Honeckers Sturz die alte Politik

Krenz konnte nach dem Sturz Honeckers zeigen, was er wirklich wollte. »Wir gehen davon aus, daß alle Probleme mit politischen Mitteln gelöst werden«, richtete er in einem Fernschreiben den SED-Bezirks- und Kreisleitungen am 24. Oktober aus, um sogleich hinzuzufügen: »Es ist eine der wichtigsten Aufgaben der Mitglieder und Kandidaten unserer Partei, der klassenbewußten Arbeiter und der fortschrittlichen Werktätigen unseres Landes, den Schutz- und Sicherheitsorganen sowie den Kampfgruppen Rückhalt bei der Aufrechterhaltung von Ordnung und Sicherheit sowie beim Schutz der Bürger vor Ausschreitungen anti-sozialistischer Kräfte zu geben.« Jeder sei jetzt gefordert, keiner dürfe abseits stehen, »sondern muß sich im ständigen offensivem Dialog mit den Menschen als Kommunist bewähren«. Und dann der sehr aufschlußreiche Zusatz: »Er (der Kommunist, die Autoren) darf nicht zurückweichen und gegnerischen Kräften keinen Spielraum geben. Die Aufgabenstellungen für die Bezirks- und

Einsatzleitungen bleiben weiterhin bestehen.« Also die Fortsetzung der Linie, wie sie schon vor Leipzig galt.

Mielke begleitete dies durch entsprechende Weisungen im MfS. Auf einer Dienstbesprechung am 21. Oktober verlangte er, mit Konsequenz und Härte gegen die Gegner der SED vorzugehen. Allerdings müsse der »Differenzierungsprozeß unter den oppositionellen Kräften qualifizierter geführt werden«, skizzierte er die SED-Politik: Nuancen, um die Bevölkerung zu beschwichtigen, aber keine grundlegenden Veränderungen.

Krenz blieb auf SED-Kurs, das war sein Ende

Krenz, der langjährige Vertraute von Honecker, übernahm nach dessen Sturz am 18. Oktober das Erbe und wurde SED-Chef. Ins Amt des Vorsitzenden des Staatsrates folgte er am 24. Oktober 1989, bis auch er dort Anfang Dezember abgelöst wurde. Krenz war zu entscheidenden Änderungen der SED-Politik offenbar nicht bereit. Helmut Kohl schilderte in einem WELT-Gespräch seine damaligen Eindrücke, nachdem die Mauer gefallen war: »Ich habe mit Krenz telefoniert, und da gab er zu erkennen, daß er den Reformbeispielen von Ungarn und Polen nicht folgen wolle. Da war für mich klar, daß auch Krenz den Lauf der Dinge nicht mehr aufhalten kann.« Unmittelbar nach dem Telefongespräch mit Krenz telefonierte der Kanzler mit Michail Gorbatschow. Kohl: »Ich berichtete Gorbatschow von dem Gespräch mit Krenz, ich sagte ihm, daß es unbefriedigend verlaufen ist. Gorbatschow schwieg. Er sagte dann gar nichts. Damit war deutlich, wie er die neue Führung unter Krenz beurteilte.«

Im Kreml zog man Folgerungen, schnell und entschlossen. Vor allem Wolf und Valentin Falin, ein Vertrauter von Gorbatschow, zogen die Fäden, um die Entmachtung von Krenz und den Übergang zu Modrow durchzusetzen. Falin kam Mitte November in vertraulicher Mission nach Berlin, um von der sowjetischen Botschaft aus zu agieren. Nach einem Gespräch mit Wolf empfing er Krenz; dieser kam, wie berichtet wird, sehr betrübt aus der Mission. Danach wurde mehrmals Modrow auf dem

Honecker und Krenz – lange Zeit enge Weggefährten.

Weg zu Falin beobachtet. Die Entscheidung für den Dresdner SED-Chef als künftigen Spitzenmann war gefallen, Krenz abserviert. Allerdings mischte Wolf sich nicht zu offensichtlich in die aktuelle politische Entwicklung ein. Auf Modrows Wunsch, sein langjähriger Mitstreiter solle auch im Politbüro der SED vertreten sein, signalisierte er, daß er daran kein Interesse habe.

Krenz wurde auch durch weitere Beispiele in seinem tatsächlichen seinerzeitigen Handeln und politischem Verständnis entlarvt. Er erteilte Zielen, die nicht mit der SED-Monopolverfassung übereinstimmten, eine entschiedene Absage. Vereinigungen könnten sich, so Krenz, der Modrow zum Ministerpräsidenten machte, nur konstituieren, wenn »die Verfassung als Grundlage des politischen Handelns ausdrücklich anerkannt« werde. Die Anerkennung sei strikt zu untersagen, wenn »verfassungswidrige Ziele in das Statut« aufgenommen würden, verfügte er am 8. November 1989. Krenz weiter: Der »Dialog« mit den Bürgern solle von den SED-Funktionären »über die Erneuerung des Sozialismus auf der Grundlage der Linie der 10. ZK-Tagung« erfolgen. Er zeigte auch keinerlei Bestrebungen, zwischen SED und Staat zu differenzieren. Die Vorsitzenden der Räte der Bezirke und Kreise seien entsprechend seinen Anweisungen zu informieren.

Die Zielsetzungen von Krenz als Generalsekretär der SED waren für die Stasi Richtschnur und Auftrag ihres Handelns. Wie aus Befehlen des MfS hervorgeht, wurde dieses Befehlsverhältnis zwischen SED und Stasi, wie es schon zuvor unter Honecker besonders ausgeprägt bestand, nach dem Übergang zu Krenz fortgesetzt.

»Sie erhalten zu Ihrer Orientierung und Beachtung ein Schreiben des Generalsekretärs des ZK der SED, Genossen Krenz, an die 1. Sekretäre der Bezirks- und Kreisleitungen der SED«, heißt es in einem Stasi-Befehl vom November 1989, in dem mitgeteilt wurde, wie Krenz die Verfahrensweise bei Anmeldungen zur Gründung von Vereinigungen (beispielsweise Neues Forum) geregelt haben wollte. Die Rolle der Stasi als Ausführungsorgan der SED wurde von den Stasi-Offizieren exakt formuliert: Die Dienststellen wurden in Kenntnis gesetzt, sie erhielten »in Kürze eine entsprechende Weisung für die politisch-operative Arbeit«.

Über die Rolle von Krenz hat sich Horst Sindermann (SED), zuletzt Volkskammer-Präsident, kurz vor seinem Tod in einem Interview mit dem »Spiegel« sehr aufschlußreich geäußert. Auf die Frage, welche Beschlüsse das Politbüro zur Stasi faßte, antwortete Sindermann: »Im wesentlichen ging es um Kader-, also Personalfragen der oberen Ränge.« Zur Rolle von Mielke im Politbüro bemerkte er: »Er saß meist da und schwieg. In der letzten Zeit hatte vieles von dem, was er dann und wann vortrug, kaum noch Hand und Fuß.« Und dann die Antwort auf die Frage, ob man »die Befehlsgewalt über die Stasi-Armee einem offenbar debilen Greis überlassen durfte?« Sindermann: »Kaum. Aber die Partei hatte ja schon 1983 mit Krenz einen jungen, agilen Genossen zu dem für Sicherheitsfragen zuständigen ZK-Sekretär gemacht. Krenz hatte zwar den Buchstaben nach kein Weisungsrecht gegenüber Mielke, aber es war völlig klar, daß im Bereich der Staatssicherheit nichts Wichtiges geschah, ohne daß Krenz es wußte. Für all die Jahre galt: Wenn Krenz seine Aufgabe ernst nahm, konnte Mielke keinen Schaden anrichten.«

Der kurze Weg vom MfS zum AfNS

Der Übergang vom MfS in die Nachfolgeorganisation geschah nahtlos. Die ersten Informationen – wenn auch nur sehr bescheidene im Vergleich zu dem heutigen Wissensstand über die tatsächliche Stasi-Rolle – hatten zu einer solchen Empörung geführt, daß das MfS auch aus der Sicht der SED so nicht mehr zu halten war. Mitte November, als die Regierung Modrow amtierte, wurde aus dem MfS das AfNS, das Amt für Nationale Sicherheit. Die Briefköpfe wurden ausgetauscht, ansonsten wurde zunächst nur wenig verändert. Chef der Behörde, deren Zahl der hauptamtlichen Mitarbeiter seinerzeit in der Öffentlichkeit auf rund 20 000 geschätzt wurde, wurde jener Schwanitz, der als stellvertretender MfS-Minister bereits unter Mielke agiert hatte. Mielke war, nachdem er in der Volkskammer kläglich versagt (»Ich liebe euch doch alle«) und die SED bis auf die Knochen blamiert hatte, aufs politische Altenteil geschickt worden. Krenz konnte Schwanitz, mit dem er manche gemeinsame Aktion in der Vergangenheit besprochen hatte, als neuen AfNS-Chef in einer Schlüsselposition begrüßen.

Im Dezember kündigte Schwanitz eine neue »Sicherheitspolitik« an. Der Übergang von Stasi-Mitarbeitern in andere öffentliche und wirtschaftliche Bereiche wurde damals als Personalabbau angesehen; tatsächlich waren damit auch andere Entwicklungen verbunden, die erst durch spätere Aufklärungen (»alte Seilschaften« und die Planungen für einen »Verfassungsschutz« nach SED-Plänen und Prinzipien) ans Tageslicht kamen.

Im Dunkel der Nacht wurden die Taten der Stasi sichtbar

Das SED-Spiel wurde aber durchschaut; die Bevölkerung besetzte regionale Stasi-Verwaltungen. WELT-Korrespondent Dankwart Guratzsch erlebte am 4./5. Dezember denkwürdige Stunden in Rostock:

»»Ich fahre jetzt zur Stasi!‹ Rabenschwarze Finsternis auf Rostocks Altem Markt. Der Trabi-Fahrer mit der Schirmmütze hat extra noch einmal die Fahrertür aufgemacht, um den wildfremden Passanten über sein Vorhaben zu informieren. Der glaubt seinen Ohren nicht zu trauen. ›Wie bitte?‹ Der Mann steigt aus, zieht ein Schreiben aus seiner Tasche: ›Offener Brief an das Amt für Nationale Sicherheit, August-Bebel-Straße, Rostock. Wenn eine Regierung das Vertrauen ihres Volkes gewinnen will, muß sie aufhören, das Volk zu kontrollieren. Dem Nachfolger von Herrn Mielke wurden in Berlin nur zwei leere Panzerschränke übergeben. Damit auch hier in Rostock die Panzerschränke leer werden, bitten wir Sie, uns zum Nikolaustag 1989 unsere „Stasi-Akten" zu übersenden.‹ Unterschrieben von Reinhard Haase und Reinhard Wegener.

Vorausgegangen war ein Aufruf ›Zur Verhinderung von Absetzbewegungen und Verschleierungsversuchen in Berlin‹. Er war nach der Flucht von Staatssekretär Schalck-Golodkowski von Oppositionsgruppen verfaßt und von der Regierung ausdrücklich begrüßt worden. Aber daß er nun auch auf Einrichtungen des gefürchteten Staatssicherheitsdienstes angewendet werden sollte, das war von den ›neuen Bewegungen‹ in Rostock selbständig und ganz impulsiv am Nachmittag beschlossen worden.

›Wir fahren jetzt dahin und bilden mit anderen eine Menschenkette‹, sagte der Mann. ›Wir lassen keinen mehr dort raus, bis nicht die Akten sichergestellt sind.‹ – ›Wie findet man denn aber dieses Haus?‹ will der Passant wissen. Reinhard Haase sagt: ›Das kennt doch in Rostock jedes Kind.‹

In der August-Bebel-Straße liegt der Eingang des Stasi-Gebäudes in gleißendes Scheinwerferlicht getaucht. An die hundert junge, aber auch grauhaarige Menschen, darunter auffällig viele Frauen, blockieren die Türen. Sie halten Kerzen in den Händen. Plakate lehnen an Hauswänden und Hecken: ›Neues Forum. Mahnwache gegen die Vernichtung von Beweismitteln.‹ ›Schließt euch an‹, lauten die Losungen. Autos fahren hupend vorbei. Aus einem Wagen der Stadtreinigung steigt ein Mann, er stellt das orangerote Blinklicht an. Hinter den abgedunkelten Fenstern rührt sich nichts.

›Braucht ihr Verstärkung?‹, fragt eine Dame. Sie hat soeben im Konzert von der Aktion gehört. Ein Herr mischt sich ein: ›Auch im Theater ist ein Aufruf verlesen worden. Da werden noch viele kommen, wir sind die ersten‹, vermutet er.

22 Uhr: Der bärtige Universitätslehrer mit der Kirchenkerze in der Hand steht vor dem Stasi-Portal wie ein Erzengel. ›Wir sind seit 16 Uhr hier und bleiben die ganze Nacht‹, erklärt er. ›Bis zwei Uhr sind die Wachen eingeteilt. Wir brauchen noch einige für die Zeit von zwei bis vier‹, fügt ein Mädchen hinzu. Ein Wagen rast auf den Bürgersteig. Quietschende Bremsen. Ein langer, hagerer Mann springt heraus: ›Bei der Staatssicherheit in Doberan ist alles versiegelt‹, berichtet er. ›Die haben schnell noch Akten verbrannt. Man hat Reste gefunden. Der Stasi-Chef wurde in Handschellen abgeführt.‹ – ›Was? Wie?‹ Er muß es doppelt und dreifach erzählen. Schiebt sich vor den Erzengel. ›Wir müssen in den Heizungskeller, sehen, ob auch hier ein Feuerchen brennt.‹

›Nichts da!‹ sagt der Mann mit der Kerze und zeigt auf ein

Transparent: ›Gewaltfrei für Demokratie‹. ›Daran halten wir uns. Unsere Leute sind zur Bezirksdirektion der Volkspolizei gefahren. Wir verlangen, daß hier versiegelt wird.‹ Die Stimmen überschlagen sich. ›Inzwischen verheizen sie ganze Aktenschränke.‹ – ›Ihr wißt doch gar nicht, wie viele Hinterausgänge das Haus hat!‹ – ›Alle Ausgänge sind bewacht‹, gibt der Mann seelenruhig zurück.

Das Stasi-Quartier Rostock ist nicht ein Haus – es ist ein ganzer Häuserblock mitten in der Stadt. Wohngebäude, Altbauten, auch ein Hochhaus gehören dazu. Alle Zugänge sind durch Eisentüren und Mauern mit Stacheldrahtkronen abgeschottet und verrammelt. Über den Eingängen gleißen Scheinwerfer. Das weißblaue Licht wird vom Nebel zu Kegeln geformt.

Doch in dieser Rostocker Nacht kommt eine sonderbare Adventsbeleuchtung hinzu. Vor allen Eingängen stehen Trauben von Demonstranten. Sie stärken sich aus Thermoskannen und mit Schmalzbroten. Ihre Kerzen sind auf Treppenstufen, in den Fensternischen der Wohnblocks und Pförtnerlogen abgestellt. Ganze Straßenzüge wirken wie illuminiert. Die Kälte kriecht an den Beinen hoch. Doch von der Polizei läßt sich niemand blicken.

So stehen sie Stunden. Sie klettern auf die Mauerkronen, versammeln sich um das Autoradio, wenn die Nachrichten verlesen werden. ›Eindringlicher Aufruf zu Ruhe, Besonnenheit und Gewaltlosigkeit‹, zitiert der Sprecher einer Erklärung des Arbeitsausschusses zur Vorbereitung des SED-Parteitages in Berlin. Als gemeldet wird, daß alle Flüge nach Rumänien eingestellt worden sind, damit keine Akten ausgeflogen werden können, bricht brüllender Jubel aus. Die Stimmung droht zu eskalieren. An der Hintereinfahrt Grüner Weg intoniert ein Gitarrist das neu gedichtete Nasi-Lied (Nationale Sicherheit als Nachfolgerin der Staatssicherheit). Die Menge skandiert mit Klatschen. Sprechchöre dröhnen gegen das Mauerwerk: ›Laßt uns rein.‹ Die Uniformierten hinter den Toren im Innenhof haben plötzlich Stahlhelme in den Händen, stecken die Köpfe zusammen.

Axel Peters, der Bildhauer, kommt aus dem Pförtnerhaus. ›Wir sind mit 15 Leuten und dem Staatsanwalt drin und verhandeln, wie die Übergabe laufen soll. Haltet Ruhe. Die Polizei muß jeden Moment eintreffen.‹ Es dauert noch mal eine Stunde. Eine halbe Stunde vor Mitternacht trifft ein Oberst Lorenz von der Volkspolizei-Bezirksdirektion ein. Die Stasi-Leute lassen ihn draußen wie einen Schulbuben warten. Endlose Verhandlungen durch die halb geöffnete Tür. ›Die Stahltür bleibt auf!‹ schreit es aus der Menge. Stimmung wie vor dem Sturm auf die Bastille. Reinhard Haase tritt heraus! ›Wir brauchen noch zehn Leute, um den gesamten Bereich zu begehen und zu versiegeln. Zwei Ärzte für die Gefangenen!‹ Die Masse drängt nach, will hinein. ›Bleibt gewaltfrei‹, ruft Haase. ›Es hat doch keinen Zweck. Wir sind fast am Ziel.‹

Inzwischen eilt Peters über vereiste Straßen in den Stasi-Stützpunkt Waldeck. Es geht durch Dörfer und Wälder. Hunde schlagen an. Eine Kerze mitten im Wald markiert den Abzweig. Vor dem Pförtnerhaus und den Stacheldrahtzäunen Demonstranten im Scheinwerferkegel. Der stellvertretende Lagerleiter ist zur Stelle, führt Peters und seine Begleiter hinein. 200 Leute seien hier kaserniert, davon alle bis auf 30 in die Wirtschaft abkommandiert. ›Heben Sie die Wehrpflicht auf, dann bin ich bereit, die Leute nach Hause zu schicken‹, bietet er an. Es klingt wie eine List.

Peters hält sich nicht mit Verhandlungen auf, will das Heizungshaus sehen. Noch am Nachmittag soll ein ganzer Lastwagen mit Akten entladen worden sein. Er ist nicht mehr auffindbar. Es geht durch Schlamm. Der hohe Schornstein qualmt. Die Fenster sind hell. Ein Heizer mit starker Brille stopft Wellpappe in die Feuerluken. ›Halt!‹ schreien die Besetzer. ›Es ist verboten, Papier zu verbrennen, wissen Sie das nicht?‹ Der Mann hustet und sieht wie ein begossener Pudel aus.

Mit langen Schaufeln wird Glut herausgeholt und ausgetreten. Es qualmt. Plötzlich Rufe: ›Da ist es!‹ Glimmende Aktendeckel, Aktenrücken mit unkenntlich gemachter Beschriftung werden aus dem Feuer geholt. Auf einem roten Pappdeckel ist zu entziffern: ›Sondermaßnahme Schulz, D.‹ Was für ein Schicksal mag sich dahinter verbergen? Eine ganze Mülltonne verbrannten Papiers wird aus dem Keller nach oben gehievt, danach alles versiegelt. ›Hier habt ihr noch Stunden zu tun‹, sagt Peters im Gehen. Seine Helfer schwärmen mit Volkspolizisten über das weitläufige Gelände aus, über dem ein paar trübe Laternen die Eiskristalle blitzen lassen.

Die Aktendeckel im Fond, rast und schlittert Peters nach Rostock zurück. Dort ist die Stasi-Zentrale schon fest in der Hand der Demonstranten und der Polizei, die von den leitenden Figuren der Protestgruppen Anweisungen entgegennimmt. Etwa 30 von ihnen haben mit Polizisten alle Gebäude durchkämmt, die ersten Siegel angebracht.

Peters geht in die Mitte, hält dem Staatsanwalt die Aktendeckel entgegen: ›Ich fordere Sie auf, diesen Mann wegen des Verdachts der Vernichtung von Beweismitteln zuzuführen!‹, zitiert er das verhaßte Amtswort, das bei den Verhaftungen von Demonstranten im heißen Oktober in Berlin, Dresden und Leipzig eine so große Rolle spielte. Er zeigt auf General Mittag, den Rostocker Stasi-Chef, einen untersetzten Sechziger mit blondem Haar und dunkelblauem Anzug, in dessen Knopfloch das früher so nützliche ›Bonbon‹ des Parteiabzeichens prangt. Der stammelt: ›Ich habe nichts gewußt.‹ Seine blauen Augen werden zu scharfkantigen Dreiecken: ›Wir werden das aufklären!‹

Peters' gutmütiges Seebärengesicht mit dem Vollbart rötet sich vor Zorn. Von hinten schreit ein Schwarzhaariger mit ausländischem Akzent: ›Sie werden hier gar nichts mehr aufklären.‹ Mittag blickt starr nach unten. Der Staatsanwalt schluckt und druckst. Jetzt wird auch Peters laut. ›Dieser Mann hier hat uns stundenlang an der Nase herumgeführt, wir glauben ihm nichts mehr. Wir machen Sie dafür verantwortlich: Führen Sie diesen Mann zu!‹ Da bringt es der Jurist heraus: ›Oberst Lorenz, bitte nehmen Sie die Bereitstellung in Untersuchungshaft vor.‹

In den Amtsräumen Mittags sitzen Demonstranten, er kann kein Telefongespräch mehr ohne Aufsicht führen. Lorenz fragt: ›Tragen Sie Waffen?‹ Der Stasi-Chef breitet sein Jackett wie ein Flügelpaar aus. Doch das Warten dauert noch Stunden. Wie ein gefangener Tiger geht er auf und ab, tuschelt mit den letzten Getreuen.

Knackpunkt ist die Nachrichten- und Telefonzentrale, über die angeblich Regierungsgespräche, Marinefunk- und Telefonverkehr sowie verschlüsselte Nachrichten ein- und auslaufen. Die hochgeheime Abteilung muß laut Mittag ständig besetzt bleiben, weil sonst die nationale Verteidigung und die Sicherheit berührt sei. Nach stundenlangen Verhandlungen bis fünf Uhr morgens wird klar, daß über das Netz auch Privatgespräche aus den Stasi-Wohnkomplexen geschaltet werden. Schließlich konzedieren die Demonstranten: Ein einziger Stasi-Mann darf als Notdienst zurückbleiben, alle anderen verlassen das Haus und unterwerfen sich Taschenkontrollen der Polizei.

Der Rostocker Sturm auf die Bastille endet schließlich. Ein Protokoll wird aufgesetzt und unterschrieben, wie ein Staatsvertrag. Als die Leute sich auf den Heimweg machen, beginnt auf den Straßen der Hafenstadt schon der Berufsverkehr.

Nach der Wende war Stasi zum Bürgerkrieg bereit

Einige Stasi-Einheiten waren noch im November bereit, einen Bürgerkrieg anzuzetteln. In einem Fernschreiben eines Leiters einer Kreisdienststelle des MfS an den Chef seiner Bezirksverwaltung vom 1. November 1989 hieß es unter Hinweis auf die politische Entwicklung, daß »eine Kreisdienststelle unserer Größenordnung und Örtlichkeit sich bei einem wirklich organisierten Angriff feindlicher Kräfte (gemeint die Bevölkerung, die Autoren) nicht lange halten kann, auch wenn sie sich bis zum letzten Mann und letzten Schuß Munition standhaft verteidigt«. Der Stasi-Offizier im Range eines Oberstleutnants betonte, »meine Standhaftigkeit und Zuverlässigkeit und die meines Kollektivs stehen außerhalb jeden Zweifels«.

```
ich will alles dafuer tun, dasz eine solche situation nicht
eintritt aber zur zeit haben die feinde und die kraefte der
''erneuerung'' die initiative und keiner kann sagen, ob es schlechter
oder besser  fuer uns wird.
```

Auszug aus dem Fernschreiben.

Bemerkenswert ist besonders, daß in dem Schreiben, das mit der Anrede »Werter Genosse Generalleutnant!« beginnt, Bezug genommen wird auf das Fernschreiben »Luft« als »VVS 84/89« von Mielke. Dieses Schreiben habe dazu beigetragen, sich über »verschiedene Fragen, die die Sicherheit unserer Mitarbeiter und der ihnen anvertrauten Inoffiziellen Mitarbeiter betreffen, besorgte Gedanken« zu machen.

Auch die Wortwahl läßt keinen Zweifel, daß die für die Demokratie kämpfenden Landsleute seinerzeit mit allen Mitteln bekämpft werden sollten. »Vom Feind im Hintergrund und den öffentlichen Medien« ist genauso die Rede wie von »feindlichen Argumenten«. Der Stasi-Offizier demgegenüber zur eigenen Rolle: Es gelte zu verhindern, »daß eine Verteufelung derjenigen eintritt, die jahrelang ehrlich und gewissenhaft für Partei und Staat gearbeitet« hätten. Noch am 9. Dezember 1989, 11 Uhr, verfaßte das Bezirksamt für Nationalsicherheit Gera einen »Aufruf zum Handeln«, in dem verlangt wurde, die Opposition offensiv zu attackieren. Es müsse »gelingen, die Anstifter, Anschürer und Organisatoren dieser haßerfüllten Machenschaften gegen die Machtorgane des Staates zu entlarven und zu paralysieren«. Unabdingbar sei weiter »die Existenz eines Organs, welches mit spezifischen Mitteln und Methoden arbeitet«. Die Stasi-Praktiken sollten also fortgesetzt werden.

Noch im Oktober 1989 Internierungslager geplant

Die Stasi hat auch nach dem 9. Oktober Isolationslager als Vorstufe für Internierungslager geplant. Informationen aus dem Kreis Grimmen in Mecklenburg-Vorpommern weisen aus, daß die dortige Stasi-Kreisdienststelle in einem »Auskunftsbericht« vom 30. Oktober 1989 das »Trainingszentrum Sportschießen der SG Dynamo Grimmen« als »zeitweiligen Isolierungsstützpunkt« bestimmte. Als Bewaffnung wurden »MP, Pistole und 1 Kampfsatz Munition« den nachgeordneten Einheiten aufgegeben.

Mit Alarmübungen, bei denen Festnahmekommandos sogar

bis zu den Häusern derjenigen Oppositionellen fuhren, die eingesperrt werden sollten, bereitete sich die Stasi regelmäßig auf den »Krisenfall« vor. Durchschnittlich waren für jede Diensteinheit jährlich zwei Alarmübungen vorgeschrieben. Der Hauptbestandteil der von der AGM (Arbeitsgruppe des Ministers) angeordneten Übungen bestand darin, den Zugriff auf die Opposition zu üben. Auch die Internierung von Diplomaten der Feinde wurde trainiert. Diese Aktivitäten wurden in der zweiten Hälfte der achtziger Jahre massiv verstärkt, Internierungslager wurden konzipiert und »vorbestellt«.

Einzelheiten der Planungen eines Internierungslagers sind beispielsweise aus dem Kreis Ribnitz-Damgarten in Mecklenburg-Vorpommern bekannt. In einer »Geheimen Verschlußsache« wurde das Erholungsheim »Zur Seebrücke« des VEB Datenverarbeitung Cottbus in Bresewitz, in der Nähe der LPG »Frohe Zukunft«, bestimmt. Die Unterlagen enthalten folgende Angaben: »4 Gittertüren, 5 Zylinderschlösser, 100 Betonpfähle à 1,50 m hoch, 1000 m Stacheldraht« seien vorzuhalten, wurde der Volkspolizei befohlen. Das Lager, für rund 80 Personen vorgesehen, sollte von Stasi und Volkspolizei gemeinsam bewacht werden. »Kräfte der DVP: Schutzpolizei 2:6, PM 2« lautete der Befehl. Im »Zwölf-Stundendienst« sei die Objektsicherung vorzunehmen.

Die Stasi-Kreisdienststelle Grimmen hatte namentlich 102 Personen (zum Teil in den Akten mit Bild) erfaßt, die bei »inneren oder äußeren Spannungen« interniert werden sollten. Als »Delikte« wurden diesen Personen beispielsweise in die Stasi-Akten geschrieben: »Negatives Auftreten in politischen Spannungssituationen«, »Verdacht der negativen Gruppenbildung«, »Feindlich-negative Einstellung, aktiv in der Jungen Gemeinde«, »Negative Verhaltensweisen im Zusammenwirken mit Zionskirche«, »Undurchsichtige Verhaltensweisen«, »Ehemaliger rechtswidriger Antragsteller« (Ausreiseantrag, die Autoren), »Negative politische Einstellung, möchte in BRD sein«, »Zeuge Jehovas, Wehrdienstverweigerer, Nichtwähler«, »Grenzgebiet ausgesiedelt, aus SED ausgeschlossen«. Plattdeutsche oder Heimatgruppen waren intensives Ziel der Stasi. Wer hier Kontakte hatte, wurde wegen

»Verbrüderung zu feindlichen Organisationen« auf die Internierungsliste genommen.

»Schlagartig und in kürzester Frist«, so heißt es in einem der »Grundlagenbefehle«, sollten »Personen und Personengruppen« im Verteidigungszustand und in inneren Spannungsperioden festgenommen werden, die unter dem Verdacht »staatsfeindlicher Handlungen« stünden. Sie seien »zu isolieren beziehungsweise unter Kontrolle zu halten«. Als Personen, die als mögliche Führungskräfte feindlicher oder negativer Gruppen in »Internierung und Isolierung« zu schaffen seien, werden »Rädelsführer, Provokateure, ehemalige unverbesserliche faschistische und feindliche Elemente« ausgemacht.

Zu den Planungen des MfS für den Krisen- und Kriegsfall gehörte auch ein umfangreiches Bunkersystem. Dies diente der SED gleichermaßen wie der Stasi; wo für die SED-Prominenz Bunker, wie in Wandlitz, mit allem Komfort geschaffen wurden, war auch die Stasi, die sich für den Schutz der Partei natürlich unverzichtbar sah, in der Nähe.

9 Der Versuch, mit Modrow die Macht zu retten

Von der SED zur PDS

»Außerordentlicher Sonderparteitag – 16.–17. Dezember«; mit diesem Transparent, auf dem der Name der Partei gar nicht erwähnt wurde, wurden jene rund 2500 Delegierte in Berlin in der Dynamo-Sporthalle begrüßt, die den Weg von der SED zur PDS beschließen sollten. Viele Hardliner in der SED taten sich wohl innerlich sehr schwer, erleben zu müssen, wie die Partei, die über Jahrzehnte hinweg schrankenlos regiert hatte, jetzt sogar in den eigenen Reihen nicht mehr unangefochten war.

»Sozialistische Einheitspartei Deutschlands – Partei des Demokratischen Sozialismus (SED-PDS)« hieß der neue Name, der in nichtöffentlicher, nächtlicher Sitzung in jenen Dezemberstunden beschlossen wurde. Ein Delegierter erklärte jedenfalls später, man habe nur die Namenserweiterung beschlossen, weil eine von vielen geforderte Namensänderung für die SED möglicherweise den Verlust vieler Besitztümer hätte bedeuten können. Erst Ende Januar wurde der SED-Teil gestrichen und die PDS als alleiniger Name für die Nachfolgepartei der SED beschlossen.

Wolfgang Berghofer, der einige Wochen später die Partei verließ, fungierte als Tagungspräsident; Modrow, als vorheriger SED-Bezirkschef in Dresden mit dem Oberbürgermeister gut bekannt, entwickelte sich mit Gregor Gysi zum Hoffnungsträger der Partei. Mit tosendem Beifall wurde Modrow Mitte Februar auf dem Parteitag bejubelt, der den damaligen Ministerpräsidenten der PDS wählte. Gysi formulierte die Parole: »Hände weg von Hans Modrow.«

»Modrow gibt uns neuen Mut« – bei der Stasi freute man sich

Modrow war ein enger persönlicher Freund von Markus Wolf; beide agierten Jahrzehnte für den Kommunismus. Dies begründete sich seit der Zeit, als Modrow als Abteilungsleiter im ZK-Apparat der SED tätig war. Seine SED-Karriere hatte nach der Tätigkeit im FDJ-Zentralrat als SED-Kreissekretär begonnen. Nach

Modrow übernahm von Krenz die Macht.

Schwanitz (r.), auf dem SED-Parteitag am 9. 12. 1989 Arm in Arm mit Krenz, sah Modrow als denjenigen, der »uns neuen Mut und Selbstvertrauen gibt«.

der ZK-Zeit erst ging Modrow nach Dresden, wo er viele Jahre als SED-Chef amtierte.

Wolf hatte Modrow nie aus den Augen verloren, weil er ihn als »fähigen Aufsteiger« ansah. Wolf war es auch, der ihn warnte, wenn er in der Presse als künftiger starker Mann der SED gehandelt wurde und sich damit den Zorn von Honecker und Krenz zuzog. Honecker ließ Modrow sogar vom damaligen Dresdner Stasi-Chef Böhm bespitzeln. Modrow soll kreidebleich geworden sein, als er seine Akte sah; Böhm verübte Anfang 1989 Selbstmord. Wolf war durch seine langjährigen und engen Bindungen zu den Sowjets auch hier im völligen politischen Gleichklang mit Modrow. Die Übergabe von MfS-Agenten an Moskau nach der friedlichen Revolution sowie die Zustimmung der sowjetischen Führung im November 1989 zur Stärkung Modrows und zur Entmachtung von Krenz sind zwei Beispiele.

Die enge Beziehung zwischen beiden wurde auch nach den Weichenstellungen für Modrow im November 1989 deutlich. Bemerkenswert, wie beide sich dann in den Dienst der PDS stellten: Modrow zunächst als Regierungschef, dann als Ehrenvorsitzender zur Stärkung der SED-Nachfolgerin, während Wolf sich für die Arbeit im PDS-Ältestenrat zur Unterstützung Gysis bereit fand.

So war es auch nur logisch, daß unter Modrows Verantwortung besonders die HVA während der Stasi-Auflösung geschont wurde. Die HVA konnte viele Unterlagen beiseite schaffen, gleichzeitig aber ihre Spionagetätigkeit fortsetzen. Modrow genoß das volle Vertrauen der Stasi. Der Chef des »Amts für Nationale Sicherheit«, in das das MfS Mitte November umgewandelt worden war, Schwanitz, formulierte Modrows Rolle als Hoffnungsträger am 20. November 1989 in einem Befehl. »Das einstimmige Votum der Volkskammer zur Regierungserklärung des Genossen Hans Modrow gibt uns neuen Mut und Selbstvertrauen«, warb Schwanitz für den am 13. November zum Regierungschef Berufenen. Schwanitz ermunterte die Kommunisten: »Alle Kommunisten – sowohl jene, die im Amt verbleiben, als auch jene, die es verlassen werden – müssen im Erneuerungsprozeß eine kämpferische Position einnehmen«, verlangte er mit dem drohenden Hinweis: »Jenen, die es verlernt haben, müssen wir helfen, wieder zu kämpfen.« Es gehe »um die revolutionäre Erneuerung«.

```
das einstimmige votum der volkskammer zur regierungserklaerung
des genossen hans modrow gibt uns neuen mut und selbstvertrauen.
alle kommunisten - sowohl jene, die im amt verbleiben, als auch
jene, die es verlassen werden - muessen im erneuerungsprozesz
eine kaempferische position einnehmen. jenen, die es verlenrt
haben, muessen wir helfen, wieder zu kaempfen.
es geht um die revlutionaere erneuerung des sozialismus.
```

Auszug aus dem Schwanitz-Befehl.

Als langjähriger SED-Bezirkssekretär mag Modrow zwar nicht in allen Phasen so stark wie andere SED-Größen gewesen sein, er war jedoch kraft grundsätzlicher Befehlsstruktur derjenige, der das »Schild und Schwert« der Partei für seinen regionalen Verantwortungsbereich befehligte. Der damalige Präsident des Bundesamtes für Verfassungsschutz, Gerhard Boeden, hielt Modrow schon im Frühjahr 1990 vor, »daß SED-Bezirkssekretäre, wie Sie einer waren, ganz klare Weisungen in ihren Bezirken an die Stasi gegeben und sie auch kontrolliert haben«. Für die Bundesregierung betonte Ottfried Hennig (CDU), die Mitverantwortung der 1. Sekretäre in den SED-Bezirksleitungen für das totale Überwachungssystem des MfS habe sowohl auf ihrer Stellung innerhalb der SED-Hierarchie als auch auf der parteiamtlichen Stasi-Funktion basiert. Als Mitglieder des ZKs der SED hätten die 1. Sekretäre laut Parteistatut dem »höchsten Organ der Partei« zwischen den Parteitagen angehört. Ihre Verantwortung habe sich deshalb notwendigerweise auf alles erstreckt, was das MfS im Dienste oder mit Duldung der zentralen Parteiführung unternommen habe. Der CSU-Politiker Eduard Lintner, heute Innen-Staatssekretär, hob hervor, Modrow sei »ganz zwangsläufig jemand gewesen, der in den Befehlsstrang der Stasi eingebaut« gewesen sei; der SPD-Politiker Richard Schröder nannte Modrow »den Chef der SED-Stasi-Einsatzleitung von Dresden«; und SPD-Vize Wolfgang Thierse betonte in der »Bild«-Zeitung vom

Gysi – Chef der SED-Nachfolgerin PDS.

Wolf zog auch in jenen Wochen wichtige Fäden im Hintergrund.

12. Oktober 1990, es sei »unerträglich, daß Modrow im Bundestag bleibt«.

Ob Manipulation der Kommunalwahl, die regelmäßigen Parteiinformationen der Stasi an den SED-Chef – Modrow war Teil des SED-Regimes. Er mag in manche besonders schlimme Auswüchse nicht persönlich einbezogen gewesen sein, war jedoch über grundsätzliche Stasi-Befehle zu Aktionen im Westen, Aufgabenstellungen und generellen politisch-operativen Vorhaben zweifelsfrei informiert. Bemerkenswert ist, daß unter der Zeit der Modrow-Regierung nicht jene schlimme Stasi-Aktionen aufgedeckt wurden, die sich beispielsweise mit Terror, der Duldung der RAF oder dem »La Belle«-Anschlag befaßten.

Sehr aufschlußreich ist die Einschätzung, die Bundesinnenminister Wolfgang Schäuble über Modrow in einem WELT-Gespräch traf: »Ich habe Modrow persönlich nur aus der Ferne kennengelernt. Ich bin bei seinem Besuch in Bonn nicht dabeigewesen, ich war als Innenminister damals auch nicht mit in der DDR, deswegen habe ich ihn nur aus der Distanz beobachtet. Mir war er schon damals ein Stück zu perfekt in der Rolle als gutmütiger Biedermann. Ich habe ihm das nicht abgenommen, das muß ich im nachhinein sagen. Er stand und er steht für mich für dieses Unrechtsregime der SED, das er vielleicht versucht hat zu lindern, zu verbessern. Aber den undemokratisch begründeten Herrschaftsanspruch der SED wollte er nicht aufgeben. Und er hat ja dann auch ganz offensichtlich vieles getan, um von dem Unrechtsgut so viel zu retten wie nur möglich.«

Wie die Stasi gerettet werden sollte

Als Modrow am 11. Januar 1990 vor der Volkskammer seine Pläne zum Aufbau eines »Nachrichtendienstes« und »Verfassungsschutzes« präsentierte, brach ein Sturm der Entrüstung los. Schon vorher hatte es scharfe Ablehnung in der Öffentlichkeit auf entsprechende Andeutungen gegeben.

Tatsächlich waren die internen Planungen schon sehr weit fortgeschritten. Der Befehl Nr. K 4914/89 der Stasi-Nachfolgeorganisation Amt für Nationale Sicherheit (AfNS) beinhaltete bereits ein Strukturschema, wie der weitere Ablauf vonstatten gehen sollte. AfNS-Chef Schwanitz unterschrieb den Befehl, durch den beispielsweise der Nachfolger von Wolf als HVA-Chef, Großmann, mit »Verantwortlichkeiten« beauftragt wurde. So ist es wohl auch kein Zufall, daß unter dem Zauberwort der Spionageabwehr Planungen in die Wege geleitet wurden, die Vollmachten gaben, die eine umfassende Kontrolle auch weiterhin ermöglicht hätten. »Streng geheim«, so ist das Papier vom Dezember 1989 tituliert, in dem als »Entwurf« formuliert wurde, was als »Leitlinien bei der Neuprofilierung der Spionageabwehr des Amtes für Nationale Sicherheit« verwirklicht worden wäre, wenn Schwanitz, Großmann und andere weiter offiziell hätten agieren können.

Man wollte überall präsent sein können. Spionageabwehr sei »in allen Struktureinheiten der Abwehr« des Amtes für Nationale Sicherheit zu realisieren. »Mögliche geheimdienstliche Aktivitäten gegen die DDR« oder »die Durchsetzung von rechtlich fixierten Maßnahmen zur Einschränkung der Wirkungsmöglichkeiten von Geheimdiensten fremder Mächte gegen die DDR« waren als Beispiele der Aufgabenbereiche genannt – damit konnte, in gewohnter Manier, außerordentlich extensiv agiert werden. Außenstellen der »zentralen Struktureinheit Spionageabwehr« seien auch in den Bezirksämtern zu unterhalten; der Leiter der Spionageabwehr sei weisungsbefugt. Von »entscheidender Bedeutung« sei »die Erhöhung der Wirksamkeit der Observation auf dem Territorium der DDR und im Ausland, einschließlich grenzüberschreitender Maßnahmen«. Deshalb seien »ausreichende Observationskräfte« ständig für die Spionageabwehr zur Verfügung zu halten; »bei jeder Observation« müßten deren »spezifischen Erfordernisse« berücksichtigt werden. Wo hätte es bei dieser Generalvollmacht noch Schranken gegeben?

Für den »Verfassungsschutz«, wie die Politiker der PDS-Vorgängerin SED ihn sich seinerzeit vorstellten, sollten 10000 Mitarbeiter tätig sein. Der »Nachrichtendienst«, also die Einheit, die offiziell nur im Ausland tätig sein sollte, hätte über 4000 frühere Stasi-Leute verfügen können. Er sollte für die Beschaffung »poli-

$\bar{E}$ /LLI . 3249/89

Ministerrat
der Deutschen Demokratischen Republik   Berlin, · 8. 12. 1989
Amt für Nationale Sicherheit   BdL/360/89
Leiter

E+ 30

Ex.-Nr.: 0009

B e f e h l   Nr. K 49/14 /89

Zu dem Ihnen übergebenen Strukturschema werden folgende
Verantwortlichkeiten festgelegt:

1. Generalmajor   E n g e l h a r d t ,   Heinz

   1. Stellvertreter des Leiters des Amtes
   und Leiter des Bereiches Verfassungs- und Staatsschutzes

   Generalmajor   B r a u n ,   Edgar

   Stellvertreter des Leiters des Bereiches
   Verfassungs- und Staatsschutzes
   und verantwortlich für die Abwehr von Angriffen
   auf die Volkswirtschaft

2. Generaloberst   G r o ß m a n n ,   Werner

   Stellvertreter des Leiters des Amtes
   und Leiter des Bereiches Aufklärung (Auslandsnachrichtendienst)

3. Generalmajor   N i e b l i n g ,   Gerhard

   Stellvertreter des Leiters des Amtes
   und Leiter des Bereiches Zentrales Koordinierungsorgan

4. Oberst   S c h w a g e r ,   Erich

   Stellvertreter des Leiters des Amtes
   und Leiter des Bereiches Sicherstellung

*Vom MfS zum Amt für Nationale Sicherheit – alte Stasi-Spitzen wollten
und sollten auch unter Modrow entscheidende Aufgaben wahrnehmen.*

tischer, ökonomischer und militärpolitischer Informationen mit
nachrichtendienstlichen Mitteln« tätig sein. »Politische Aufklärung, wissenschaftlich-technische Aufklärung, Aufklärung von
Aktivitäten ausländischer Geheimdienste gegen die DDR, funkelektronische Aufklärung, Kader und Ausbildung und Versorgungsdienste« erinnerten in den geplanten Aufgabenfeldern an
jene Tätigkeiten, mit denen zuvor schon die Stasi agierte. In den
Unterlagen über die »Neuprofilierung der Spionageabwehr« findet sich bezeichnenderweise der Hinweis: »Koordinierung und
Abstimmung mit der HVA erforderlich.«

Die Aufgaben des Nachrichtendienstes der DDR bestehen in
der Beschaffung politischer, ökonomischer und militärpolitischer
Informationen mit nachrichtendienstlichen Mitteln, die für
die äußere Sicherheit und die Stärkung der DDR,sowie für die
Erhaltung des Friedens von Bedeutung sind. Das umfaßt die
Gewinnung, Führung und den Schutz von Quellen und Positionen
außerhalb der DDR, ein konspiratives Verbindungswesen sowie
den Einsatz spezifischer technischer Mittel.

Stasi-Spionage sollte fortgesetzt werden.

Dem »Verfassungsschutz« sollte »Schutz der sozialistischen
Volkswirtschaft, des Verkehrs-, Post- und Fernmeldewesens vor
verfassungsfeindlichen Angriffen und schweren Verbrechen«
genauso obliegen wie »Observation und Ermittlung, internes
Chiffrierwesen, funkelektronische Abwehr, spezialtechnischer
Dienst, Kader und Ausbildung sowie Versorgungsdienste«. Was
hätte es dort geholfen, daß offiziell keine »Führungskräfte« des
Amtes für Nationale Sicherheit hätten übernommen werden sollen? Die Weisung wurde schnell relativiert und nur die erste
Reihe, die Leiter der ehemaligen Diensteinheiten, ausgeschlossen, so daß ihre langjährigen 1. Stellvertreter dafür hätten nach-
rücken können. »Kader und Schulung«, dies ist die Diktion der
mit absolutem Herrschaftsanspruch regierenden SED. Funkelektronische Aufklärung? Also weiter das hemmungslose Abhören
von Telefonaten. Schließlich, so wurde zur Begründung in der

Anlage beigefügt, hätten auch andere Staaten entsprechende Dienste. Als ob dem MfS nicht schon vorher sehr genau bekannt war, daß es diese gab.

Und alles sollte still und geräuschlos, aber wirkungsvoll über die Bühne gehen. Mit »Wirkung« vom 14. Dezember 1989 solle das Amt für Nationale Sicherheit aufgelöst werden, die Auflösung selbst sei »bis zum 20. Juni 1990 zu vollziehen« – also viel Zeit, alles im Sinne von SED und Stasi zu regeln. »Nachrichtendienst« und »Verfassungsschutz« seien Rechtsnachfolger des Amtes für Nationale Sicherheit, hieß es in der am 13. Dezember 1989 für den Tagesordnungspunkt 19a der Ministerratssitzung eingebrachten Vorlage. Das Vermögen der Stasi wäre nicht verloren gewesen. Mit der Übernahme der beschriebenen Aufgaben »werden die damit verbundenen personellen, finanziellen und materiellen Fonds an die betreffenden Organe übergeben«. Nur »freiwerdende Grundmittel« erhielten der Ministerrat oder »örtliche Staatsorgane«.

Optisch wollte man allerdings gewaltig abbauen, galt es doch, bei der Bevölkerung die Macht des MfS zu verschleiern. Das Wachregiment sollte nicht länger für die Stasi stehen. Auf die unteren Ränge der Stasi kam es nicht mehr an, sie wurden preisgegeben. »Das Wachregiment wird aufgelöst«, hieß es kurz und bündig. Seine Kräfte »würden der Volkswirtschaft zugeführt«. Als das Volk dies auch von jenen verlangten, die in führenden Positionen die Stasi geführt hatten, kam von dort ein Sturm der Entrüstung. Wenn schon die Revolution siegte, so wollten zumindest nicht jene verlieren, die schon vorher das Volk ausgebeutet hatten.

»Lebensberuf für die Gesellschaft« – die Versorgung der Stasi-Mitarbeiter

Die Stasi-Mitarbeiter sollten von der Modrow-Regierung großzügigst versorgt werden. War dieses schon ein skandalöser Vorgang, so stellt die Begründung, wie sie intern in der Vorlage für die Sitzung des Ministerrats am 13. Dezember 1989 eingereicht wurde, noch eine Steigerung dar. Die Stasi-Mitarbeiter hätten ihren Dienst »als Lebensberuf für die Gesellschaft« geleistet, wagte man im Auftrag jener zu formulieren, die Jahrzehnte ein Volk geknebelt hatten. Sie hätten »mit großem Engagement« gearbeitet. Und über die Stimmung ließ die Vorlage keinen Zweifel. »Entgegen ihrem Willen« würden die Stasi-Mitarbeiter dort nicht mehr beschäftigt; zwingende Gründe machten dies allerdings erforderlich.

Es gehe um »mehrere 10 000 Angehörige«, die in ihrem erlernten Beruf nicht mehr einsetzbar seien. Mehrere 10 000? Diejenigen, die die Vorlage formulierten, wußten doch wohl genau, daß die Zahl der Stasi-Mitarbeiter bei mehr als 100 000 lag. Selbst wenn man die vorgesehenen Weiterverwendungen bei »Nachrichtendienst« und »Verfassungsschutz« sowie vorzeitige Pensionsregelungen einbezog, ist »mehrere 10 000« doch eine erkennbar zu niedrig angesetzte Größenordnung.

Man wollte in jedem Fall die Stasi-Mitarbeiter weiter binden. Ausgerechnet der Westen Deutschlands, noch vor Monaten der »imperialistische« Feind der SED, wurde zum Maßstab erkoren. Es entspreche »den Sicherheitsinteressen eines jeden Staates, sowohl für die im Dienst befindlichen als auch für die aus dem Sicherheitsorgan ausscheidende Mitarbeiter die soziale Sicherstellung zu garantieren«; »in der BRD und anderen westlichen Ländern« seien diese Berufsgruppen »durch die Stellung als Staatsangestellte durch beamtenrechtliche Regelungen sozial abgesichert«. Eine der übelsten Entgleisungen in der Modrow-Regierung: Man verglich jene, die eine Diktatur stützten und Menschen verachteten, mit jenen, zu deren Aufgaben es gehört, die Demokratie vor Angriffen zu schützen.

Wer bis zu drei Jahren bei der Stasi war, sollte eine »Übergangsbeihilfe« von zwölf Monaten erhalten, wenn er noch keinen Rentenanspruch erreicht und bei einer neuen Tätigkeit weniger als 80 Prozent der bisherigen Bezüge erhielt. Ein Dienstalter bis zu acht Jahren sollte mit 24 Monaten, darüber mit 36 Monaten honoriert werden. Schutzmaßnahmen für die Wohnungen, mit denen viele MfS-Mitarbeiter zumeist besser als andere versorgt waren, gehörten genauso zu den Wünschen wie Beihilfen,

7. Übergangsbeihilfe ist zu zahlen, wenn Angehörige ohne Renten
anspruch entlassen werden und in ihrer neuen Tätigkeit 80 %
ihrer bisherigen Nettodienstbezüge nicht erreichen. Die Übergan
beihilfe wird in Höhe der Differenz zwischen 80 % der bisherige
Nettodienstbezüge und dem Nettoverdienst in der zivilberufliche
Tätigkeit gezahlt. Der Gewährungszeitraum beträgt grundsätzlich

- bei einem Dienstalter bis zu 3 Jahren

    12 Monate

- bei einem Dienstalter bis zu 8 Jahren

    24 Monate

- bei einem Dienstalter über 8 Jahre

    36 Monate.

Die Stasi-Mitarbeiter sollten gut versorgt werden.

sofern »im Zusammenhang mit der Beendigung des Dienstver-
hältnisses und der Arbeitsaufnahme an einem anderen Ort« der
Wohnort gewechselt werden müsse. Wer, wie die »Fürsten« des
MfS, in einem Einfamilienhaus wohnte, sollte darin bleiben können. Ihm sei der »Erwerb durch den Rechtsträger anzubieten«,
wollte man verfügen und wußte, daß dies sofort verwirklicht
worden wäre. Die Veräußerung der »Baulichkeiten« sei »beim jeweils zuständigen Rat des Kreises zu veranlassen«. Noch im Dezember 1989 ein Denken wie »in den besten Zeiten« von SED und
Stasi. Rentenzahlungen rundeten die Vorstellungen ab, die die
(offiziellen) Privilegien der Stasi-Mitarbeiter in die Zukunft gerettet hätten.

Hilfe für Stasi-Betriebe, Geld für SED-Funktionäre

Am 21. Dezember 1989 beschloß der Ministerrat, daß die Stasi-
Betriebe, die von der Stasi-Nachfolgeorganisation Amt für Nationale Sicherheit übernommen worden waren, nicht aufgelöst
würden. In einem Beschluß heißt es: »Durch die Räte der Bezirke
sind alle erforderlichen Voraussetzungen zu schaffen, daß Be-

triebe, Einrichtungen und Werkstätten des bisherigen Amtes für Nationale Sicherheit nicht aufgelöst, sondern zur Erhöhung der Leistungskraft der Bevölkerung zu nutzen sind.«

In den als Punkt 4 des Beschlusses über den »Einsatz und notwendige Umschulungen freigesetzter Mitarbeiter aus dem Staatsapparat und gesellschaftlichen Organisationen« formulierten Anweisungen wird weiter festgehalten, »die Weiterbeschäftigung der dort arbeitenden Werktätigen« sei zu sichern. Zudem sollten »zusätzliche Möglichkeiten zur Beschäftigung ausscheidender Werktätigen« zu prüfen und zu entscheiden sein.

Das Kabinett Modrow verfügte, »ausscheidende Hoch- und Fachschulkader« zu beraten und ihnen Umschulungsangebote zu unterbreiten. Diese Kader, vornehmlich von früheren SED-Mitgliedern durchsetzt, sollten »auf der Grundlage der geschaffenen Arbeits-, Umschulungs- und Qualifizierungsmöglichkeiten« in neue Arbeitsverhältnisse vermittelt werden, ohne »daß zeitweilige Nichtberufsfähigkeit« entstehe. Nicht unversorgt wollte die Regierung auch jene wissen, die in anderen Arbeitsverhältnissen tätig waren. Es sei »eine generelle Regelung« auszuarbeiten, durch eine finanzielle Unterstützung einzuspringen, wo »weder ein zumutbarer Arbeitsplatz noch eine entsprechende Umschulung angeboten werden« könne. Auch diejenigen, denen nach der friedlichen Revolution von der Bevölkerung das Vertrauen entzogen wurde, brauchten nicht zu darben; der Ministerratsbeschluß galt auch für die örtlichen Räte, die »entgegen eigener Ansicht auf erklärte Forderungen der Volksvertretungen vor Ablauf der Wahlperiode« ausschieden.

Im Februar 1990 versorgte die Regierung in einem Beschluß, der »nach der Realisierung« von den Adressaten zu vernichten sei, »Mitglieder örtlicher Räte, die mit Ablauf der Wahlperiode 1990 aus der Funktion ausscheiden«. Diese Überbrückungsgelder, die nicht zu versteuern waren, bewirkten, daß beispielsweise der Vorsitzende des Rats eines Kreises knapp 10 000 Mark erhielt, wenn er entsprechende Zeit agiert hatte. Seine Mitarbeiter erhielten Überbrückungsgelder in darunter gestaffelten Größenordnungen.

Zwei Tage vor der Freiheitswahl am 18. März wurden auch

jene – in der großen Mehrzahl SED-Mitglieder – bedacht, die als Mitarbeiter im Staatsdienst »im Zusammenhang mit Strukturveränderungen und Rationalisierungsmaßnahmen« eine neue Arbeit aufnehmen sollten. Der Ministerrat, Justizminister Wünsche und Generalstaatsanwalt Joseph vereinbarten mit dem FDGB in einem am 16. 4. 1990 in Kraft tretenden »Nachtrag«, daß auch für diesen Personenkreis Überbrückungsgelder fällig wurden. Wer mehr als 20 Jahre Honecker und Ulbricht gedient hatte, sollte für drei Jahre mit Geld bedacht werden; eine Tätigkeit »bis zu zwei Jahren« reichte, um für ein Jahr zu kassieren.

Die Schergen wurden geschützt

Selbst denjenigen, die die Unverfrorenheit und skrupellose Kälte der Stasi intensiv erlebten oder aufgrund der Akten nachverfolgen können, verschlägt es die Sprache, mit welcher Dreistigkeit das MfS ab Mitte November vergangenen Jahres versuchte, sich zu retten und zu schützen. In einem Befehl an die Mitarbeiter zur Sicherung »ihrer Rechte« betonte das MfS, für das die Bespitzelung von Personen innerhalb und außerhalb ihrer Wohnungen zum selbstverständlichen Routinegeschäft gehörte: »Die Verfassung der DDR (Artikel 37[3]) sichert jedem Bürger das Recht auf Unverletzlichkeit seiner Wohnung.« Dies bedeute, daß jeder Bürger das Recht habe, »in seiner Wohnung ungestört zu leben und den Schutz der staatlichen Organe in Anspruch zu nehmen«. Die Unverletzlichkeit der Wohnung werde schließlich aufgrund der von der SED bestimmten Verfassung »durch die Strafbestimmungen des Hausfriedensbruches garantiert«, freute man sich bei den Spitzelexperten.

Sollten Mieter sogar »durch Unberechtigte in grober Weise belästigt« werden, müßte geprüft werden, in welchem Umfang die Einleitung straf- und ordnungsstrafrechtlicher Maßnahmen zu erfolgen habe, wird als Anleitung zur Abwehr von Bürgerkomitees empfohlen, die seinerzeit versuchten, Einblick in die Strukturen der Stasi zu gewinnen. Es sei im übrigen »konsequent davon auszugehen, daß ausschließlich das MfS für seinen Woh-

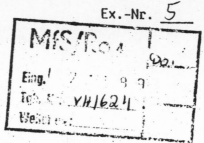

Diensteinheiten
Leiter

Ex.-Nr. 5

MfS/Ro1
Eing.
Teg. VH/624

Als Anlage erhalten Sie Hinweise zur Unterstützung
bei der Zurückweisung unberechtigter Forderungen in
bezug auf Wohnungen und Objekte des MfS sowie Orientierungen für die Erstattung von Anzeigen durch
Mitarbeiter, die wegen ihrer Zugehörigkeit zum MfS
verunglimpft und bedroht wurden.

Außerdem wird auf die Verordnung über die Lenkung des
Wohnraumes vom 16.10.1985 und die Zweite Durchführungsbestimmung zu dieser Verordnung - Ordnung über
die Wohnraumversorgung der Angehörigen und Zivilbeschäftigten der bewaffneten Organe vom 3.6.1988
verwiesen.
Sie sind veröffentlicht im Gesetzblatt der DDR,
Teil I Nr. 27 vom 28.10.1985 und im Gesetzblatt der
DDR, Teil I Nr. 11 vom 20.6.1988.

Anlage

27.
Mittag
Generalleutnant Obers

*Schon im November 1989 machte man bei der Stasi Rechte geltend, die man
anderen jahrzehntelang vorenthalten hatte.*

nungsfonds verantwortlich« sei. Ohne die »erforderliche Legitimation«, die »die Kompetenz des Ersuchenden für die Einholung
der speziellen Auskunft« zu enthalten habe, sei es selbstverständlich auch nicht gestattet, selbst über MfS-Dienstobjekte
Auskunft einzuholen. Und diese Legitimation konnte nach den
damals gültigen Gesetzen natürlich ohnehin niemand erbringen.
    In der Öffentlichkeit würden Mitarbeiter und deren Angehö-

rige »zunehmend verunglimpft und verleumdet«, beklagten sich die Führer jener, die die Verletzung elementarer Menschenrechte zu ihrer täglichen Praxis erhoben hatten. Deshalb solle »verstärkt von der Möglichkeit Gebrauch gemacht werden«, Anzeigen bei Staatsanwaltschaften und Volkspolizei zu erstatten – also jenen, von denen nicht wenige als Erfüllungsgehilfen des SED-Regimes ohnehin wußten, was von ihnen erwartet wurde. MfS-Mitarbeiter und deren Familienangehörige sollten »orientiert« werden, die Anzeigen »konkret und beweiskräftig vorzutragen«; dieser Empfehlung wurde einschränkend hinzugefügt, daß die »konkrete politisch-operative Lage« zu berücksichtigen sei. Im Klartext: Wo mit wenig Aufsehen die Bevölkerung weiter schikaniert werden konnte, sollte dies auch geschehen. Um die Kosten für Rechtsstreitigkeiten müsse sich im übrigen kein MfS-Mitarbeiter sorgen: Sofern sie oder Familienangehörige durch einen Rechtsanwalt vertreten würden, seien die Kosten durch die »jeweiligen Abteilungen Finanzen« zu erstatten.

Der Sturm auf die Normannenstraße

»Eine Wand des Schweigens, des Nichterinnerns oder des plötzlichen Gedächtnisverlustes bei verantwortlichen Offizieren«, so beschrieben verantwortliche Kräfte der Staatsanwaltschaft Anfang Januar 1990 die Situation. Justiz und Untersuchungskommissionen, die zumindest in Ansätzen versuchen wollten, ein Stück der Machenschaften aufzudecken, wurden behindert. Fingerabdrücke und Fotos verschwanden; wo es eben ging, wurde versucht, die Akten zu säubern.

Die Stimmung in der Bevölkerung wurde erheblich angespannter, obwohl viele der SED- und Stasi-Rettungsversuche, von denen wir jetzt wissen, damals noch gar nicht in den wirklichen Größenordnungen bekannt waren. Aber was man wußte und ahnte angesichts der leidvollen Vergangenheit, genügte, um äußerst hellhörig zu werden. Der Auftritt des Bundeskanzlers in Dresden kurz vor Weihnachten hatte Hoffnungen geweckt; die Landsleute hatten seine Botschaft, jetzt mit Augenmaß, aber ent-

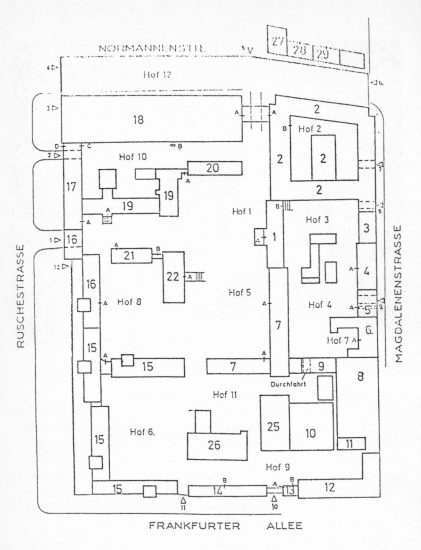

schlossen vorzugehen, sehr genau verstanden. Auch im Westen wurde mit großer Besorgnis der Versuch der SED/PDS-Regierung und ihrer Gehilfen um die Jahreswende registriert, die Macht erneut zu festigen.

Die Bevölkerung gab Modrow unmißverständlich zu verstehen, daß sie nicht bereit sei, sich täuschen zu lassen. Streiks und

Zehntausende arbeiteten in der MfS-Zentrale in Berlin. Links der Grundriß des Komplexes.

Demonstrationen wurden geplant und durchgeführt; sie waren das friedliche Mittel der Demokraten gegen die Seilschaften von gestern, die sich in das Morgen retten wollten. Auch außerhalb des Ostens Deutschlands agierte das Regime in altgewohnter Weise. Trotz der Versicherung, man habe das Abhören des Westens eingestellt, wurde aus verläßlichen Quellen bekannt, daß dieses keinesfalls der Fall war. »In einem bisher nicht gekannten Ausmaß«, so die Bundesregierung im März 1990, werde weiter abgehört. Das politische Bonn war weiter im Fadenkreuz.

Als Mitte Januar Informationen durchsickerten, daß die MfS-Zentrale in der Berliner Normannenstraße immer noch voll funktionsfähig arbeite, war es mit der Geduld der Menschen endgültig vorbei. Kurz nach 17.00 Uhr stürmten am 16. Januar mehrere tausend Menschen den riesigen Komplex. »Wo ist meine Akte«, war ein häufiger Ruf in jenen Stunden, in denen viele Opfer mit den Mitteln konfrontiert wurden, die gegen sie eingesetzt wor-

353

den waren. Sie sahen die technischen Einrichtungen des Spitzel-
apparates, durchwühlten Büros und Einrichtungen, die aber zumeist von den brisantesten Akten gesäubert worden waren. Die
Wein- und Alkoholvorräte, auf die man im Keller stieß, wurden
genauso aufgespürt wie die Porträts von Honecker, die immer
noch das MfS schmückten.

War die Besetzung allerdings vielleicht nicht doch von Stasi-
Mitarbeitern (mit-)organisiert, um den eigenen Reihen zu signalisieren, es müsse etwas geschehen, weil die weitere Entwicklung
sehr gefährlich werden könnte? Fragen, die immer noch nicht
verläßlich zu beantworten sind. Nachdenklich stimmt jedenfalls
die Schilderung eines Bürgerrechtlers, der berichtete, daß die
Tore in jenen entscheidenden Minuten »von innen« geöffnet
worden seien. Er habe den Eindruck gehabt, daß man sogar den
Dienstschluß vorgezogen habe. Jedenfalls sei nicht auszuschließen, daß ein »Stück Provokation« mit im Spiel gewesen sei. Entscheidend bleibt jedenfalls, was eines der Opfer in jenen Minuten sagte: »Ich bin in diesen Gebäuden 55mal verhört worden.
Wenn diese Leute je wieder Gelegenheit haben, sich zu formie-
ren, dann geht es uns wieder dreckig.«

Systematische Aktenvernichtung für SED, Stasi, Funktionäre und Spitzel

Durch eine systematische Aktenvernichtung hat die Stasi wesentliche Hinweise und Informationen über ihre Arbeit vernichtet. Ende November 1989 wurden wichtige Unterlagen unter
dem Kennwort »Archiv Berlin« aus den Bezirks- und Kreisdienststellen in die Normannenstraße gebracht, wo sie verbrannt
wurden oder in den Reißwolf gelangten, ins Ausland oder in
konspirative Objekte geschafft wurden.

Von allergrößter Bedeutung war es ihr dabei, neben der Vernichtung von Spionageakten die Informellen Mitarbeiter zu
schützen, mittels derer das breitgefächerte Spitzelsystem aufgebaut worden war. Da wohl einiges dafür spricht, daß zumindest
von Stasi-Mitarbeitern Materialien mitgenommen wurden, die

für künftige Erpressungsversuche geeignet sind, existiert hier ein gesellschaftlicher und politischer Sprengsatz, dessen Dimension sich erst künftig in der vollen Größenordnung zeigen wird. Informelle Mitarbeiter, deren Stasi-Zuarbeit bislang nicht bekannt war, laufen nicht nur Gefahr, bei Enttarnung isoliert zu werden, sie müssen mit dem gesellschaftlichen Abseits und dem möglichen Verlust der beruflichen Position rechnen.

Schwanitz wies in einem geheimen Befehl am 7. Dezember 1989 an, es sei »in jedem Fall« zu verhindern, daß Einsicht in geheime Dokumente und Materialien ermöglicht werde, die sich auf diese Mitarbeiter bezögen. Dies gelte auch für diejenigen Akten, aus denen »konkrete Schlußfolgerungen« zu Informellen Mitarbeitern gezogen werden könnten. Insbesondere wird der geheime Befehl aus dem Jahr 1979 erwähnt, in dem unter der höchsten Geheimhaltungsstufe die Arbeit der Informellen Mitarbeiter geregelt war. Dies geschah mit Rückendeckung der Regierung Modrow. In einem Beschluß des Ministerrats vom 7. Dezember 1989 wurde Schwanitz beauftragt sicherzustellen, daß ein »Offenlegen von Staatsgeheimnissen, die die nationale Sicherheit gefährden«, vermieden werde. Die Verwechslung von SED- und Staatsinteressen ging in gewohnter Manier weiter. Aufschlußreich – und für die Verantwortlichkeit hinsichtlich der Aktenvernichtung bedeutsam – ist die Aussage, es sei angewiesen, »unberechtigt angelegte Dokumente« unverzüglich zu vernichten. Es wurde also eingeräumt, daß zumindest bestimmte Stasi-Akten noch nicht einmal nach dem Recht des SED-Regimes eine Rechtsgrundlage hatten.

Selbst unwichtigere Unterlagen, wie Dienstlaufbahnordnung, Innendienstordnung, Dokumente zur Besoldung und Versorgung oder die Kaderordnung, seien nur dann offenzulegen, wenn »die Ausschöpfung aller dazu geeigneten Möglichkeiten« dies nicht verhindern könne. Allerdings sei, so weist Schwanitz an, »zu sichern, daß keine Aufzeichnungen angefertigt und keine Dokumente mitgenommen« würden. Diejenigen, die damals die Aktenvernichtung angeordnet, durchgeführt oder geduldet haben, werden sich gegenüber allen, die ein berechtigtes Interesse haben, die Unterlagen zu sehen, rechtfertigen müssen. Es ist nicht hinnehmbar, daß die Opfer von SED und Stasi nicht zu ihrem Recht kommen können, weil die Schergen von einst auch noch dies verhindern wollen. Deshalb wird zukünftig auch Zeugenaussagen eine sehr hohe Bedeutung bei der Stasi-Aufarbeitung beigemessen werden müssen. Auch wenn keine Akten mehr vorliegen, gibt dies keinesfalls begründeten Aufschluß darüber, daß die Stasi nicht tätig war. Es ist zudem für keinen Rechtsstaat hinnehmbar, daß diejenigen, die bei den Opfern die Wiedergutmachung verhindern wollen, andere mit Material unter Druck zu setzen oder ihr (vermeintliches) Wissen gegen viel Geld zu verkaufen versuchen. Auch sollte nicht außer acht gelassen werden, daß es bei der Stasi Überlegungen für den Fall eines Machtverlustes gegeben hat. Die Stasi verfügte über alle Fälschungsmöglichkeiten. Es fehlte nicht an Blankopässen. Wieviele mögen ihre Identität gewechselt haben?

Vorhandene Blankodokumente und nicht personen- und sachbezogene Dokumente zur Mehrfachnutzung sind der Abteilung Operative Technik zu übergeben.

4. Erforderliche Neuausstellungen von Dokumenten aus Betrieben und Einrichtungen des Verantwortungsbereiches der Diensteinheit sind ebenfalls bei der Abteilung Operative Technik zu beantragen.

Nach Bestätigung des OTS-Auftrages-E ist die Beschaffung und Ausstellung zwischen den Leitern dieser Diensteinheiten und dem Leiter der Abteilung Operative Technik abzustimmen. Operative Dokumente für IM werden grundsätzlich nur durch die Abteilung Operative Technik beschafft.

5. Die Leiter der Abteilungen VI, VII, XVIII, XIX, XX, Hafen, des SR AWK und der Kreisdienststellen/Objektdienststelle

- haben mit ihren operativen Möglichkeiten die Realisierung der mit der Beschaffung, Bereitstellung, Abdeckung und Anwendung operativer Dokumente im Zusammenhang stehenden Aufgaben zu unterstützen

- sichern entsprechend den Erfordernissen den konkreten Materialbedarf und den Informationsfluß zu Problemen des Dokumenten- und Reiseregimes,

- übergeben bei Veränderungen der Regimeverhältnisse notwendige Informationen,

- stellen erforderliche Direktbeziehungen zum Zusammenwirken zwischen staatlichen Organen, gesellschaftlichen Organisationen, Einrichtungen, Betrieben sowie Objekten und der Abteilung Operative Technik her.

Auszug aus einem Stasi-Befehl vom Januar 1989: „übergeben bei Veränderungen der Regimeverhältnisse notwendige Informationen".

Von der HVA ist bekannt, daß sie schon unmittelbar im Zusammenhang mit dem Sturz Honeckers Mitte Oktober 1989 begann, systematisch die Akten zu vernichten. Für künftige Wirkungsmöglichkeiten wurde aber bei Stasi-Einheiten Material aufbewahrt. In einem Schreiben einer Kreisdienststelle wird verlangt, »alles dafür zu tun, daß das beseitigt oder sicher deponiert wird, was, wenn es der Öffentlichkeit zur Kenntnis gerät, dem MfS sehr schaden und bei unseren Menschen zu nicht auszudenkenden, negativen Auswirkungen führen würde«. Aus vielen Orten im Osten wird berichtet, daß die Feuer oft tagelang gebrannt haben, mit denen auch andere Stasi-Akten vernichtet wurden. Alte Seilschaften wurden von der Regierung Modrow auch im Zusammenhang mit der Säuberung der Kaderakten, die über jeden geführt wurden, geschützt. Sie ordnete zwar an, daß die Akten von den Betreffenden eingesehen werden durften, das Recht, die Unterlagen zu behalten, wurde jedoch nicht eingeräumt. Vielmehr konnten die Vorgesetzten, die häufig im SED-Sinne gearbeitet hatten, die Vernichtung derjenigen Unterlagen veranlassen, die nicht mehr in der Kaderakte sein sollten. So sorgte man dafür, daß Funktionäre und Freunde der SED und deren Nachfolgepartei PDS noch nicht einmal nachträglich für unrechtmäßiges Tun belangt werden können. Auch die Spitzel waren die Nutznießer dieser Aktion, denn in jedem größeren Betrieb gab es zumindest eine eigene Stasi-Abteilung, die zur Einschüchterung und Überwachung eingesetzt wurde.

10 Alte Seilschaften, neue Gefahren

»MfS-Gericht« bei Großmann

Mit Einschüchterungen und Drohungen sind frühere MfS-Mitarbeiter, die sich aus Verantwortung für die Demokratie über die früheren MfS-Praktiken offenbart haben, durch hohe MfS-Offiziere unter Druck gesetzt worden. Im Sommer 1990 mußte sich ein früherer MfS-Offizier beim Ex-Chef der Hauptverwaltung Aufklärung (HVA), Werner Großmann, »verantworten«, weil er sich an westliche Sicherheitsbehörden gewandt hatte. Großmann, der Nachfolger von Markus Wolf, sprach von »Verrat«, den der Offizier geübt habe. Dies sei »in höchstem Maß« zu mißbilligen, versuchte Großmann den MfS-Offizier einzuschüchtern und verlangte, über alles, was er dargelegt habe, »Bericht« zu erstatten. Der MfS-Offizier, der die Beschimpfungen Großmanns und anderer früherer MfS-Größen als sehr bedrohlich empfand, befürchtete, daß ihm etwas passieren könnte. Großmanns Druck »nach unten« zu einer Zeit, wo er formal ohnehin nicht mehr agieren durfte, wirft allerdings auch ein besonderes Licht auf seine Gradlinigkeit, denn daß er sich einige Zeit später, in jedem Fall noch vor dem 3. Oktober, mit einem hohen Vertreter des Bundesnachrichtendienstes getroffen hat, erfuhren Großmanns frühere Untergebenen und die Öffentlichkeit erst durch die WELT. Großmanns Versuch, weiter zu steuern, spürte Gerhard Boeden, seinerzeit Präsident des Bundesamtes für Verfassungsschutz, als er mit hohen früheren MfS-Offizieren konferierte. Sie müßten sich erst bei Großmann rückversichern, ob sie aussagen dürften, teilten sie Boeden mit.

Die Marschroute in der früheren HVA, auf dem hohen Roß zu sitzen und durch absolute Verschwiegenheit zu versuchen, kein Licht in das MfS-Dunkel zu bringen, ließ auch ein früherer HVA-Mitarbeiter unverhohlen durchklingen, als er kurz vor dem 3. Oktober gegenüber Stasi-Aufklärern äußerte: »Sie erwarten doch wohl nicht, daß wir unsere ehemaligen Mitarbeiter enttarnen!« Da wundert es auch nicht, daß ein fundierter Bericht über die HVA-Auflösung bis zum 3. Oktober nicht erstellt, jedenfalls nicht der Öffentlichkeit präsentiert wurde. Und es waren besonders auch frühere HVA-Offiziere, die bei Gesprächen mit Vertretern der Sicherheitsbehörden noch nach dem 3. Oktober 1990 in ihrer Ablehnung gegenüber dem vereinigten Deutschland keinen Hehl machten: »Wir haben mit diesem Staat nichts zu tun.« Kein Bedauern, keine Reue, keine Abkehr von der Form des Sozialismus und Kommunismus, die jahrzehntelang die Landsleute in menschenverachtender Form drangsaliert hat. Man sei zwar durch die Verfehlungen der früheren SED-Führer um »die Ideale betrogen« worden, die Ideologie als solche sei jedoch nicht der Fehler gewesen.

Wo sind die Spione?

Eine nicht geringe Zahl von Spionen ist bislang enttarnt worden, aber eben nur ein Teil jener Agenten, die für das MfS und den Kommunismus im Westen Deutschlands agierten. Systematische Aktenvernichtungen, nicht nur in der HVA, haben denen geholfen, die im Sold der SED dem Westen schadeten. Gleichwohl müssen auch sie weiter damit rechnen, aufzufliegen. Es liegen nicht wenige Hinweise bei den Sicherheitsbehörden vor, die die Einleitung von Ermittlungsverfahren zwar noch nicht rechtfertigten, dennoch aber von beachtlichem Interesse sind. Fehlende Akten mögen die Enttarnung erschweren, sie können aber nicht verhindern, daß klare Hinweise vorliegen.

Dennoch darf die künftige Gefahr nicht unterschätzt werden. Frühere MfS-Agenten und Inoffizielle Mitarbeiter, die untergetaucht sind, sind jederzeit von den alten Seilschaften erpreßbar. Jeder bislang nicht entdeckte Agent, der sich auf die Zusage verläßt, seine Akte sei vernichtet, bleibt ein potentielles Angriffsobjekt. Ob Zusagen, die von HVA-Offizieren gegenüber Agenten gemacht wurden, tatsächlich eingehalten werden, entscheidet sich spätestens ohnehin erst dann, wenn die betreffenden HVA-Offiziere in die Gefahr geraten, von den Sicherheitsbehörden selbst konkret ins Visier genommen zu werden. Manche Akte, die man verschwunden glaubte, ist inzwischen aufgetaucht und hat wertvolle Hinweise enthalten. Auch sind nicht alle der Offiziere, die einst Wolf und Großmann die Treue schworen, so verschwiegen, wie Wolf und Großmann dieses erhofften.

Wo sind die Spione? Die Spionage in der Politik gehörte zu den Primärzielen der HVA. Jeder war potentielle Zielperson, jeder war potentieller Feind. Jeder, der dazu geeignet erschien, wurde von der HVA-Spitze eingesetzt. Man wird lange streiten, ob die SED-Spitze die Plazierung Guillaumes im Kanzleramt als vorteilhaft empfand, sorgte doch dessen Enttarnung für erhebliche politische Konsequenzen. Wichtige Schlußfolgerung auch aus diesem Vorgang ist aber, daß der politische Bereich aus der Aufarbeitung der Stasi-Vergangenheit nicht herausgehalten werden darf. Die Enttarnung anderer Stasi-Agenten in der Vergangenheit sollte ein mahnendes Zeichen für die Zukunft sein.

Ein besonders aufschlußreiches Kapitel in der Spionagetätigkeit der HVA bildete die Anwerbung von Sekretärinnen. »Liebe auf Befehl« lautete die Devise für jene HVA-Agenten, die als Führungsoffiziere des MfS oder Inoffizielle Mitarbeiter in den Westen geschickt wurden, um menschliche Schwächen brutal auszunutzen. Um ihre Spionageziele zu erreichen, wurden Menschen von der HVA rücksichtslos in ihren Gefühlen und ihrer Existenz zerstört.

Von besonderer Gefahr sind jene Einflußagenten, die vor langer Zeit vom MfS im Westen plaziert wurden und gleichfalls jederzeit erpreßbar sind. Die Betreffenden wissen, daß es über sie eine Akte gibt, die sie jederzeit diskreditieren würde. Selbst wenn sie innerlich auf Distanz zu SED und Stasi gegangen sind, haben sie keine Chance, der Vergangenheit zu entrinnen, es sei denn, sie offenbaren sich den Sicherheitsbehörden. Dies ist für sie der einzige Weg, einen Schlußstrich zu ziehen. Die HVA wußte, warum sie den langfristigen Weg ging: Die Agenten hatten keine Chance zu entrinnen, die Stasi alle Möglichkeiten, ihr Wissen nach Belieben abzufragen. Wo sind die Einflußagenten, die entsprechend den Konzeptionen von Wolf geworben und aufgebaut, aber bis heute nicht enttarnt wurden?

Die Entlarvung von Spionen im militärischen und wirtschaftlichen Bereich sowie beim BND, Verfassungsschutz und MAD (Militärischer Abschirmdienst) ist auch in ihren Ausmaßen beachtlich. An wichtigen Positionen sitzende Agenten der Stasi

Stillers Flucht erschütterte das MfS.

wurden erkannt. Das Ausmaß des Interesses der Stasi im wissenschaftlich-technischen Bereich wurde erst deutlich, als nach dem Überlaufen des MfS-Offiziers Werner Stiller 1979 bekannt wurde, daß allein zwischen 1975 und 1978 von der HVA mehr als 50 Agenten und Inoffizielle Mitarbeiter geworben worden waren, um Wirtschaftsunternehmen auszuspionieren. Auch auf diesen Feldern ist aber die Aufarbeitung der Stasi-Vergangenheit gewiß noch nicht abgeschlossen.

Die Interessen des KGB sind stärker denn je

Führende Sicherheitsexperten sind sich in ihrem Urteil einig. Der Informationsbedarf der Sowjets ist nach der Einheit »eher gestiegen als gesunken«. Die Sowjetunion sei auch mit Blick auf ihre großen wirtschaftlichen Schwierigkeiten in hohem Maße inter-

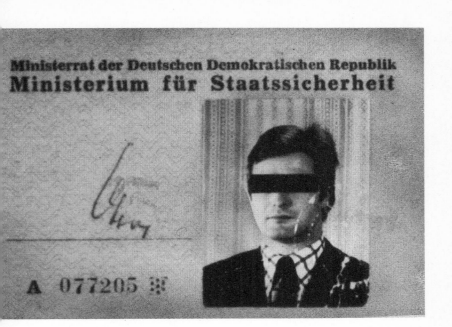

essiert, wissenschaftliche Erkenntnisse zu sammeln. Aber auch die verstärkte Rolle, die Deutschland in Europa und in der Welt spiele, mache Deutschland für das KGB immer interessanter. Es sei einfacher, in Deutschland Unterlagen zu beschaffen als in den Vereinigten Staaten.

Vor und nach der Wende war es für die Sowjets außerordentlich günstig, ihre Interessen für die Zukunft zu ordnen. Das »KGB fühlt sich relativ sicher«, schilderte ein Sicherheitsexperte die Situation und bemerkte: »Das KGB bewegt sich wie zu Hause.« Eine Aufklärung der KGB-Aktivitäten in den fünf neuen Bundesländern sei nach der Einheit zunächst kaum erfolgt, also sei »die Abwehrlage« für die Sowjets günstig. Der Aufbau des Verfassungsschutzes benötigt dort längere Zeit; es ist nicht möglich, dies von heute auf morgen zu bewerkstelligen. Zudem gilt es, manche Widerstände in der Bevölkerung zu überwinden.

Durch die langjährige Zusammenarbeit zwischen KGB und MfS verfügt das KGB über wirkungsvolle Möglichkeiten, Strukturen verstärkt aufzubauen. 80 bis 90 Prozent seiner Erkenntnisse über Deutschland erhielt das KGB vom MfS. Eine nicht unerhebliche Zahl von MfS-Mitarbeitern sieht die Treue zum KGB und zur Sowjetunion als ihre alleinige ideologische Grundlage an; dieser Personenkreis wird jederzeit zur Zusammenarbeit bereit sein, selbst wenn es aktuelle Enttäuschungen über die Moskauer Politik geben sollte. Andere sehen in der Zusammenarbeit mit dem KGB die einzige Möglichkeit, ihre Zukunft aufzubauen. Eine Existenzgefährdung müßte jeder einkalkulieren, der sich aktuellen Ansprechversuchen des KGB entziehen würde, obwohl er aus der Vergangenheit in Verpflichtungen und Bindungen ist. Eine nicht geringe Zahl von MfS-Mitarbeitern hat den Weg zum KGB gewählt. Es gibt Hinweise, daß noch zur Zeit der Modrow-Regierung den Sowjets angeboten worden ist, sich »die Teile des MfS zu nehmen, die sie will«. Die sowjetischen Spionagedienste KGB und GRU könnten sich bisherige MfS-Offiziere »nach ihrer Wahl« nehmen, wurde im Frühjahr 1990 bekannt. Dies gelte auch für MfS-Akten und »Quellen«; auch das MfS-Agentennetz im Westen Deutschlands zähle dazu. Einige Übernahmeversuche von MfS-Agenten im Westen durch das KGB konnten von den Sicherheitsbehörden verhindert werden. Aber wie viele gingen ohne Beobachtung über die Bühne?

Gefahren aus Nahost

Die Drohungen und Anschläge, die im Zusammenhang mit dem Golfkrieg ausgesprochen und verwirklicht wurden, haben auch im öffentlichen Bewußtsein keine Zweifel mehr über die tatsächlichen Gefahren gelassen. Experten hatten schon lange zuvor mit größter Sorge die Frage gestellt, wann die Gefahren aus Nahost konkret zum Ausbruch kommen würden.

Durch die Zusammenarbeit, mit der die Stasi langjährige Kontakte zu arabischen Sicherheitsbereichen und PLO-Freunden aufgebaut hatte, sind Bindungen entstanden, die die MfS-Auflösung überstanden haben. Vom MfS zwar als Agenten anderer Staaten aus dem Nahen Osten entdeckt, konnten die betroffenen

Personen gleichwohl ungestört unter dem SED-Regime weiterarbeiten. Für die Sicherheitsbehörden ist es jetzt eine sehr schwere Aufgabe, diese Gefahren unter Kontrolle zu halten.

Es wäre ein folgenschwerer Irrtum zu glauben, terroristische Bedrohungen als erledigt zu erachten. Manche Rücksichtnahmen, die im Nahen Osten mit Blick auf die Kontakte zu den früheren Verbündeten im Ostblock aus taktischen Gründen genommen wurden, werden nicht mehr geübt. Gaddafi drohte 1986 angesichts seiner zunehmenden internationalen Isolierung mit Terror. Erst als der »La Belle«-Anschlag keinen Zweifel mehr lassen konnte, daß diese Drohungen auch Deutschland erreicht hatten, schenkte man diesen die notwendige Beachtung. Auch Saddams Erpressungsversuche gegenüber den demokratischen Staaten schreckten erst richtig auf, als diese sich konkretisierten. Terror wird auch weiter, vor allem seitens Diktatoren aus Nahost, als »legitimes Kampfmittel« propagiert werden. Auch künftig werden sich zu allem entschlossene Fanatiker finden, die bereitwillig politische Befehle ausführen, ohne auf die Opfer irgendeine Rücksicht zu nehmen. Und die in ungelösten sozialen Fragen in Nahost natürlich einen weiteren Nährboden finden. Niemand sollte glauben, daß all das, was »innerarabisch« oder im Libanon über Jahrzehnte praktiziert wurde, Europa nicht erfassen könnte. Es wäre verfehlt anzunehmen, daß dazu seitens bestimmter arabischer Kräfte die logistischen Basen nicht schon geschaffen worden wären.

Vor allem die langfristige »Eindeutschung« arabischer Terroristen in den fünf neuen Ländern, eingefädelt und begünstigt durch die Stasi, stellt für Deutschland ein erhebliches Gefährdungspotential dar. Durch den »La Belle«-Anschlag beispielsweise ist unzweifelhaft deutlich geworden, daß selbst diplomatische Möglichkeiten genutzt werden, um gewalttätige Ziele zu erreichen. Der Krieg an den verdeckten Fronten im Untergrund hat seitens dieser Fanatiker längst begonnen. Ihre Hintermänner agieren skrupelloser als jene, deren Hemmschwelle zur Durchsetzung marxistisch-leninistischer Ziele schon gering angesetzt war. »Wehret den Anfängen!« kann nur die überzeugende Folgerung aus den Stasi-Erfahrungen für den Westen lauten.

Sind die Geheimdienste noch notwendig?

Es gibt wohl kaum jemanden, den nicht zumindest das Tempo des Zusammenbruchs des SED-Regimes und die Vereinigung Deutschlands erstaunt hat. Wurde auch die Politik davon überrascht? Haben die Dienste, deren Aufgabe es ja ist, umfassende Informationen zur Lagebeurteilung für die politisch Verantwortlichen zu sammeln, die Entwicklung nicht gesehen? Ein vorschnelles Urteil ist unangebracht. Während viele Grundstrukturen und Einzelheiten, die vor der Wende sowohl bei SED als auch Stasi verborgen geblieben waren, danach auch der breiten Öffentlichkeit zugänglich und mit allergrößtem Interesse aufgenommen wurden, ist nur wenig darüber bekannt, wie die westliche Seite über den Osten informiert war. Auch heute zwingen operative Notwendigkeiten zum Schweigen. Manche Enttarnung von Stasi-Agenten auch in Spitzenpositionen der Geheimdienste könnten den irrtümlichen Eindruck erwecken, als habe der Osten alles erreicht und der Westen geschlafen.

Sowohl Bundesnachrichtendienst, befreundete ausländische Dienste, Verfassungsschutz und MAD haben oft gewarnt. Ob ihren Hinweisen, vor allem in Zeiten der Entspannung, allerdings die gebührende Aufmerksamkeit von Politikern und Öffentlichkeit geschenkt wurde, steht auf einem anderen Blatt. Daß Spitzenpolitiker im vollständigen Fadenkreuz der Funkaufklärung der Stasi standen, war doch allen bekannt. Daß Reisen in die DDR total überwacht wurden, konnte doch niemanden überraschen. Vor Kritik an anderen sollte die selbstkritische Prüfung stehen.

Es hat viele MfS-Offiziere, die ihr Wissen zur Verfügung gestellt haben, überrascht, wie genau BND und Bundesamt für Verfassungsschutz über die Stasi informiert waren. Die Stasi-Warnungen, vor allem im Vorfeld des Endes der SED, waren keinesfalls eine leere Floskel, sondern beruhten auf fundierten Einschätzungen. Der BND hatte – so die MfS-Einschätzungen – im SED-Regime Wirkung erzielt, war gefürchtet und gehaßt. Das MfS hatte Quellen im Westen, aber auch die westlichen Dienste hatten mit Sicherheit keine schlechten bei SED und Stasi. Strukturen, Mitarbeiter, Mittel und Methoden – ja selbst operative Vorgänge waren bekannt. Der MfS- Terminus von den »Inspiratoren und Organisatoren der politischen Untergrundtätigkeit in der DDR« bezog sich auch auf den BND und seine Aktivitäten. Angesichts der Spione, die das MfS in Politik, Diensten, Wirtschaft und Bundeswehr plazieren konnte, von mangelnden Erfolgen der Dienste zu sprechen, geht an den Tatsachen vorbei. Nicht vergessen werden darf, daß die Personalstärken des MfS und KGB um ein Vielfaches höher waren, beziehungsweise sind, als die westlicher Abwehrdienste.

Jeder, der meint, westliche Geheimdienste hätten ihre Aufgaben weitgehend verloren, sollte sich zunächst in Erinnerung rufen, welchen Bedrohungen der Frieden in den vergangenen Jahrzehnten ausgesetzt war, und daß manche Veränderungen im Osten oftmals »auf der Kippe« standen. Die Entwicklung in der Sowjetunion hat deutlich gemacht, daß Worte wie Glasnost und Perestrojka schneller ausgesprochen als verwirklicht werden. Die Erstarkung dogmatischer Kräfte, die Gefahren aus den alten Seilschaften und die gewaltigen Herausforderungen, die sich mit Blick auf den Nahen Osten für Europa stellen, erfordern in der Zukunft einen hohen Aufklärungsbedarf.

Solange MfS-Agenten als »schlafendes Potential« im Westen nicht enttarnt wurden, besteht eine hohe Aktivierungsgefahr. Nachrichtendienste verschiedener Staaten verfügen aus der langjährigen Zusammenarbeit über Zugang zu entsprechenden »Quellen«, die nicht unterschätzt werden dürfen, was auch für persönliche Bindungen gilt. KGB, andere Nachrichtendienste und arabische Terrororganisationen verfügen nach wie vor über nutzbare Rückverbindungen zu früheren MfS-Mitarbeitern. Die Altlasten des MfS beinhalten andauernde Abwehr- und Aufklärungserfordernisse. Aufklärungsbedarf besteht auch bei neuen Gefahren: Was ist beispielsweise, wenn das unverändert hohe Potential an Massenvernichtungsmitteln in bestimmten Staaten der Welt »in falsche Hände« gerät? Wie sind Verbrechensstrukturen international wirkungsvoller zu bekämpfen, wo doch kaum Zweifel bestehen können, daß es auf diesem Feld eine Ost-West-Zusammenarbeit inzwischen gibt?

Stasi, Imex, OibEs – der geheime Waffenhandel

Die Stasi hat den unter der Verantwortung der SED-Spitze durchgeführten Waffenhandel organisiert. In einem geheimen Befehl, den Generalleutnant Schwanitz, einer der Stellvertreter von Mielke und nach dessen Sturz Nachfolger als Chef der Stasi-Nachfolgeorganisation Amt für Nationale Sicherheit (AfNS), am 29. Juli 1987 abgezeichnet hat, wurde der Waffenhandel über das Objekt Kavelstorf bei Rostock abgewickelt. Kavelstorf wurde als konspiratives Objekt der Abteilung Bewaffnung und Chemischer Dienst des MfS geführt, dessen Aufgabe es war, »ausschließlich für die Firma Imex im Bereich Kommerzielle Koordinierung des Ministeriums für Außenhandel Transport-, Umschlag- und Lagerprozesse mit Waffen und Munition« durchzuführen. Um strikt sicherzustellen, daß eine Beteiligung der Stasi nicht bekannt würde, wurde das Objekt als »Imex Import-Export GmbH, 1086 Berlin, Friedrichstraße, Betriebsteil Kavelstorf« legendiert.

Die Länder, in die Waffen über den »Überseehafen Rostock« gebracht werden sollten, waren Polen, die CSFR, Bulgarien und – Österreich, jenes Land, in dem seit einigen Jahren Waffenskandale eine bedeutsame Rolle spielen. Um dorthin Waffen zu liefern, diente Kavelstorf als »Transitlager für Erzeugnisse aus Drittländern«. Kavelstorf hatte aber zudem eine weitere Aufgabe: Als »Zwischenlager« aus dem »Nicht-Sozialistischen Wirtschaftsgebiet« (NSW), also aus Ländern des Westens, wurden Waffen dort gelagert. Auch dies erfolgte für den Bereich Kommerzielle Koordinierung.

Das MfS gab »kommerziellen Partnern« Gelegenheit, nach Kavelstorf zu kommen, um vor Ort die »Angebote« zu prüfen. Diesen werde »auf Grund der internationalen Gepflogenheiten im Waffen- und Munitionshandel die Möglichkeit eingeräumt, das Exportgut in Augenschein zu nehmen«, heißt es in dem Stasi-Befehl. In Kavelstorf wurden auch »Imex-eigene Warenbestände« gelagert, die nicht sofort oder kurzfristig verkauft werden konnten. Auch Waffen, die bei der NVA abgesetzt werden sollten, wurden dorthin gebracht, um »in Vorbereitung auf die

Verschiffung über den Ostseehafen Rostock« zwischengelagert zu werden.

MfS und SED, die Bezugspunkte zum Waffenhandel stets bestritten hatten, waren sich der politischen Größenordnung ihres Handelns bewußt. Der Befehl spricht von der »hohen politischen Brisanz für die internationale Stellung der DDR«, die die Aktion kennzeichne. Notwendig sei eine »absolute Geheimhaltung der Verbindung« zur Stasi, die als »Schild und Schwert« der SED in deren ausschließlichem Auftrag tätig war. Über »operativ bedeutsame Informationen« wurden unverzüglich die »zuständigen Stellvertreter« vom Honecker-Intimus Mielke informiert.

Nur Elitekräfte der Stasi waren in Kavelstorf eingesetzt. Die Sicherung des Objektes erfolgte ausschließlich durch »Offiziere im besonderen Einsatz« (OibEs), deren Aufgabe nicht nur darin lag, die Objektsicherung zu gewährleisten, sondern auch durch zielgerichteten Einsatz »die konsequente Gewährleistung und Absicherung der Legendierung« sicherzustellen. Ein Eindringen in das Objekt sei auszuschließen; in den vorbeugenden Überprüfungen und Bespitzelungen waren auch die Bewohner in der Umgebung des Objektes ein vorrangiges Ziel. Die strikte Auswahl von fest auf die SED Eingeschworenen galt auch für Imex; grundsätzlich durften nur »bestätigte Kader« in die Zusammenarbeit einbezogen werden.

Noch bis Ende November 1989 sah die Stasi in der Abwicklung von Waffengeschäften über Kavelstorf keine Probleme; erst zu diesem Zeitpunkt signalisierte man aus den Stasi-Einrichtungen in Kavelstorf an die Berliner Zentrale, es sei notwendig, veränderte Formen zu wählen, da angesichts der politischen Entwicklung nicht mehr für die Geheimhaltung garantiert werden könne. Nachdem Bürgerkomitees die Anlage entdeckten, wurde das Unternehmen stillgelegt, wenngleich kaum jemand zur Verantwortung gezogen wurde. Sind aber wirklich alle Strukturen und Verbindungen enttarnt worden?

Ministerium für Staatssicherheit
Abteilung Bewaffnung
und Chemischer Dienst
Leiter

Berlin, 29. Juli 1987

Geheime Verschlußsache |

GVS-o031

MfS-Nr. 2 ... | 87

_2_.Ausf. Bl./S. _1_ bis _8_
bestätigt:

Schwan...
Gener... ...tnant

K o n z e p t i o n
zur vorbeugenden Verhinderung, operativen B... ...itung und zur
Abwehr von Terror- und anderen bedeutsamen ...altakten, Handlungen und Aktivitäten gegen das Objekt K... STORF
(Sicherungskonzeption)

1. Volkswirtschaftliche und politisch... ...rative Bedeutung des
Objektes

Bei dem Objekt Kavelstorf handel... sich um ein konspiratives
Objekt der Abteilung BCD des Mf... n dem   a u s s c h l i e ß -
l i c h   für die Firma IMES i... reich Kommerzielle Koordinierung
des Ministeriums für Außenha... Transport-, Umschlag- und Lagerprozesse mit Waffen und Mun... durchgeführt werden.

Das Objekt befindet sich ... er Ortslage Kavelstorf ca. 11 km
südlich von Rostock. Es ... südlich vom Lagerplatz des VEB Ge-
treidewirtschaft Rosto... ...d an den übrigen Seiten durch freie,
teilweise landwirtsch... ...ch genutzte Feldflächen begrenzt. Ein
Anschlußgleis der De... ...en Reichsbahn verbindet das Objekt mit
dem Bahnhof Kavelst... Das Objekt umfaßt ein Gelände von 41 221 m^2.

Auf dem Gelände ... ...bjektes befinden sich

- eine Lagerha... in der Größe 74 x 24 m,

- eine Gara... ...lle in der Größe 24 x 20 m,

- eine Ba... ...e für die Mitarbeiter des Objektes,

- ein H... ...ntainer.

Das Objekt hat insbesondere folgende Funktionen zu erfüllen
bzw. Aufgaben zu realisieren:

- Langzeitlager für IMES-eigene Warenbestände, deren sofortiger
  oder kurzfristiger Absatz nicht möglich ist;

- Kurzzeit- und Zwischenlager bzw. Umschlagort für Erzeugnisse
  anderer Aufkommensträger, wie zum Beispiel Staatsreserve,
  NVA-Lager, in Vorbereitung auf die Verschiffung über den
  Überseehafen Rostock;

- Transitlager für Erzeugnisse aus Drittländern, die für den
  Seetransport über den Überseehafen Rostock vorbereitet werden.
  Voraussichtliche Aufkommensländer sind VR Polen, CSSR, VR Bul-
  garien und Österreich.

- Zwischenlager für NSW-Importe, die im Auftrag des Bereiches
  Kommerzielle Koordinierung im MfAH für Bedarfsträger der DDR
  durchgeführt und die über den Überseehafen Rostock angeliefert
  werden;

- Durchführung von Verkaufshandlungen und Besichtigungen von
  Erzeugnissen durch ausländische Kunden bzw. deren Abnahme-
  offiziere.

Aus der Funktion und der Legendierung des Objektes, den zu reali-
sierenden Aufgaben und den damit verbundenen Arbeitsprozessen
ergeben sich Verbindungen und Kontakte zu Betrieben, Einrichtungen, staatlichen Organen und weitere Objekt-Umwelt-Beziehungen.

Die in diese Verbindungen und Kontakte einbezogenen Personen
können Teilkenntnisse zum Charakter und zu Regimefragen des Objektes erlangen. Insbesondere die an den Lieferbeziehungen mit

P.

    der Waffen- und Munitionsindustrie
    den bewaffneten Organen der DDR
    der Staatsreserve der DDR
    den Partnerländern

beteiligten Personen sowie die in die Transport- und Umschlag-
arbeiten einbezogenen Arbeitskräfte der Deutschen Reichsbahn und
des Kombinates Seeverkehr- und Hafenwirtschaft Rostock erhalten
Kenntnisse darüber, daß es sich bei den Erzeugnissen um Waffen
und Munition handelt.

Unter strengster Geheimhaltung betrieben Stasi und SED Waffenhandel.

Laserkopierer zum Fälschen

Das MfS verfügte über sechs Laserfarbkopierer, mit denen es möglich war, Dokumente und Banknoten perfekt zu fälschen. Notwendig war es, das jeweils richtige Papier erstellen zu können. Dies geschah in dem Bereich OTS (Operativ-Technische-Sicherstellung) in einem MfS-Objekt in der Berliner Rödonstraße, in dem auch einige Kopierer installiert waren. Formal war OTS eine selbständige Diensteinheit, in der Praxis jedoch unter der Kontrolle der HVA.

In dem OTS-Objekt waren alle wissenschaftlichen und technischen Einrichtungen vorhanden, um das jeweilig benötigte Papier herzustellen. Die entsprechende Faserung war genausowenig ein Problem wie die Möglichkeit, durch Veralterungsmaßnahmen entsprechende Dokumente zeitlich »verschieben« zu können. Auch in Massenauflagen konnten gefälschte Unterlagen produziert werden. Die bevorzugte Zuordnung zur HVA gibt einen Hinweis darauf, daß die Materialien vorrangig für den Auslandseinsatz benötigt wurden.

Die perfekten Fälschungsmöglichkeiten waren für die Inlandstätigkeit der Stasi auch nicht notwendig. Das MfS, das nach den SED- und Mielke-Befehlen alles »auf den Kopf stellen« durfte und keinerlei Beschränkungen unterworfen war, verfügte über alle Möglichkeiten, jedes Dokument zu benutzen, das es im Osten Deutschland gab. In MfS-Verwaltungen wurden Dutzende von Blanko-Ausweisen gefunden, wo von der Geburts- bis zur Heiratsurkunde alle Dokumente vorhanden waren, um neue Identitäten zu erstellen. Sogar die Tinte für entsprechende Dokumente und Siegel waren innerhalb der Stasi-Objekte verfügbar.

Die Laser-Kopierer waren schärfstens bewacht. Eine strenge Benutzerordnung stellte sicher, daß der Kreis derjenigen, die Zutritt hatten, sehr klein gehalten wurde. Die Bewacher wurden für die Sicherheit der Fälschungseinrichtungen persönlich haftbar gemacht.

Der Stasi-Weg in Schulen, Betriebe, Zoll und Wachgesellschaften

Durch die formelle Auflösung des MfS war die Ära der Privilegien nicht beseitigt; die neuen Seilschaften in Betrieben, Verwaltungen, Schulen und Hochschulen sorgten für eine Absicherung. »Was die SED in 40 Jahren nicht geschafft hat, war nach der Wende in drei Monaten möglich«, heißt es oft unter Anspielung auf die Pfründe, die die SED-Genossen beseite schafften.

Ausgangspunkt vieler Wechsel war der November 1989. Die Stasi kümmerte sich um die berufliche Absicherung von MfS-Mitarbeitern. Als mögliche neue Tätigkeiten, gewiß auch mit Blick auf die langfristige Absicherung von Stasi-Gedankengut in Verwaltungen und Sicherheitsorganen, wurde »eine Tätigkeit in der DVP (Volkspolizei, die Autoren), im Zoll beziehungsweise in der Justiz« empfohlen. Stasi-Unterlagen weisen aus, daß auch »eine Tätigkeit im zivilen Bereich« genannt wurde. Dies alles unter strikter ideologischer Obhut der PDS-Vorgängerin SED; die Abteilungen »Kader und Schulung« stünden zu entsprechender Hilfestellung bereit, hieß es bei der Stasi. Dies gelte, so weist ein Befehl vom 21. November 1989 aus, selbstverständlich auch für die Kontakte zu Betrieben, Einrichtungen und Institutionen, zu denen man »vertrauensvolle Verbindungen« pflege. Die Bindungen sollten aber bleiben: »Die Beschaffung von Arbeitsplätzen für zu entlassende Mitarbeiter hat aber grundsätzlich nur in Abstimmung mit dem Leiter der Abteilung Kader und Schulung zu erfolgen.

In Rostock beispielsweise zeigten der SED-Oberbürgermeister und sein Schulrat in den Wochen nach der Wende keine Hemmungen, mehr als ein Dutzend frühere führende SED-Mitarbeiter, mehrere Funktionäre der ehemaligen SED-Bezirksparteischule und frühere Stasi-Spitzel in den Schuldienst einzustellen. Dreist agierten Stasi-Mitarbeiter der dortigen Bezirksverwaltung. Sie kauften die Einrichtungen der früheren Betriebstischlerei und -klempnerei und stellten einen Antrag auf eine Gewerbegenehmigung, die damals natürlich sehr schnell genehmigt wurde. Andere – nicht in SED- und Stasi-Seilschaften eingebun-

```
Darüber hinaus ist vorbehaltlich der zentralen Entscheidung über
die Aufgaben des Amtes für Nationale Sicherheit aus kadermäßiger
Sicht eine Bestandsaufnahme in jeder Diensteinheit nach folgenden
Gesichtspunkten durchzuführen:

1. Mit allen Mitarbeitern sind vertrauensvolle Gespräche zu  eigenen
   Vorstellungen über ihre weitere Perspektive zu führen. Darin
   sollten sie sich zu

   . einer künftigen Tätigkeit im Amt für Nationale Sicherheit,
   . einer Tätigkeit in der DVP, im Zoll bzw. in der Justiz,
   . einer Tätigkeit im zivilen Bereich oder
   . Vorstellungen über die Inanspruchnahme möglicher sozialer
     Maßnahmen wie Grundsatzentscheidung, Übergangs- bzw. In-
     validenrente

   persönlich äußern.
```

Auszug aus einem Stasi-Befehl vom 21. 11. 1989.

den – mußten Jahre erfolglos warten. Manche gingen zur Polizei, um dort als Nachrichtentechniker, Telefonexperte und Stimmenaufklärer tätig zu sein. Auch bei der Post machten sich alte Seilschaften breit. Beobachtungen, die auch in vielen anderen Orten gemacht wurden. Viele Strukturen wurden im Zuge der Vereinigung und der Gründung der Länder und Kommunen inzwischen zerschlagen, aber sind wirklich alle beseitigt? Beispielsweise gibt es viele Juristen, die im Staatsdienst keine Chance haben, sich aber als Anwalt niedergelassen haben. Und was ist mit den Wach- und Schließgesellschaften, die wie Pilze aus dem Boden schossen? Alte MfS-Offiziere versuchten noch vor der Wende, geschäftliche Kontakte zu Firmen herzustellen. Nicht wenige MfS-Offiziere kamen auch zu Firmen im Westen, um nach einer neuen Tätigkeit Ausschau zu halten.

Festzuhalten ist eine Beobachtung, die der Untersuchungsausschuß zur Stasi-Auflösung in Greifswald bereits Anfang 1990 mit beachtlicher Klarheit machte: »Aus den Untersuchungen geht hervor, daß durch das MfS Informanten in alten und neuen Parteien und Gruppen eingeschleust wurden. Sie hatten Beobachtungs-, Disziplinierungs- und Zersetzungsaufträge. In diesem Disziplinierungs- und Zersetzungsauftrag sind Ansätze für eine weitere Wirksamkeit der eingeschleusten Inoffiziellen Mitarbeiter trotz der Zerschlagung der ursprünglichen Strukturen des MfS gegeben.«

»Stasi-Kommandos«

Ein harter Kern früherer Stasi-Angehörigen, der die Wende in Deutschland auch nur im Ansatz nicht vollzog, verschärfte im Dezember 1990 die Gangart erheblich. »MfS-Kommandos« seien gebildet worden, um diejenigen in die Schranken zu verweisen, die »aus dem MfS schwätzen«, und jene, die die Machenschaften des Ministeriums für Staatssicherheit aufzuklären versuchen. Dies wurde Stasi-Aufklärern gezielt mitgeteilt. Mehrere hundert Personen seien beteiligt.

»Wir hauen unsere ehemaligen Genossen nicht in die Pfanne«, ist eine der Standardaussagen, die auch heute noch zu hören sind. Die ergänzende Drohung, »dies ist angewiesen«, gibt eine unmißverständliche Antwort darauf, daß alte Stasi-Seilschaften immer noch organisiert bestehen. Immer stärker ist deshalb die Frage zu stellen, ob die Stasi schon vor dem Zusammenbruch des SED-Regimes eine MfS-Überlebensstrategie geplant hat; »Schlafbefehl« ist das Stichwort. Mit besonderer Aufmerksamkeit ist zu registrieren, daß es bei früheren MfS-Mitarbeitern nur selten Reue oder Bedauern gibt, statt dessen wird die »ruhmreiche« Vergangenheit gelobt: »Kühle Köpfe, heiße Herzen, saubere Hände.«

Ein früherer MfS-Mitarbeiter, der seine Äußerung aus »politischer Verantwortung« tätigte, machte nach dem 3. Oktober keinen Hehl daraus, daß vor allem die öffentliche Aufarbeitung der unseligen Stasi-Vergangenheit den Nerv treffe: »Wenn hier nicht bald Schluß ist mit Stasi, Stasi und nichts als Stasi-Schuldigen, dann geht hier ein Ding los, das hält keiner aus.« Auch von »Kugel und Gift« war in diesem Zusammenhang die Rede.

Die »ständige Forcierung des Themas Stasi in der Presse« müsse aufhören.

Die Aufarbeitung hat erst begonnen

Es kann kein Zweifel bestehen: Die Stasi ist zwar in ihren Strukturen aufgelöst, sie ist aber in ihren inneren Beziehungen und Wirkungen noch kein Relikt der Vergangenheit. Mitarbeiter einer Organisation, die noch im Sommer 1990, selbst unter Stasi-Auflösern, dafür warben, daß ihre Strukturen nicht offensiv angetastet werden mögen, werden auch weiter versuchen, ihren Weg zu gehen. Stasi-Experten sprachen in den Tagen der Vereinigung Deutschlands davon, daß zu diesem Zeitpunkt erst »die Spitze des Eisbergs« enttarnt worden sei. Es gebe »offenkundig geheime Stasi-Nester«, in denen die früheren Abhörpraktiken fortgesetzt würden, stellte Alfred Gomolka, Ministerpräsident in Mecklenburg-Vorpommern, noch im Oktober 1990 fest.

Geheime Auslandsvermögen und Firmen, die von alten Seilschaften »gerettet« werden konnten, werden auch in der Zukunft dafür sorgen, daß allein in diesem Bereich die Stasi weiter ein Thema bleibt. Vor allem werden es aber die Opfer sein, die Rechenschaft verlangen. Sie, die auf den schnellen Aufbau einer unabhängigen und demokratischen Justiz am meisten hoffen, werden die Schergen der Vergangenheit nicht aus der Verantwortung entlassen. Politik und Behörden sind gefordert, alles zu tun, damit die Aufarbeitung der Stasi-Vergangenheit tatsächlich erfolgt, auch wenn dies lange dauern wird.

Wenn die SED-Archive geöffnet sind, wird die Aufarbeitung der Diktatur erst richtig beginnen.

11 Mißtrauen gegen jeden –
das brutale Innenleben des MfS

Zu dem, was im Rahmen des bisher vorliegenden Informations-
standes über SED und Stasi an die Öffentlichkeit gelangte, gehören Erkenntnisse über die Strukturen der Stasi, ihre innere
Dienstorganisation und vor allem ihren Mitarbeiterbestand.
Erste Einsichten, die jedoch in ihrer Widersprüchlichkeit und
mangelnden Vollständigkeit viele Fragen offenlassen. Mauern
des Schweigens und Barrieren der Ächtung tragen dazu bei.
Zu einem Buch über das verhängnisvolle Wirken des Stasi-
Apparates gehört auch dessen Innenleben. Hinter der Macht,
den Eingriffen und Operationen der Stasi standen Menschen –
beschließend, befehlend und ausführend. Was waren das für
Leute? Seelenlose Roboter der Macht, unbarmherzige Vollstrek-
ker oder Manipulierte, Betrüger oder Betrogene?
Wir hatten seit der Wende Gelegenheit zu Gesprächen mit
ehemaligen Stasi-Mitarbeitern, in denen auch das »Innenleben«
recherchiert wurde. Dies bestärkte uns in dem Vorhaben, innerhalb dieses Buches auch über diesen wichtigen Gesichtspunkt
Auskunft zu geben. Im Interesse der Authentizität entschieden
wir uns, zusätzlich zu diesen Fragen einen kompetenten Insider
des früheren MfS-Apparates zu Wort kommen zu lassen. Er hat
Kapitel 11 geschrieben. Ein Insider, dessen unbestreitbar früh-
zeitiger Bruch mit SED und Stasi, dessen exzellente Sachkenntnis
und Einschätzungsvermögen der Dinge – bei aller zwangsläufigen Subjektivität jeder persönlichen Meinungsäußerung – objektiven Einblick bieten.

Der Sturz nach der Wende – nur nicht für die »Mini-Mielkes«

Vom »Schild und Schwert« der Partei, vom »Tschekisten mit dem heißen Herzen, kühlen Verstand und den sauberen Händen« zum Sündenbock der SED an den Pranger der Öffentlichkeit. Wahrlich, ein tiefer Sturz für die mehr als 105 000 hauptamtlichen MfS-Mitarbeiter. Gestern noch von der SED-Führung hochgeehrt, von der Öffentlichkeit respektiert, heute von der SED-Spitze verleugnet, allgemein verurteilt. Die ehemaligen Mitarbeiter des MfS sehen sich einer nahezu einhelligen kollektiven Schuldzuweisung gegenüber. Einer Kollektivverurteilung mit all ihrer Erklärbarkeit und Berechtigung, aber auch mit all ihrer Problematik, je nach Standpunkt des Betreffenden. Nicht die SED-Machtträger gerieten nach der Wende in den Mittelpunkt von Enthüllungen, Anschuldigungen und Verurteilungen, sondern ihre Ausführungsorgane. So sehr eine kollektive Vorverurteilung aller MfS-Mitarbeiter angesichts der Rolle als »Schild und Schwert« der Partei, der flächendeckenden Überwachung der Menschen, vieler Repressalien und Einzelschicksale verständlich und selbst durch Mitarbeiter des früheren MfS irgendwie und irgendwo zu akzeptieren ist, so sehr ist auch zu beachten, daß diese Kollektivverurteilung ein zweischneidiges Schwert ist. Opfer, Ge- und Betroffene der SED- und Stasi-Herrschaft stehen hier nicht weniger Fragen gegenüber als frühere MfS-Mitarbeiter selbst. Die damals von der SED und den MfS-Führern gewollte Anonymität des Riesenapparates MfS erschwert jetzt die Klärung der individuellen Schuldfrage. Es ermöglicht eben auch den Tätern, sich hinter Mitläufern dieses Apparates kollektiv zu verstecken.

Sowenig eine Kollektivvorverurteilung angebracht ist, sowenig kann man von allen Mitarbeitern des MfS ein kollektives Schuldgefühl verlangen. Schuld ist individuelle Schuld, Schuldeinsicht auch ein persönlicher Prozeß. Der Stolz auf das demokratische Rechtssystem der Bundesrepublik Deutschland sowie das in den Jahrzehnten geprägte Rechtsempfinden sollte helfen, neues Unrecht zu vermeiden. Wenn kollektive Schuldzuweisungen die Debatte beherrschen, wird den persönlich Schuldigen geholfen, weil es ihnen hilft, ihre Verantwortung zu vertuschen. Sie erhalten die Möglichkeit, in der Masse der ehemaligen MfS-Mitarbeiter unterzutauchen; Solidaritätseffekte sind die Folge. Jene Hardliner, die im MfS schon in der Vergangenheit dominierten, könnten die frühere Macht über ihre Untergebenen fortzusetzen versuchen. Es mag unbequem sein, sich mit diesen Gesichtspunkten auseinanderzusetzen, aber es ist erforderlich, damit nicht neue Gefahren durch »Ausgrenzung und soziale Verdammung« der früheren MfS-Mitarbeiter unbeabsichtigt entstehen. Das MfS bestand aus einer Vielzahl unterschiedlichster Diensteinheiten mit sehr differenzierten Aufgabenstellungen. Dem notwendigen Differenzierungsprozeß kommt auch hinsichtlich der Chancen zur Aufklärung der Arbeit und Verantwortung des MfS sowie die Bewältigung seiner Hinterlassenschaften eine besondere Bedeutung zu. Bereits unter den politisch-operativen und operativ-technisch tätigen Mitarbeitern, die heute primär die Verantwortung für die Anwendung der »Mittel und Methoden« des MfS trifft, sind Differenzierungen unumgänglich. Je nach ihren Verantwortungs- und Aufgabenbereich befaßten sie sich mit Aufklärungstätigkeit, Spionage- und Terrorbekämpfung, mit der Bekämpfung der Tätigkeit internationaler Banden, mit der Verhinderung und Untersuchung von Havarien, Bränden, Morden und Verbrechen. Aber auch durch die Beseitigung von Mängeln und Gefahren lösten sie »echte« Sicherungsaufgaben. Wer für flächendeckende Überwachung, ausgewählte Bearbeitungsprozesse von Personen, von Kritikern und Regimegegnern, für Inoffizielle Mitarbeiter, Bruch des Postgeheimnisses, Abhöraktionen, Wanzeneinbau und anderes eingesetzt wurde, muß hinsichtlich seiner tatsächlichen Verantwortung auch daran gemessen werden, wie er sich tatsächlich verhielt.

Zur sorgfältigen Beurteilung gehört auch die Feststellung, daß es im MfS Querschnittsbereiche gab, die sich vorrangig nicht mit politisch-operativen und operativ-technischen Aufgabenstellungen befaßten. Zur unmißverständlichen Klarstellung sei an dieser Stelle angemerkt, daß die Betreffenden natürlich wußten, daß

sie im MfS tätig waren. Es gab:
- Schwestern und Ärzte, die Kranke heilten;
- Kraftfahrer und Schlosser, Elektriker und Tischler, die in der Ausführung ihrer Arbeit wie in jedem normalen Betrieb arbeiteten;
- Sekretärinnen, Laborantinnen, Telefonistinnen;
- Wissenschaftler, Ingenieure.

Es gab »Gute und Böse«, Fanatische und Kritische, Aktivisten und Mitläufer, Fleißige und Faule, Engagierte und Desinteressierte. Die MfS-Mitarbeiter waren zwar eine Elite, aber in ihrer Gesamtheit durchaus auch ein Spiegel des realen Lebens. Es kann kein Zweifel bestehen, daß im MfS keine Teilung in »gute und böse« Dienststrukturen möglich ist, wie es für den Bereich Aufklärung so verhement nach der Wende versucht wird. Charakterliche Trennungslinien verliefen quer durch die Diensteinheiten und -strukturen. Schuld ist gebunden an objektive Kategorien, insbesondere auch an Dienststellungen, Diensteinheiten und Aufgabenstellungen sowie an subjektive Persönlichkeitsmerkmale. Eindeutig ist festzustellen: Es gab Schuldige. Das MfS war nicht Mielke allein. Es waren insbesondere die Führungskader, die als Leiter der operativen Diensteinheiten und der Bezirksverwaltungen des MfS in den achtziger Jahren eine Machtfülle erreichten, die es gebietet, sie in die höchste Verantwortungsebene einzuordnen. Es gab auf allen Ebenen Schuldige – von den Leitern der Abteilungen und Kreisdienststellen über die mittlere Leitungsebene der Unterabteilungsleiter, Referatsleiter und Operativgruppenleiter bis zu den Mitarbeitern, selbst bis hin zum Wachpersonal oder zu Mitarbeitern, die in »Sicherungseinsätzen« Gewalt gegen Demonstranten und Andersdenkende anwendeten. Allerdings: Nicht alle Mitarbeiter im MfS haben alles gewußt. Herrschaftswissen wurde außerordentlich stark gepflegt, viele der früheren Mitarbeiter, die in untergeordneten Bereichen tätig waren, wissen noch heute nicht, was auf der höchsten Ebene oder in anderen Abteilungen vonstatten ging. Je mehr Untersuchungsergebnisse und Dokumente in die Öffentlichkeit kommen, um so stärker wird sich beweisen, daß es im früheren MfS ein strengstes Abschottungsprinzip untereinander gab. Es ist nicht verwunderlich, daß viele von der Größe ihres früheren Ministeriums und der Existenz einzelner Struktureinheiten selbst überrascht wurden. Die MfS-interne Abschottung war ein gewollter Effekt. Es gab dort Ende der siebziger Jahre noch nicht einmal mehr ein zentrales Telefonbuch, damit die Masse der Mitarbeiter keinen Überblick erhalten konnte. Insofern ist als Fazit festzuhalten: Je höher in der Dienststellung, um so mehr erschloß sich die ganze Wahrheit, der gesamte Überblick über dieses Ministerium und seine Aufgaben, und um so eindeutiger beantwortet sich die Frage nach Schuld. Es ist aus dieser Sicht nachvollziehbar, daß sich manche früheren MfS-Mitarbeiter schwertun, die dominierende öffentliche Meinung zu verstehen, geschweige denn zu einem Schlußstrich mit der eigenen Vergangenheit zu finden. Zu viele Faktoren sind dabei zu bewältigen. Verständlich, daß gerade die Empörung über die früheren Herrscher der SED, die dieses MfS so fest in den Händen hielten, hohe Wellen schlägt. Unfaßbar steht die Masse der MfS-Mitarbeiter der Feigheit und Verlogenheit früherer SED-Größen gegenüber. Wie soll auch ein früherer MfS-Mitarbeiter, streng erzogen, diszipliniert, manipuliert und betrogen, zu seiner eigenen Verantwortung oder Schuld finden, wenn er erleben muß, wie frühere SED-Führer, die die Hauptverursacher und Hauptverantwortlichen für den MfS-Apparat waren, sich ungeniert in der Öffentlichkeit präsentieren. Wie soll ein Mitarbeiter des MfS sich selbst seiner »Schuld« stellen, wenn er in der Presse Erklärungen und Stellungnahmen seiner früheren Vorgesetzten hört, die sich selbst nachträglich zu »untergeordneten, machtlosen Gehilfen Mielkes« degradieren. Verwundert schauen die Mitarbeiter auf die gestrigen »Fürsten des MfS«, die ihnen gegenüber immer wieder und bei jeder Gelegenheit betont hatten, wie groß ihre Macht sei. Die sich gebrüstet hatten mit ihrem Einfluß bei Mielke, den »Minister, der ihnen alles unterschreibt, der auf sie hört in allen Dingen«. Es vollzog sich nach der Wende schon eine eigentümliche Wandlung der früheren MfS-Machtträger, jener kleinen »Mini-Mielkes«, die in ihren »Fürstentümern« über eine ungeheure Machtfülle verfügten und diese auch bedenkenlos gebrauchten. Ob Wolf, Schwanitz,

Kratsch oder andere – sie alle waren, glaubt man ihren heutigen Darlegungen, »Opfer von Mielke«. Sie vergessen, daß sie ungeheuer viel gewußt und persönlich zu verantworten haben. Sie übersehen, daß sie im Gegensatz zur Masse der Mitarbeiter im Kollegium des MfS sowie im Sekretariat der SED-Kreisleitung alle Möglichkeiten hatten, etwas gegen die Entwicklung zu unternehmen. Sie negieren, daß sie selbst die Zustände im Lande und im MfS mit herbeigeführt haben. Entkleidet man den heutigen Nebel, den sie um ihre Rolle und Verantwortung gezogen haben, so bleibt übrig, daß es ihnen an Zivilcourage mangelte, als sie im Interesse ihrer Karriere und ihrer Privilegien nur allzu bereitwillig die verhängnisvolle SED-Politik mittrugen. Die Auseinandersetzung allerdings kann und wird niemand den ehemaligen Mitarbeitern des MfS heute ersparen. So wenig wie es dabei zu einer Generalbefreiung vom Schuldvorwurf kommen kann, so wenig darf es eine Generalverurteilung ohne individuelle Schuldprüfung geben. Tatsache ist, daß der Masse der Mitarbeiter des MfS Gerechtigkeit nur in dem Maße widerfahren kann, wie die Schuld eindeutig Verantwortlicher geahndet wird. Neben den verantwortlichen SED-Politikern müssen auch die Führungskader des MfS, die Leiter der Diensteinheiten und Bezirksverwaltungen vor Gericht. SED-Führer und Stasi-Verantwortliche in der Einheit von »Hirn und Arm« gehören auch als Einheit auf die Anklagebank. Es würde nicht nur den SED- und MfS-Opfern endlich ein Stück Gerechtigkeit bringen, sondern auch jenen im Apparat selbst helfen, einen neuen Weg zu finden, die tatsächlich nichts mit den verwerflichen Machenschaften und Praktiken zu tun hatten, die sich heute mit dem Namen »Stasi« verbinden.

Nicht jeder wußte, worauf er sich eingelassen hatte

Der Mitarbeiterbestand des MfS rekrutierte sich aus allen gesellschaftlichen Bereichen. In die Reihen des MfS wurde man nicht durch Eigenbewerbung, sondern durch Vorauswahl ohne eigenes Wissen aufgenommen. Erst nach einem langen Prozeß der Aufklärung und Überprüfung erfolgte die persönliche Ansprache, wurde die Bereitschaftserklärung zum Eintritt eingeholt. Die »Freiwilligkeit« war Grundvoraussetzung, auch wenn dieser Begriff mehrfach interpretierbar ist. Das MfS holte sich nur die Besten. Dies bezog sich sowohl auf die fachliche Qualifikation wie auch auf das Ausbildungsprofil. Gleichfalls spielten die Persönlichkeitsmerkmale eine wichtige Rolle. Die Kaderrichtlinien schrieben umfangreiche Kriterien für Qualifikation und persönliche Integrität vor, forderten die Auswahl und Verpflichtung von »Vorbildern«. Insofern war es in vielen Fällen nicht einfach, nach der Auswahl wegen fachlicher Qualifikation bei der Ansprache »nein« zu sagen. Es waren nicht wenige, die aus Angst vor negativen Folgen im Falle der Ablehnung »ja« sagten.

Verantwortlich für die Auswahl und Gewinnung von neuen Kadern waren die Diensteinheiten und Bezirksverwaltungen des MfS. In diesen Verantwortungsgebieten, also in bestimmten Betrieben, Hochschulen, Instituten, Berufsverbänden oder gesellschaftlichen Institutionen, wurde ständig Ausschau gehalten. Die Verpflichtung als Inoffizieller Mitarbeiter war dabei oftmals die entscheidende Vorstufe, in der die Aufklärungsergebnisse durch persönliche Zusammenarbeit nochmals gründlich überprüft und erweitert wurden. Selbstverständlich war, daß Westkontakte nicht vorhanden sein durften. Für den operativen Bereich, aber auch für den Dienst in operativ-technischen Einheiten wurden zunehmend Fachschul- und Hochschulabschlüsse als Grundnormativ der Einstellung vorausgesetzt. Diese Praxis wurde erst in den achtziger Jahren durchbrochen, als der Mitarbeiterbedarf des MfS ganz erheblich ausgeweitet wurde; man begann, bequeme Wege zu gehen. Söhne und Töchter von SED-Funktionären sowie von MfS-Mitarbeitern wurden auf der Grundlage der »Kaderakte ihrer Eltern« frühzeitig als Perspektivkader erfaßt, in der Ausbildung gefördert und kontrolliert. Mit Erreichen des 18. Lebensjahres wurden diese Kader eingestellt und zumeist an Hoch- und Fachschulen untergebracht.

Mitarbeiter des MfS wurde man im Unterschied zu normalen beruflichen Tätigkeiten im zivilen Bereich ohne vorherige Einweisung in die Aufgaben, die einen nach der Einstellung erwarteten. Man kaufte die »Katze im Sack«. Erst nach der Einstellung und dem Unterschreiben der Verpflichtungserklärung erhielten die neuen MfS-Mitarbeiter Kenntnisse, womit sich das MfS und somit auch sie sich in Zukunft zu befassen hatten. Erst in einem längeren Einarbeitungsprozeß erhielten sie Kenntnis von jenen Mitteln und Methoden, die als sogenannten Grundprozesse des MfS bezeichnet wurden. Die Auswahl und Aufklärung für die Einstellung in das MfS war der Beginn des »gläsernen Menschen«. Eine umfangreiche Aufklärung und Überprüfung erfaßte nicht nur den Kandidaten, sondern seine Verwandten, Freunde und Bekannten. Mancher verdankt seine Bearbeitung durch das MfS nur der Tatsache seiner Bekanntschaft mit einem Einstellungskandidaten. Die Forderung, alles zu wissen, blieb auch nach der Einstellung weiter bestehen. Das MfS maßte sich an, bis ins letzte Detail alle Informationen über den Mitarbeiter zu erlangen. Der Kaderapparat im MfS wurde in dem Maße, wie das MfS ausgebaut wurde, immer größer, aber auch immer schwerfälliger. Es entstanden Praktiken in der Einstellung und in der Kaderarbeit, mit denen sich das MfS »selbst das Wasser abgrub«. So, wie man mit der Einstellung von Kindern von SED-Funktionären und MfS-Mitarbeitern oftmals ungeeignete Personen einstellte, für die das MfS oft zum Versorgungsinstitut wurde, so führte zudem die Praxis eines eigenen Wehrersatzdienstes zu neuen Problemen. Während bis in die siebziger Jahre Mitarbeiter des MfS erst nach einem in der Regel dreijährigen Wehrdienst, nach einer abgeschlossenen Berufsausbildung eingestellt wurden, erfolgte später die Einstellung vor dem Wehrdienst. Während am Anfang noch eine einjährige Grundausbildung im sogenannten Wachregiment des MfS erfolgte, lag die Grundausbildung zuletzt bei vier bis sechs Wochen. Danach war man schon vollwertiger Mitarbeiter und erhielt – jedenfalls im Vergleich zu Alterskameraden – ein vorzügliches Gehalt. Mancher konnte Verlockungen nicht widerstehen. Junge Mädchen, die gerade ihre Ausbildung als Schreibkraft beendet hatten, wurden in das MfS als Sekretärinnen eingestellt, erhielten Kenntnisse über »Geheimnisse«, denen sie schon allein aufgrund ihres

Lebensalters nicht immer in vollem Umfang gewachsen sein konnten. Diese »Verjüngung« führte in den achtziger Jahren zu einer steigenden Unsicherheit im eigenen Apparat. Immer neue Kaderbestimmungen wurden erlassen. Immer mehr Verschärfungen der Disziplinarpraxis und der doktrinären Erziehung wurden verwirklicht. Das MfS beschäftigte sich zunehmend mit sich selbst, mit den Disziplinarverstößen seiner Mitarbeiter. Das MfS wurde zu seinem eigenen »Unsicherheitspotential«. Die Regierungskommission zur Untersuchung der Tätigkeit der früheren MfS stellten in ihrem Bericht im Juli 1990 zu den Prinzipien der Kaderwerbung des MfS fest: »Die Kaderwerbung ging immer vom MfS aus. Als Perspektivkader waren vorrangig DDR-Bürger zu wählen, die aus der Arbeiterklasse stammten, ein fortschrittliches Elternhaus besaßen und im Sinne der marxistisch-lenistischen Weltanschauung erzogen waren. Bei der Durchführung der Kadergewinnung waren Informationen über den Einstellungskandidaten aus seinem Arbeits-, Wohn- und Freizeitbereich einzuholen. Die Nutzung offizieller Möglichkeiten zur Gewinnung von Informationen hatte unter strikter Geheimhaltung zu erfolgen und durfte weder dem Kandidaten noch anderen Personen außerhalb des MfS bekannt werden. In die Überprüfung des Kandidaten waren die nächsten Angehörigen, die weiteren Verwandten und Freunde einzubeziehen. Verwandte waren: Ehepartner, Kinder und deren Ehepartner, Vater und Mutter, Geschwister mit Ehepartnern, Geschwister des Ehepartners, Großeltern väterlicher- und mütterlicherseits, Onkel und Tanten sowie deren Ehepartner, Cousins und Cousinen und deren Ehepartner. Zu den Freunden zählten Bürger, zu denen enge persönliche Beziehungen unterhalten wurden.

Erst wenn die Aufklärung eindeutig eine Eignung für das MfS ergab und eine begründete Erwartung zur Bereitschaft für den Dienst im MfS vorlag, wurden die Einstellungsvorschläge erarbeitet, die die Voraussetzung für die Werbung des Kandidaten und seiner Einstellung in den Dienst des MfS bildeten. Stellten sich im Überprüfungsprozeß des Kandidaten oder seiner Verwandten Momente heraus, die gegen die Einstellung sprachen, wurde die Bearbeitung eingestellt.

Die Zweiklassengesellschaft

Es spricht für das Selbstverständnis des MfS, daß in den Kader-richtlinien kaum Rechte, um so mehr aber Pflichten festgeschrieben wurden. Und die wenigen Rechte waren keine Anspruchs-grundlagen, sondern ein Spielraum, über den zudem der jeweilige Vorgesetzte nach subjektiven Gesichtspunkten befinden konnte. MfS-Mitarbeiter waren auf Gedeih und Verderb den Entschei-dungen ihrer Vorgesetzten ausgesetzt, sie konnten sich nur in den seltensten Fällen dagegen wehren. Ein Mitarbeiter war nur so lange ein guter Mitarbeiter, wie er fleißig, aufopferungsvoll und kritiklos nützlich war. Kritische Regungen, besonders gegen Vorgesetzte, wurden verfolgt. Man geriet in Ungnade und wurde mit der Macht des gesamten Apparates bestraft. Der Wider-spruch zwischen den ungeheuer großen operativen Rechten der Mitarbeiter des MfS, selbst auf der unteren Ebene, und ihren persönlichen Rechten als Mitarbeiter war sehr, sehr groß. Zwar konnte ein Mitarbeiter die Verfassung der DDR ungestört bre-chen, er hatte jedoch selbst kaum Möglichkeiten, sich gegen Un-recht und Willkür zu wehren. Auch bei der Beantragung von Auslandsreisen gab es kaum faßbare Reglementierungen. »Rund um die Uhr zur Verfügung zu stehen und zu arbeiten«, dies war die Forderung, der jeder ausgesetzt war. Freie Wochenenden wa-ren die Ausnahme. Ungeniert verfügten die Leiter der Dienstein-heiten über das Arbeitspotential ihrer Mitarbeiter, verheizten diese in immer sinnloser werdenden Einsätzen. Während Leiter mit großen Pkws sich den Zorn von Fußballfans zuzogen, wenn sie vor dem B.F.C.-Stadion des hauseigenen Fußballclubs vor-fuhren, mußten ihre Untergebenen dort Sicherungseinsätze durchführen, um Unwillen nicht ausbrechen zu lassen. Erst 1988 schuf man im MfS ein System der Entlohnung beziehungsweise des Ausgleichs der Rund-um-die-Uhr-Präsenz. Der »normale Mitarbeiter« aß unter Umständen in Speisesälen mit Kakerlaken an den Wänden und bekam einen Ferienplatz in MfS-eigenen Heimen nicht selten nur im Abstand von sechs bis acht Jahren. Woher kommen dennoch die öffentlichen Einschätzungen, daß MfS-Mitarbeiter in hohem Maße privilegiert waren? Die Leiter der Diensteinheiten genossen, zumeist im Gegensatz zu ihren Mitarbeitern, unglaubliche Privilegien. Ihre Gehälter bewegten sich in Größenordnungen, die nominal oft sogar höher waren als die von Ministern. Leiter von Hauptabteilungen verdienten bis zu 9000 Mark im Monat. Ihr eigentliches Gehalt lag aber noch weit darüber und wurde maßgeblich durch den sogenannten »C-Fonds« geprägt, aus dem oftmals selbst der tägliche Aufwand für Nahrungs- und Genußmittel finanziert wurde. Im Prinzip benötigte der Leiter einer Hauptabteilung oder Bezirksverwaltung außer der Ausgabe von drei bis fünf Mark für das tägliche Mittagessen in Sonderspeisesälen, im MfS »Feldherrenhügel« genannt, kaum Geld aus der eigenen Tasche. Man fuhr auf Staatskosten mit dem Dienst-Pkw ins Amt und nach Hause, feierte die Familienfeste in den für die operative Arbeit eingerichteten feudalen Gästehäusern und Villen, die nicht nur in den schönsten Gegenden lagen, sondern auch vom Standard her jedes Interhotel übertrafen. Hochzeiten der Kinder waren dort ebenso selbstverständlich wie Geburtstagsfeiern. Sonderläden standen, ähnlich wie der SED-Führung, zur Verfügung, in denen auch Westwaren für einem geringen Betrag erstanden werden konnten. Darüber hinaus wurden zum Kauf sogenannte Zollaservate zur Verfügung gestellt, also aus Paketen und Geschenksendungen beschlagnahmte Gegenstände aller Art.

Aber all das reichte vielen von ihnen nicht. Sie hielten sich ihre eigenen »Beschaffer«, die mit Valuta-Mitteln alles besorgen mußten, was die Produktion nicht hergab. In kaum einer Wohnung eines Führungskaders des MfS war DDR-Unterhaltungstechnik zu finden, alles stammte aus dem »kapitalistischen« Westen.

Leitenden Stasi-Offizieren standen Sonderbauten als Wohnraum zur Verfügung. In Berlin hatten sie ein vom MfS-Baubetrieb errichtetes Sonderwohngebiet, das allerdings manchen von ihnen nicht gut genug war, so daß sie dann in ein Sonderwohngebiet der SED umzogen; es gab allen Komfort und zu einem lächerlich geringen Mietpreis. Einige ließen sich Häuser nach ihren eigenen Wünschen bauen, so der Erste Sekretär der SED-

Kreisleitung im MfS, Generalmajor Felber, dessen Frau fünf Häuser nicht gut genug waren, die für die Familie ausgebaut oder neu gebaut worden waren. Sie wechselte so lange in den schönsten Gegenden Berlins, bis sie eine standesgemäße Bleibe gefunden hatte.

Die Allüren der Ehefrauen einiger MfS-Führungskader erregten vielfach die Gemüter, insbesondere der Handwerker und der Verantwortlichen in den Baubetrieben. Feinste Kacheln aus westlicher Produktion mußten oftmals wieder herausgerissen werden, um durch neue, dem Geschmack der Hausfrau entsprechende ersetzt zu werden. Nur in wenigen Fällen, wo man es zu sehr auf die Spitze trieb, schritt Mielke ein. Erst als die Korruption des Generalmajors Richard Lindner, des Leiters der Hauptabteilung VIII (Ermittlungen und Beobachtungen), vor der Öffentlichkeit nicht mehr zu verbergen war, griff der Minister ein. Lindner, der sich ganze Häuser unter den Nagel gerissen hatte, zudem seine Verwandtschaft versorgte, wurde in die (ehrenvolle) Rente geschickt. In der für die Wirtschaft zuständigen Hauptabteilung XVIII stürzten in den achtziger Jahren alle Stellvertreter des Leiters der Hauptabteilung wegen Korruption. Der Stellvertreter Oberst Hillebrand baute sich gemeinsam mit dem für das Außenwirtschaftsministerium zuständigen Abteilungsleiter Oberst Stets im Norden von Berlin auf einem Riesengrundstück Luxushäuser, die jedem Millionär im Westen zur Ehre gereicht hätten. Nur durch die Proteste der Anwohner, die sich über die täglichen Transporte von Material und Ausrüstung aus der Bundesrepublik erregten, wurde dieser Bau gestoppt. Auch Hillebrand ging in die Rente. Stets wurde OibE im Ministerrat. Im Unterschied dazu wurde bei den »normalen« Mitarbeitern jeder kleine Versuch der Korruption, der Bereicherung oder Fehlverhalten unnachgiebig verfolgt. Hier traf die volle Härte der Gesetze.

Das Highlife der MfS-Oberen war in der Tat bemerkenswert. Leiter von Hauptabteilungen nutzten mehrere persönliche Dienst-Pkws, zumeist aus westlicher Produktion, für sich selbst. Privatwagen hatten sie nicht. Ihre Auslandsreisen auf Einladung der anderen sozialistischen Sicherheitsorgane führte sie wie

Staatsbesucher in die schönsten Gegenden der Sowjetunion, Bulgariens, Ungarns, Polens und der CSFR. Wechselseitig stellten sich die Führungskader der sozialistischen Sicherheitsorgane ihre Domänen für luxuriöse Urlaubsaufenthalte zur Verfügung. Private Jagdgebiete waren für nicht wenige der MfS-»Fürsten« typisch. Getreu dem Vorbild der SED-Oberen schirmten sie ihre Jagdgebiete vor der Bevölkerung ab.

Mitarbeiter wurden als Jagdhelfer mißbraucht. Sie wurden eingesetzt, um Hochstände zu bauen, Wild zu füttern, Wege und Schneisen zu schlagen und fungierten bei Jagden als Treiber. Noch im November 1989 gab zum Beispiel der Chef der Hauptabteilung II eine Hubertusjagd in seinem privaten Jagdgebiet Wirchensee im Bezirk Frankfurt/Oder. Noch nicht einmal zu diesem Zeitpunkt erkannte er die Zeichen der Zeit. Viele Bürger können seit der Wende wieder in Waldgebieten spazierengehen, die vorher als Wildeinstandsgebiet für sie verboten waren. Auch in bezug auf ihre Vorliebe für die Jagd ähnelten sich die Führer der SED und des MfS verblüffend.

Privilegien prägten auch die gesundheitliche Betreuung. Während der 08/15-Mitarbeiter, ähnlich wie der »normale Bürger«, im zivilen Sektor mit den Schwierigkeiten der medizinischen Versorgung zu kämpfen hatte, bestimmte Medikamente für ihn nicht zu haben waren, die ärztliche Betreuung sich auf das Normalmaß beschränkte, genossen die Führungskader eine umfassende medizinische Betreuung ähnlich der SED-Führung. Ihre Betreuung durch den zentralen medizinischen Dienst des MfS war vollkommen. Selbst an Wochenden standen ihnen und ihren Angehörigen bei Bedarf die Ärzte des MfS zur Verfügung. Alle zwei Jahre hatten die Führungskader das Recht auf eine luxuriöse Kur, die in der Regel in den schönsten Auslandskurzentren der sozialistischen Staaten oder in Sonderkurbauten in der DDR verbracht wurden. Was immer sie brauchten, sie erhielten es. Ein ganzes Heer von Ärzten, Schwestern und Laboranten kümmerte sich um ihr persönliches Wohlergehen.

Ein wichtiger Bestandteil der Zweiklassengesellschaft im MfS war die Parteiorganisation der SED, die, beginnend mit einer eigenen SED-Kreisleitung, alle Diensteinheiten des MfS durchzog.

Im Laufe der achtziger Jahre entwickelten sich in den operativen Diensteinheiten und Bezirksverwaltungen eigenständige Parteiapparate mit drei bis fünf hauptamtlichen Parteifunktionären. Sie sorgten dafür, daß die Mitarbeiter des MfS auf Parteilinie gehalten wurden, daß sie im Sinne der SED-Spitze erzogen und kontrolliert wurden. Auch wenn es viele so nicht gesehen haben: Das System der Parteistrukturen überzog das MfS wie ein Netz. Die hauptamtlichen Parteifunktionäre, insbesondere die Kreisleitung der SED mit einem Mitarbeiterbestand von fast 100 hauptamtlichen Parteifunktionären allein in der Normannenstraße, erhielt durch das parteieigene Berichts- und Rapportsystem ein genaues Lagebild. Frühzeitig wußte man um Abweichler, Nörgler und Kritiker der Parteipolitik und ging rigoros gegen sie vor. Getreu dem Vorbild Mielkes, der sich als Minister für Staatssicherheit zuallererst als Politbüromitglied der SED-Führung und somit auch über die SED-Kreisleitung erhaben sah, wähnten sich auch die Leiter der Diensteinheiten als Mitglieder des Sekretariats der SED-Kreisleitung über ihre Parteiorganisation gestellt. Sie kommandierten diese Parteiorganisation weitgehend und spannten sie in die Sicherung ihrer privaten Machtansprüche ein. Es ist nur charakteristisch, daß dies dazu führte, daß neben Disziplinarstrafen jeden unbotmäßigen MfS-Mitarbeiter zuallererst auch Parteistrafen ereilten, die in ihrer Wirkung weit gefürchteter als Disziplinarstrafen waren. Mit Parteiverfahren und einer Parteistrafe zerstörte man Menschen, drückte man Mitarbeitern des MfS ein Kainsmal auf. Zahlreich sind die Beispiele, wo selbst Fragesteller zur Politik der SED – von Kritiker ganz zu schweigen –, schonungslos mit der vollen Härte des Parteiapparates getroffen wurden, zu Aussprachen vor die Parteileitung und Stellungnahmen vor den Mitgliederversammlungen gezwungen wurden. Die SED und ihre Führer hatten begriffen, daß das MfS nur dann ein funktionsfähiges »Schild und Schwert« der SED sein konnte, wenn jeder Widerstand in den eigenen Reihen ausgeschaltet und mit allen Mitteln bekämpft wurde.

Panik nach der Flucht von Stiller:
Die Spitze zerstörte eigene Mitarbeiter

Das Nachrichtenmagazin »Spiegel« kam in seinen Recherchen zum Innenleben des MfS zu ähnlichen Feststellungen wie die WELT. »Mit der wachsenden Sicherheitshysterie der SED-Führung Mitte der achtziger Jahre verschärfte sich allmählich auch das Klima innerhalb des Apparates. Die ideologischen Schulungen fanden häufiger statt. Das vermittelte Feindbild wurde immer härter. Die einzelnen Abteilungen des Ministeriums begannen, sich gegeneinander abzuschotten. Die Doktrin, jeder sei potentiell ein Staats- und Parteifeind, wendete sich nun auch gegen die eigenen Mitarbeiter. Die Täter wurden Opfer des Apparates. Auf allen Ebenen zog die MfS-Spitze Sicherungen gegen mögliche Parteirenegaten, Störenfriede oder Westspione ein. Die gefürchtete MfS-Hauptabteilung ›Kader und Schulung‹ des Generalleutnants Möller weitete ihre Sicherheitsüberprüfung im Apparat aus. Mißliebige und auffällige Mitarbeiter wurden observiert wie Oppositionelle, sie selbst und ihre Familien unter Druck gesetzt. Besonders Verdächtige landeten für mehrere Tage in den Untersuchungszellen des MfS. Die Kaderabteilung, so frühere Offiziere, habe sich am Schluß so aufgeführt, wie wir uns die Gestapo der Nazis immer vorgestellt haben. Regelmäßig wurde die Wachsamkeit der Mitarbeiter gegenüber dem Klassenfeind getestet. Die Verhärtung und Verschärfung der Sicherheitsdoktrin Mitte der achtziger Jahre führte auch zu einer Militarisierung des Apparates.«

So wenig, wie es vielfach in der Öffentlichkeit heute nicht akzeptiert wird, so eindeutig sind aber Tatsachen aus dem Innenleben des MfS, die zur Schlußfolgerung drängen, daß Mitarbeiter des MfS nicht nur Täter, sondern auch Opfer der SED-Führung und der Führer des MfS waren. Die SED-Spitze traute ihrem eigenen Macht- und Sicherheitsapparat nicht und fand in den von ihr eingesetzten Führungskadern dieses Ministeriums willfährige Helfer im Kampf gegen die eigenen Mitarbeiter. Sie traute nur sich selbst.

Wo sich trotz strengster Parteierziehung, härtester Schulung und ideologischer Ausrichtung kritische Geister und Widerspruch regten, mußte der »Selbstreinigungsprozeß« im MfS eine wirksame Waffe werden. Neben der Parteiorganisation der SED übernahm diese Rolle der Bereich der Hauptabteilung Kader und Schulung unter ihrem letzten Leiter, Generalleutnant Günter Möller. Es ist kein Zufall, daß der Bereich dieser Hauptabteilung zum größten Dienstbereich innerhalb des MfS wurde. Und es spricht nur für sich, daß innerhalb dieser Hauptabteilung ein Extrabereich »Disziplinar« zu einer scharfen Waffe gegen die eigenen Mitarbeiter wurde. Unnachsichtig, ohne jede Toleranz, wurde die geringste kritische Äußerung, die geringste Abweichung bekämpft. Dieser Dienstbereich und die Hauptabteilung II, zusätzlich mit der Abteilung II/1, waren die schärfsten Instrumente. Ursprünglich ausgerichtet auf die Suche nach Spionen oder Verbündeten westlicher Dienste, entwickelte sich dieser Bereich zu einem alles erfassenden Instrument, wurde diese Abteilung mit ihren unbegrenzten Mitteln und Methoden durch den Leiter der Hauptabteilung II bedenken- und skrupellos gegen die eigenen Mitarbeiter eingesetzt. Es spricht eine entlarvende Sprache, daß die Mitarbeiter des MfS mit eben jenen spezifischen Mitteln zur »Feindbekämpfung« selbst »bekämpft wurden«, ja sogar noch härter und rechtloser als »Feinde«. Während eine in sogenannten Operativvorgängen des MfS bearbeitete Person noch rechtlichen Normativen unterlag, bestimmte Kriterien für das eine oder andere operative Mittel, zum Beispiel der Einbau einer Wanze, zu beachten waren, galt das in bezug auf Mitarbeiter des MfS nicht mehr. Auf Zuruf war es dem Leiter der Hauptabteilung II in seiner Verantwortung für die innere Sicherheit im MfS sowie dem Leiter der Hauptabteilung Kader und Schulung in seiner Verantwortlichkeit für die innere Stabilität im MfS möglich, jede Maßnahme gegen einen Mitarbeiter des MfS zu verhängen.

Charakteristisch ist ein Beispiel von Weihnachten 1987, als durch einen Agenten in einer Fluchthilfe-Organisation ein Hinweis einging, daß eine ehemalige DDR-Bürgerin einen Angehörigen der bewaffneten Kräfte aus dem SED-Regime ausschleusen lassen wolle. Obwohl die Überprüfungen sehr schnell ergaben, daß es sich hierbei nur um ihren geschiedenen Ehemann, einen NVA-Berufssoldaten, handeln konnte, ging die Hysterie so weit, daß umfassend alle Anhaltspunkte auf Verbindungen zu Mitarbeitern des MfS geprüft wurden. Als man feststellte, daß diese Bürgerin vor mehr als 15 Jahren in einem zehngeschossigen Wohnhaus in Berlin wohnte, in dem auch zwei Mitarbeiter des MfS ihre Wohnung gehabt hatten, gerieten diese Mitarbeiter, davon einer in leitender Dienststellung, sofort in den Mittelpunkt von Bearbeitungsmaßnahmen. Innerhalb von zwölf Stunden waren ihre Telefone angezapft, ihre Wohnungen verwanzt, standen sie unter pausenloser Beobachtung.

Ursächlich dafür waren bei Kratsch und Möller das »Stiller-Syndrom«. Um keinen Preis sollte sich die Flucht eines MfS-Mitarbeiters in den Westen, wie im Falle des Oberleutnants der HVA, Werner Stiller, 1979 wiederholen. Seit 1979 traute man dem eigenen Apparat nicht mehr, waren die Leiter der Diensteinheiten insbesondere bestrebt, Folgen für ihre eigene Karriere, die sich aus Fluchten ergeben hätten, abzuwenden, selbst um den Preis, daß damit Tausende und Abertausende von Mitarbeitern unschuldig verfolgt wurden. Die traurige Kehrseite ist, daß durch diese Praxis nicht wenige Mitarbeiter »zu Feinden gemacht wurden«, das heißt in dem Maße, wie sie die Mittel und Methoden des MfS am eigenen Leibe verspüren konnten, Abstand zu ihrer eigenen Arbeit und ihrer eigenen Verpflichtung gewannen. Es war ein tiefer Schock für derart Betroffene, wenn sie feststellen mußten, daß selbst eine langjährige, sogenannte treue Dienstzeit im MfS sie nicht schützte, selbst wegen Bagatell-Verdachtsfällen wie Feinde bearbeitet zu werden. Es spricht für Überheblichkeit und Tragik der Führungskader des MfS zugleich, daß sie ihren Grundanliegen der Gewährleistung der inneren Sicherheit im MfS selbst täglich durch ihre Führungspraxis entgegenwirkten, »Unsicherheit« selbst produzierten. Ihre Persönlichkeit charakterisiert sich auch dadurch, daß sie es diesen von ihnen bearbeiteten MfS-Mitarbeitern nie verzeihen konnten, daß man in den Bearbeitungsprozessen nicht »fündig« wurde. Anstelle einer Entschuldigung traf die Betroffenen der volle Zorn ihrer Vorgesetzten. Man verzieh ihnen nicht, daß man sich geirrt hatte.

Wehe dem Mitarbeiter, der aus dem MfS entlassen wurde. Ein umfassendes System, geschaffen von den früheren Dienstvorgesetzten, ausgeführt von der Hauptabteilung Kader und Schulung, sorgte dafür, daß sie nie wieder auf die Beine kamen. Das MfS überwachte sie als potentielle Feinde bis an ihr Ende. Gerade die Achse Kratsch/Möller, beide in der Hauptabteilung II großgeworden, spielte im MfS diesbezüglich eine verhängnisvolle Rolle. Kennzeichnend dafür ist auch ihre persönliche Verantwortung für die Reiseordnungen im MfS, die MfS-Mitarbeiter zu Bittstellern degradierte, die sogar die wenigen Reisemöglichkeiten in sozialistische Länder grundsätzlich einengten.

In den Augen eines Kratsch war selbst der Antrag einer Reise in die mongolische Volksrepublik mit der Gefahr einer Republik- oder Fahnenflucht verbunden. Den Antragsteller traf die volle Ungnade. Als das MfS im Frühjahr 1988 durch die SED-Führung im Zusammenhang mit der Lockerung der Reisebestimmungen aufgefordert wurde, die vorhergehende MfS-Mitarbeiter-Reiseordnung zu überarbeiten, die unter den Mitarbeitern nur »Reiseverhinderungsordnung« genannt wurde, handelten Kratsch und Möller gemäß alten Denkweisen. Stolz gaben sie als Ergebnis tagelanger Beratungen eine neue Reiseordnung bekannt, die sich von der alten nicht unterschied. Ihre Denkweise entlarvten sie, indem sie vor leitenden Angehörigen ihrer Diensteinheiten sich nicht scheuten, diese Einschränkungen selbst nach Ausscheidung aus dem MfS mit der These zu begründen: »Wer ausscheidet, kann zum Verräter werden.« Sie trauten ihren Mitarbeitern nur so lange und nur so begrenzt, wie sie sie unter ihrer täglichen Kontrolle hielten. Selbst ihren Leitungskadern schenkten sie kein Vertrauen. Das Innenklima im MfS war durch diese Verhaltensweisen voll geprägt. MfS-Mitarbeiter hatten totale Meldepflicht, hatten über alles zu informieren, was ihr Privat- und Intimleben betraf.

Die Forderung nach dem »gläsernen Menschen« wurde skrupellos vertreten und begründet. Eheprobleme waren nicht Angelegenheit der betroffenen Ehepartner, sondern Sache des Kaderorgans und der Vorgesetzten. Der Verdacht auf Eheschwierigkeiten führte genauso zur operativen Bearbeitung wie der

Verdacht der Feindtätigkeit. Es gab keinen Unterschied. In die »Volksgefängnisse« genannten Untersuchungsobjekte der Hauptabteilung Kader und Schulung und der Hauptabteilung II wurden nicht nur der Spionage verdächtige Personen, sondern die eigenen Mitarbeiter gebracht. Die Eheschwierigkeiten einer Sekretärin reichten aus, um sie 24 Stunden rund um die Uhr in einem solchen Objekt zu verhören. Kontoüberziehungen auf der zwangsweise eingerichteten Betriebssparkasse im MfS waren ein schweres Vergehen, wurden den Vorgesetzten trotz Bankgeheimnis zur Kenntis gegeben und durch diese untersucht. Unter der Fahne der Wahrung der inneren Sicherheit hatte man ein Alibi für nahezu alle Repressalien. In dem Maße, wie der Apparat des MfS in den achtziger Jahren personell und strukturell explodierte und man damit neue Kaderprobleme bekam, verschärfte sich das Mißtrauen gegen die eigenen Mitarbeiter weiter. Es war unbedeutsam, ob ein Mitarbeiter 35 Jahre gedient, einen hohen Dienstgrad oder sich »bewährt« hatte, oder ob er erst zwei Tage im MfS tätig war: Es trafen ihn dieselben Vorschriften und Einschränkungen.

Die Leiter der Hauptabteilungen waren in bezug auf die Arbeit mit ihren Mitarbeitern Täter und Richter zugleich. Wer es bei ihnen verdorben hatte, geriet auf ewig in Ungnade, wurde zur persona non grata. Nur wenigen Mitarbeitern wurde das volle Ausmaß der strukturellen und personellen Aufstockung des Apparates der Abteilung II/1 sowie des Bereichs Kader und Schulung »Disziplinar« bekannt. Unbekannt war vielen Mitarbeitern, daß im Bereich »Disziplinar« eigene Struktureinheiten zum Abhören von Telefontechnik, zum Einbau von Wanzen, zur Beobachtung der Mitarbeiter und anderen bestanden.

Die eigenen Mitarbeiter des Apparates mußten in ihrer überwiegenden Mehrzahl die Auswirkung der verfehlten Sicherheitsdoktrin und der verfehlten Kaderpolitik ihrer Führungskader ausbaden. Der bewußt geschaffene Charakter des MfS als militärisches Organ wurde Mittel zum Zweck. Mit Hilfe der militärischen Disziplin und Ordnung konnte man jeden Widerstand mittels Befehlsgebung aus dem Weg räumen, konnte man Weigerungen als Befehlsverweigerung verfolgen. Die Zahl der

Mitarbeiter des MfS, die besonders in den letzten 15 Jahren zerbrochen wurden, ist nicht klein. Sie reiht auch diese Menschen in die Reihe der Opfer dieses Apparates und der SED ein.

Widerstand und Zivilcourage

Vor jeder Anerkennung die Feststellung: Widerstand und Zivilcourage, in welcher Form auch immer, sie waren nicht ausreichend, nicht breit genug, um Entscheidendes zu verändern. Das MfS hat seine verfehlte Sicherheitsdoktrin nicht freiwillig aufgegeben, sondern wurde dazu gezwungen. Festzustellen auch nochmals: Fehlender Widerstand und mangelnde Zivilcourage prägten gerade Denken und Handeln derer, die Kraft ihrer Funktion nicht nur Einblick in die Realitäten der verfehlten SED-Politik, sondern auch entscheidende Möglichkeiten zu Einspruch und Veränderungen hatten, die selbst Machbares unterließen, Honecker bis zuletzt die Stange hielten. Und doch: Es gab auch im MfS Widerstand, die Verweigerung einzelner, es gab Zivilcourage, die über Partei- und Dienstdisziplin gestellt wurde.

Quer durch die Struktureinheiten und Führungsebenen gab es Menschen, die blieben, die ihren Einfluß nutzten, um Schlimmeres abzuwenden, Folgen zu mindern, die sich verweigerten. SED- und dienstliche Führung im MfS hatten – so gesehen – »guten Grund« für Mißtrauen, Wachsamkeit und Kontrolle. Felber klagt und fordert vor dem Sekretariat der SED-Kreisleitung im MfS in Auswertung der 7. Tagung des SED-Zentralkomitees am 6. April 1989:

»Die Tatsache, daß die Zahl der Parteiverfahren in der Kreisparteiorganisation angestiegen ist, sehen wir in erster Linie als Ausdruck der hohen Anforderungen, die an die Mitglieder und Kandidaten der Partei gestellt werden, und der Konsequenz, mit der auf Verstöße gegen das Statut der Partei reagiert wird. Es gibt aber auch allen Grund, nochmals darauf hinzuweisen, daß in der politisch-ideologischen und erzieherischen Arbeit der wirksamen Befähigung aller Genossinnen und Genossen zum rechtzeitigen Erkennen und zur Abwehr von Angriffen auf die Partei und

Der interne Kontroll- und Überwachungsapparat im MfS

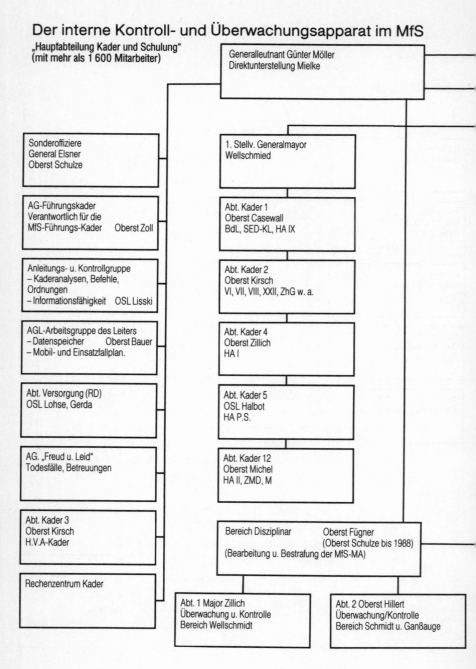

„Hauptabteilung Kader und Schulung"
(mit mehr als 1 600 Mitarbeiter)

Generalleutnant Günter Möller
Direktunterstellung Mielke

Sonderoffiziere
General Elsner
Oberst Schulze

1. Stellv. Generalmayor
Wellschmied

AG-Führungskader
Verantwortlich für die
MfS-Führungs-Kader   Oberst Zoll

Abt. Kader 1
Oberst Casewall
BdL, SED-KL, HA IX

Anleitungs- u. Kontrollgruppe
– Kaderanalysen, Befehle,
Ordnungen
– Informationsfähigkeit   OSL Lisski

Abt. Kader 2
Oberst Kirsch
VI, VII, VIII, XXII, ZhG w. a.

AGL-Arbeitsgruppe des Leiters
– Datenspeicher   Oberst Bauer
– Mobil- und Einsatzfallplan.

Abt. Kader 4
Oberst Zillich
HA I

Abt. Versorgung (RD)
OSL Lohse, Gerda

Abt. Kader 5
OSL Halbot
HA P.S.

AG. „Freud u. Leid"
Todesfälle, Betreuungen

Abt. Kader 12
Oberst Michel
HA II, ZMD, M

Abt. Kader 3
Oberst Kirsch
H.V.A-Kader

Bereich Disziplinar   Oberst Fügner
(Oberst Schulze bis 1988)
(Bearbeitung u. Bestrafung der MfS-MA)

Rechenzentrum Kader

Abt. 1 Major Zillich
Überwachung u. Kontrolle
Bereich Wellschmidt

Abt. 2 Oberst Hillert
Überwachung/Kontrolle
Bereich Schmidt u. Ganßauge

400

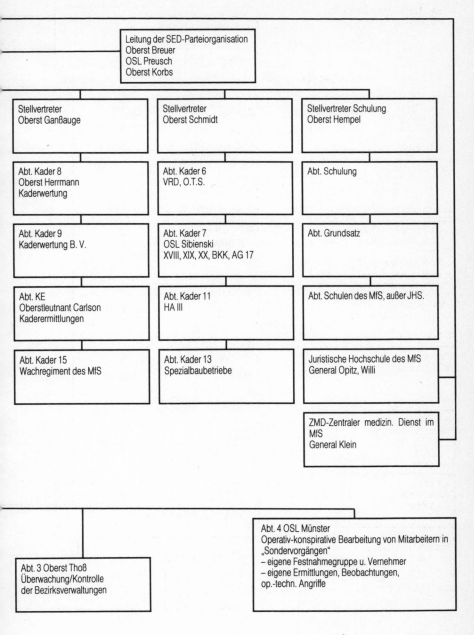

Leitung der SED-Parteiorganisation
Oberst Breuer
OSL Preusch
Oberst Korbs

Stellvertreter
Oberst Ganßauge

Stellvertreter
Oberst Schmidt

Stellvertreter Schulung
Oberst Hempel

Abt. Kader 8
Oberst Herrmann
Kaderwertung

Abt. Kader 6
VRD, O.T.S.

Abt. Schulung

Abt. Kader 9
Kaderwertung B. V.

Abt. Kader 7
OSL Sibienski
XVIII, XIX, XX, BKK, AG 17

Abt. Grundsatz

Abt. KE
Oberstleutnant Carlson
Kaderermittlungen

Abt. Kader 11
HA III

Abt. Schulen des MfS, außer JHS.

Abt. Kader 15
Wachregiment des MfS

Abt. Kader 13
Spezialbaubetriebe

Juristische Hochschule des MfS
General Opitz, Willi

ZMD-Zentraler medizin. Dienst im MfS
General Klein

Abt. 3 Oberst Thoß
Überwachung/Kontrolle
der Bezirksverwaltungen

Abt. 4 OSL Münster
Operativ-konspirative Bearbeitung von Mitarbeitern in „Sondervorgängen"
– eigene Festnahmegruppe u. Vernehmer
– eigene Ermittlungen, Beobachtungen,
op.-techn. Angriffe

das MfS noch mehr Aufmerksamkeit gewidmet werden muß. Das betrifft ebenso negative Einflüsse aus dem Umfeld unserer Genossen. Wir müssen noch stärker auf solche Genossen Einfluß nehmen, die sich aus ideologischen Auseinandersetzungen generell heraushalten, abwartende Positionen einnehmen und an der Richtigkeit und Realisierbarkeit der Politik unserer Partei zweifeln. Auch bei uns mehren sich die Fälle, daß Genossen der gegnerischen Propaganda regelrecht auf den Leim gehen.«

Die Einsichten in Vorgänge und Archive des ehemaligen MfS belegen die für manchen nun schwer vorstellbaren, kaum akzeptablen Tatsachen:

Es gab MfS-Mitarbeiter aller Dienstgrade, die sich verweigerten und ihre Entlassung aus dem MfS durchsetzten, obwohl sie um die persönlichen Folgen wußten; es gab MfS-Mitarbeiter, die offen bei Parteileitungen und Dienstvorgesetzten, selbst bei Regierungs- und Parteistellen außerhalb des MfS protestierten und Beschwerde führten über den Mißbrauch des MfS und seiner Mitarbeiter, zur falschen Sicherheitsdoktrin, zum erbarmungslosen Innenleben;

es gab Leiter und Mitarbeiter, die Schlimmeres mit Mut und Zivilcourage verhinderten. Stellvertretend für sie sei Oberst Jochen Krüger (Stellvertretender Leiter HA VII) genannt, der bereits 1981 ein Vorhaben des stellvertretenden Ministers Neiber zur Einführung der Nachweis- und Kontrollpflicht für Taucherbrillen und Schnorchel – auch für Kinder! – als Idiotie kennzeichnet und zu Fall brachte. Der durch Entschlossenheit als einer der Offiziere des MfS und des Innenministeriums die Politbürovorlage zur neuen Reiseordnung am 2. November 1989 erarbeitete und so maßgeblich mit die Grenze öffnete.

Oder der stellvertretende Leiter der Hauptabteilung KuSch, Generalmajor Lothar Wellschmied, der sich Sinn für Gerechtigkeit bewahrte und bedrängte Mitarbeiter mutig gegen »Fürsten« in Schutz nahm. Oder Abteilungsleiter der Spionageabwehr wie Oberst Rolf Bauer, Oberst Erhard Schierhorn, Oberst Heinz Primus, Oberstleutnant Wolfgang Stuchly und andere, die ausgezeichnete Fachleute waren und sich mutig dem Mißbrauch der Spionageabwehr, Willkür und Unrecht widersetzten;

es gab Mitarbeiter, die bearbeitete Personen warnten, es gab Leiter von Abteilungen, die angewiesene Bearbeitungen sabotierten, allzu Bereitwillige unter ihren Mitarbeitern, die »zuschlagen« wollten, stoppten;

es gab schließlich auch Mitarbeiter des MfS, die ihr Leben und ihre Freiheit riskierten, als sie in der Verbindungsaufnahme und Zusammenarbeit mit »dem Feind« im Westen die einzige und letzte Möglichkeit sahen, dieses Regime zu entlarven, seine Operationen und Angriffe unschädlich zu machen. Es waren nicht wenige, die dabei gestellt und verurteilt wurden, ihr Leben ließen oder langjährige Haftstrafen und den Verlust der »Ehre« auf sich nehmen mußten. Die Tatsache, daß das Einzelfälle blieben, auch im MfS wie in der gesamten DDR die Flucht in private Nischen und in die Resignation die Hauptform des Aufbegehrens blieb, mindert nicht Respekt und Würdigung.

Es gab kritisches, engagiertes Verhalten

Trotz allem hat die gewaltige Repression nach innen nicht verhindern können, daß sich im Apparat in den letzten Jahren kritische Geister herausbildeten, kritisches Denken zunahm, daß es Kollektive gab, in denen in Parteiversammlungen nicht leere Rituale geübt wurden, blind Schlagzeilen des »Neuen Deutschland« nachgeplaudert, sondern ehrlich und offen die politische Entwicklung diskutiert wurde. Es gab sie, die wenigen Leiter von Abteilungen in den Struktureinheiten des MfS, die ihre Mitarbeiter nicht zum blinden Gehorsam, sondern zum Denken und – vor allen Dingen – zum Nachdenken ermutigten.

Sie stellten sich vor ihre Mitarbeiter, als das Klima im MfS härter und härter wurde. Sie verhinderten zum Beispiel Parteiverfahren, als auch im MfS wegen des Verbots der sowjetischen Zeitschrift »Sputnik« die Wellen hochschlugen. Und es gab sie, die jungen, klugen Mitarbeiter, die sich zunehmend weniger manipulieren ließen und einen kritischeren Geist entfalteten, die dankbar in jenen Diensteinheiten das gebotene Klima der Offenheit und Toleranz aufgriffen und sich unter diesen Bedingungen entfalteten. Ja, es gab nach der Wende im MfS ein Potential von Leitern und Mitarbeitern, das alle Garantien geboten hätte, den weiteren Mißbrauch dieses Sicherheitsapparates zu verhindern und eine neue Sicherheitsdoktrin, die auf Schutz und Sicherheit aller Bürger, insbesondere vor terroristischen Angriffen, vor internationalem Verbrechertum gerichtet worden wäre. Diese Kräfte waren in der Umbruchzeit aktiv.

Sie verhinderten von Oktober bis Dezember im MfS Schlimmeres. Gepaart mit der Enttäuschung und Resignation der Mehrzahl der Mitarbeiter des MfS half die Entwicklung, daß das Machtinstrument Staatssicherheit unwirksam wurde und nicht gegen die Revolution oder zur Restauration der Macht nach der Wende unter der Modrow-Regierung mißbraucht werden konnte. Aber kennzeichnend ist, daß diese realistischen Kräfte die Auseinandersetzung mit den Hardlinern im Apparat verloren.

Heute stellt sich die Frage, inwieweit vom früheren Mitarbeiterbestand des Ministeriums für Staatssicherheit Gefahren für Gegenwart und Zukunft in Deutschland ausgehen, stellt sich die Frage nach den Seilschaften. Auch hier gilt, daß die Antwort nicht in Vorurteilen liegen kann, sondern nur in einem Differenzierungsprozeß der inneren Entwicklung im MfS nach der Wende. Festzuhalten ist, daß die Mehrzahl der Mitarbeiter des MfS weder zu den Blinden und Tauben noch zu einem ewig manipulierbaren Potential zu rechnen sind. Gerade auch im MfS hat die Wende Entscheidendes bewirkt sowie Einsichten und Kräfte freigesetzt und gefördert. Auch im MfS erklang, so erstaunlich das heute anmutet, im Oktober/November 1989 der Ruf: »Auch wir sind das Volk.« Die Abberufung des Kollegiums des MfS, also der Leiter der Diensteinheiten und der Stellvertreter von Mielke, Ende November 1989 durch die Modrow-Regierung war kein taktischer Schachzug, sondern ein von den Mitarbeitern durch ihre Proteste erzwungener Schritt, dem sich Modrow und Krenz beugen mußten.

Die überwiegende Mehrzahl der Mitarbeiter sprach diesen Führungskadern das Recht, aber auch den guten Willen ab, an einer neuen Sicherheitspolitik mitzuwirken, machte diese Führungskader neben Mielke zu Recht mitverantwortlich für die unheilvolle Sicherheitsdoktrin. Der Mißerfolg der Mitarbeiterbewegung war, daß es nicht gelang, die sogenannte »zweite Reihe der Machtstrukturen im MfS« auf Dauer zu entmachten. Nachdem die Modrow-Regierung den Beschluß gefaßt hatte, daß alle Führungskader, also auch die stellvertretenden Leiter der Diensteinheiten und Bezirksverwaltungen aus dem aktiven Dienst ausscheiden mußten, gab Modrow auf Drängen von Krenz nach knapp fünf Tagen nach und berief diese Führungskader erneut in ihre Funktionen. Die traten nahtlos die geistige Nachfolgerschaft ihrer früheren Leiter an.

Die wahren Seilschaften

Die heutige Frage nach den aktuellen und perspektivischen Gefahren und Bedrohungen ist vor allen Dingen eine Frage nach dem Verbleib und der Macht dieser früheren Führungskader und der mit ihnen engstens verbundenen früheren Hardliner in den dienstlichen und parteilichen Führungspositionen im MfS. Gefahren drohen nicht von der Masse der Mitarbeiter. Die hat die Nase eindeutig voll, sie wird sich nicht ein zweites Mal mißbrauchen lassen. Gefahren drohen aber real von diesen Kräften und ihrem weiteren Machtanspruch. Insbesondere drohen diese Gefahren, falls es den ehemaligen Leitern der Diensteinheit und ihren Nachfolgern gelingt, heute ihren Führungsanspruch gegenüber ihren früheren Mitarbeitern zu erneuern, diese sich angesichts der kollektiven Ausgrenzung erneut diesen Kadern unterordnen, weil diese ihnen einen Kampf um soziale Gerechtigkeit und Eingliederungschancen versprechen.

Die Aufarbeitung der Folgegefahren und des Nachlasses des MfS muß auch eine Frage der Aufarbeitung der Geschehnisse im früheren MfS vom Dezember 1989 bis in die jüngste Gegenwart sein. Dieselben Hardliner in Personalunion von dienstlichen und parteilichen Funktionen, die bis zur Wende nicht zu einer realistischen Lageeinschätzung fähig waren, die selbst Honecker bis weit in den Dezember die Treue hielten, seine Bilder nicht aus ihren Dienstzimmern entfernten, lernten auch nach der Wende nichts. Bezeichnend ist, daß sie im Dezember 1989 bis März 1990 bei ihren verhängnisvollen Fehleinschätzungen blieben. Bei der Aufstellung der Strukturen für die geplanten Nachfolge-Organe des MfS und des AfNS, dem geplanten Verfassungsschutz und dem geplanten Auslandsnachrichtendienst, zeigten sie, daß sie nichts begriffen hatten und unfähig waren zu lernen. Für sie blieb die Bundesrepublik Deutschland eindeutig der Hauptfeind, obwohl seit der Wende klar ersichtlich war, daß nur mit politischem Wohlwollen und dem Geld aus Bonn die Regierung Modrow überhaupt eine kleine Chance hätte haben können. Unverändert bestand beispielsweise Generalmajor Lohse als neuer Chef der Hauptabteilung II darauf, den Schwerpunkt des Verfassungsschutzes auf die Bekämpfung der Nachrichtendienste und Sicherheitsorgane der Bundesrepublik zu richten. Er bildete dazu die größten Struktureinheiten und Personalressourcen und lehnte jeden weitsichtigen Vorschlag ab, auch im Bereich der Sicherheitspolitik einen Konsens zu suchen und zum Beispiel den internationalen Terrorismus, die internationale Bandenmafia und andere gemeinsame internationale Bedrohungen Hand in Hand mit den Diensten des Westens zu bekämpfen. Blind, taub und unfähig bereitete man sich im Glauben auf einen sicheren PDS-Sieg bei freien Wahlen darauf vor, als Verfassungsschutz und Auslandsnachrichtendienst die alten Feinde einschließlich der Bürgerrechtsbewegung in der DDR zu bearbeiten – und sich auch der PDS als »Schild und Schwert« anzubieten.

Selbst die Besetzung der MfS-Zentrale am 15. Januar 1990 durch die Bürgerkomitees führte nicht zu einer grundlegenden Meinungsänderung. Die Strukturen für Auslandsnachrichtendienst und »Verfassungsschutz« wurden nur offiziell auf Eis gelegt. Heimlich arbeitete man unter den Bürgerkomitees im gemeinsamen »Auflösungskomitee« weiter, ließ sich von den Bürgerkomitees nicht in die Karten schauen, geschweige denn nicht stören, brachte wichtige Ressourcen beim Volksarmee-Geheimdienst und beim KGB unter beziehungsweise konservierte sie. Sie fürchteten sich auch nicht vor einem Sieg der Opposition bei den ersten freien Wahlen. »Aufklärung und Abwehr« brauche jeder Staat, so glaubten sie. Im Wissen um Rolle und Treue, oder auch nur um Erpressbarkeit von Führern der Oppositionsparteien, die langjährig als IM des MfS fungierten, im Wissen um die Unterwanderung der Bürgerrechtsbewegungen und der Kirche sahen sie keine Gefahr für ihr Überleben, sahen sich als die eigentlichen Machtträger im Lande. Erst die eklatante Wahlniederlage der PDS, die Linie der neuen Regierung, Erfolge gegen Stasi-Strukturen und das Tempo der Vereinigung der beiden deutschen Staaten zerstörte ihre Pläne und Träume. Jetzt aber zeigten sie ihren wahren Charakter: Sie wollten um jeden Preis überleben, sie, die »Seilschaften«, boten ihre Dienste überall an, dem KGB ebenso wie den westlichen Nachrichtendiensten und Sicherheitsorganen, oft sogar beiden zugleich. Aber auch arabischen Diensten signalisierten sie den Willen zur Kooperation. Der Aufbau privater Nachrichtendienste wurden geprüft und zum Teil verwirklicht, Wirtschaftskreisen versuchte man, sich als Sicherheitsorgan und Nachrichtendienst anzudienen. Mancher Hardliner durchlebte dabei eine wundersame Wandlung und trat unter immer neuen Masken auf.

Charakteristisch sind Fälle, wo frühere Hardliner, die ihre dienstliche und parteiliche Funktion nutzten, um jeden Widerstand in ihren Kollektiven auszuräumen, die in den Auflösungskomitees eine unheilvolle Rolle beim Vernichten und Manipulieren von Akten spielten, die gemeinsam mit Seilschaften, aber auch mit dem KGB »Überläufer« weiter bearbeiteten und verfolgten, die sich dem KGB zur Zusammenarbeit gegen die Bundesrepublik anboten, sich jetzt plötzlich bei westlichen Diensten meldeten und ihre Arbeit gegen den KGB anboten. Sie entpuppten sich als Leute, die um den Preis des nackten Überlebens für jede Seite zu arbeiten und zu betrügen bereit sind. Bis zuletzt hüteten und pflegten sie ihr »wichtigstes Potential«, die wertvollsten Inoffiziellen Mitarbeiter und ihre wichtigsten Agenten im Ausland. Sie führten zum Beispiel den Doppelagenten im Bundesamt für Verfassungsschutz, Kuron, noch bis Ende August 1990 aktiv weiter, verfügten über Geld und Verbindungskanäle, vernichteten Akten und Spuren. Wie in alten Zeiten bereisten sie westliche Länder, trafen sich mit ihren Agenten, hatten sowohl für ihre eigenen Reisekosten erhebliche Valutamittel zur Verfügung als auch Mittel zur weiteren Entlohnung und Sicherstellung ihrer Agenten. Sie gründeten Firmen für das Überleben, für die Geldbeschaffung, für das Verbindungswesen und Transaktionen im Ausland. Sie gründeten im Inneren Wach- und Schließgesellschaften als Kernzellen der vorgesehenen privaten Geheimdienste. Unbarmherzig verfolgten sie all jene Mitarbeiter, die sich den Behörden in Ost und West im Sinne der Aufklärung der Hinterlassenschaften des früheren MfS zur Verfügung stellten, die damit ihre frühere Schuld im Sinne der Wiedergutmachung abzuarbeiten trachteten. Es ist in der Tat erstaunlich, wieviel Spielraum sich ihnen bis zu Vereinigung Deutschlands weiterhin bot. Sie agierten weitgehend ungehindert und hatten bis zuletzt jedenfalls ihr Heft des Handelns weitgehend im Griff. Sie besetzten Schlüsselstellungen erneut mit ihren Vertrauten. Sie schafften es, enge Vertraute im Innenministerium, im Zentralen Kriminalamt und anderen Schaltstellen wieder zu plazieren. Sie sind Seilschaften, die unsere Gesellschaft heute fürchten muß.

Diese Seilschaften sind abzuheben von den in der Regel verständlichen Interessensverbindungen von ehemaligen MfS-Mitarbeitern, die, gemeinsam in die Ecke gedrängt, heute nach Chancen und Wegen suchen, um beruflich und sozial zu bestehen, die aber mit ihrer früheren Tätigkeit nichts mehr im Sinn haben. Die wahren Seilschaften bedrohen auch jeden, der eine weitere Chance erhält, im Sicherheitsapparat als »Spezialist und unersetzlicher Fachmann« weiter tätig zu werden. Sie bedrängen und erpressen jeden, der nicht von sich aus mit seiner Vergangenheit bricht und diese offenlegt, der glaubt, ungeschoren über das Öffnen der Archive des MfS und im Vertrauen auf die Versprechungen auf vernichtete Akten über die Runden zu kommen. In bezug auf diese in der Tat gefährlichen Seilschaften besteht ein großer Aufklärungs- und Handlungsbedarf. Sie müssen – wie Weizen von der Spreu – von der Masse der ehemaligen Mitarbeiter des MfS getrennt werden. Sie dürfen keine Chance erhalten, auf dieses Potential zurückgreifen zu können, das aus falsch verstandenen Solidarisierungseffekten und anderen Sachzwängen, wie der sozialen und beruflichen Lage – entgegen seines wirklichen Willens –, doch anfällig werden könnte.

Die fünf MfS-Generale, die stellvertretend für die ehemalige Führungskader des MfS im April 1991 an die Öffentlichkeit traten, beweisen ihr ungebrochenes Selbstverständnis. Beweisen, daß sie skrupellos bereit sind, diese »Chance« zu nutzen. Nachdem die Bundesregierung in der richtigen Einschätzung, mit den Hauptschuldigen des Stasi-Systems konfrontiert zu sein, diese Offerte »Wissen gegen Anerkennung« ablehnte, erfolgte die verlogene Flucht in die Öffentlichkeit.

Der Mut (oder die Frechheit?) dazu spricht eine entlarvende Sprache. Die Generale sind sich keiner Schuld bewußt. Sie maßen sich an, im Namen ihrer früheren Unterstellten zu sprechen. Obwohl sie von diesen mit Schimpf und Schande Ende November 1989 aus dem Amt gejagt wurden. Oder wie Schwanitz im Dezember zum Rücktritt gezwungen. Die Masse der ehemaligen Mitarbeiter des MfS wußte und weiß, mit wem sie es zu tun hatten. Verstehen die jetzige Offerte als das, was ist. Als den Versuch, unter dem Vorwand der Vertretung von mehr als 105 000 früheren Mitarbeitern die eigene Haut zu retten.

Ein Versuch, der begünstigt wird durch die pauschale und undifferenzierte Kollektivverurteilung aller früheren Mitarbeiter, durch »außergerichtliche Abstrafung« auf dem Wege der sozialen und moralischen Ausgrenzung, der »Rentenbestrafung« und anderer ungeeigneter Maßnahmen.

Der notwendigen Aufarbeitung der gesamten Problematik muß mit der Klärung individueller Schuld entsprochen werden. Dazu gehören Ermittlungsverfahren gegen die MfS-Generalität, jene unheilvollen Fürsten des alten Systems. Die entlarvenderweise gerade jene zu ihren Sprechern machten, die mit ihrer Verantwortung für den »Terror gegen das eigene Volk« eindeutig diskreditiert und schuldig sind, wie Kratsch, Möller und Schwanitz. Die hinter ihren »ehrbaren« Aufgaben zur Spionageabwehr, zu Kaderarbeit unter anderem den »inneren Feind«, selbst die eigenen Mitarbeiter erbarmungslos bekämpften, diplomatische Vertretungen westlicher Struktur unter Bruch des Völkerrechtes bespitzelten und bedrängten, verantwortlich für Repressalien ge-

gen westliche Journalisten und auch übersiedlungswillige DDR-Bürger sind, »politische Sondervorgänge« ohne Rücksicht auf Gesetze mit Festnahmen realisieren, verantwortlich für Waffenhandel sind, abtrünnige Mitarbeiter noch heute als Verräter verfolgen.
Die engsten Vertrauten Mielkes als Partner von Bundesregierung und Öffentlichkeit? »Wehret den Anfängen, der Schoß ist noch fruchtbar aus dem das kroch.« Die Mahnung hat nichts an Aktualität eingebüßt.
Solange die Hauptverantwortlichen für Aufbau und Wirken der Krake Stasi nicht belangt werden, wird es für die früheren Mitarbeiter des MfS kaum Ruhe und Chancen geben. Die notwendige Aufarbeitung der Stasi-Altlasten muß und kann durch die früheren Mitarbeiter erfolgen, nicht durch die Hauptschuldigen und unverbesserlichen Sachwalter dieses Systems.

Schuld und Sühne – der Versuch einer persönlichen Anmerkung

Die öffentliche Meinungsäußerung eines ehemaligen Mitarbeiters des heute geächteten, früher allmächtigen MfS in einem »WELT-Buch« zur schonungslosen Anatomie dieses SED-Herrschaftsinstrumentes ist in der Tat ein in dieser Zeit außergewöhnlicher und zwangsläufig nicht unproblematischer Vorgang.
»Innenleben des MfS« – Rechtfertigung und Entschuldigung der MfS-Praktiken? Notwendiger Beitrag zum Verständnis der Gesamtproblematik MfS oder Nestbeschmutzung eines Abtrünnigen, eines Verräters.
Fragen und Meinungen unterschiedlichster Art, je nach persönlichem Erleben und Standpunkt betreffend »SED und Stasi-Staat«.
Wir, die ehemaligen Mitarbeiter des MfS, müssen es zweifellos lernen, mit all den heutigen Meinungen, Standpunkten und Entscheidungen zu leben, sie zu begreifen. Nicht primär die Enthüllungen und Storys in den Medien sind die Quelle der öffentlichen Ausgrenzung und Verurteilung, sondern unsere objektive

Rolle im Herrschaftssystem der SED-Führung und die Tatsachen der Allmacht, Größe und Methoden unserer Organsisation.

Nicht einzelne, in der Tat oftmals lebensfremde, selbst hysterisch-verzerrte Verlautbarungen und Beschuldigungen zum 40jährigen Wirken des MfS sollten Maßstab bei der inneren Auseinandersetzung mit der Schuldfrage sein, sondern die eigentlich viel schlimmere »Normalität« in Anspruch und Praxis des früheren MfS. Dieses für uns über Jahrzehnte so selbstverständlich »Normale« an unseren Arbeitsprozessen, Mitteln und Methoden muß Ansatzpunkt und Kriterium bei der Frage nach der persönlichen Schuld bilden.

- Flächendeckende Überwachung eines Volkes, ja, letztlich Arbeit gegen das eigene Volk;
- breite und bedenkenlose Anwendung operativer Mittel, wie IM-Einsatz, Postkontrolle, Telefon- und Wohnungsverwanzung, Beobachtungen, Paß- und Zollschikanen an den Grenzen, ungehemmte Informationssammlung usw.;
- Eingriffe in das Leben so vieler Menschen mit unserem »Wer ist Wer«-Anspruch, Existenzzerstörungen, Festnahmen usw., das sind erschreckende Faktoren genug, sind »die Banalität des Bösen«.

Nicht die Menschen, die sich heute über uns empören, verursachten die öffentliche Diskussion mit all ihren sozialen und moralischen Folgen für uns, sondern wir mit unserer früheren Verantwortung und Aufgabe.

Wir waren es, die die verhängnisvolle, lebensfremde Politik Honeckers und seines Politbüros auf Dauer ermöglicht, ja begünstigt haben. Wir haben die zwangsläufigen Defizitfolgen der verfehlten Gesellschaftspolitik, wie Unruhe, Empörung, Verweigerung und Widerstand unserer Menschen, mit den Mitteln des Sicherheitsapparates bekämpft.

Wir kannten – je höher in der Funktion, desto besser – die reale Lage im Land genau, erlebten täglich den Widerspruch zwischen offizieller Propaganda und grauer Wirklichkeit. Wir kannten auch die wahren Ursachen, kannten Blind- und Taubheit, Unvermögen, Schönfärberei und Betrug der SED-Führung.

Anstelle uns zu verweigern und zu protestieren, beruhigten wir uns damit, »daß wir informierten«; erkannten nicht, daß wir die »falschen Feinde« bearbeiteten. Nicht die engagierten, kritischen und offen gegen das Regime auftretenden Menschen waren unser Feind, sondern der Apparat mit seinen Herrschern, der gesellschaftliche und ökonomische Gesetze außer Kraft zu setzen suchte, täglich vergewaltigte.

Wir schützten die Verursacher der Probleme, die dieses Land von Jahr zu Jahr mehr ruinierten, vor Widerstand und Zorn und gaben ihnen das Gefühl von Ruhe und Sicherheit.

Dabei haben wir letztlich auch das Vertrauen all jener enttäuscht, die uns inoffiziell oder offiziell in der Hoffnung und dem Glauben unterstützten, daß in diesem vom SED-Politbüro gleichgeschalteten System der Vertuschung, Schönfärberei und Propaganda »wenigstens noch das MfS funktioniere«; es sind jene, die heute selbst vor den Trümmern ihrer Existenz als »Stasi-Spitzel« stehen. Obwohl wir wußten, wie wahr und zutreffend diese Informationen waren, welche Nöte und Probleme für unsere Menschen im real-existierenden Sozialismus bestanden, gaben wir uns damit zufrieden, »für den Papierkorb« zu arbeiten.

Kein leitender operativ Verantwortlicher kann behaupten, nicht gewußt zu haben, daß die Informationen des MfS von Honecker und den Seinen negiert wurden, daß sich nichts änderte. Es waren eben auch leitende MfS-Mitarbeiter, die kritische Brief der Bevölkerung an Partei- und Regierungsstellen in Berlin und den Bezirksstädten durch die Postkontrolle-M entfernen ließen und damit zur Lebensfremdheit der Führer beitrugen. Wir haben die Verfasser kritischer Losungen, Flugblätter und Aufrufe bearbeitet und inhaftiert. Wir zerrten protestierende Bürger aus Jubeldemonstrationen, damit die Obrigkeit unbehelligt blieb.

Wir alle waren es, die Mielkes verfehlte Sicherheitsdoktrin, nach der jeder ein potentieller Feind war und das MfS alles zu wissen und zu kontrollieren hatte, durch unsere persönliche Arbeitsleistung mit Leben erfüllten. Wir haben gemeinsam das Land flächendeckend mit unserem Netz überzogen, Informationen über jeden und alles gesammelt, uns in alles und jedes eingemischt. Was unsere Mittel und Methoden anbetraf, die uns als Ausnahmerechte zur Abwehr von »Feindangriffen« gegeben waren, so hatten viele von uns jedes Gefühl für Gesetzlichkeit und Verhältnismäßigkeit verloren. Postkontrollen – Telefonüberwachung – Beobachtung – Einbau operativer Abhörmittel – IM-Einsatz wurden mehr durch mangelnde Kapazitäten als unsere eigenen Hemmschwellen begrenzt. Selbst für Dienstanfänger war das Einleiten einer Briefkontrolle »normalste« Routine.

Wir haben um unsere »operativen Mittel und Methoden« gewußt, Richtlinien zur Arbeit mit IM, zur Bearbeitung von Personen, Lehrmaterial waren eindeutig. Und doch erschrecken erst heute viele von uns darüber – etwa beim Lesen der »Maßnahmen zur Zersetzung« in der RL 1/76.

Wir kannten unsere Allmacht, wußten, wie davon Gebrauch gemacht wurde. Beispielsweise bei der Verteufelung kritischer Menschen, die sich doch – wie wir bemerkten – mit genau den gleichen Problemen befaßten, die auch unser privates Leben bedrängten: Umweltschutz, Reisesperren, Versorgungsprobleme; als »politischen Untergrund und Feindtätigkeit« nahmen wir sie nicht nur per Lehrmaterial und Mielke-Weisungen zur Kenntnis, wir handelten auch gegen sie, unsre »eigentlichen Verbündeten« in einer DDR-Welt der blinden und tauben Schönfärberei und Problemverdrängung.

Schrieb die Richtlinie I/79 zur Arbeit mit den IM nicht gerade das vor, was »der politische Untergrund« forderte und tat, nämlich Aufdeckung und Beseitigung von Mißständen, Problemen, Schönfärberei, Bestrafung von dafür Verantwortlichen usw.

Trotz all dieser Tatsachen fällt es manchen von uns seit der Wende schwer, die innere Auseinandersetzung um die eigene Verantwortung zu führen, fühlen sich nicht wenige zu Unrecht in öffentliche Meinungsbilder gestellt. Ohne Einschränkung: Wir sind mitschuldig, als DDR-Bürger, als Mitglieder der SED, als Mitarbeiter des MfS. Mitschuldig dafür, daß dieses Land ruiniert wurde.

Unschuld ist mehr als der Anspruch, nicht strafrechtlich verantwortlich zu sein oder nur »Befehle ausgeführt zu haben«. Schuld ist vielfätiger, als viele es heute wahrhaben wollen.

Soweit Wahrheiten und Anforderungen, die von den ehemaligen Mitarbeitern des MfS akzeptiert und verarbeitet werden müssen.

Doch nicht nur die ehemaligen Mitarbeiter des MfS stehen heute vor der Aufgabe, mit unbequem-unangenehmen Seiten der »Stasi-Wahrheit« zu leben, die oft genug im Gegensatz zu eigenen Standpunkten und Erleben stehen.

Die volle Wahrheit über die »Stasi« zur Kenntnis nehmen zu wollen, heißt, auch differenzierter und gerechter an die Hinterlassenschaften des MfS – so eben auch seine ehemaligen Mitarbeiter – heranzugehen, als es in Öffentlichkeit, Medien und Politik gegenwärtig der Fall ist.

Sicher ist es bequemer, nur das zur Kenntnis nehmen zu wollen, was in die eigenen Urteile und Vorurteile hineinpaßt.

Es gab und gibt keine 105 000 »Stasi-Verbrecher«. Das »Funktionieren« der Herrschaft der SED-Führung über 40 Jahre allein aus dem Wirken der MfS-Mitarbeitern erklären zu wollen, wäre nicht nur simpel und falsch, sondern würde der notwendigen politisch-historischen Analyse dieser Machtmechnismen nicht gerecht.

Gerade diese Analyse ist aber notwendig, um Schlußfolgerungen für die Sicherung und Ausgestaltung der parlamentarisch-demokratischen Grundordnung zu ziehen, die Wiederholungen, unter welcher ideologischen Flagge auch immer, unmöglich machen. Zum Wesen der feudal-sozialistischen Diktatur der SED-Führung gehörte mehr als »die Stasi«.

Kann man zulassen, daß all die, die in ihren Funktionen und Verhaltensweisen im Partei- und Staatsapparat, in Ökonomie und Verwaltung, in Kultur und Wissenschaft, in Betrieben und Schulen, in Justiz und Polizei dazu beitrugen, daß dieses Regime 40 Jahre funktionieren konnte, sich hinter dem »Stasi-Syndrom« verstecken und aus ihrer Verantwortung hinwegstehlen?

Heute drängt sich schon das Gefühl auf, daß viele mit dem Thema Stasi ihre eigene Verantwortung, ja Schuld negieren wollen, einen Sündenbock zur Verdrängung suchen.

In der DDR gab es nicht 105 000 MfS-Mitarbeiter auf der einen und 17 Millionen »Widerstandskämpfer« gegen das SED-Regime auf der anderen Seite.

Es hieße Mut und Entschlossenheit der Eppelmanns, Bohleys, Poppes, Templins, Wollenbergers, Gaucks u. a., die soviel persönliches Leid auf sich nahmen in der Auseinandersetzung mit SED und MfS, nachträglich zu verunglimpfen, wollte man die frühere DDR-Bevölkerung als Heer von Verfolgten und Kämpfern ansehen. Selbst denen, die sich verweigerten, ihre Nischen suchten, würde das nicht gerecht.

Wer heute Bücher ehemaliger SED-Größen wie Schabowski oder Krenz oder veröffentlichte Dokumente über das SED-Politbüro liest, weiß, welche verhängnisvolle Rolle die millionenfache Bereitschaft der DDR-Bürger zur Teilnahme an Jubelfeiern und Demonstrationen für den Realitätsverlust eines Honeckers und seiner Getreuen spielte.

Dieses Herrschaftssystem der SED-Führung funktionierte doch nur, weil so viele Teilbereiche, weil Millionen kleine Rädchen im großen Getriebe »funktionierten«: wirtschaftsleitende Organe bis hin zu den einzelnen Betrieben, Räte in Städten und Gemeinden, die verhängnisvollen Medien, Kultur und Wissenschaft, Polizei und Justiz, und hinzu kam vor allem die Bereitschaft so vieler Menschen, sich in den sogenannten Massenorganisationen, in den Betrieben und Wohngebieten zu engagieren.

Das MfS war ein Teil dieses Machtmechanismus, ein wichtiger, zweifellos aber keinesfalls ein »Herkules«, der mit 105 000 Mitarbeitern überall allein die Interessen der SED-Führung durchsetzen konnte. Das MfS war keine »illegale Söldnertruppe«, sondern ein staatliches Organ auf gesetzlichen Grundlagen, wie alles andere auch, was die SED-Führung zur Herrschaftsausübung brauchte.

Nicht verantwortlich war das MfS für jenen gigantischen Apparat der Schönfärberei, der »Potemkinschen Dörfer«, der Fälscher und Lügner; diesen unheilvollen hauptamtlichen SED-Apparat, der die DDR mit seinen ZK, den Bezirks-, Kreis- und Stadtleitungen wie ein Spinnennetz überzog. Ein Apparat, der unter der Parole der »führenden Rolle der Partei« die Verantwortlichen staatlichen Stellen entmachtete, bevormundete und kontrollierte.

Dieser Apparat bestimmte in allen Lebensbereichen, egal, ob

er die dilletantisch-zerstörerische Ökonomie Mittags durchsetzte, Kritiker ausschaltete und mit gefälschten Statistiken ökonomischen Aufschwung vortäuschte. Oder Presse, Rundfunk
und Fernsehen zur »Hofberichterstattung«, Lüge und Desinformation zwang wie die berüchtigte Abteilung Agitation der SED.
Diesen wahren »Feind« der Menschen in der DDR durfte das
MfS bei Strafe seines Untergangs nicht anrühren, obwohl immer
mehr sichtbar wurde, daß dieser Apparat das Land ruinierte, unfähig oder unwillig war, eine den Hoffnungen der Menschen
entsprechende Politik zu machen.

Heute büßen die ehemaligen Mitarbeiter des MfS für ihre
falsch verstandene Treue und »Parteidisziplin« zur SED und
ihrem Apparat, verstehen aus heutiger Sicht selbst nicht mehr,
warum sie sich manipulieren und verführen ließen, warum sie
trotz realistischer Einsicht in die Probleme des Landes, in die
Schuld der SED-Führung bis zuletzt stillhielten, ja mitmachten.

Mitmachten und stillhielten aus jener seltsamen Mischung
von echten politischen Überzeugungen bezüglich der marxi-
stisch-leninistischen Ideologie, von Partei- und Dienstdisziplin,
von Feigheit, Angst und gebrochenen Rückgrat.

Von dieser Verantwortung und Schuld kann und will sich
heute die Masse der ehemaligen MfS-Mitarbeitern nicht frei-
sprechen.

Die öffentliche Meinung sollte sich allerdings heute fragen,
ob sie mit »der Stasi« – bei allem, was dazu gesagt, aufgeklärt
und sanktioniert werden muß – nicht »den Hund« statt »den
Herrn« prügelt. Die eigentlichen Verantwortlichen für dieses System, die Führer von SED in Zentrale, Bezirken und Kreisen stehen, bis auf wenige Ausnahmen, außerhalb der Diskussion.

Fast makaber, wenn selbst frühere Politbüromitglieder und 1.
Sekretäre von SED-Bezirksleitungen, wenn die Befehlsgeber,
Kontrolleure und Nutznießer der Stasi heute von nichts wissen,
sich als »Opfer der Stasi« verkaufen. Man stelle sich vor, nach
1945 wären in Nürnberg vom Internationalen Gerichtshof nur
die Mitarbeiter im Auslandsnachrichtendienst, der Abwehr, des
Sicherheitsdiensts und der Polizei verurteilt worden. Zur gleichen Zeit hätten sich die »Führer« Großdeutschlands ihrer Frei-

heit erfreut, Bücher veröffentlicht und sich von ihrem Machtapparat distanziert, statt in Nürnberg verurteilt zu werden.

Nichtsdestoweniger erwarten die ehemaligen MfS-Mitarbeiter keine »Danksagungen« für ihre frühere Arbeit, aber einen Anspruch auf Gerechtigkeit. Schuld ist immer individuell und an Gesetze gebunden. Es besteht kein Zweifel, daß Straftaten verfolgt werden müssen; nicht nur persönliche Übergriffe, nicht nur die Unterstützung des internationalen Terrorismus, sondern gerade auch der »Terror gegen das eigene Volk«.

Die Verantwortungen dafür liegen klarer auf dem Tisch, als es den Anschein hat.

In dem Maße, wie die Schuld Verantwortlicher geklärt ist, muß der Masse der ehemaligen MfS-Mitarbeiter und ihren Familien die Chance zur sozialen und moralischen Integration zuteil werden. Pauschale Vorverurteilungen, kollektive Schuldzuweisungen und Ausgrenzung nützt niemandem außer den wahren Schuldigen.

Dazu gehört aber auch, daß es die Mitarbeiter des ehemaligen MfS nicht länger der früheren Leitung des MfS überlassen, sich in undurchsichtigen Pokerspielen als Interessenvertreter aufzuspielen und notwendige Aufklärung der »MfS-Altlasten« hinauszuzögern beziehungsweise zu hintertreiben. Die Dialektik ist so, daß ohne uns – die 105 000 ehemaligen Mitarbeiter – die folgenschwere Herrschaft des Honecker-Politbüros nicht so lange funktioniert hätte, daß durch unsere Arbeit Menschen zu Schaden gekommen sind. Jetzt ohne uns, ohne breite und ehrliche Mitarbeit, insbesondere zur Rehabilitierung von Opfern und Betroffenen zur Abwendung von Folgegefahren für die innere Sicherheit, sich die Auswirkungen und Probleme verlängern und vertiefen, keine Ruhe in die Gesellschaft hineinkommen kann.

Wer bisher nicht schuldig wurde, der kann es jetzt durch Abwarten, Verschweigen und Vertuschen, durch fehlende Bereitschaft zur Aufklärung oder gar durch die Beteiligung an Manipulationen werden.

Das neue Haus Deutschland ist auch das Haus, in dem die ehemaligen Mitarbeiter des MfS leben müssen und wollen.

Das aber verpflichtet jeden Ehrlichen unter uns auch zur Abwendung von Gefahren und Altlastfolgen aus unserer früheren Tätigkeit. Auch wenn die unerläßliche Aufklärung und Beurteilung der Rolle des MfS im Herrschaftssystem der SED-Führung zwar primär Aufgabe von Politik, Justiz, Ermittlungsbehörden und Öffentlichkeit ist, geht es auch für die ehemaligen MfS-Mitarbeiter um Vergangenheitsbewältigung und Wiedergutmachung.

Es ist unsere Pflicht, angesichts dessen, was 40 Jahre SED und besonders Honeckers Politbüro hinterlassen haben, einen überzeugenden Beitrag zur objektiven Wahrheitsfindung, eben auch gerade zur Rehabilitierung der Opfer jeder Art zu leisten.

Das ist kein »Verrat«. Im Gegenteil.

»Verrat« ist das Weitermachen, Schweigen, Inkaufnehmen oder Herbeiführen neuer Gefahren.

Die »Verräter« sind jene, die uns manipuliert, belogen und betrogen, uns oft selbst wie Feinde behandelt haben, die diesen »Moloch Stasi« ab Mitte der 70er Jahre als Mittäter Mielkes zu dem gemacht haben, was er war und heute in der öffentlichen Meinung ist.

Diese »Verräter« von der Masse der ehemaligen MfS-Mitarbeiter zu isolieren, sie aus der Anonymität der gemeinsam in die Ecke Gedrängten herauszulösen und ihren erneuten Führungs- und Vertretungsanspruch zu verhindern, ist eine Herausforderung und Aufgabe.

Verzeichnis der wichtigsten Abkürzungen

ADR	(Abteilung für) Auslandsdienstreisen
AfNS	Amt für Nationale Sicherheit
AG	Arbeitsgruppe
AGA	Arbeitsgruppe für Ausländer
AGL	Arbeitsgruppe der Leiter
AGM	Arbeitsgruppe des Ministers
AI	Auswertungsinformation
AKG	Anleitungskontrollgruppe
APD	Außerparlamentarische Opposition
AÖV	Abteilung öffentliche Verbindung
BCD	Bewaffnung Chemische Dienste
BdL	Büro der Leitung
BfV	Bundesamt für Verfassungsschutz
BKK	Bereich Kommerzielle Koordinierung (auch KoKo)
BV	Bezirksverwaltung
DA	Deckadresse
DA	Demokratischer Aufbruch
DKP	Deutsche Kommunistische Partei
DSF	Deutsch Sowjetische Freundschaft
DSU	Deutsche Soziale Union
DT	Decktelefon
DVP	Deutsche Volkspolizei (auch Vopo genannt)
EKD	Evangelische Kirche in Deutschland
FDGB	Freier Deutscher Gewerkschaftsbund
GM	Gesellschaftlicher Mitarbeiter
GRU	= der militärische Geheimdienst der sowjetischen Roten Armee
GSG 9	Grenzschutzgruppe 9: Spezialeinheit des Bundesgrenzschutzes
HA	Hauptabteilung
HPF	Hauptabteilung Paß und Fahndung
HVA	Hauptverwaltung Aufklärung
IHZ	Internationales Handelszentrum

IM	Informeller Mitarbeiter
IWG	Insitut für Wissenschaftlichen Gerätebau
JHS	Juristische Hochschule
KD	Kreisdienststelle
KGB	= Komitee für Staatssicherheit (Sowjetischer Geheimdienst)
KoKo	Kommerzielle Koordinierung
KSZE	Konferenz über Sicherheit und Zusammenarbeit in Europa
KuSch	Kader und Schulung
KW	Konspirative Wohnung
LfV	Landesamt für Verfassungsschutz
LPG	Landwirtschaftliche Produktionsgemeinschaft
M	= Abteilung M des MfS für Paßkontrolle
MAD	Militärischer Abschirmdienst
MdI	Ministerium des Inneren
MfS	Ministerium für Staatssicherheit
NKWD	= Name des sowjetischen Volkskommisariats des Inneren; Bezeichnung für die diesem Ministerium unterstellte politische Geheimpolizei (1931–1944)
NSW	nichtsozialistisches Währungsgebiet
NVA	Nationale Volksarmee
OibE	Offizier im besonderen Einsatz
OPD	Operativdienststelle
OPK	Operative Personenkontrolle
OT	(Bereich) Objekte und Tourismus
OTS	Operativ-technischer Sektor
ÖV	(Bereich) Öffentliche Verbindung
OV	Operativvorgang
PDS	Partei des Demokratischen Sozialismus; Nachfolgerin der SED
PKZ	Personenkennzahl
PLO	Palestine Liberation Organization (palästinensische Befreiungsbewegung)
PS	Personenschutz
RAF	Rote-Armee-Fraktion

RD	Rückwärtige Dienste
RGW	Rat für gegenseitige Wirtschaftshilfe
SED	Sozialistische Einheitspartei Deutschlands
SEW	Sozialistische Einheitspartei West-Berlins
SHB	Spezialhochbau-Betrieb
S-Kompanien	Sicherungskompanien
SWT	Sektor Wissenschaft und Technik
VEB	Volkseigener Betrieb
ZA	Zollabwehr
ZAG	Zentrale Arbeitsgruppe Geheimschutz
ZAIG	Zentrale Arbeitsgruppe Auswertung und Information
ZFG	Zentrale Fahndungsgruppe
ZK	Zentralkomitee
ZKG	Zentrale Koordinierungsgruppe
ZMD	Zentraler Medizinischer Dienst
ZOS	Zentraler Operativstab

Bildnachweis

Paul Glaser, Berlin (S. 68); Ullstein Bilderdienst, Berlin (S. 145, 162 r.); dpa (S. 153, 226, 237, 240, 320, 337, 340 o., 353); dpa/ADN (S. 163 l., 227); AP (S. 162 l., 163 r.); WELT-Archiv (S. 272, 294, 364/5); Klaus Mehner, Berlin (S. 273); Poly-Press, Bonn (S. 300); Reuter (S. 302, 306 u., 316); Foto Brinkmann (S. 306); WEREK, Bonn (S. 336); vario-press, Bonn (S. 340 u.); Faltorganigramm: Sven Simon, Bonn (Honecker); Eduard Fiegel, St. Augustin (Axen); WEREK, Bonn (Mielke, Wolf); Ullstein Bilderdienst, Berlin (Mittag, Tisch, Krenz, Mückenberger)

Ludwig A. Rehlinger

Freikauf

Die Geschäfte der DDR mit politisch Verfolgten
1963–1989

256 Seiten, gebunden

Wenn Ludwig A. Rehlinger, seinerzeit Staatssekretär im
Innerdeutschen Ministerium, mit DDR-Rechtsanwalt Vogel
zusammentraf, ging es um Schicksale und Geld. In den
Jahren 1963 bis 1989 wurden 33 756 politisch Verfolgte aus
der DDR freigekauft – für 3,5 Milliarden Mark. Jetzt, wo
dieses denkwürdige Kapitel deutscher Nachkriegsgeschichte
abgeschlossen ist, berichtet der Hauptakteur auf westlicher
Seite über die Hintergründe dieses dunklen, einzigartigen
»Geschäfts«. Und über die bewegenden Schicksale all jener,
die auf diesem Weg in die Freiheit gelangten.

Ullstein

DIE WELT war dabei

Das Jahr der deutschen Einheit

332 Seiten, mit zahlreichen Fotos,
zum Teil in Farbe, gebunden

Dieser Band versammelt die achtzig wichtigsten Reportagen,
mit denen die Tageszeitung DIE WELT den stürmischen Weg
zur deutschen Einheit beschrieb. Hier wird ein dramatisches
Kapitel deutscher Politik geschildert – nicht mit der kühlen
Distanz des Zeithistorikers, sondern in der lebendigen
Sprache der Journalisten.

Ullstein